A Mente Moralista

TAMBÉM DE JONATHAN HAIDT

The Happiness Hypothesis: Finding modern truth in ancient wisdom

A MENTE MORALISTA

Por que pessoas
boas são segregadas
por política e religião

Jonathan Haidt

ALTA CULT
EDITORA

Rio de Janeiro, 2020

A Mente Moralista
Copyright © 2020 da Starlin Alta Editora e Consultoria Eireli. ISBN: 978-85-508-1390-5

Translated from original The Righteous Mind. Copyright © 2012 by Jonathan Haidt. ISBN 978-0-307-37790-6. This translation is published and sold by permission of Pantheon Books, a division of Random House, Inc., the owner of all rights to publish and sell the same. PORTUGUESE language edition published by Starlin Alta Editora e Consultoria Eireli, Copyright © 2020 by Starlin Alta Editora e Consultoria Eireli.

Todos os direitos estão reservados e protegidos por Lei. Nenhuma parte deste livro, sem autorização prévia por escrito da editora, poderá ser reproduzida ou transmitida. A violação dos Direitos Autorais é crime estabelecido na Lei nº 9.610/98 e com punição de acordo com o artigo 184 do Código Penal.

A editora não se responsabiliza pelo conteúdo da obra, formulada exclusivamente pelo(s) autor(es).

Marcas Registradas: Todos os termos mencionados e reconhecidos como Marca Registrada e/ou Comercial são de responsabilidade de seus proprietários. A editora informa não estar associada a nenhum produto e/ou fornecedor apresentado no livro.

Impresso no Brasil — 1ª Edição, 2020 — Edição revisada conforme o Acordo Ortográfico da Língua Portuguesa de 2009.

Produção Editorial Editora Alta Books	**Produtor Editorial** Illysabelle Trajano Juliana de Oliveira	**Marketing Editorial** Lívia Carvalho marketing@altabooks.com.br	**Editores de Aquisição** José Rugeri j.rugeri@altabooks.com.br
Gerência Editorial Anderson Vieira	Thiê Alves	**Coordenação de Eventos** Viviane Paiva	
Gerência Comercial Daniele Fonseca	**Assistente Editorial** Maria de Lourdes Borges	eventos@altabooks.com.br	
Equipe Editorial Ian Verçosa Raquel Porto Rodrigo Dutra Thales Silva	**Equipe Design** Larissa Lima Paulo Gomes		
Tradução Wendy Campos	**Revisão Gramatical** Hellen Suzuki Thais Pol	**Diagramação** Joyce Matos	**Capa** Thauan Gomes
Copidesque Samantha Batista			

Publique seu livro com a Alta Books. Para mais informações envie um e-mail para **autoria@altabooks.com.br**

Obra disponível para venda corporativa e/ou personalizada. Para mais informações, fale com **projetos@altabooks.com.br**

Erratas e arquivos de apoio: No site da editora relatamos, com a devida correção, qualquer erro encontrado em nossos livros, bem como disponibilizamos arquivos de apoio se aplicáveis à obra em questão.

Acesse o site **www.altabooks.com.br** e procure pelo título do livro desejado para ter acesso às erratas, aos arquivos de apoio e/ou a outros conteúdos aplicáveis à obra.

Suporte Técnico: A obra é comercializada na forma em que está, sem direito a suporte técnico ou orientação pessoal/exclusiva ao leitor.

A editora não se responsabiliza pela manutenção, atualização e idioma dos sites referidos pelos autores nesta obra.

Ouvidoria: ouvidoria@altabooks.com.br

Dados Internacionais de Catalogação na Publicação (CIP) de acordo com ISBD

H149m   Haidt, Jonathan
           A Mente Moralista: por que pessoas boas são segregadas por política e religião / Jonathan Haidt ; traduzido por Wendy Campos. - Rio de Janeiro : Alta Books, 2020.
           448 p. : il. ; 14cm x 21cm.

           Tradução de: The Righteous Mind.
           ISBN: 978-85-508-1390-5

           1. Psicologia. 2. Mente. 3. Moral. 4. Política. 5. Religião. I. Campos, Wendy. II. Título.

2020-726   CDD 150
                                                            CDU 159.9

Elaborado por Vagner Rodolfo da Silva - CRB-8/9410

Rua Viúva Cláudio, 291 — Bairro Industrial do Jacaré
CEP: 20.970-031 — Rio de Janeiro (RJ)
Tels.: (21) 3278-8069 / 3278-8419
www.altabooks.com.br — altabooks@altabooks.com.br
www.facebook.com/altabooks — www.instagram.com/altabooks

Em memória de meu pai,
Harold Haidt

"Procurei escrupulosamente não rir, não chorar, nem detestar as ações humanas, mas entendê-las."

— Baruch Spinoza, *Tratado Político*, 1676

Agradecimentos

Aprendi com minha ex-aluna de pós-graduação Sara Algoe que não expressamos gratidão para pagar dívidas ou saldos contábeis, mas para fortalecer relacionamentos. Além disso, sentimentos de gratidão nos fazem querer elogiar a outra pessoa publicamente, para lhe trazer honra. Há tantos relacionamentos que quero fortalecer, tantas pessoas que quero honrar por sua ajuda na criação deste livro.

Primeiro, agradeço aos cinco conselheiros que me ensinaram a pensar em moralidade. John Martin Fischer e Jonathan Baron me atraíram para a área com seu entusiasmo e apoio. Paul Rozin me levou a estudar a repulsa, os alimentos e a psicologia da pureza, e me mostrou o quão divertido é ser um psicólogo geral. Alan Fiske me ensinou a olhar simultaneamente para a cultura, a cognição e a evolução e me mostrou como pensar como um cientista social. Richard Shweder me ensinou a ver que toda cultura têm habilidade em alguns aspectos do potencial humano e não em outros; ele abriu minha mente e me fez pluralista, mas não relativista. A teoria dos alicerces morais se apoia fortemente na teoria de suas "três éticas", bem como na teoria dos modelos relacionais de Fiske.

Agradeço à minha turma, à equipe do YourMorals.org: Pete Ditto, Jesse Graham, Ravi Iyer, Sena Koleva, Matt Motyl e Sean Wojcik. Juntos, nos tornamos 90% abelha e 10% chimpanzé. Foi uma colaboração alegre que nos levou muito além de nossas esperanças iniciais. Agradeço também à família estendida do YourMorals: Craig Joseph, que desenvolveu a teoria dos alicerces morais comigo; Brian Nosek, que iniciou nossa pesquisa, nos deu rigor estatístico e compartilha ideias e conhecimentos conosco a cada momento; e Gary Sherman, o "encantador de dados", que consegue encontrar as relações mais surpreendentes em nosso conjunto de dados, que agora é tão grande que quase adquiriu consciência.

Tenho a sorte de ter encontrado uma casa na Universidade da Virgínia em um dos departamentos de psicologia mais amistosos dos Estados Unidos. Tenho uma rede extraordinária de colaboradores, incluindo Jerry Clore, Jim Coan, Ben Converse, Judy DeLoache, Jamie Morris, Brian Nosek, Shige Oishi, Bobbie Spellman, Sophie Trawalter e Tim Wilson. Também tive a sorte de trabalhar com muitos excelentes estudantes de pós-graduação que me ajudaram a desenvolver essas ideias e que discutiram e debateram todos os capítulos comigo: Sara Algoe, Becca Frazier, Jesse Graham, Carlee Hawkins, Selin Kesebir, Jesse Kluver, Calvin Lai, Nicole Lindner, Matt Motyl, Patrick Seder, Gary Sherman e Thomas Talhelm. Agradeço aos estudantes de graduação Scott Murphy, Chris Oveis e Jen Silvers por suas contribuições ao meu pensamento.

Agradeço aos meus colegas da Stern School of Business da Universidade de Nova York — Dean Peter Henry, Ingo Walter e Bruce Buchanan — por me receberem em julho de 2011 como professor visitante. Stern me deu tempo para terminar o livro e me cercou de ótimos colegas, com quem agora estou aprendendo sobre ética nos negócios (no que pretendo aplicar a psicologia moral a seguir).

Muitos amigos e colegas me fizeram comentários detalhados sobre todo o manuscrito. Além da equipe YourMorals, agradeço a Paul Bloom, Ted Cadsby, Michael Dowd, Wayne Eastman, Everett Frank, Christian Galgano, Frieda Haidt, Sterling Haidt, James Hutchinson, Craig Joseph, Suzanne King, Sarah Carlson Menon, Jayne Riew, Arthur Schwartz, Barry Schwartz, Eric Schwitzgebel, Mark Shulman, Walter Sinnott-Armstrong, Ed Sketch, Bobbie Spellman e Andy Thomson. Stephen Clarke organizou um grupo de leitura de filósofos em Oxford que oferecia críticas construtivas de cada capítulo; entre eles Katrien Devolder, Tom Douglas, Michelle Hutchinson, Guy Kahane, Neil Levy, Francesca Minerva, Trung Nguyen, Pedro Perez, Russell Powell, Julian Savulescu, Paul Troop, Michael Webb e Graham Wood. Quero, em especial, reconhecer três leitores conservadores que me escreveram anos atrás com críticas mistas de meu trabalho: Bo Ledbetter, Stephen Messenger e William Modahl. Desde então, desenvolvemos amizades por e-mail que atestam o valor da

Agradecimentos

interação civil além das divisões morais. Eu me beneficiei imensamente de sua generosidade com conselhos, críticas e sugestões de leituras sobre conservadorismo.

Muitos amigos e colegas me deram conselhos em um ou vários capítulos. Agradeço a todos: Gerard Alexander, Scott Atran, Simon Baron-Cohen, Paul Bloomfield, Chris Boehm, Rob Boyd, Arthur Brooks, Teddy Downey, Dan Fessler, Mike Gazzaniga, Sarah Estes Graham, Josh Greene, Rebecca Haidt, Henry Haslam, Robert Hogan, Tony Hsieh, Darrell Icenogle, Brad Jones, Rob Kaiser, Doug Kenrick, Judd King, Rob Kurzban, Brian Lowe, Jonathan Moreno, Lesley Newson, Richard Nisbett, Ara Norenzayan, Steve Pinker, David Pizarro, Robert Posacki, N. Sriram, Don Reed, Pete Richerton, Robert Sapolsky, Azim Shariff, Mark Shepp, Richard Shweder, Richard Sosis, Phil Tetlock, Richard Thaler, Mike Tomasello, Steve Vaisey, Nicholas Wade, Will Wilkinson, David Sloan Wilson, Dave Winsborough, Keith Winsten e Paul Zak.

Muitos outros contribuíram de várias maneiras: Rolf Degen encontrou dezenas de leituras relevantes; Bo Ledbetter fez uma pesquisa para mim em questões de políticas públicas; Thomas Talhem melhorou meus escritos nos primeiros capítulos; Surojit Sen e seu pai, o falecido Sukumar Sen de Orissa, na Índia, foram meus anfitriões e professores generosos em Bhubaneswar.

Sou particularmente grato à equipe de profissionais que transformou minha ideia original no livro que você está segurando agora. Meu agente, John Brockman, fez muito para criar um público para divulgação científica e abriu muitas oportunidades para mim. Meu editor no Pantheon, Dan Frank, empregou sua grande sabedoria e seu leve toque para deixar este livro mais focado e muito mais curto. Jill Verrillo, no Pantheon, facilitou muito os últimos meses de preparação dos manuscritos. Stefan Sagmeister projetou a sobrecapa, que serve tão eficazmente como uma declaração de abertura do livro. Quem não quer fechar essa fenda?

Finalmente, fui abençoado e apoiado por minha família. Minha esposa, Jayne Riew, cuidou de nossa família em crescimento enquanto eu trabalhava até tarde nos últimos três anos. Ela também revisa e aprimora tudo o que escrevo. Meus pais, Harold e Elaine Haidt, induziram a mim e minhas irmãs, Rebecca e Samantha, à matriz moral judaico-americana de trabalho árduo, amor ao aprendizado e prazer no debate. Meu pai faleceu em março de 2010, aos 83 anos de idade, tendo feito todo o possível para ajudar seus filhos a terem sucesso.

Sumário

	Introdução	*xv*
PARTE I	Primeiro as Intuições, Depois o Raciocínio Estratégico	1
	1 De Onde Vem a Moralidade?	3
	2 O Cachorro Intuitivo e Sua Cauda Racional	29
	3 Os Elefantes Mandam	55
	4 Vote em Mim (Eis o Motivo)	77
PARTE II	A Moralidade Envolve Mais do que Dano e Justiça	99
	5 Além da Moralidade WEIRD	101
	6 Os Botões Gustativos da Mente Moralista	119
	7 Os Alicerces Morais da Política	137
	8 A Vantagem Conservadora	167
PARTE III	A Moralidade Agrega e Cega	201
	9 Por que Tendemos a Formar Grupos?	203
	10 O Interruptor da Colmeia	237
	11 Religião É um Esporte Coletivo	263
	12 Não Podemos Discordar de Maneira Mais Construtiva?	293
	Conclusão	*337*
	Notas	*341*
	Referências	*393*
	Índice	*421*

Introdução

"Não podemos todos nos dar bem?" Esse apelo se tornou famoso em 1º de maio de 1992, por Rodney King, um homem negro que fora espancado quase até a morte por quatro policiais de Los Angeles um ano antes. A nação inteira assistira a um vídeo do espancamento, então, quando o júri não condenou os policiais, a absolvição desencadeou uma revolta generalizada e seis dias de distúrbios em Los Angeles. Cinquenta e três pessoas morreram e mais de 7 mil prédios foram incendiados. Grande parte da violência foi transmitida ao vivo; câmeras dos noticiários acompanharam a ação de helicópteros que sobrevoavam o local. Depois de um episódio de violência especialmente horrendo contra um motorista branco de caminhão, King se comoveu e fez seu apelo de paz.

O apelo de King foi tão banalizado que se transformou em um clichê cultural piegas, uma expressão popular[1] mais usada para provocar risadas do que como um apelo sério pelo entendimento mútuo. Por essa razão, hesitei em usar as palavras de King como abertura deste livro, mas decidi mantê-la por duas razões. A primeira é porque a maioria dos norte-americanos hoje em dia repete a pergunta de King — não para questionar as relações raciais, mas as relações políticas e o colapso da cooperação entre diferentes inclinações políticas. Muitos norte-americanos sentem como se o que assistissem no noticiário noturno de Washington fosse transmitido diretamente de helicópteros sobrevoando a cidade, reportando ao vivo do fronte de batalha.

A segunda razão de eu ter decidido abrir este livro com uma frase tão batida é porque as palavras seguintes de King são encantadoras, mas raramente mencionadas. Em sua entrevista para a TV, com a fala hesitante, lutando contra as lágrimas e frequentemente se repetindo, ele disse: "Por favor, nós podemos nos dar bem. Todos nós podemos nos entender. Somos obrigados a conviver aqui por um tempo. Vamos tentar encontrar um jeito."

Este livro trata de por que é tão difícil nos entendermos. Somos mesmo obrigados a conviver por um tempo, então vamos pelo menos fazer o que estiver a nosso alcance para entender por que nos segregamos com tanta facilidade em grupos rivais, cada um com plena certeza da própria moralidade.

As pessoas que devotam suas vidas a estudar algo frequentemente passam a acreditar que o objeto de seu fascínio é a chave para compreender tudo. Diversos livros foram publicados nos últimos anos sobre o papel transformador na história humana desempenhado pelo cozimento de alimentos, o cuidado materno, a guerra... até mesmo o sal. Este livro é um deles. Estudo psicologia moral e defenderei a tese de que a moralidade é a extraordinária capacidade humana que tornou a civilização possível. Não estou sugerindo que as técnicas de cozimento, o cuidado materno, a guerra e o sal também não tenham sido necessários, mas neste livro eu o levarei a uma jornada pela natureza e história humanas sob o ponto de vista da psicologia moral.

Ao final da jornada, espero ter conseguido proporcionar uma nova maneira de pensar sobre dois dos temas mais importantes, perturbadores e desagregadores da vida humana: política e religião. Os livros de etiqueta nos dizem para não discutir esses assuntos em ambientes formais, mas eu os convido a contrariar esse conselho. Política e religião são expressões de nossa psicologia moral subjacente, e a compreensão dessa psicologia pode ajudar as pessoas a se unirem mais. Meu objetivo nesta obra é abrandar um pouco do fervor, da raiva e da discórdia desses temas e substituí-los por admiração, encantamento e curiosidade. Somos sortudos por termos desenvolvido essa complexa psicologia moral, que permitiu que nossa espécie abandonasse as florestas e savanas e mergulhasse em todos os prazeres, confortos e extraordinária tranquilidade das sociedades modernas em apenas alguns milhares de anos.[2] Minha esperança é que este livro torne as conversas sobre temas como moralidade, política e religião mais comuns, civilizadas e divertidas, mesmo em um grupo diversificado. Minha esperança é que ele nos ajude a nos entendermos.

NASCIDOS PARA A MORALIDADE

Esta obra poderia se chamar *The Moral Mind* [A Mente Moral] para transmitir a noção de que a mente humana é projetada para "praticar" a moralidade, assim como é configurada para a linguagem, sexualidade, música e muitas outras coisas descritas em livros populares que relatam as últimas descobertas científicas. Mas escolhi o título *The Righteous Mind* [A Mente Moralista] para transmitir a ideia de que a natureza humana não apenas intrinsecamente moral; ela é intrinsecamente moralista, crítica e propensa ao julgamento.

A palavra *righteous* se origina das palavras *rettviss*, da língua nórdica antiga, e *rihtwis,* do inglês antigo, e ambas significam "justo, correto, virtuoso".[3] Esse significado foi trazido para as palavras *righteous* [justo, moralmente correto] e *righteousness* [virtude, honestidade, moralismo], no inglês moderno, embora hoje em dia essas expressões tenham forte conotação religiosa pois são normalmente usadas como tradução do hebraico *tzedek. Tzedek* é uma palavra comum na Bíblia Hebraica, normalmente usada para descrever quem age de acordo com os desejos de Deus, mas também é um atributo de Deus e do julgamento que Ele faz das pessoas (que normalmente é severo, mas sempre encarado como justo).

A conexão entre *righteousness* e *judgmentalism* [propensão ao julgamento] é capturada em algumas definições modernas de *righteous*, como, por exemplo, "surgido de um senso de justiça exacerbado, moralidade ou justiça".[4] Essa ligação também aparece em termos como *self-righteous*, que significa "senso de superioridade moral, especialmente em comparação com as ações e crenças dos outros; rigorosamente moralista e intolerante".[5] Pretendo demonstrar que uma obsessão pela moralidade (que leva inevitavelmente a um senso de superioridade moral) é a condição humana normal. Ela é um aspecto de nosso projeto evolutivo, não um vírus ou falha que se instala em nossas mentes, que em sua ausência seriam objetivas e racionais.[6]

Nossa mente moralista possibilitou que os seres humanos — mas não os outros animais — criassem grandes grupos cooperativos, tribos e nações sem o fato unificador da consanguinidade. Mas, ao mesmo tempo, nossas mentes moralistas garantiram que nossos grupos cooperativos sejam para sempre amaldiçoados pelo conflito moral. Certo grau de conflito entre grupos pode até ser necessário para a saúde e o desenvolvimento de uma sociedade. Quando eu era adolescente, desejava um mundo de paz, mas hoje anseio por um mundo em que as ideologias conflitantes se mantenham em equilíbrio, os sistemas de responsabilização nos impeçam de sair impunes e menos pessoas acreditem que propósitos morais justificam meios violentos. Não é um desejo muito romântico, mas é um que podemos de fato realizar.

O QUE VEM PELA FRENTE

Este livro contém três partes, que podem ser consideradas como três livros distintos — no entanto, cada um depende do anterior. Cada parte apresenta um importante princípio da psicologia moral.

A Parte I trata do primeiro princípio: *Primeiro as intuições, depois o raciocínio estratégico.*[7] As intuições morais surgem de forma automática e quase instantânea, muito antes que o raciocínio moral tenha a chance de começar, e essas primeiras intuições tendem a guiar o raciocínio posterior. Se acha que o raciocínio moral é algo que fazemos para descobrir a verdade, acabará constantemente decepcionado com o quão tolas, tendenciosas e ilógicas as pessoas se tornam quando discordam de você. Mas, se pensar no raciocínio moral como uma habilidade que nós humanos desenvolvemos para facilitar nossos interesses sociais — para justificar nossas próprias ações e defender os grupos a que pertencemos —, então as coisas farão muito mais sentido. Fique atento às intuições e não aceite os argumentos morais das pessoas sem questionar. Eles são, na maioria, construções *a posteriori* criadas às pressas, elaboradas para favorecer um ou mais objetivos estratégicos.

A metáfora central desses quatro capítulos é que *a mente é dividida, como um ginete montado em um elefante, e o trabalho do ginete é servir ao elefante*. O ginete é nosso raciocínio consciente — o fluxo de palavras e imagens das quais estamos plenamente conscientes. O elefante são os outros 99% dos processos mentais — os que ocorrem inconscientemente, mas que na verdade controlam grande parte de nosso comportamento.[8] Desenvolvi essa metáfora em meu livro anterior, *The Happiness Hypothesis* ["A Hipótese da Felicidade", em tradução livre], em que eu descrevo como o ginete e o elefante trabalham juntos, às vezes de forma deficiente, conforme cambaleamos pela vida em busca de significado e conexão. Neste livro utilizarei a metáfora para resolver enigmas como: por que parece que todo mundo (menos você) é hipócrita[9] e por que partidários políticos são tão propensos a acreditar em mentiras absurdas e teorias da conspiração. Também usarei a metáfora para demonstrar como você pode persuadir melhor as pessoas que parecem indiferentes diante da razão.

A Parte II trata do segundo princípio da psicologia moral: *a moralidade envolve mais do que dano e justiça*. A metáfora central desses quatro capítulos é que *a mente moralista é como uma língua com seis receptores de sabor*. As moralidades ocidentais seculares são como diferentes culinárias que tentam ativar apenas um ou dois desses receptores — sejam preocupações sobre causar dano e sofrimento ou sobre justiça e injustiça. Mas as pessoas têm muitas outras intuições morais poderosas, tais como as relativas à liberdade, lealdade, autoridade e santidade. Explicarei de onde vêm esses seis receptores de sabor, como eles constituem a base das diversas culinárias morais do mundo, e por que políticos de direita têm uma vantagem embutida quando se trata de cozinhar pratos de que os eleitores gostam.

A Parte III trata do terceiro princípio: *A moralidade agrega e cega*. A metáfora central desses quatro capítulos é que *os seres humanos são 90% chimpanzés e 10% abelhas*. A natureza humana foi gerada pela seleção natural operando simultaneamente em dois níveis. Indivíduos competem com outros indivíduos dentro de cada grupo, e somos descendentes dos primatas que venceram essa competição. Isso nos mostra o lado sombrio de nossa natureza — o lado que normalmente é mostrado em livros sobre nossas origens evolutivas. Somos de fato hipócritas egoístas tão habilidosos em encenar a virtude que enganamos a nós mesmos.

Mas a natureza humana também foi moldada pela competição entre grupos. Como declarou Darwin há muitos anos, os grupos mais coesos e cooperativos geralmente derrotam os grupos egoístas e individualistas. As ideias de Darwin sobre a seleção de grupos perderam força na década de 1960, mas recentes descobertas reacenderam suas teorias, e as implicações são profundas. Nem sempre somos hipócritas egoístas. Também temos a capacidade, sob circunstâncias especiais, de bloquear nossos eus mesquinhos e nos tornar células em um organismo maior, ou abelhas em uma colmeia, trabalhando para o bem do grupo. Essas experiências frequentemente estão entre as mais valiosas de nossas vidas, embora nosso comportamento de grupo possa nos cegar para outras questões morais. Nossa natureza de abelha favorece o altruísmo, o heroísmo, a guerra e o genocídio.

Depois de ver nossas mentes moralistas como mentes primatas com uma camada de mentalidade de colmeia, obtemos uma nova perspectiva sobre moralidade, política e religião. Demonstrarei que nossa "natureza superior" nos permite ser profundamente altruístas, mas que o altruísmo é principalmente direcionado para os membros de nossos próprios grupos. Mostrarei que a religião é (provavelmente) uma adaptação evolutiva para criar coesão entre grupos e ajudá-los a criar comunidades com uma moralidade compartilhada. Não é um vírus ou um parasita, como alguns cientistas (os "novos ateus") têm alegado nos últimos anos. E utilizarei essa perspectiva para explicar por que algumas pessoas são conservadoras, outras, liberais (ou progressistas) e outras, libertárias. As pessoas se conectam a grupos políticos que compartilham de suas narrativas morais. Uma vez que aceitam essa narrativa específica, elas se tornam cegas para mundos morais alternativos.

(Uma nota sobre a terminologia: nos Estados Unidos, a palavra *liberal* se refere a políticos de esquerda ou progressistas, e usarei o termo nesse sentido. Mas na Europa e outros lugares, a palavra *liberal* é mais fiel a seu significado original — valorização da liberdade acima de tudo, incluindo as atividades econômicas. Quando europeus usam a palavra *liberal,* em geral estão se referindo a algo mais parecido com o significado de *libertário* nos Estados Unidos, que não pode ser incluído facilmente no espectro político de esquerda-direita.[10] Leitores de fora dos Estados Unidos podem preferir substituir o termo *liberal* por *progressista* ou *de esquerda*.)

Nos próximos capítulos me embasarei nas mais recentes pesquisas em neurociência, psicologia social e modelagem evolutiva, mas a mensagem final deste livro é arcaica. É a percepção de que somos todos hipócritas moralistas:

> Por que você repara no cisco que está no olho do seu irmão, e não se dá conta da viga que está em seu próprio olho? ... Hipócrita, tire primeiro a viga do seu olho, e então você verá claramente para tirar o cisco do olho do seu irmão. (MATEUS 7:3–5)

O esclarecimento (ou sabedoria, se preferir) requer que todos nós tiremos as vigas dos nossos próprios olhos e depois nos libertemos de nosso moralismo persistente, mesquinho e desagregador. Como escreveu o Mestre Zen chinês do século VIII Sengcan:

> O Caminho Perfeito só é difícil
>
> para os muito exigentes;
>
> Não goste, não desgoste;
>
> e tudo ficará claro.
>
> Faça a diferença ainda que ínfima,
>
> e Céu e Terra se distinguem;
>
> Se você quer a verdade pura diante de si,
>
> nunca seja contra ou a favor.
>
> A luta entre o "contra" e o "a favor"
>
> é a pior doença da mente.[11]

Não estou dizendo que devemos viver nossas vidas como Sengcan. Na verdade, acredito que um mundo sem moralismo, fofoca e julgamento moral rapidamente mergulharia em caos. Mas, se quisermos *compreender* a nós mesmos, o que nos segrega, nos limita e nossos potenciais, precisamos recuar, abandonar o moralismo, aplicar um pouco de psicologia moral e analisar o jogo que estamos jogando.

Vamos agora analisar a psicologia da batalha entre o "contra" e o "a favor". Uma batalha travada em cada uma de nossas mentes moralistas, e entre todos os nossos grupos moralistas.

PARTE I

Primeiro as Intuições, Depois o Raciocínio Estratégico

Metáfora Central

A mente é dividida, como um ginete montado em um elefante, e o trabalho do ginete é servir ao elefante.

UM

De Onde Vem a Moralidade?

Contarei uma breve história. Depois de lê-la, peço que faça uma pausa e avalie se as pessoas fizeram algo moralmente errado.

O cachorro da família foi morto por um carro em frente à casa deles. Eles ouviram falar que carne de cachorro é deliciosa, então cortaram o corpo do cão, cozinharam e o comeram no jantar. Ninguém viu o que fizeram.

Se você é como a maioria das pessoas bem instruídas em meus estudos, sentiu uma repulsa inicial, mas hesitou em dizer que a família fez algo *moralmente* errado. Afinal, o cachorro já estava morto, eles não lhe fizeram mal algum, certo? Além do mais, o cachorro era deles; assim, eles tinham o direito de fazer o que quisessem com seu corpo, não? Se eu o pressionasse a emitir um julgamento, existe a probabilidade de você me dar uma resposta condescendente, algo como: "Bem, eu acho repulsivo, e acho que eles deveriam ter simplesmente enterrado o cachorro, mas não diria que foi *moralmente* errado."

Tudo bem, vamos para uma história um pouco mais complexa:

> Um homem vai ao supermercado uma vez por semana e compra um frango. Antes de cozinhá-lo, pratica atos sexuais com ele. Depois o cozinha e come.

Mais uma vez, não houve dano, ninguém mais sabe e, assim como a família que comeu o cachorro, envolve um tipo de reciclagem que é — como demonstraram os sujeitos de minha pesquisa — um uso eficiente de recursos naturais. Mas agora a repulsa é muito maior, e o ato em si parece tão... degradante. Será que isso o torna errado? Se você for um ocidental instruído e de inclinação política liberal, provavelmente me dará outra resposta condescendente, que reconheça o direito de uma pessoa fazer o que quiser, desde que não prejudique ou machuque alguém.

Mas se você *não* for um liberal ou libertário ocidental, provavelmente acha errado — moralmente errado — que alguém tenha relações sexuais com o corpo de um frango e depois o coma. Para você, assim como para a maioria das pessoas no planeta, a moralidade é ampla. Algumas ações são erradas mesmo que não prejudiquem alguém. Entender o simples fato de que a moralidade difere ao redor do mundo, mesmo em sociedades igualitárias, é o primeiro passo para a compreensão de sua mente moralista. O passo seguinte é entender de onde vêm essas muitas moralidades, para início de conversa.

A ORIGEM DA MORALIDADE (CENA 1)

Estudei filosofia na faculdade, esperando desvendar o sentido da vida. Depois de assistir a incontáveis filmes de Woody Allen, fiquei com a impressão equivocada de que a filosofia me ajudaria de alguma forma.[1] Mas frequentei também algumas disciplinas de psicologia e adorei, então decidi continuar. Em 1987 fui aceito no programa de pós-graduação em psicologia na Universidade da Pensilvânia. Eu tinha um plano ainda indefinido de realizar experimentos sobre a psicologia do humor. Achei que seria divertido pesquisar questões que me obrigassem a frequentar shows de humor.

Uma semana depois de chegar na Filadélfia, fui conversar com Jonathan Baron, professor que estuda como as pessoas pensam e tomam decisões. Com minha experiência (mínima) em filosofia, tivemos uma boa conversa sobre ética. Baron me perguntou sem rodeios: "O raciocínio *moral* é, de alguma maneira, diferente de outros tipos de raciocínio?" Respondi que ponderar sobre questões morais (como se o aborto é errado) parecia diferente de pensar sobre outros tipos de questões (como aonde ir jantar), por causa da necessidade muito maior de fornecer argumentos para justificar seus julgamentos morais para outras pessoas. Baron reagiu com entusiasmo, e conversamos sobre como seria possível comparar o raciocínio moral a outros tipos de raciocínio em laboratório. No dia seguinte, movido por pouco mais do que um sentimento de encorajamento, pedi a ele que fosse meu orientador e comecei a estudar psicologia moral.

Em 1987, a psicologia moral era parte da psicologia do desenvolvimento. Os pesquisadores se concentravam em questões como a forma que as crianças desenvolvem seu raciocínio sobre regras, especialmente regras de justiça. A grande pergunta por trás dessa pesquisa era: como as crianças aprendem a distinguir o certo do errado? De onde vem a moralidade?

Há duas respostas óbvias para essa pergunta: da natureza ou da criação. Se escolher a natureza, você é um *inatista*. Acredita que o conhecimento moral é inato em nossas mentes. Ele vem pré-configurado, talvez gravado em nossos corações por Deus (como diz a Bíblia), ou em nossas emoções morais evoluídas (como defendeu Darwin).[2]

Mas, se acredita que o conhecimento moral vem da criação, então você é um *empiricista*.[3] Acredita que as crianças são mais ou menos como uma folha em branco ao nascer (como disse John Locke).[4] Se a moralidade varia ao redor do mundo e ao longo dos séculos, como poderia ser inata? Seja qual for nosso senso moral quando adultos, ele só pode ter sido aprendido durante a infância a partir das próprias experiências, que inclui o que os adultos nos dizem que é certo e errado. (*Empírico* significa "a partir da observação ou experiência".)

Mas essa é uma escolha ilusória, e em 1987 a psicologia moral se concentrava principalmente em uma terceira resposta: *racionalismo*, que diz que as crianças descobrem a moralidade sozinhas. Jean Piaget, o maior psicólogo do desenvolvimento de todos os tempos, iniciou sua carreira como zoologista, estudando moluscos e insetos em sua terra natal, a Suíça. Ele era fascinado pelos estágios enfrentados pelos animais conforme se transformavam, digamos, de lagartas em borboletas. Mais tarde, quando voltou sua atenção para as crianças, levou consigo seu interesse pelos estágios de desenvolvimento. Piaget queria saber como a extraordinária sofisticação do raciocínio adulto (uma borboleta cognitiva) surge a partir das limitadas capacidades das crianças (simples lagartas).

Piaget se concentrou nos tipos de erros que as crianças cometem. Por exemplo, colocava água em dois copos idênticos e perguntava às crianças se os copos continham a mesma quantidade de água. (Sim.) Em seguida, despejava o conteúdo de um dos copos em um recipiente alto e estreito e pedia que elas comparassem o novo recipiente ao primeiro, que permanecera intocado. As crianças menores de seis ou sete anos normalmente diziam que o recipiente mais alto e estreito agora tinha mais água, pois o nível agora era maior. Elas não entendem que o volume total de água é preservado ao se despejar de um recipiente para outro. Ele descobriu também que é inútil que os adultos expliquem a noção de conservação do volume para as crianças. Elas só o compreenderão depois de atingirem uma certa idade (e estágio cognitivo), quando seus cérebros estiverem prontos para isso. E, quando isso acontecer, entenderão por conta própria, simplesmente brincando com copos de água.

Em outras palavras, a compreensão da noção de conservação de volume não é inata, e não é aprendida com os adultos. As crianças *descobrem por conta própria*, mas apenas quando seus cérebros estão prontos *e* quando do são expostas aos tipos certos de experiências.

Piaget também aplicou essa abordagem cognitivo-desenvolvimental ao estudo do raciocínio moral em crianças.[5] Ele se juntava a elas para jogar bolinhas de gude e, às vezes, deliberadamente, infringia as regras e se fingia de bobo. As crianças então reagiam aos erros dele, e ao fazer isso revelavam sua crescente capacidade de respeitar e mudar as regras, reve-

De Onde Vem a Moralidade? 7

zar e resolver desacordos. Esse conhecimento crescente surge em estágios ordenados, conforme as capacidades cognitivas das crianças amadurecem.

Piaget argumentou que a compreensão das crianças sobre a moralidade é similar ao entendimento dos dois recipientes de água: não podemos dizer que é inato, e também não podemos dizer que é aprendido diretamente dos adultos.[6] É, em vez disso, *autoconstruído* conforme as crianças brincam entre si. Revezar em um jogo é como despejar a água de um lado para o outro entre recipientes. Não importa com que frequência você o demonstre para crianças de três anos, elas simplesmente não estão prontas para o conceito de justiça,[7] assim como não são capazes de entender a noção de conservação de volume. Mas assim que atingem os cinco ou seis anos, participar de jogos, se envolver em discussões e descobrir o mundo juntas as ajudará a aprender as noções de justiça de maneira mais eficiente do que um sermão de um adulto.

Esta é a essência do racionalismo psicológico: nossa racionalidade se desenvolve da mesma maneira que as lagartas se tornam borboletas. Se a lagarta se alimentar o suficiente, (no devido tempo) desenvolverá asas. E se uma criança tiver experiências suficientes envolvendo revezar, compartilhar e brigar no parquinho, (no devido tempo) se tornará uma criatura moral, capaz de usar suas habilidades racionais para resolver problemas cada vez mais complexos. A racionalidade é nossa natureza, e um bom raciocínio moral é o ápice de nosso desenvolvimento.

O racionalismo tem um histórico longo e complexo na filosofia. Neste livro usarei a palavra *racionalista* para descrever uma pessoa que acredita que o raciocínio moral é a maneira mais importante e confiável de adquirir conhecimento moral.[8]

As impressões de Piaget foram estudadas por Lawrence Kohlberg, que revolucionou o estudo da moralidade na década de 1960 com duas inovações essenciais.[9] Primeiro, ele desenvolveu uma maneira de quantificar a observação de Piaget sobre o raciocínio moral das crianças mudar ao longo do tempo. Ele criou um conjunto de dilemas morais que apresentava a crianças de idades variadas, e registrou e sistematizou as repostas. Por exemplo, um homem chamado Heinz pode invadir uma farmácia para roubar o remédio de que sua mulher moribunda precisa? Uma garota chamada Louise deve revelar para a mãe que sua irmã mais nova mentiu para a mãe? Não importava se a resposta era sim ou não; o que importava eram as *razões* dadas pelas crianças ao tentar explicar suas respostas.

Kohlberg descobriu uma progressão no raciocínio das crianças sobre o mundo *social*, e ela era compatível com os estágios descobertos por Piaget no raciocínio das crianças sobre o mundo *físico*. Crianças pequenas julgam o certo e o errado com base em aspectos muito superficiais, como se a pessoa foi punida por uma ação. (Se um adulto puniu o ato, então o ato deve ser errado.) Kohlberg chamou os primeiros dois estágios de nível de julgamento moral "pré-convencional", que são equivalentes ao estágio de Piaget em que as crianças julgam o mundo físico por características superficiais (se um copo é mais alto, então tem mais água nele).

Mas, durante o ensino fundamental, a maioria das crianças atinge os dois estágios "convencionais", tornando-se versadas em compreender e até manipular regras e convenções sociais. Essa é a idade do pretenso legalismo, do qual todos nós que crescemos com irmãos nos lembramos muito bem. ("Eu não estou batendo em você. Estou usando sua mão para bater em você. Pare de se bater!") Crianças nesse estágio geralmente se preocupam muito com conformidade e têm grande respeito por autoridade — na teoria, ainda que nem sempre na prática. Elas raramente questionam a legitimidade da autoridade, ainda que aprendam a se esquivar e contornar as restrições impostas pelos adultos.

Depois da puberdade, exatamente quando Piaget dizia que as crianças se tornam capazes do pensamento abstrato, Kohlberg descobriu que algumas crianças começam a pensar por si mesmas sobre a natureza da autoridade, o significado de justiça e as razões por trás das leis e regras. Nos dois estágios "pós-convencionais", os adolescentes ainda valorizam a honestidade e respeitam leis e regras, mas agora eles às vezes justificam a desonestidade ou o descumprimento de leis com a busca por bens maiores ainda, especialmente a justiça. Kohlberg construiu uma inspiradora imagem racionalista das crianças como "filósofos morais" tentando desvendar sistemas éticos coerentes por si mesmas.[10] Nos estágios pós-convencionais, elas finalmente ficam boas nisso. Os dilemas de Kohlberg foram uma ferramenta para medir esses drásticos progressos no raciocínio moral.

O CONSENSO LIBERAL

Mark Twain disse certa vez que "para um homem com um martelo, tudo se parece com um prego". Depois que Kohlberg desenvolveu esses dilemas morais e suas técnicas de pontuação, a comunidade psicológica tinha um novo martelo, e mil estudantes de pós-graduação o utilizaram para produzir teses sobre o raciocínio moral. Mas existe uma razão mais profunda para que tantos jovens psicólogos começassem a estudar a moralidade sob a perspectiva racionalista, e esta foi a segunda grande inovação de Kohlberg: ele utilizou essa pesquisa para criar uma justificativa científica para uma ordem moral liberal secular.

A descoberta mais influente de Kohlberg foi que as crianças moralmente mais desenvolvidas (de acordo com sua técnica de pontuação) eram aquelas que tinham oportunidades frequentes de assumir papéis — de se colocar no lugar dos outros e encarar um problema sob a ótica daquela pessoa. Relacionamentos igualitários (entre colegas) favorecem a troca de papéis, mas relacionamentos hierárquicos (com pais e professores), não. É muito difícil para a criança ver as coisas do ponto de vista do professor, pois ela nunca foi um professor. Piaget e Kohlberg achavam que pais e outras autoridades eram *obstáculos* ao desenvolvimento moral. Se quiser que seus filhos aprendam sobre o mundo físico, deixe-os brincar com copos e água; não dê uma aula sobre a conservação de volume. E se quiser que seus filhos aprendam sobre o mundo social, deixe-os brincar com outras crianças e resolver conflitos; não faça um sermão sobre os Dez Mandamentos. E, por favor, não os force a obedecer a Deus, aos professores ou a você. Isso só servirá para paralisá-los no nível convencional.

O momento escolhido por Kohlberg foi perfeito. Justamente quando a primeira onda de baby boomers chegava à pós-graduação, ele transformava a psicologia moral em uma ode à justiça que os agradava, e lhes deu uma ferramenta para medir o progresso das crianças na direção do ideal liberal. Ao longo dos 25 anos seguintes, dos anos 1970 aos 1990, a maioria dos psicólogos morais apenas entrevistava jovens sobre dilemas morais e analisava suas justificativas.[11] A maior parte desse trabalho não tinha motivação política — era apenas pesquisa científica honesta e cuidadosa. Mas, ao usar uma estrutura que predefinia a moralidade como justiça ao mesmo tempo em que aviltava a autoridade, a hierarquia e a tradição, era inevitável que a pesquisa corroborasse visões de mundo seculares, questionadoras e igualitárias.

UM TESTE MAIS FÁCIL

Se obrigar crianças a explicar noções complexas, como a relação entre competição equilibrada, direitos e justiça, certamente encontrará determinados marcos etários, pois as crianças ficam muito mais articuladas a cada ano que passa. Mas, se estiver em busca da primeira manifestação de um conceito moral, então é melhor encontrar uma técnica que não exija muita habilidade verbal. Elliot Turiel, ex-aluno de Kohlberg, desenvolveu essa técnica. A inovação consistia em contar a crianças pequenas histórias sobre outras crianças que infringiam as regras e depois lhes fazer uma série de perguntas investigativas do tipo sim ou não. Por exemplo, uma história sobre um garoto que vai para a escola usando roupas normais, embora a escola exija o uso de uniforme. Então, você começa pedindo uma avaliação geral: "Está certo o que o garoto fez?" A maioria das crianças responde que não. Você pergunta se existe uma regra sobre o que se deve vestir. ("Sim.") Em seguida, tenta descobrir que tipo de regra é: "E se o professor dissesse que o garoto podia usar roupas normais, estaria certo?" e "E se isso acontecesse em outra escola, em que não há regras para uniformes, estaria certo?".

Turiel descobriu que as crianças por volta de cinco anos normalmente respondem que o garoto agiu errado ao quebrar a regra, mas que não haveria problema se o professor desse permissão ou se isso acontecesse em outra escola que não tenha essa regra. As crianças percebem que regras sobre vestimenta, comida e muitos outros aspectos da vida são *convenções sociais* e, portanto, arbitrárias e variáveis até certo ponto.[12]

Mas, se perguntar sobre ações que machucam outras pessoas, como uma garota que empurra um garoto de um balanço porque quer usá-lo, receberá respostas muito diferentes. Quase todas as crianças dizem que a menina estava errada e que estaria errada mesmo que a professora dissesse que tudo bem, e mesmo que acontecesse em outra escola onde não houvesse regras sobre empurrar outras crianças de balanços. As crianças reconhecem que regras que evitam danos são *regras morais*, que Turiel definiu como regras que envolvem "justiça, direitos e bem-estar em relação a como as pessoas devem se relacionar umas com as outras".[13]

Ou seja, crianças bem jovens não tratam todas as regras da mesma forma, como Piaget e Kohlberg haviam suposto. Crianças não conseguem se expressar como filósofos morais, mas estão ocupadas classificando informações sociais de maneira sofisticada. Elas parecem captar desde cedo que regras que evitam danos são especiais, importantes, inalteráveis e universais. E essa percepção, disse Turiel, era o alicerce de todo o desenvolvimento moral. Crianças constroem seu conhecimento moral sobre o alicerce da verdade moral absoluta de que o *dano é errado*. Regras específicas podem variar entre culturas, mas, em todas culturas que Turiel examinou, as crianças ainda são capazes de distinguir entre regras morais e convencionais.[14]

O relato de Turiel sobre o desenvolvimento moral difere de muitas maneiras do de Kohlberg, mas as implicações políticas eram semelhantes: a moralidade envolve *tratar bem os indivíduos*. É sobre dano e justiça (não lealdade, respeito, dever, piedade, patriotismo ou tradição). Hierarquia e autoridade geralmente são coisas ruins (então o melhor é deixar que as crianças descubram as coisas sozinhas). Por essa razão, a escola e a família devem incorporar princípios progressivos de igualdade e autonomia (e não princípios autoritários que permitam aos mais velhos ensinar e constranger as crianças).

ENQUANTO ISSO, NO RESTO DO MUNDO...

Kohlberg e Turiel tinham praticamente definido o campo da psicologia moral quando me sentei no escritório de Jon Baron e decidi estudar a moralidade.[15] A área que ingressei era vibrante e próspera, mas alguma coisa não me parecia certa. Não era a política — eu era muito liberal na época, tinha 24 anos e estava totalmente indignado com Ronald Reagan e grupos conservadores como o apropriadamente chamado Moral Majority [Maioria Moral]. Não, o problema era que as coisas que eu lia eram tão... rudes. Cresci com duas irmãs de idade muito próximas. Brigávamos todo dia, usando cada truque sujo de retórica em que conseguíamos pensar. A moralidade sempre foi um assunto passional em minha família, mas os artigos que eu lia eram todos sobre estruturas racionais e cognitivas, e domínios de conhecimento. Pareciam racionais demais. Quase não havia menção a emoções.

Como aluno de primeiro ano da pós-graduação, eu não confiava em meus instintos, então me obrigava a continuar lendo. Mas então, no segundo ano, cursei uma matéria sobre psicologia cultural e fiquei fascinado. A disciplina era lecionada pelo brilhante antropólogo Alan Fiske, que passara muitos anos no Oeste da África estudando as bases psicológicas das relações sociais.[16] Fiske nos pediu que lêssemos diversas etnografias (extensos relatos em forma de livro do trabalho de campo de antropólogos), cada uma delas focava um tema diferente, como parentesco, sexualidade ou música. Mas, independentemente do assunto, a moralidade acabava sempre se tornando o tema principal.

Li sobre a bruxaria entre o povo Azande do Sudão.[17] Parece que as crenças sobre magia aumentam de formas surpreendentemente similares em muitas partes do mundo, o que sugere que bruxas de fato existem ou (o mais provável) que há algo na mente humana que produz essa instituição cultural com frequência. Os Azande acreditavam que as bruxas poderiam ser tanto homens quanto mulheres, e o medo de ser taxado de bruxa(o) fazia com que eles fossem muito cuidadosos em não irritar ou provocar inveja em seus vizinhos. Essa foi minha primeira pista de que grupos criam seres sobrenaturais não para explicar o universo, mas para organizar suas sociedades.[18]

Li também sobre o povo Ilongot, uma tribo nas Filipinas em que os jovens do sexo masculino conquistavam honra decapitando pessoas.[19] Algumas dessas decapitações eram mortes por vingança, o que para leitores ocidentais era um motivo que conseguiam entender. Mas muitos assassinatos eram cometidos contra estranhos que não tinham qualquer tipo de desavença com o assassino. O autor explicou essas mortes mais enigmáticas como as maneiras com que pequenos grupos de homens canalizavam ressentimentos e atritos dentro do grupo para uma "expedição de caça", com o intuito de fortalecer o grupo, coroada com uma longa noite de cantoria de celebração conjunta. Essa foi minha primeira pista de que a moralidade envolve tensão *dentro* do grupo associada à competição *entre* grupos distintos.

Essas etnografias eram fascinantes, geralmente muito bem escritas e intuitivamente compreensíveis apesar da estranheza do conteúdo. Ler cada um dos livros era como passar uma semana em um novo país: confuso a princípio, mas gradualmente você se ajusta, tornando-se mais capaz de prever o que acontecerá em seguida. E, assim como qualquer viagem internacional, você aprende tanto sobre seu lugar de origem quanto o lugar que está visitando. Comecei a ver os Estados Unidos e a Europa Ocidental como exceções históricas extraordinárias — novas sociedades que encontraram uma maneira de se despir e diluir as densas ordens morais universais sobre as quais os antropólogos escreveram.

Em nenhum outro lugar essa diluição está mais aparente do que em nossa falta de regras sobre o que os antropólogos chamam "limpeza" e "degeneração". Compare as sociedades ocidentais com os Hua da Nova Guiné, que desenvolveram elaborados sistemas de tabus alimentares que ditam o que os homens e mulheres podem comer. Para que garotos se tornem homens, precisam evitar alimentos que se assemelhem de alguma maneira a vaginas, incluindo qualquer coisa que seja vermelha, úmida, viscosa, venha de um buraco ou tenha pelos. A princípio parece uma superstição arbitrária mesclada com um sexismo previsível de uma sociedade patriarcal. Turiel chamava essas regras de convenções sociais, porque os Hua não acreditam que homens de outras tribos devessem seguir essas regras. Mas eles certamente pareciam pensar em suas regras alimentares como regras morais. Conversavam sobre elas constantemente, julgavam uns aos outros pelos hábitos alimentares e governavam suas vidas, deveres e relacionamentos pelo que a antropóloga Anna Meigs chamou de "religião do corpo".[20]

Mas não são apenas caçadores-coletores em florestas tropicais que acreditam que práticas corporais podem ser também morais. Quando li a Bíblia Hebraica, fiquei chocado ao descobrir quanto do livro — uma das fontes de moralidade ocidental — trata de regras sobre alimentação, menstruação, sexo, pele e manuseio de cadáveres. Algumas dessas regras eram tentativas claras de evitar doenças, como as longas seções de Levítico sobre a lepra. Mas muitas das regras pareciam seguir uma lógica mais emocional para evitar a repulsa. Por exemplo, a Bíblia proíbe os judeus de comer ou até tocar "todas as criaturas que enxameiam (...) e que se movem rente ao chão" (imagine o quanto um bando de ratos é mais repulsivo do que um único rato).[21] Outras pareceram seguir uma lógica conceitual envolvendo manter a pureza ou não misturar coisas de categorias diferentes (tal como roupas feitas de duas fibras diferentes).[22]

Então, o que está havendo aqui? Se Turiel estava certo sobre a moralidade na verdade envolver dano, então por que a maioria das culturas não ocidentais moraliza tantas práticas que parecem não ter nada a ver com ele? Por que tantos cristãos e judeus acreditam que "a limpeza está próxima da santidade"?[23] E por que tantos ocidentais, mesmo os laicos, continuam a ver escolhas sobre alimentação e sexo como carregadas de significado moral? Os liberais às vezes dizem que conservadores religiosos são puritanos sexuais para quem qualquer relação sexual que envolva algo diferente da posição papai e mamãe dentro do casamento é pecado. Mas os conservadores também fazem graça do empenho dos liberais em escolher um café da manhã balanceado — equilibrado entre as preocupações morais de ovos de galinhas criadas livres, café oriundo de comércio justo, vida natural e variedades de venenos, alguns dos quais (como o milho e a soja geneticamente modificados) representam uma ameaça mais espiritual do que biológica. Mesmo que Turiel tivesse razão sobre o fato de as crianças se basearem na nocividade como método para identificar ações imorais, eu não conseguia conceber como as crianças no Ocidente — muito menos entre os Azande, os Ilongot e os Hua — poderiam conseguir compreender tudo isso sobre pureza e degeneração por conta própria. O desenvolvimento moral deve envolver mais do que crianças criando regras a partir da perspectiva das outras pessoas e sentindo sua dor. Deve haver algo além do racionalismo.

O GRANDE DEBATE

Quando os antropólogos escreveram sobre a moralidade, era como se falassem um idioma diferente dos psicólogos que eu costumava ler. A

Pedra de Roseta que me ajudou a traduzir entre as duas áreas foi um artigo que acabara de ser publicado pelo ex-orientador de Fiske, Richard Shweder, na Universidade de Chicago.[24] Shweder é antropólogo psicológico que viveu e trabalhou em Orissa, um estado na Costa Oeste da Índia. Ele descobriu uma grande diferença em como os oriyans (residentes de Orissa) e os norte-americanos pensavam sobre a personalidade e a individualidade, e essas diferenças levaram a distinções correspondentes a como pensavam sobre a moralidade. Shweder citou o antropólogo Clifford Geertz a respeito de quanto os ocidentais são incomuns ao pensarem nas pessoas como indivíduos distintos:

> A noção ocidental de pessoa como um universo cognitivo e motivacional mais ou menos integrado, único e delimitado, um centro dinâmico de consciência, emoção, julgamento e ação organizada em um todo distinto e contrastada com outros, todos em termos sociais e naturais, é, por mais arraigado que possa parecer para nós, uma ideia bastante peculiar no contexto das culturas do mundo.[25]

Shweder propôs uma ideia simples para explicar por que o eu se distingue tanto entre as culturas: todas as sociedades precisam resolver um pequeno conjunto de questões sobre como ordenar a si mesmas, a mais importante delas é como equilibrar as necessidades de indivíduos e grupos. Parece haver apenas duas formas principais de responder a essa questão. A maioria das sociedades escolheu a resposta *sociocêntrica*, colocando as necessidades de grupos e instituições em primeiro lugar, e subsumindo as necessidades dos indivíduos. Em contrapartida, a resposta *individualista* coloca os indivíduos no centro e transforma a sociedade em serva do indivíduo.[26] A resposta sociocêntrica dominou a maior parte do mundo antigo, mas a individualista se tornou uma poderosa rival durante o Iluminismo e acabou superando, em grande medida, a abordagem sociocêntrica no século XX conforme os direitos dos indivíduos se expandiram rapidamente, a cultura do consumo se disseminou e o mundo ocidental reagia com horror às perversidades cometidas pelos ultrassociocêntricos impérios fascistas e comunistas. (Nações europeias com fortes mecanismos de pro-

Ações que indianos e norte-americanos concordaram que eram erradas:

- Enquanto caminhava, um homem viu um cachorro dormindo na estrada. Ele foi até o cão e o chutou.

- Um pai disse ao filho: "Se você for bem na prova, eu lhe comprarei uma caneta." O filho foi muito bem na prova, mas o pai não lhe deu nada.

Ações que os norte-americanos disseram que eram erradas, mas que os indianos acharam aceitáveis.

- Uma jovem mulher casada foi sozinha ao cinema sem contar ao marido. Quando voltou para casa o marido lhe disse: "Se fizer isso de novo, vou lhe dar uma surra." Ela fez isso novamente e ele lhe bateu, cobrindo-a de hematomas. (Julgue o marido.)

- Um homem tinha um filho e uma filha, ambos casados. Depois de sua morte seu filho exigiu a maior parte dos bens. Sua filha recebeu bem menos. (Julgue o filho.)

Ações que indianos consideraram erradas, mas que os norte-americanos acharam aceitáveis:

- Em uma família, um filho de 25 anos chama o pai pelo primeiro nome.

- Uma mulher cozinhou arroz e queria comer junto com o marido e o irmão mais velho dele. E foi isso que ela fez. (Julgue a mulher.)

- Uma viúva em sua comunidade come peixe duas ou três vezes por semana.

- Depois de evacuar, uma mulher não trocou de roupa antes de cozinhar.

FIGURA 1.1. *Algumas das 39 historinhas usadas no artigo de Shweder, Mahapatra, e Miller em 1987.*

teção social não são sociocêntricas para fins desta definição. Elas apenas fazem um excelente trabalho na proteção de *indivíduos* contra as vicissitudes da vida.)

Shweder acreditava que as teorias de Kohlberg e Turiel foram criadas por e para pessoas de culturas individualistas. Ele duvidava que essas teorias se aplicassem a Orissa, onde a moralidade era sociocêntrica, os eus eram independentes e não havia uma linha divisória clara separando as normas morais (evitar o dano) das convenções sociais (que regulamentam os comportamentos não relacionados diretamente ao dano). Para testar suas ideias, ele e 2 colaboradores desenvolveram 39 pequenas histórias em que alguém pratica uma ação que viola uma norma nos Estados Unidos ou em Orissa. Os pesquisadores então entrevistaram 180 crianças (entre 5 e 13 anos) e 60 adultos moradores de Hyde Park (a região no entorno da Universidade de Chicago) acerca dessas histórias. Eles também entrevistaram uma amostra semelhante de adultos e crianças brâmanes da cidade de Bhubaneswar (um antigo local de peregrinação em Orissa),[27] e 120 pessoas de castas inferiores ("intocáveis"). A empreitada no todo era gigantesca — 600 longas entrevistas em 2 cidades muito diferentes.

A entrevista foi baseada no método de Turiel, mas os cenários abrangiam muito mais comportamentos que ele nunca questionou. Como pode ver no quadro da Figura 1.1, as pessoas em algumas dessas histórias obviamente machucaram ou trataram de forma injusta outras pessoas, e os sujeitos da pesquisa (os entrevistados) em ambos os países condenaram essas ações dizendo que eram invariável e universalmente erradas. Mas os indianos não condenaram, com a mesma certeza, outros casos que pareceram (para os norte-americanos) danosos ou injustos (veja o quadro do meio).

A maioria das 39 histórias não retrata dano ou injustiça, pelo menos não de forma óbvia para uma criança de 5 anos, e praticamente todos os norte-americanos disseram que essas ações eram admissíveis (veja o quadro inferior da Figura 1.1). Se indianos dissessem que essas ações eram erradas, então Turiel previu que as condenariam como meras violações de convenções sociais. No entanto, a maioria dos sujeitos indianos — mesmo as crianças de 5 anos de idade — disseram que as ações eram invariável e universalmente erradas. Os costumes indianos relacionados à comida, sexo, vestimenta e relações entre gêneros foram quase sempre julgados como questões morais, não convenções sociais, e houve poucas diferenças entre adultos e crianças na mesma cidade. Em outras palavras, Shweder praticamente não encontrou vestígios de raciocínio convencional-social na cultura sociocêntrica de Orissa, em que, segundo ele, "a ordem social é a ordem moral". A moralidade era muito mais ampla e sólida em Orissa; quase todos os costumes podem ser impregnados de força moral. E, se isso for verdade, então a teoria de Turiel se torna menos plausível. As crianças não estavam descobrindo a moralidade por si mesmas, com base em uma certeza inabalável de que causar dano é ruim.

Até em Chicago, Shweder encontrou relativamente poucas evidências de raciocínio convencional-social. Havia muitas histórias sem dano ou injustiça óbvios, como a viúva comer peixe, e os norte-americanos, previsivelmente, disseram que não havia problemas nesses casos. No entanto, o mais importante, eles não viram os comportamentos como convenções sociais que poderiam ser mudadas por consentimento popular. Eles acreditavam que as viúvas deveriam poder comer o que bem quisessem, e se há outros países onde as pessoas tentam limitar as liberdades das viúvas, ora, estavam errados em fazer isso. Mesmo nos Estados Unidos, a ordem social é uma ordem moral, mas é individualista e baseada na proteção dos indivíduos e sua liberdade. A distinção entre moral e meras convenções não é uma ferramenta usada por crianças de todo o mundo para autoconstruir seu conhecimento moral. Em vez disso, as distinções se mostram um artefato cultural, um subproduto necessário da resposta individualista à pergunta de como os indivíduos e grupos se relacionam. Quando você coloca os indivíduos em primeiro lugar, antes da sociedade, qualquer regra ou prática social que limite a liberdade pessoal pode ser questionado. Se não protege as pessoas do dano, não pode ser moralmente justificada. É apenas uma convenção social.

O estudo de Shweder foi um grande ataque a toda a abordagem racionalista, e Turiel não aceitou calado. Escreveu um longo artigo de refutação alegando que muitas das 39 histórias de Shweder envolviam perguntas ardilosas: tinham significados muito diferentes na Índia e nos Estados Unidos.[28] Por exemplo, os hindus de Orissa acreditam que o peixe é uma comida "ardente" que estimula o apetite sexual. Se uma viúva comer alimentos afrodisíacos, ela tem mais probabilidade de fazer sexo, o que ofenderia o espírito de seu falecido marido e a impediria de reencarnar em um nível superior. Turiel argumentou que uma vez consideradas as "presunções informacionais" indianas sobre a maneira como o mundo funciona, vemos que a maioria das 39 histórias de Shweder *eram* na verdade violações morais, causando dano às vítimas de maneiras que os norte-americanos não eram capazes de perceber. Assim, o estudo de Shweder não contradiz as alegações de Turiel; pode até endossá-las, se pudermos descobrir com certeza se os sujeitos de pesquisa indianos de Shweder consideraram que as histórias envolviam danos.

REPULSA E DESRESPEITO

Quando li os artigos de Shweder e de Turiel, tive duas reações intensas. A primeira foi uma concordância intelectual com a defesa de Turiel. Shweder havia usado perguntas "capciosas" não para ser desonesto, mas para demonstrar que as regras sobre alimentação, vestimenta, modos de tratar as outras pessoas e outras questões aparentemente convencionais podem todas estar entremeadas na espessa teia moral. Todavia, concordo com Turiel sobre o estudo de Shweder carecer de um importante controle experimental: ele não perguntou aos sujeitos sobre o dano. Se Shweder quisesse demonstrar que a moralidade se estende além do dano em Orissa, teria que mostrar que as pessoas estavam dispostas a condenar moralmente ações que *elas próprias* declarassem inofensivas.

Minha segunda reação foi uma intuição de que, no fim das contas, Shweder estava certo. Sua explicação de moralidade sociocêntrica se encaixava de maneira muito perfeita com as etnografias que eu lera nas aulas de Fiske. Sua ênfase nas emoções morais era bem satisfatória depois de ler todos aqueles trabalhos de desenvolvimento cognitivo cerebral. Eu acreditava que, se alguém fizesse o estudo correto — que apresentasse controles sobre a percepção de dano —, as alegações de Shweder sobre as diferenças culturais teriam sobrevivido ao teste. Passei o semestre seguinte descobrindo como me tornar esse alguém.

Comecei a escrever historinhas sobre pessoas que praticam ações ofensivas, mas de maneiras em que ninguém sai prejudicado. Chamei essas histórias de "violações inofensivas de tabus", e você leu duas delas no início deste capítulo (sobre comer cachorro e... frango). Inventei dezenas de histórias, mas rapidamente descobri que as que funcionavam melhor se enquadravam em duas categorias: repulsa e desrespeito. Se quiser proporcionar uma rápida reação de repulsa sem uma vítima que possa usar para justificar a condenação moral, pergunte sobre pessoas que cometeram ações repulsivas ou desrespeitosas, mas certifique-se de que as ações sejam feitas em particular e ninguém mais se ofenda. Por exemplo, uma das histórias envolvendo desrespeito: "Uma mulher está limpando seu armário e encontra sua velha bandeira dos EUA. Ela não quer mais a bandeira, então a corta em pedaços e usa os trapos para limpar o banheiro."

Minha ideia era oferecer aos adultos e crianças histórias, ou dilemas morais, que contrapusessem intuições naturais sobre importantes normas culturais e o raciocínio lógico sobre a inocuidade do ato, e avaliar qual era o mais forte. O racionalismo de Turiel previu que o raciocínio lógico em relação ao dano era a base do julgamento moral, então, mesmo que as pessoas possam dizer que é errado comer o próprio cachorro, elas teriam que considerar o ato como uma violação de uma convenção social. (*Nós não comemos nossos cachorros, mas, veja, se pessoas em outro país quiserem comer seus falecidos bichos de estimação em vez de enterrá-los, quem somos nós para criticar?*) A teoria de Shweder, por outro lado, afirmava que as previsões de Turiel se concretizariam entre membros das sociedades seculares individualistas, mas não com todo mundo. Agora tenho o desenho do estudo. Só precisava encontrar o lugar de comparação.

Eu falo espanhol muito bem, então, quando descobri que haveria uma importante conferência de psicólogos latino-americanos em Buenos Aires em julho de 1989, comprei uma passagem de avião. Eu não tinha contatos e não tinha ideia de como dar início a uma colaboração internacional de pesquisa, então fui a todas as palestras que tinham algo a ver com moralidade. Fiquei decepcionado ao descobrir que os psicólogos da América Latina não eram muito científicos. Os trabalhos eram excessivamente teóricos, e grande parte da teoria era marxista, focada em opressão, colonialismo e poder. Estava começando a ficar desesperado quando me arrisquei em uma sessão apresentada por psicólogos brasileiros que usavam os métodos kohlbergianos para estudar o desenvolvimento moral. Na sequência conversei com a coordenadora da sessão, Angela Biaggio, e sua aluna de pós-graduação Silvia Koller. Embora ambas gostassem da abordagem de Kohlberg, estavam interessadas em descobrir alternativas. Biaggio me convidou a visitá-las depois da conferência na universidade em que trabalhavam em Porto Alegre, a capital do estado do extremo sul do Brasil.

O sul do Brasil é a parte mais europeia do país, colonizada principalmente por portugueses, alemães e italianos no século XIX. Com sua arquitetura moderna e prosperidade de classe média, Porto Alegre não parecia em nada com a América Latina que eu imaginara, então a princípio fiquei decepcionado. Queria que meu estudo intercultural envolvesse um local exótico, como Orissa. Mas Silvia Koller era uma colaboradora fantástica e teve duas excelentes ideias de como aumentar nossa diversidade cultural. Primeiro, sugeriu um estudo interclasses sociais. A disparidade entre ricos e pobres é tão ampla no Brasil que parece que as pessoas vivem em países diferentes. Decidimos entrevistar adultos e crianças da classe média instruída e da classe mais pobre — adultos que trabalhavam como empregados de pessoas abastadas (e que raramente estudaram além do nono ano do ensino fundamental) e crianças de escolas públicas em bairros onde muitos desses empregados moravam. Em segundo lugar, Silvia tinha uma amiga que acabara de ser contratada como professora em Recife, uma cidade no extremo nordeste do país, uma região culturalmente muito diferente de Porto Alegre. Silvia organizou uma visita à sua amiga, Graça Dias, para o mês seguinte.

Silvia e eu trabalhamos durante duas semanas com uma equipe de alunos de pós-graduação, traduzindo para o português as histórias que envolviam tabus inofensivos, selecionando as melhores, refinando as perguntas de sondagem e testando nosso roteiro de entrevista para nos certificarmos de que tudo seria compreendido, até pelos sujeitos de pesquisa de menor escolaridade, alguns dos quais eram analfabetos. Então, parti para Recife, onde Graça e eu treinamos uma equipe de alunos para conduzir as entrevistas exatamente como estávamos realizando em Porto Alegre. Em Recife, eu finalmente tive a sensação de estar trabalhando em uma exótica localidade tropical, onde música brasileira pairava pelas ruas e mangas maduras caíam das árvores. O mais importante, as pessoas do Nordeste brasileiro têm uma ascendência miscigenada (africanos e europeus), e a região é mais pobre e muito menos industrializada do que Porto Alegre.

Quando retornei à Filadélfia, treinei minha própria equipe de entrevistadores e supervisionei a coleta de dados dos quatro grupos de sujeitos do local. O desenho do estudo era, portanto, o que chamamos "3 por 2 por 2", o que significa que tínhamos 3 cidades, e em cada cidade, 2 níveis de classe social (alta e baixa); e dentro de cada classe social tínhamos 2 grupos etários: crianças (de idades entre 10 e 12 anos) e adultos (de idades entre 18 e 28 anos). No total, eram 12 grupos, com 30 pessoas em cada, e um total de 360 entrevistas. Esse grande número de sujeitos me permitiu conduzir testes estatísticos para examinar os efeitos independentes da cidade, classe social e idade. Previ que a Filadélfia seria a mais individualista das 3 cidades (e, portanto, a mais parecida com o estudo de Turiel) e Recife seria a mais sociocêntrica (e, assim, mais parecida com Orissa em seus julgamentos).

Os resultados foram os mais claros possíveis em corroboração à Shweder. Primeiro, todos os quatro grupos da Filadélfia confirmaram as descobertas científicas de Turiel de que os norte-americanos faziam uma grande distinção entre violações morais e convencionais. Utilizei duas histórias tiradas diretamente da pesquisa de Turiel: uma garota que empurra um garoto do balanço (o que é uma clara violação moral) e um menino que se recusa a usar o uniforme da escola (o que é uma violação convencional). Isso validou meus métodos. Significava que quaisquer diferenças que eu encontrasse nas histórias contendo tabus inofensivos não poderiam ser atribuídas a uma peculiaridade na maneira de formular as perguntas de sondagem ou treinar meus entrevistadores. As respostas dos brasileiros de classe alta foram muito parecidas com a dos norte-americanos nessas histórias. Mas as crianças da classe trabalhadora brasileira em geral consideraram errado, universalmente errado, quebrar a convenção social e não usar o uniforme. Especialmente em Recife, as crianças da classe trabalhadora consideraram a rebelião contra o uniforme exatamente da mesma maneira que julgaram a menina que empurrou o menino do balanço. Esse padrão corroborava Shweder: o tamanho da diferença convencional-moral variava entre grupos culturais.

A segunda coisa que descobri foi que as pessoas responderam às histórias envolvendo tabus inofensivos assim como Shweder previra: a classe mais alta da Filadélfia as considerou violações a convenções sociais, e a classe mais pobre de Recife, violações morais. Ocorreram dois significativos efeitos de cidade (as pessoas de Porto Alegre moralizaram mais do que as da Filadélfia, e as de Recife moralizaram mais do que as de Porto Alegre), de classe social (grupos de classes mais pobres moralizaram mais do que os da classe mais alta) e de idade (crianças moralizaram mais do que adultos). De forma inesperada, o efeito da classe social foi muito maior do que o efeito da cidade. Isto é, pessoas bem instruídas em todas as três cidades foram mais similares entre si do que em relação a seus conterrâneos de classe mais pobre. Eu tinha voado 8 mil quilômetros ao sul em busca de variação moral quando, na verdade, havia muito mais a ser descoberto a alguns quarteirões do campus, no bairro pobre no entorno de minha universidade.

Minha terceira descoberta foi que todas as diferenças que encontrei se mantiveram no controle de percepções de dano. Eu incluíra uma pergunta de sondagem que fazia logo depois de cada história: "Você acha que alguém saiu prejudicado pelo que [a pessoa da história] fez?" Se as descobertas de Shweder fossem provocadas pelas percepções de vítimas ocultas (como proposto por Turiel), as diferenças interculturais deveriam ter desaparecido quando removi os sujeitos que disseram sim para essa pergunta. Mas, quando retirei essas pessoas, as diferenças culturais *aumentaram*, não diminuíram. Este foi um forte corroborador das alegações de Shweder de que o domínio moral vai muito além do dano. A maioria dos meus sujeitos de pesquisa disse que violações de tabu inofensivas eram universalmente erradas mesmo que não causassem danos a alguém.

Em outras palavras, Shweder venceu o debate. Reproduzi as descobertas de Turiel usando seus métodos em pessoas como eu — ocidental, instruído, criado em uma cultura individualista —, mas confirmei a alegação de Shweder de que a teoria de Turiel não se sustentava em outros cenários. O domínio da moral variou entre países e classes sociais. Para a maioria das pessoas em meu estudo, o domínio moral se estendia muito além de questões envolvendo dano e justiça.

Foi muito difícil entender como um racionalista poderia explicar esses resultados. Como as crianças poderiam autoconstruir seu conhecimento moral sobre repulsa e desrespeito a partir de análises particulares de nocividade? Deve haver outras fontes de conhecimento moral, incluindo aprendizagem cultural (como Shweder defendia), ou intuições morais inatas sobre repulsa e desrespeito (como comecei a argumentar anos mais tarde).

Uma vez entreouvi uma entrevista de julgamento moral ao estilo de Kohlberg sendo conduzida no banheiro de um McDonald's no norte de Indiana. A pessoa entrevistada — o sujeito — era um homem caucasiano de cerca de 30 anos. O entrevistador era um homem caucasiano de aproximadamente 4 anos de idade. A entrevista começou em mictórios lado a lado:

ENTREVISTADOR: *Pai, o que aconteceria se eu fizesse cocô aqui [no mictório]?*

SUJEITO: *Seria nojento. Dê a descarga. Venha, vamos lavar as mãos.*

[O pai então foi até as pias.]

ENTREVISTADOR: *Pai, o que aconteceria se eu fizesse cocô na pia?*

SUJEITO: *As pessoas que trabalham aqui ficariam bravas com você.*

ENTREVISTADOR: *O que aconteceria se eu fizesse cocô na pia do banheiro de casa?*

SUJEITO: *Eu ficaria bravo com você.*

ENTREVISTADOR: *O que aconteceria se você fizesse cocô na pia do banheiro de casa?*

SUJEITO: *A mamãe ficaria brava comigo.*

ENTREVISTADOR: *Então, o que aconteceria se nós todos fizéssemos cocô na pia do banheiro em casa?*

SUJEITO: *[pausa] Acho que todos estaríamos encrencados.*

ENTREVISTADOR: *[rindo] Sim, todo mundo estaria encrencado!*

SUJEITO: *Venha, vamos secar as mãos. Temos que ir.*

Observe a habilidade e persistência do entrevistador, que investiga com mais profundidade a resposta, alterando a transgressão para remover a figura do punidor. Mesmo quando todos cooperam na violação da regra para que ninguém possa exercer o papel de punidor, o sujeito ainda se ape-

De Onde Vem a Moralidade?

ga à noção de justiça cósmica, na qual, de alguma forma, toda a família "estaria encrencada".

É claro que o pai não está de fato tentando apresentar seu melhor raciocínio moral. Este é normalmente reservado para influenciar outras pessoas (veja o Capítulo 4), e o pai está tentando fazer seu curioso filho sentir as emoções corretas — repulsa e medo — para motivar o comportamento adequado no banheiro.

INVENTANDO VÍTIMAS

Apesar de os resultados terem sido exatamente o que Shweder previra, surgiram diversas surpresas ao longo do caminho. A maior delas foi que muitos sujeitos tentaram inventar vítimas. Eu havia escrito histórias de modo a cuidadosamente remover todo o dano imaginável a outras pessoas, ainda assim, em 38% das 1.620 vezes que as pessoas ouviram uma história inofensiva-ofensiva, elas alegaram que alguém saiu prejudicado. Na história do cachorro, por exemplo, muitas pessoas disseram que a própria família seria prejudicada porque ficaria doente por comer a carne de cachorro. Seria esse um exemplo de "presunções informacionais" de que Turiel falara? Estariam as pessoas condenando as ações *porque* previram esses danos, ou era um processo inverso — elas estariam *inventando* esses danos porque já haviam condenado as ações?

Conduzi eu mesmo muitas das entrevistas da Filadélfia, e ficou óbvio que grande parte desses supostos danos eram invenções *post hoc*. As pessoas normalmente condenam as ações com muita rapidez — elas não pareceriam precisar de muito tempo para decidir o que pensar. Mas frequentemente demorava um pouco para inventarem uma vítima, e normalmente apresentavam essas vítimas sem muita convicção e quase se desculpando. Como disse um dos sujeitos: "Não sei, talvez a mulher se sinta culpada depois de jogar a bandeira fora?" Muitas dessas alegações de vítimas eram evidentemente ridículas, como a criança que justificou a condenação da mulher que rasgou a bandeira dizendo que os trapos poderiam entupir o vaso e causar uma inundação.

Mas algo ainda mais interessante aconteceu quando eu ou os outros entrevistadores contestamos as alegações de vítimas inventadas. Treinei meus entrevistadores para corrigir gentilmente as pessoas quando fizessem alegações que contradiziam o conteúdo da história. Por exemplo, se alguém dizia "É errado cortar a bandeira porque um vizinho poderia ver e se sentir ofendido", o entrevistador respondia: "Ora, a história diz que ninguém a viu. Então, você ainda diria que foi errado cortar a bandeira?" E mesmo quando os sujeitos reconheceram que suas afirmações eram bobagem, ainda se recusaram a dizer que a ação era aceitável. Em vez disso, continuavam tentando encontrar outra vítima. Diziam coisas como "Sei que é errado, mas não consigo dizer por quê". Elas pareciam *moralmente estupefatas* — atônitas com sua incapacidade de explicar verbalmente o que sabiam intuitivamente.[29]

Esses sujeitos racionalizaram. Esforçaram-se muito para racionalizar. Mas não em busca da verdade; e sim de uma razão que endossasse suas reações emocionais. Era o raciocínio descrito pelo filósofo David Hume, que escreveu em 1739 que "a razão é, e só pode ser, escrava das paixões; e só pode pretender ao papel de servir e obedecer a elas".[30]

Descobri evidências da alegação de Hume. Descobri que o raciocínio moral com frequência é escravo das emoções morais, e este era um desafio à abordagem racionalista que dominava a psicologia moral. Publiquei essas descobertas em uma das principais revistas de psicologia em outubro de 1993[31] e então esperei com apreensão pela reação. Sabia que a área da psicologia moral não mudaria da noite para o dia só porque um aluno de pós-graduação produziu dados que não se encaixavam no paradigma dominante. Eu sabia que os debates em psicologia moral poderiam ser bastante inflamados (embora sempre civilizados). O que eu não esperava, porém, é que não haveria reação alguma. Eu achava que tinha realizado o estudo definitivo para apaziguar um importante debate na psicologia moral, e ainda assim quase ninguém citou meu trabalho — nem mesmo para atacá-lo — nos primeiros cinco anos depois da publicação.

Minha tese não fez estardalhaço em parte porque eu a publiquei em uma revista de psicologia social. Mas, no início da década de 1990, a área da psicologia moral ainda fazia parte da psicologia de desenvolvimento. Se você se autoproclamasse psicólogo moral, significava que estudou o raciocínio moral e como ele se transforma com a idade, e citou profusamente Kohlberg, concordando com ele ou não.

Mas a psicologia em si estava prestes a mudar e se tornar muito mais emocional.

EM SUMA

De onde vem a moralidade? As duas respostas mais comuns há muito tempo foram: que é inata (a resposta inatista) ou que vinha do aprendizado na infância (a resposta do empirismo). Neste capítulo, considerei uma terceira possibilidade, a resposta do racionalismo, que dominou a psicologia moral quando entrei na área: a moralidade é autoconstruída pelas crianças com base em suas experiências com o dano. Crianças sabem que causar danos é errado porque odeiam sofrê-lo, e gradualmente começam a ver que é, portanto, errado causar danos a outros, o que as leva a entender a equidade e, por fim, a justiça. Expliquei por que passei a rejeitar essa resposta depois de conduzir pesquisas no Brasil e nos Estados Unidos. Conclui que:

- O domínio moral varia de acordo com a cultura. É normalmente limitado em culturas ocidentais, educadas e individualistas. As culturas sociocêntricas ampliam o domínio moral de modo a abranger e regulamentar mais aspectos da vida.

- As pessoas às vezes têm intuições — especialmente em relação à repulsa e ao desrespeito — que são capazes de orientar seu raciocínio. O raciocínio moral é por vezes uma invenção *post hoc*.

- A moralidade não pode ser totalmente autoconstruída pelas crianças com base em sua crescente compreensão de dano. A aprendizagem ou diretriz cultural precisa desempenhar um papel maior do que as teorias racionalistas a atribuíram.

Se a moralidade não vem primordialmente do raciocínio, então resta alguma combinação de inatismo e aprendizagem social como candidatos mais prováveis. No restante deste livro tentarei explicar como a moralidade pode ser inata (como um conjunto de intuições evoluídas) e aprendida (como as crianças aprendem a enquadrar essas intuições dentro de uma cultura específica). Nascemos para ser morais, mas temos que aprender exatamente em relação a que pessoas como nós devem ser morais.

DOIS

O Cachorro Intuitivo e Sua Cauda Racional

Uma das maiores verdades da psicologia é que a mente é dividida em partes que às vezes entram em conflito.[1] Ser humano é sentir-se atraído por caminhos diferentes e se surpreender — às vezes em choque — com sua incapacidade de controlar suas próprias ações. O poeta romano Ovídio viveu em uma época em que as pessoas pensavam que as doenças eram causadas por desequilíbrios da bílis, mas ele conhecia o suficiente de psicologia para que um de seus personagens lamentasse: "Sou arrastado por uma força nova e estranha. Desejo e razão me puxam em direções diferentes. Vejo o caminho correto e o reconheço, mas sigo o errado."[2]

Pensadores da Antiguidade nos ofereceram muitas metáforas para entender esse conflito, mas poucas são mais expressivas do que uma contida no diálogo de Platão, *Timeu*. O narrador, Timeu, explica como os deuses criaram o Universo, os seres humanos inclusive. Ele diz que um deus criador perfeito e que criava apenas coisas perfeitas estava povoando o Universo de almas — e o que poderia ser mais perfeito em uma alma do que uma perfeita racionalidade? Então, depois de criar um grande número de almas perfeitas e racionais, o deus criador decidiu descansar, delegando os últimos detalhes da criação a divindades inferiores, que fizeram o melhor que puderam para criar os receptáculos para essas almas.

As divindades começaram a revestir as almas na forma mais perfeita, a esfera, o que explica por que nossas cabeças são mais ou menos redondas. Mas rapidamente perceberam que essas cabeças esféricas enfrentariam dificuldades e indignidades ao rolar pelas superfícies irregulares da Terra. Então os deuses criaram corpos para sustentar as cabeças, e animaram cada corpo com uma segunda alma — demasiadamente inferior, pois não era racional nem imortal. Essa segunda alma continha

> terríveis, mas necessárias, perturbações: a primeira, o prazer, o fascínio mais poderoso do demônio; depois, as dores, que nos fazem fugir do que é bom; além desses, a ousadia e o medo, ambos conselheiros insensatos; depois também o espírito da raiva difícil de aplacar; e a expectativa, facilmente corrompida. Essas eles fundiram com um senso de percepção irracional e efervescente luxúria, e por fim, por ser necessário, criaram o tipo de alma mortal.[3]

Prazeres, emoções, sentidos... todos demônios necessários. Para proporcionar à cabeça divinal um certo distanciamento de seu corpo turbulento e seus "conselheiros insensatos", os deuses inventaram o pescoço.

A maioria dos mitos da criação coloca uma tribo ou ancestral no centro da criação, assim parece estranho ceder essa honra a uma faculdade mental — pelo menos até que você perceba que esse mito criado pelos filósofos os deixa em uma situação privilegiada. Justifica seus empregos perpétuos como altos sacerdotes da razão, ou como reis filósofos desprovidos de paixões. É a derradeira ilusão racionalista — as paixões são e devem ser apenas servas da razão, uma inversão da formulação de Hume. E, caso ainda haja dúvidas sobre o desprezo de Platão pelas paixões, Timeu acrescenta que um homem que domina suas emoções desfrutará de uma vida de razão e justiça, e renascerá em um paraíso celestial de felicidade eterna. Entretanto, um homem dominado por suas paixões reencarnará como mulher.

A filosofia ocidental idolatra a razão e desconfia das paixões há milhares de anos.[4] Existe uma linha direta conectando Platão, Immanuel Kant e Lawrence Kohlberg. Ao longo deste livro, refiro-me a essa atitude reverente como *delírio racionalista*. Considero-a um delírio porque, quando um grupo de pessoa cria algo sagrado, os membros do culto perdem a capacidade de pensar claramente sobre isso. A moralidade agrega e cega. Os verdadeiros crentes fabricam fantasias devotas que não correspondem à realidade, e em algum momento surge alguém para derrubar o ídolo de seu pedestal. Esse era o projeto de Hume, com sua alegação filosoficamente sacrílega de que a razão não passava de serva das paixões.[5]

Thomas Jefferson propôs um modelo mais equilibrado das relações entre razão e emoção. Em 1786, quando atuava como representante diplomático dos Estados Unidos na França, Jefferson se apaixonou. Maria Cosway era uma bela artista inglesa de 27 anos que fora apresentada à Jefferson por um amigo em comum. Jefferson e Cosway, então, passaram as horas seguintes fazendo exatamente o que as pessoas devem fazer para se apaixonar loucamente. Passearam por Paris em um perfeito dia ensolarado, dois estrangeiros compartilhando suas impressões estéticas em relação a uma cidade grandiosa. Jefferson enviou mensagens mentirosas para cancelar as reuniões de fim de tarde para poder prolongar o dia. Cosway era casada, embora parecesse um casamento aberto, de conveniência, e os historiadores não sabem como progrediu o romance nas semanas seguintes.[6] Mas o marido de Cosway logo insistiu em levar a esposa de volta para a Inglaterra, deixando Jefferson de coração partido.

Para amenizar a dor, Jefferson escreveu uma carta de amor a Cosway usando um truque literário para disfarçar a inadequação de falar de amor a uma mulher casada. Ele escreveu a carta na forma de um diálogo entre sua cabeça e seu coração discutindo a sensatez de ter buscado uma "amizade" mesmo quando sabia que teria que terminar. A cabeça de Jefferson é o ideal platônico da razão, repreendendo o coração por ter arrastado os dois em mais uma bela confusão. O coração implora por piedade, mas a cabeça responde com um severo sermão:

> Tudo neste mundo é uma questão de cálculo. Então, prossiga com cautela, o equilíbrio está em suas mãos. Ponha de um lado da balança os prazeres que o objeto pode oferecer; mas seja justo ao pesar as dores que virão do outro lado, e veja qual prevalece.[7]

Depois de suportar abuso atrás de abuso de forma passiva, o coração finalmente se ergue em sua defesa, e coloca a cabeça no seu devido lugar — que é lidar com os problemas que não envolvem pessoas:

> Quando a natureza nos atribuiu a mesma morada, nos deu em troca um império dividido. Para você designou o campo da ciência; para mim, o da moral. Quando o círculo deve se tornar quadrado, ou a órbita do cometa precisa ser traçada; quando o arco mais poderoso ou o sólido de menor resistência precisa ser investigado, assuma o problema; é seu; a natureza não me deu jurisdição sobre eles. Da mesma maneira, ao negar a você os sentimentos de empatia, benevolência, gratidão, justiça, amor, amizade, ela os excluiu de seu controle. Para estes, ela adequou o mecanismo do coração. Os princípios morais eram essenciais demais para a felicidade dos homens para expô-los aos riscos de cálculos imprecisos da cabeça. Assim, seus alicerces estão no sentimento, não na ciência.[8]

Assim, agora temos três modelos da mente. Platão disse que a razão *deve* ser a mestre, mesmo que os filósofos sejam os únicos capazes de atingir um alto nível de maestria.[9] Hume disse que a razão é e deve ser serva das paixões. E Jefferson nos dá uma terceira opção, na qual a razão e o sentimento são (e devem ser) cogovernantes independentes, como os imperadores de Roma, que dividiram o império em suas metades ocidental e oriental. Quem está certo?

A PROFECIA DE WILSON

Platão, Hume e Jefferson tentaram compreender o modelo da mente humana sem a ajuda da ferramenta mais poderosa já criada para entender os seres vivos: a teoria darwiniana da evolução. Darwin era fascinado pela moralidade porque qualquer exemplo de cooperação entre os seres vivos tinha que se equiparar à sua ênfase geral na competição e na "sobrevivência do mais apto".[10] Darwin propôs diversas explicações para como a moralidade pode ter evoluído, e muitas delas sugerem que as emoções, tais como a empatia, que considerava a "pedra fundamental" dos instintos sociais.[11] Ele também escreveu sobre os sentimentos de vergonha e medo, que foram associados ao desejo por uma boa reputação. Darwin era um inatista em relação à moralidade: ele achava que a seleção natural nos proporcionou mentes pré-configuradas com emoções morais.

Mas, conforme as ciências sociais progrediram no século XX, seu curso foi alterado por duas ondas de moralismo que transformaram o inatismo em uma ofensa moral. A primeira foi o terror entre os antropólogos e outros ao "darwinismo social" — a teoria (aventada, mas não endossada por Darwin) de que as nações, raças e indivíduos mais ricos e bem-sucedidos são os mais aptos. Portanto, a caridade com os pobres interfere no progresso natural da evolução: possibilita a procriação dos pobres.[12] A alegação de que algumas raças eram inatamente superiores a outras foi mais tarde defendida por Hitler, e se Hitler era um inatista, então, todos os inatistas eram nazistas. (Essa conclusão é ilógica, mas faz sentido do ponto de vista emocional se você não gosta do inatismo.)[13]

A segunda onda de moralismo foi as políticas radicais que inundaram as universidades nos Estados Unidos, Europa e América Latina nos anos 1960 e 1970. Reformadores radicais normalmente querem acreditar que a natureza humana é uma tábula rasa em que qualquer visão utópica pode ser esboçada. Se a evolução proporcionasse a homens e mulheres diferentes conjuntos de desejos e habilidades, por exemplo, isso seria um obstáculo para se alcançar a igualdade de gênero em muitas profissões. Se o inatismo pode ser usado para justificar as estruturas de poder existentes, então ele deve estar errado. (Novamente, esse é um erro lógico, mas é assim que a mente moralista funciona.)

O cientista cognitivo Steven Pinker era aluno de pós-graduação em Harvard nos anos 1970. Em seu livro de 2002, *Tábula Rasa: A negação contemporânea da natureza humana*, Pinker descreve a maneira como os cientistas traíram os valores da ciência para manter a lealdade ao movimento progressista. Os cientistas se tornaram "exibicionistas morais" nos auditórios ao mesmo tempo em que demonizaram colegas cientistas e instigavam seus alunos para avaliar as ideias não por sua veracidade, mas pela consistência com os ideais progressistas, como igualdade racial e de gênero.[14]

Nunca a traição da ciência foi mais evidente do que nos ataques a Edward O. Wilson, que dedicou sua vida a estudar formigas e ecossistemas. Em 1975, Wilson publicou *Sociobiology: The new synthesis* [sem publicação no Brasil]. O livro explorou como a seleção natural, que inegavelmente moldou os corpos dos animais, também moldou seu comportamento. Isso não era um fato controverso, mas Wilson teve a audácia de sugerir em seu capítulo final que a seleção natural também influenciou o comportamento *humano*. Ele acreditava na existência da natureza humana, algo que restringe a extensão do que podemos atingir ao criar nossos filhos ou projetar novas instituições sociais.

Wilson usou a ética para ilustrar seu argumento. Ele era professor de Harvard, junto com Lawrence Kohlberg e o filósofo John Rawls, então era bem familiarizado com o tipo de teorização racionalista sobre direitos e justiça.[15] Parecia claro para Wilson que o que os racionalistas *realmente* estavam fazendo era criar justificativas engenhosas para as intuições morais que são mais bem explicadas pela evolução. As pessoas acreditam nos direitos humanos porque eles de fato existem, como verdades matemáticas, guardadas em uma prateleira cósmica ao lado do teorema de Pitágoras esperando para serem descobertas pelos racionalizadores platônicos? Ou as pessoas sentem repulsa e empatia quando leem relatos de tortura, e depois inventam uma história sobre os direitos universais para ajudar a justificar seus sentimentos?

Wilson concordava com Hume. Atacou dizendo que o que os filósofos morais estavam de fato fazendo era inventar justificativas depois de "consultar os centros emotivos" de seus cérebros.[16] Ele previu que o estudo da ética em breve seria tomado das mãos dos filósofos e "biologizado", ou conduzido de modo a se encaixar à emergente ciência da natureza humana. Essa conexão entre filosofia, biologia e evolução seria um exemplo da "nova síntese" sonhada por Wilson, à qual mais tarde se referiu como *consiliência* — um "salto conjunto" de ideias para criar um corpo de conhecimento único.[17]

Os profetas desafiaram o *status quo*, frequentemente atraindo o ódio das pessoas que estavam no poder. Wilson, portanto, merece ser chamado de profeta da psicologia moral. Ele foi achincalhado e condenado em publicações e em público.[18] Foi chamado de fascista, o que justificou (para alguns) a acusação de racista, o que justificou (para alguns) a tentativa de impedi-lo de falar em público. Os opositores que tentaram interromper uma de suas palestras científicas invadiram o palco e entoaram: "Wilson racista, não tem saída, você é um genocida."[19]

OS EMOCIONAIS ANOS 1990

Na época em que entrei para a pós-graduação, em 1987, o ataque cessara e a sociobiologia fora desacreditada — pelo menos, essa é a mensagem que extraí ao ouvir cientistas usando a palavra como um termo pejorativo se referindo a uma tentativa ingênua de reduzir a psicologia à evolução. A psicologia moral não concerne emoções evoluídas, mas o desenvolvimento do raciocínio e o processamento da informação.[20]

Ainda assim, quando explorei fora do campo da psicologia, descobri muitos livros maravilhosos sobre a base emocional da moralidade. Li *Good Natured: The origins of right and wrong in humans and other animals* de Frans de Waal [sem publicação no Brasil].[21] Waal não defendeu que os chimpanzés tinham moralidade, apenas argumentou que eles (e outros primatas) detêm a maioria dos elementos constitutivos usados por humanos para construir sistemas e comunidades morais. Esses elementos são em grande parte emocionais, como os sentimentos de empatia, medo, raiva e afeto.

Também li *O Erro de Descartes,* do neurocientista Antonio Damasio.[22] Ele notou um padrão incomum de sintomas em pacientes que haviam sofrido dano em determinada área do cérebro — o córtex pré--frontal ventromedial (ou seja, inferior médio), ou CPFvm; a região logo atrás e abaixo da ponte do nariz. A emocionalidade deles caiu para quase zero. Podiam olhar para as fotos mais alegres ou terríveis e não esboçar qualquer sentimento. A noção de certo e errado foi integralmente preservada, e eles não apresentaram deficits de QI. Até obtiveram boas pontuações no teste de raciocínio moral de Kohlberg. Ainda assim, quando se tratava de suas vidas pessoais e profissionais, tomavam decisões estúpidas ou não conseguiam sequer opinar. Eles se isolaram de suas famílias e de seus empregadores, e suas vidas desmoronaram.

A interpretação de Damasio foi que as intuições e reações corporais eram *necessárias* para o pensamento racional, e que um dos trabalhos do CPFvm era reintegrar essas intuições às deliberações conscientes da pessoa. Ao tentar pesar as vantagens e as desvantagens de assassinar seus pais... pode nem conseguir, porque os sentimentos de horror provenientes do CPFvm inundam seu cérebro.

Mas os pacientes de Damasio conseguiam pensar em qualquer coisa, sem qualquer filtro ou disfarce criado por suas emoções. Com o CPFvm "desligado", todas as opções pareciam igualmente boas. A única maneira de tomar uma decisão era examinar cada uma das opções, pesando os prós e contras usando o raciocínio verbal e consciente. Se você já comprou algum utensílio que envolve pouco sentimento — digamos, uma máquina de lavar — sabe o quanto pode ser difícil decidir quando o número de opções excede seis ou sete (que é a capacidade de nossa memória de curto prazo). Tente imaginar como seria sua vida se a cada momento, em cada situação social, escolher a coisa certa a fazer ou dizer fosse como decidir qual é a melhor máquina de lavar dentre dez opções, minuto após minuto, dia após dia. Você também tomaria decisões estúpidas.

As descobertas de Damasio eram as mais antiplatônicas possíveis. Ali estavam pessoas em que os danos cerebrais basicamente desligaram a comunicação entre a alma racional e as turbulentas paixões do corpo (que não se originam do coração ou das entranhas, mas das áreas emocionais do cérebro, o que Platão desconhecia). Não havia mais as "terríveis, mas necessárias, perturbações", os "conselheiros insensatos" para desviar a alma racional de seu caminho. Ainda assim o resultado da separação não foi a libertação da razão dos domínios das paixões. Foi a chocante revelação de que o raciocínio *precisa* das paixões. O modelo de Jefferson se encaixa melhor: quando um coimperador é tirado de combate e o outro tenta governar o império sozinho, este não está apto para a tarefa.

No entanto, se o modelo de Jefferson estivesse correto, os pacientes de Damasio ainda deveriam ter sido capazes de executar as tarefas da vida que sempre foram governadas pela cabeça. Mas a incapacidade de tomar decisões, mesmo que em tarefas puramente analíticas e organizacionais, era generalizada. A cabeça não era capaz de executar suas próprias tarefas sem o coração. Assim, o modelo de Hume se encaixa melhor: quando o mestre (paixão) cai morto, o servo (razão) não tem a capacidade nem o desejo de manter o estado funcionando. Tudo desmorona.

POR QUE ATEUS NÃO VENDEM SUAS ALMAS

Em 1995, mudei-me para a Universidade da Virgínia (UVA) para começar meu primeiro emprego como professor. A psicologia moral ainda era dedicada ao estudo do raciocínio moral. Mas, se observássemos além da psicologia do desenvolvimento, a nova síntese de Wilson estava começando. Alguns economistas, filósofos e neurocientistas silenciosamente construíam uma abordagem alternativa à moralidade, cuja base eram as emoções, e supunha-se que as emoções tivessem sido moldadas pela evolução.[23] Esses adeptos da sintetização foram auxiliados pelo renascimento da sociobiologia em 1992 sob um novo nome — psicologia evolutiva.[24]

Li a carta de Jefferson para Cosway durante meu primeiro mês em Charlottesville, como parte de minha iniciação em seu culto. (Jefferson fundou a UVA em 1819, e aqui na "Universidade do Sr. Jefferson" nós o consideramos uma divindade.) Mas eu já alcançara a visão jeffersoniana na qual as emoções morais e o raciocínio moral eram pro-

FIGURA 2.1. *Meu primeiro modelo jeffersoniano de processo dual.* Emoção e raciocínio são caminhos separados para o julgamento moral, embora este possa às vezes também ser conduzido pelo raciocínio *post hoc*.

cessos apartados.[25] Cada processo era capaz de fazer julgamentos morais por conta própria, e às vezes entravam em conflito pelo direito de fazê-lo (Figura 2.1).

Em meus primeiros anos na UVA, conduzi diversos experimentos para testar esse modelo de processo dual pedindo a pessoas para fazer julgamentos sob condições que reforçavam ou enfraqueciam um dos processos. Por exemplo, psicólogos sociais frequentemente solicitam que as pessoas executem tarefas enquanto realizam atividades de alta carga cognitiva, tal como memorizar o número 7250475, ou de carga cognitiva baixa, como lembrar-se apenas do número 7. Se o desempenho diminui enquanto as pessoas executam a alta carga, então podemos concluir que o pensamento "controlado" (como o raciocínio consciente) é necessário para determinada tarefa. Mas se as pessoas se saem bem na tarefa independentemente da carga, podemos concluir que os processos "automáticos" (como a intuição e a emoção) são suficientes para desempenhar essa tarefa.

Minha pergunta era simples: ao executar uma tarefa de alta carga cognitiva, as pessoas conseguem fazer julgamentos morais tão bem quanto o fazem com uma baixa carga cognitiva? A resposta foi sim. Não descobri diferenças entre condições, nem efeitos da carga cognitiva. Experimentei novamente com histórias diferentes e cheguei ao mesmo resultado. Tentei outra manipulação: usei um programa de computador para forçar algumas pessoas a responder rapidamente, antes que tivessem tempo para pensar, e forcei outras pessoas a esperar dez segundos antes de emitir seu julgamento. Certamente essa manipulação enfraqueceria ou fortaleceria o raciocínio moral e deslocaria o equilíbrio do poder, pensei. Mas não foi isso que aconteceu.[26]

Quando cheguei à UVA, eu tinha certeza de que um modelo de processo dual de Jefferson estava correto, mas continuava falhando em meus esforços para prová-lo. Meu tempo estava se esgotando e eu estava ficando nervoso. Eu tinha que produzir uma série de publicações nos principais periódicos dentro de cinco anos ou não conseguiria ser efetivado e seria forçado a deixar a UVA.

Nesse ínterim, comecei a realizar estudos para acompanhar a estupefação moral que observara alguns anos antes em minhas entrevistas para minha tese. Trabalhei com um talentoso graduando, Scott Murphy. Nosso plano era aumentar a quantidade de estupefação, fazendo com que Scott interpretasse o advogado do diabo, em vez de ser um entrevistador gentil. Quando Scott conseguisse derrubar todos os argumentos, as pessoas mudariam seus julgamentos? Ou ficariam moralmente estupefatos, apegando-se a seus julgamentos iniciais enquanto gaguejavam e tentavam encontrar novas razões?

Scott trouxe 30 alunos da UVA para o laboratório, um de cada vez, para uma entrevista mais ampla. Explicou que seu trabalho era desafiar o raciocínio deles, não importava o que dissessem. Então, ele os apresentou cinco cenários. Um era o dilema de Heinz proposto por Kohlberg: Heinz deveria roubar um remédio para salvar a vida da esposa? Previmos que essa história causaria pouca estupefação. O dilema contrapunha questões de dano e vida a leis e direitos de propriedade, e a história era bem construída de modo a evocar um raciocínio moral racional e frio. Como previsto, Scott não conseguiu obter estupefação com o dilema de Heinz. As pessoas ofereceram boas razões para suas respostas, e Scott não foi capaz de fazê-las abandonar princípios como "a vida é mais importante do que a propriedade".

Nós também escolhemos dois cenários que impactaram de forma mais direta as intuições. No cenário do "suco de barata", Scott abriu uma pequena lata de suco de maçã, despejou em um copo plástico e pediu que os sujeitos do experimento tomassem um gole. Todos tomaram. Depois Scott trouxe uma caixa de plástico branca e disse:

> Tenho aqui neste recipiente uma barata esterilizada. Compramos algumas baratas de uma empresa que fornece para laboratórios. Elas foram criadas em um ambiente limpo. Mas, para termos certeza, as esterilizamos em uma autoclave, que aquece tudo a uma temperatura em que nenhum germe é capaz de sobreviver. Vou mergulhar essa barata no suco, assim [usando um coador de chá]. Agora, você tomaria um gole?

No segundo cenário, Scott ofereceu aos sujeitos US$2 se assinassem um documento dizendo: *Eu, _____ , pelo presente instrumento vendo minha alma, depois de minha morte, para Scott Murphy, pelo montante de US$2.* Havia uma linha para a assinatura e, abaixo dela, uma observação: *O presente documento é parte de um experimento psicológico. E* NÃO *constitui um contrato legal ou exigível, sob qualquer forma.*[27] Scott também disse a eles que poderiam rasgar o papel assim que o assinassem, e ainda receberiam os US$2.

Apenas 23% dos sujeitos se dispuseram a assinar o documento sem qualquer incentivo de Scott. Ficamos um tanto surpresos ao descobrir que 37% se dispuseram a tomar o suco de barata.[28] Nesses casos, Scott não podia fazer o papel de advogado do diabo.

Entretanto, para a maioria que disse não, Scott pediu que explicasse suas razões e fez o que pôde para contestá-las. Ele convenceu mais 10% das pessoas a beber o suco, e mais 17% a assinar o documento vendendo a alma. Mas a maioria das pessoas, em ambos os cenários, ainda se apegou à recusa inicial, mesmo que muitas não conseguissem oferecer boas razões. Algumas pessoas confessaram ser ateístas, não acreditavam em almas e mesmo assim não se sentiram confortáveis em assinar.

Nessa situação também não houve muita estupefação. As pessoas acharam que era, no fim das contas, escolha delas beber ou não o suco ou assinar o documento, então a maioria dos sujeitos parecia confortável dizendo: "Eu não quero, mesmo que não possa lhe dar uma razão para isso."

O ponto principal do estudo era examinar as respostas para duas violações de tabus inofensivas. Queríamos saber se o julgamento moral de eventos perturbadores, mas inofensivos, seriam mais parecidos com os da tarefa de Heinz (intimamente associado à razão), ou como os das tarefas do suco de barata e da venda de alma (em que as pessoas prontamente confessaram que seguiram suas intuições). Veja a seguir uma das histórias usadas:

> Julie e Mark, que são irmãos, estão viajando juntos pela França. Ambos estão de férias da faculdade. Uma noite estão sozinhos em uma cabana perto da praia e decidiram

que seria interessante e divertido fazerem amor. No mínimo seria uma experiência nova para ambos. Julie já toma anticoncepcional, mas Mark usa preservativo também, para mais segurança. Os dois gostam da experiência, mas decidem não repeti-la. Eles guardam segredo dessa noite especial, o que faz com que se sintam ainda mais próximos. O que você acha? Foi errado eles fazerem sexo?

Na outra história de tabu inofensivo, Jennifer trabalha no laboratório de patologia de um hospital. Ela é vegetariana por motivos morais — acredita que matar animais é errado. Mas uma noite ela precisa incinerar um cadáver humano fresco, e acha que seria um desperdício jogar fora tanta carne perfeitamente comestível. Assim, corta um pedaço de carne e leva para casa. Em seguida, a cozinha e come.

Sabemos que essas histórias são repulsivas, e esperávamos que elas despertassem imediata condenação moral. Apenas 20% dos sujeitos disseram que não viam problema em Julie e Mark fazerem sexo, e somente 13% disseram que não tinha problema Jennifer comer um pedaço de um cadáver. Mas quando Scott pediu às pessoas que explicassem seus julgamentos e então contestou suas justificativas, encontrou exatamente o padrão de Hume que havíamos previsto. Nestes cenários de tabus inofensivos, as pessoas ofereceram muito mais razões e desconsideraram muitas outras do que em outros cenários. Eles pareciam atordoados, lançando razão atrás de razão, e raramente mudando de ideia quando Scott provava que a justificativa não era relevante. Veja a transcrição de uma entrevista sobre a história do incesto:

ENTREVISTADOR: Então, o que você acha disso, foi errado Julie e Mark fazerem sexo?

SUJEITO: Sim, acho totalmente errado eles fazerem sexo. Porque sou bastante religioso e acho que o incesto está errado de qualquer maneira. Não sei.

ENTREVISTADOR: O que você acha que há de errado com o incesto?

sujeito: Hum, toda a ideia de, bem, eu ouvi dizer — eu nem sei se isso é verdade, mas no caso, se a garota engravidasse, as crianças seriam deformadas, na maioria das vezes, em casos como esse.

entrevistador: Mas eles usaram camisinha e pílula anticoncepcional...

sujeito: Ah, ok. Sim, você disse isso.

entrevistador: ... então não tem como eles terem um filho.

sujeito: Bem, acho que o sexo mais seguro é a abstinência, mas, hum... hum, eu não sei, só acho que está errado. Eu não sei, o que você me perguntou?

entrevistador: Se foi errado eles fazerem sexo.

sujeito: Sim, acho que é errado.

entrevistador: E estou tentando descobrir por que, o que você acha que há de errado nisso.

sujeito: Ok, hum... bem... vamos ver, deixe-me pensar sobre isso. Hum... quantos anos eles tinham?

entrevistador: Eles estão na faculdade, por volta dos 20 anos.

sujeito: Ah... [parece desapontado]. Eu não sei, eu apenas... simplesmente não é algo que aprendemos que devemos fazer. Não é... bem, quero dizer que eu não fui. Suponho que a maioria das pessoas não é [risos]. Eu apenas acho que não se deve... eu não... acho que minha razão é, hum...só que, hum... não somos educados assim. Você não vê? Não é... não acho que seja aceito. É mais ou menos isso.

entrevistador: Você não diria que tudo que não foi educado para fazer é errado, diria? Por exemplo, se você não é educado para ver mulheres trabalhando fora de casa, você diria que é errado as mulheres trabalharem?

sujeito: Hum... bem... Oh, Deus. Isto é difícil. Eu realmente... quero dizer, não há como mudar de ideia, mas simplesmente não sei como — como mostrar o que estou sentindo, como me sinto. É muito louco![29]

Nessa transcrição e em muitas outras, é óbvio que as pessoas estavam fazendo um julgamento moral de forma imediata e emocional. O raciocínio era apenas o servo das paixões, e quando o servo não encontrou bons argumentos, o mestre não mudou de ideia. Quantificamos alguns dos comportamentos que mais pareciam indicativos de estupefação moral, e essas análises mostraram grandes diferenças entre a maneira como as pessoas responderam aos cenários de tabus inofensivos comparados ao dilema de Heinz.[30]

Esses resultados corroboram as ideias de Hume, não Jefferson ou Platão. As pessoas faziam julgamentos morais de maneira rápida e emocional. O raciocínio moral era principalmente apenas uma busca *post hoc* por razões para justificar os julgamentos que as pessoas já haviam feito. Mas esses julgamentos representavam o julgamento moral em geral? Tive que escrever algumas histórias bizarras para dar às pessoas esses flashes de intuição moral que não poderiam explicar facilmente. Nosso pensamento não pode funcionar assim, pode?

"VER QUE" VERSUS "RACIOCINAR POR QUÊ"

Dois anos antes de Scott e eu conduzirmos os estudos de estupefação, li um livro extraordinário que os psicólogos raramente mencionam: *Patterns, Thinking, and Recognition* [sem publicação no Brasil] de Howard

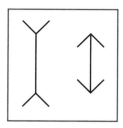

FIGURA 2.2. *A ilusão de Muller-Lyer.*

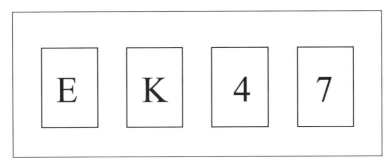

FIGURA 2.3. *A tarefa de seleção de Wason.* Qual(is) carta(s) você precisa virar para comprovar a regra de que, se uma carta mostra uma vogal de um lado, têm um número par do outro?

Margolis, professor de políticas públicas da Universidade de Chicago. Margolis estava tentando entender por que as crenças das pessoas sobre questões políticas costumam ser tão pouco conectadas a fatos objetivos, e esperava que a ciência cognitiva pudesse resolver o enigma. No entanto, ele ficou decepcionado com as abordagens de pensamento predominantes na década de 1980, a maioria das quais usava a metáfora da mente como um computador.

Margolis achava que um modelo melhor para o estudo de uma cognição superior, como o pensamento político, era a cognição inferior, como a visão, que funciona em grande parte pela rápida correspondência inconsciente de padrões. Ele começa seu livro com uma investigação de ilusões perceptivas, como a conhecida ilusão de Muller-Lyer (Figura 2.2), na qual uma linha continua parecendo mais longa que a outra, mesmo depois que sabemos que as duas linhas têm o mesmo comprimento. Ele então passou para problemas lógicos, como a tarefa de seleção de Wason, na qual são mostradas quatro cartas na mesa.[31] Você sabe que cada carta vem de um baralho no qual todas as cartas têm uma letra de um lado e um número do outro. Sua tarefa é escolher o menor número de cartas na Figura 2.3, que devem ser viradas para decidir se esta regra é verdadeira: "Se houver uma vogal de um lado, haverá um número par no outro lado."

Todo mundo vê imediatamente que é preciso virar a carta E, mas muitas pessoas também dizem que é preciso virar o 4. Elas parecem estar fazendo uma correspondência simples de padrões: *Há uma vogal e um número par em questão, então vamos virar a vogal e o número par.* Muitas pessoas resistem à simples explicação lógica por trás da tarefa: virar o 4 e encontrar um B do outro lado *não* invalida a regra, enquanto virar o 7 e encontrar um U sim, então você precisa virar o E e o 7.

Quando as pessoas são informadas antecipadamente sobre qual é a resposta e solicitadas a explicar por que essa resposta está correta, elas conseguem fazê-lo. Surpreendentemente, porém, são capazes de oferecer uma explicação, e com a mesma confiança em seu raciocínio, se recebem a resposta certa (E e 7) ou a resposta popular, mas errada (E e 4).[32] Descobertas como essas levaram Wason à conclusão de que *julgamento e justificativa são processos apartados.* Margolis compartilhou a visão de Wason, resumindo a situação da seguinte maneira:

> Dados os julgamentos (eles mesmos produzidos pelo maquinário cognitivo inconsciente no cérebro, às vezes corretamente, às vezes não), os seres humanos produzem justificativas que acreditam serem responsáveis por seus julgamentos. Mas as justificativas (nesse argumento) são apenas racionalizações *post factum.*[33]

Margolis propôs que existem dois tipos muito diferentes de processos cognitivos em ação quando fazemos julgamentos e resolvemos problemas: "ver que" e "raciocinar por quê". "Ver que" é a combinação de padrões que os cérebros fazem há centenas de milhões de anos. Até os animais mais simples são configurados para responder a certos padrões de entrada (como luz ou açúcar) com comportamentos específicos (como afastar-se da luz ou parar e comer alimentos doces). Os animais aprendem facilmente novos padrões e os conectam aos comportamentos existentes, que também podem ser reconfigurados em novos padrões (como quando um treinador de animais ensina um novo truque a um elefante).

À medida que os cérebros ficam maiores e mais complexos, os animais começam a mostrar mais sofisticação cognitiva — fazendo escolhas (como onde procurar alimento hoje ou quando voar para o sul) e julgamentos (como se um chimpanzé subordinado mostrava um comportamento deferente adequado). Mas, em todos os casos, a psicologia básica é a correspondência de padrões. É o tipo de processamento rápido, automático e sem esforço que impulsiona nossas percepções na ilusão de Muller-Lyer. Você não consegue escolher se quer ou não ver a ilusão; apenas "vê que" uma linha é mais longa que a outra. Margolis também chamou esse tipo de pensamento de "intuitivo".

"Raciocinar por quê", em contrapartida, é o processo "pelo qual descrevemos como pensamos que chegamos a um julgamento ou como achamos que outra pessoa poderia alcançar esse julgamento".[34] O "raciocinar por quê" pode ocorrer apenas para criaturas que têm linguagem e precisam se explicar para outras criaturas. "Raciocinar por quê" não é automático; é consciente, às vezes *parece* trabalho, e é facilmente interrompido pela carga cognitiva. Kohlberg havia convencido os psicólogos morais a estudar o "raciocinar por quê" e a negligenciar o "ver que".[35]

As ideias de Margolis se encaixavam perfeitamente em tudo o que vi em meus estudos: julgamento intuitivo rápido ("Isso está errado!") seguido por justificativas lentas e às vezes tortuosas ("Bem, seus dois métodos de controle de natalidade podem falhar e os filhos nascerem deformados"). A intuição desencadeou o raciocínio, mas não dependia do sucesso ou fracasso do raciocínio. Minhas histórias de tabus inofensivos eram como ilusões de Muller-Lyer: elas ainda pareciam erradas, mesmo depois de medir a quantidade de danos envolvidos e concordar que as histórias eram inofensivas.

A teoria de Margolis também funcionou para os dilemas mais fáceis. No cenário de Heinz, a maioria das pessoas intuitivamente "vê que" Heinz deveria roubar a droga (a vida de sua esposa está em risco), mas, neste caso, é fácil encontrar razões. Kohlberg construiu o dilema para disponibilizar boas razões de ambos os lados, para que ninguém fique estupefato.

Os dilemas do suco de barata e da venda de almas instantaneamente fazem as pessoas "verem que" desejam recusar, mas não sentem muita pressão para oferecer razões. Não querer beber suco contaminado por baratas não é um julgamento moral, é uma preferência pessoal. Dizer "porque eu não quero" é uma justificativa perfeitamente aceitável para as preferências subjetivas. No entanto, julgamentos morais *não* são declarações subjetivas;

são alegações de que alguém fez algo errado. Não posso pedir que a comunidade o castigue simplesmente porque não gosto do que você está fazendo. Eu tenho que apontar para algo fora das minhas próprias preferências, e esse apontar é o nosso raciocínio moral. Fazemos um raciocínio moral não para reconstruir as reais razões pelas quais *nós mesmos* chegamos a um julgamento; raciocinamos para encontrar as melhores razões possíveis pelas quais *alguém deveria se juntar a nós* em nosso julgamento.[36]

O GINETE E O ELEFANTE

Levei anos para apreciar plenamente as implicações das ideias de Margolis. Parte do problema era que meu pensamento estava entrincheirado em uma dicotomia predominante, mas útil, entre cognição e emoção. Depois de falhar repetidamente em fazer a cognição agir de forma independente da emoção, comecei a perceber que a dicotomia não fazia sentido. A cognição refere-se apenas ao processamento de informações, que inclui a cognição superior (como raciocínio consciente) e a cognição inferior (como percepção visual e recuperação de memória).[37]

A emoção é um pouco mais difícil de definir. Há muito se pensava que as emoções eram estúpidas e viscerais, mas, a partir dos anos 1980, os cientistas reconheceram cada vez mais que as emoções envolviam muita cognição. As emoções ocorrem em etapas, a primeira das quais é avaliar algo que acabou de acontecer com base no avanço ou impedimento de seus objetivos.[38] Essas avaliações são um tipo de processamento de informações; são conexões. Quando um programa de avaliação detecta padrões específicos de entrada, ele lança um conjunto de alterações em seu cérebro que o preparam para responder adequadamente. Por exemplo, se ouvir alguém correndo atrás de você em uma rua escura, seu sistema de medo detecta uma ameaça e ativa seu sistema nervoso simpático, acionando a resposta de luta ou fuga, aumentando sua frequência cardíaca e dilatando suas pupilas para ajudá-lo a captar mais informações.

As emoções não são estúpidas. Os pacientes de Damasio tomaram decisões terríveis porque foram privados de informações emocionais na tomada de decisões. *As emoções são um tipo de processamento de infor-*

mações.[39] Contrastar emoção com cognição é, portanto, tão inútil quanto contrastar a chuva com o clima ou carros com veículos.

Margolis me ajudou a abandonar o contraste entre emoção e cognição. Seu trabalho me ajudou a ver que o *julgamento moral é um processo cognitivo,* como são todas as formas de julgamento. A distinção crucial é realmente entre *dois tipos diferentes de cognição:* intuição e raciocínio. As emoções morais são um tipo de intuição moral, mas a maioria das intuições morais é mais sutil; elas não chegam ao nível das emoções.[40] Na próxima vez que ler um jornal ou dirigir um carro, observe os muitos pequenos flashes de reprovação que passam pela sua consciência. Cada flash é uma emoção? Ou pergunte a si mesmo se é melhor salvar a vida de cinco estranhos ou um (assumindo que todo o restante da situação é idêntica). Você precisa de uma emoção que o faça escolher os cinco? Precisa de raciocínio? Não, você vê instantaneamente que cinco é melhor que um. *Intuição* é a melhor palavra para descrever as dezenas ou centenas de julgamentos e decisões morais rápidos e sem esforço que todos fazemos todos os dias. Apenas algumas dessas intuições chegam até nós incorporadas em emoções profundas.

Em *The Happiness Hypothesis* [sem publicação no Brasil], chamei esses dois tipos de cognição de ginete (processos controlados, incluindo "raciocinar por quê") e elefante (processos automáticos, incluindo emoção, intuição e todas as formas de "ver que").[41] Escolhi um elefante em vez de um cavalo porque os elefantes são muito maiores — e mais inteligentes — do que os cavalos. Os processos automáticos governam a mente humana, da mesma forma que administram a mente dos animais há 500 milhões de anos; assim, são muito bons no que fazem, como um software que foi aprimorado por milhares de ciclos de produtos. Quando os seres humanos desenvolveram sua capacidade de linguagem e raciocínio em algum momento nos últimos milhões de anos, o cérebro não se recompôs para entregar as rédeas a um cocheiro novo e inexperiente. Em vez disso, o ginete (raciocínio baseado na linguagem) evoluiu porque fez algo útil para o elefante.

O ginete pode fazer várias coisas úteis. Ele pode ver mais adiante (porque podemos examinar cenários alternativos em nossas cabeças) e, portanto, ajudar o elefante a tomar melhores decisões no presente. Ele pode

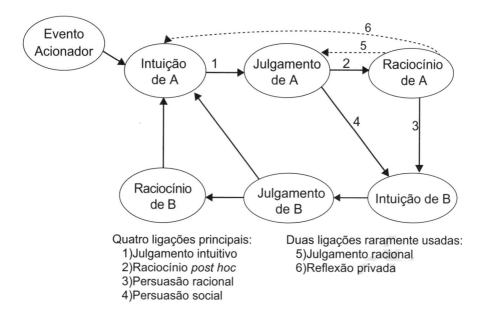

FIGURA 2.4. *O modelo intuicionista social.* As intuições vêm primeiro e o raciocínio geralmente é produzido após o julgamento, a fim de influenciar outras pessoas. Mas, à medida que a discussão avança, as razões apresentadas por outras pessoas às vezes mudam nossas intuições e julgamentos. (De Haidt, 2001, p. 815. Publicado pela American Psychological Association. Adaptado com permissão.)

aprender novas habilidades e dominar novas tecnologias, que podem ser implantadas para ajudar o elefante a atingir seus objetivos e evitar os desastres. E, o mais importante, o ginete atua como porta-voz do elefante, mesmo que não saiba necessariamente o que o elefante está realmente pensando. O ginete é hábil em inventar explicações *post hoc* para o que o elefante acabou de fazer, e é bom em encontrar razões para justificar o que o elefante quiser fazer em seguida. Depois que os seres humanos desenvolveram a linguagem e começaram a usá-la para fofocar uns sobre os outros, tornou-se extremamente valioso para os elefantes carregar nas costas uma empresa de relações públicas em período integral.[42]

Eu não tinha a metáfora do ginete e do elefante nos anos 1990, mas, quando parei de pensar em emoção versus cognição e comecei a pensar em intuição versus raciocínio, tudo se encaixou. Peguei meu antigo modelo de processo dual jeffersoniano (Figura 2.1) e fiz duas grandes mudanças. Primeiro, enfraqueci a seta do raciocínio ao julgamento, rebaixando-a para uma linha pontilhada (ligação 5 na Figura 2.4). Os pontos significam que um julgamento independente é possível em teoria, mas raro na prática. Essa simples mudança converteu o modelo em humeano, no qual a intuição (e não a paixão) é a principal causa do julgamento moral (ligação 1) e, em seguida, o raciocínio normalmente segue esse julgamento (ligação 2) para construir justificativas *post hoc*. A razão é serva das intuições. O ginete foi colocado lá em primeiro lugar para servir ao elefante.

Eu também queria capturar a natureza *social* do julgamento moral. A conversa moral serve a vários propósitos estratégicos, como gerenciar sua reputação, construir alianças e recrutar pessoas para apoiar seu lado nas disputas que são tão comuns na vida cotidiana. Eu queria ir além dos primeiros julgamentos que as pessoas fazem quando ouvem algumas fofocas picantes ou testemunham algum evento surpreendente. Eu queria que meu modelo captasse a relação recíproca, rodada após rodada de discussão e argumentação, que às vezes leva as pessoas a mudar de ideia.

Fazemos nossos primeiros julgamentos rapidamente e somos terríveis ao procurar evidências que possam refutar esses julgamentos iniciais.[43] No entanto, os amigos podem fazer por nós o que não podemos fazer por nós mesmos: eles podem nos desafiar, dando-nos razões e argumentos (ligação 3) que às vezes desencadeiam novas intuições, possibilitando que mudemos de ideia. Ocasionalmente, fazemos isso quando analisamos um problema por nós mesmos, vendo de repente as coisas sob uma nova luz ou de uma nova perspectiva (para usar duas metáforas visuais). A ligação 6 no modelo representa esse processo de reflexão privada. A linha está pontilhada porque esse processo parece não acontecer com muita frequência.[44] Para a maioria de nós, não é todo dia ou mesmo todo mês que mudamos de ideia sobre uma questão moral sem que ninguém nos instigue.

Muito mais comum do que essa mudança mental privada é a influência social. Outras pessoas nos influenciam constantemente apenas revelando que gostam ou não de alguém. Essa forma de influência é a ligação 4, da persuasão social. Muitos de nós acreditam que seguimos uma bússola moral interna, mas a história da psicologia social demonstra ricamente que outras pessoas exercem uma força poderosa, capaz de fazer a crueldade parecer aceitável[45] e o altruísmo parecer inadequado,[46] sem nos dar quaisquer razões ou argumentos.

Por causa dessas duas mudanças, chamei minha teoria de "modelo intuicionista social de julgamento moral" e a publiquei em 2001 em um artigo intitulado "The Emotional Dog and Its Rational Tail" [O Cão Emocional e Sua Cauda Racional, em tradução livre].[47] Em retrospectiva, gostaria de ter chamado o cão de "intuitivo", porque os psicólogos que ainda estão entrincheirados na dicotomia emoção versus cognição geralmente assumem pelo título que estou dizendo que a moralidade é sempre motivada pela emoção. Então eles comprovam que a cognição é importante e acham que encontraram evidências contra o intuicionismo.[48] Mas as intuições (incluindo as reações emocionais) são um tipo de cognição. Só não são um tipo de raciocínio.

COMO VENCER UMA DISCUSSÃO

O modelo social intuicionista oferece uma explicação de por que as discussões morais e políticas são tão frustrantes: *porque as razões morais são a cauda abanada pelo cão intuitivo.* Um cão abana sua cauda para se comunicar. Você não pode fazer com que um cachorro fique feliz forçando sua cauda a abanar. E não pode fazer com que as pessoas mudem de ideia refutando completamente seus argumentos. Hume diagnosticou o problema há muito tempo:

> E como o raciocínio não é a fonte de onde ambos os disputantes derivam seus princípios; é em vão esperar que qualquer lógica, não relacionado às afeições, jamais o envolva em adotar princípios mais sólidos.[49]

Se quiser fazer as pessoas mudarem de ideia, precisa conversar com seus elefantes. Você precisa usar as ligações 3 e 4 do modelo social intuicionista para obter novas intuições, não novas razões.

Dale Carnegie foi um dos maiores encantadores de elefante de todos os tempos. Em seu livro clássico *Como Fazer Amigos e Influenciar Pessoas*, Carnegie repetidamente exortou os leitores a evitar confrontos diretos. Em vez disso, ele aconselhou as pessoas a "começar de maneira amigável", a "sorrir", a "ser um bom ouvinte" e a "nunca dizer 'você está errado'". O objetivo do persuasor deve ser transmitir respeito, cordialidade e abertura ao diálogo antes de declarar o próprio caso. Carnegie estava pedindo aos leitores que usassem a ligação 3, a da persuasão social, para preparar o terreno antes de tentar usar a ligação 4, da persuasão racional.

Da minha descrição de Carnegie até agora, você pode achar que suas técnicas são superficiais e manipuladoras, apropriadas apenas para os vendedores. Mas Carnegie era de fato um brilhante psicólogo moral que compreendeu uma das verdades mais profundas sobre o conflito. Ele usou uma citação de Henry Ford para expressá-la: "Se existe algum segredo do sucesso, está na capacidade de obter o ponto de vista da outra pessoa e ver as coisas do ponto de vista deles e do seu próprio."[50]

É um ponto tão óbvio, mas poucos de nós o aplicam em discussões morais e políticas, porque nossas mentes moralistas assumem prontamente o modo de combate. O ginete e o elefante trabalham juntos suavemente para afastar ataques e lançar granadas retóricas próprias. O desempenho pode impressionar nossos amigos e mostrar aos aliados que somos membros comprometidos da equipe, mas, por melhor que seja a nossa lógica, não fará nossos oponentes mudarem de ideia se eles também estiverem no modo de combate. Se você realmente deseja fazer alguém mudar de ideia em questões morais ou políticas, precisará ver as coisas do ponto de vista dessa pessoa e também do seu. E, se realmente vir como a outra pessoa — profunda e intuitivamente —, pode até ver sua própria mente se abrindo em resposta. A empatia é um antídoto para a moralidade, embora seja muito difícil ter empatia em meio a uma divisão moral.

EM SUMA

As pessoas raciocinam e têm intuições morais (incluindo emoções morais), mas qual é a relação entre esses processos? Platão acreditava que a razão poderia e deveria ser o mestre; Jefferson acreditava que os dois processos eram parceiros iguais (cabeça e coração) governando um império dividido; Hume acreditava que a razão era (e só era adequada para ser) serva das paixões. Neste capítulo, tentei mostrar que Hume estava certo:

- A mente é dividida em partes, como um ginete (processos controlados) em um elefante (processos automáticos). O ginete evoluiu para servir ao elefante.

- Você pode ver o ginete servindo ao elefante quando as pessoas estão moralmente estupefatas. Elas têm fortes pressentimentos sobre o que é certo e errado, e lutam para construir justificativas *post hoc* para esses sentimentos. Mesmo quando o servo (raciocínio) volta de mãos vazias, o mestre (intuição) não muda seu julgamento.

- O modelo intuicionista social parte do modelo de Hume e o torna mais social. O raciocínio moral faz parte da nossa luta ao longo da vida para conquistar amigos e influenciar pessoas. É por isso que digo que "primeiro vêm as intuições, depois o raciocínio estratégico". Você não conseguirá compreender o raciocínio moral se pensar nele como algo que as pessoas fazem sozinhas para descobrir a verdade.

- Portanto, se você fizer alguém mudar de ideia sobre uma questão moral ou política, *fale primeiro com o elefante*. Se pedir às pessoas que acreditem em algo que viola suas intuições, elas se dedicarão a encontrar uma saída de emergência — uma razão para duvidar de seu argumento ou conclusão. E quase sempre terão sucesso.

Tentei usar o intuicionismo enquanto escrevia este livro. Meu objetivo é fazer com que alguns leitores diversificados — liberais e conservadores, seculares e religiosos — mudem a forma como pensam em moralidade, política, religião e uns dos outros. Sabia que tinha que levar as coisas devagar e me dirigir mais aos elefantes do que aos ginetes. Não podia apenas expor a teoria no Capítulo 1 e depois pedir aos leitores que reservassem seu julgamento até que eu apresentasse todas as evidências de apoio. Em vez disso, decidi juntar a história da psicologia moral e minha própria história pessoal para criar um senso de movimento do racionalismo para o intuicionismo. Usei relatos históricos, citações ancestrais e o enaltecimento de alguns visionários. Criei metáforas (como o ginete e o elefante) que se repetirão ao longo do livro. Fiz essas coisas para "sintonizar" suas intuições sobre psicologia moral. Se falhei, e você tem uma aversão visceral ao intuicionismo ou a mim, nenhuma quantidade de evidência que eu pudesse apresentar o convencerá de que o intuicionismo está correto. Mas se você sentir agora um senso intuitivo de que a intuição *poderia* ser verdade, então, vamos continuar. Nos próximos dois capítulos, vou me referir mais aos ginetes do que aos elefantes.

TRÊS

Os Elefantes Mandam

Em 3 de fevereiro de 2007, pouco antes do almoço, descobri que era um mentiroso crônico. Estava em casa, escrevendo um artigo de revisão sobre psicologia moral, quando minha esposa, Jayne, passou pela minha mesa. Ao passar, ela me pediu para não deixar louça suja na bancada onde ela preparava a comida do bebê. Seu pedido foi educado, mas seu tom acrescentou uma nota: "Como já lhe pedi centenas de vezes."

Minha boca começou a se mover antes que a dela parasse. As palavras simplesmente saíram. E elas se conectaram para dizer algo sobre o bebê ter acordado ao mesmo tempo em que nosso cachorro idoso latia pedindo para sair e me desculpe, mas eu coloquei minha louça do café da manhã onde pude. Na minha família, cuidar de um bebê faminto e de um cão incontinente é uma desculpa infalível, então fui absolvido.

Jayne saiu da sala e eu continuei trabalhando. Estava escrevendo sobre os três princípios básicos da psicologia moral.[1] O primeiro deles é: *primeiro as intuições, depois o raciocínio estratégico.* Esse é um resumo de oito palavras do modelo intuicionista social.[2] Para ilustrar o princípio, descrevi um estudo que fiz com Thalia Wheatley, que agora é professora na Dartmouth College.[3] Quando Thalia estudava na UVA, aprendeu a hipnotizar pessoas e criou uma maneira inteligente de testar o modelo intuicionista social. Ela hipnotizou as pessoas para que sentissem repulsa sempre que vissem uma determinada palavra (*pega* para metade dos sujeitos; *frequentemente* para a outra).[4] Enquanto eles ainda estavam em transe, Thalia os instruiu a não se lembrarem de nada que ela lhes dissesse, e depois os tirou do transe.

Quando estavam totalmente acordados, pedimos que preenchessem um questionário no qual teriam que julgar seis histórias curtas sobre violações morais. Para cada história, metade dos sujeitos lia uma versão que continha sua palavra-código hipnótica. Por exemplo, uma história era sobre um congressista que afirma combater a corrupção, mas "pega suborno do lobby do tabaco". Os outros sujeitos leram uma versão idêntica, exceto por algumas palavras (o congressista é "frequentemente subornado pelo lobby do tabaco"). Em média, os sujeitos julgaram cada uma das seis histórias como mais repugnantes e moralmente erradas quando sua palavra-código estava incorporada à história. Esse resultado corroborou o modelo intuicionista social. Ao fornecermos às pessoas um flash artificial de negatividade ao lerem a história, sem lhes dar nenhuma informação nova, tornamos seus julgamentos morais mais severos.

A verdadeira surpresa, no entanto, veio com a sétima história, que tratamos quase como mera reflexão tardia e que não continha violações morais de qualquer tipo. Tratava-se de um presidente do conselho estudantil chamado Dan, encarregado de agendar discussões entre estudantes e professores. Metade dos nossos participantes leu que Dan "pega tópicos interessantes para professores e estudantes, a fim de estimular a discussão". A outra metade leu a mesma história, exceto pela parte: Dan "frequentemente escolhe tópicos" interessantes para professores e alunos. Adicionamos essa história para demonstrar que há um limite para o poder da intuição. Previmos que os indivíduos que sentissem repulsa ao ler essa história *precisariam* rejeitar sua intuição, pois condenar Dan seria bizarro.

A maioria dos sujeitos de fato declarou que a ação de Dan foi boa. Mas um terço dos sujeitos que viram sua palavra-código na história seguiu sua intuição e condenou a atitude de Dan. Eles disseram que o que ele fez foi errado, às vezes muito errado. Felizmente, pedimos a todos que escrevessem uma ou duas frases explicando seus julgamentos e descobrimos declarações preciosas como "Dan é esnobe e está em busca de popularidade" e "não sei, parece que ele está tramando alguma coisa". Esses sujeitos inventaram razões absurdas para justificar julgamentos feitos com base em intuições — sentimentos que Thalia havia implantado com hipnose.

Então, eu estava em minha mesa, escrevendo sobre como as pessoas inventam automaticamente justificativas para suas intuições, quando de repente percebi que havia feito a mesma coisa com minha esposa. Não gostava de ser criticado e senti um flash de negatividade quando Jayne chegou à sua terceira palavra ("*Você poderia não...*"). Mesmo antes de saber por que ela estava me criticando, eu sabia que discordava dela (porque as intuições vêm primeiro). No instante em que soube o conteúdo da crítica ("*...deixar a louça suja na...*"), meu advogado interno começou a maquinar à procura de uma desculpa (depois o raciocínio estratégico). É verdade que eu havia tomado o café da manhã, dado a Max sua primeira mamadeira e deixado Andy sair para seu passeio matinal, mas todos esses eventos aconteceram em horários separados. Somente quando minha esposa me criticou é que eu os juntei em um cenário de um pai atormentado e atarefado, e criei essa invenção quando ela concluiu sua crítica ("*...bancada onde eu faço comida para o bebê?*"). Então, menti de forma tão rápida e convincente que minha esposa e eu acreditamos em mim.

Sempre adorei zombar de minha mulher por ela modificar as histórias para torná-las mais dramáticas ao contá-las para os amigos, mas demorei 20 anos estudando psicologia moral para perceber que eu também alterava minhas histórias. Finalmente entendi — não apenas racionalmente, mas de maneira intuitiva e imparcial — as advertências dos sábios de tantas épocas e culturas nos alertando sobre o senso de superioridade moral. Já citei Jesus (sobre reparar no "cisco no olho do seu irmão"). Veja a mesma ideia de Buda:

> É fácil ver os defeitos dos outros, mas é difícil enxergar nossas próprias falhas. Aquele que mostra os defeitos dos outros é como alguém que joga palha ao vento, mas encobre as próprias falhas como um jogador astuto que esconde seus dados.[5]

Jesus e Buda estavam certos, e neste capítulo e no próximo mostrarei como nosso senso de superioridade moral automática funciona. Começa com intuições rápidas e convincentes (esse é a ligação 1 do modelo intencionalista social) e continua com o raciocínio *post hoc*, realizado para fins socialmente estratégicos (ligações 2 e 3). Aqui estão os seis principais resultados de pesquisa que ilustram coletivamente a primeira metade do primeiro princípio: *primeiro as intuições*. (No próximo capítulo, trarei evidências para a segunda metade — *depois o raciocínio estratégico*.) Os elefantes é que mandam, embora às vezes estejam abertos à persuasão de seus ginetes.

1. O CÉREBRO AVALIA DE MANEIRA IMEDIATA E CONSTANTE

O cérebro avalia tudo em termos de ameaça potencial ou benefício próprio e, em seguida, ajusta o comportamento para obter mais coisas boas e menos coisas ruins.[6] Os cérebros dos animais fazem essas avaliações milhares de vezes ao dia, sem necessidade de raciocínio consciente, tudo para otimizar sua resposta à questão fundamental da vida animal: aproximar-se ou evitar?

Na década de 1890, Wilhelm Wundt, o fundador da psicologia experimental, formulou a doutrina da "primazia do afeto".[7] *Afeto* refere-se a pequenos flashes de sentimentos positivos ou negativos que nos preparam para nos aproximar ou evitar algo. Toda emoção (como felicidade ou repulsa) inclui uma reação afetiva, mas a maioria dessas reações é passageira demais para ser chamada de emoção (por exemplo, os sentimentos sutis que surgem apenas com a leitura das palavras *felicidade* e *repulsa*).

Wundt alegou que as reações afetivas são tão fortemente integradas à percepção que nos vemos gostando ou não de algo no instante em que o percebemos, às vezes antes mesmo de sabermos o que é.[8] Esses flashes ocorrem tão rapidamente que precedem todos os outros pensamentos sobre o que estamos vendo. Você pode perceber a primazia do afeto em ação na próxima vez que encontrar alguém que não vê há muitos anos. Em um ou dois segundos, você geralmente saberá se gosta ou não da pessoa, mas pode demorar muito mais para lembrar quem é a pessoa ou como vocês se conhecem.

Em 1980, o psicólogo social Robert Zajonc (nome que é sinônimo de "ciência") reviveu a noção esquecida de Wundt de primazia do afeto. Zajonc estava farto da visão comum entre os psicólogos na época de que as pessoas são processadores de informações frios e racionais que primeiro percebem e categorizam objetos e depois reagem a eles. Ele fez várias experiências engenhosas que pediam que as pessoas classificassem coisas arbitrárias, como pictogramas japoneses, palavras em um idioma inventado e formas geométricas. Pode parecer estranho pedir às pessoas que classifiquem o quanto elas gostam de palavras estrangeiras e rabiscos sem sentido, mas elas podem fazer isso porque quase *tudo* que vemos desencadeia um pequeno flash intuitivo. O mais importante é que Zajonc foi capaz de fazer as pessoas gostarem mais de qualquer palavra ou imagem apenas mostrando-a para elas várias vezes.[9] O cérebro identifica coisas familiares como boas. Zajonc chamou isso de "mero efeito de exposição" e é um princípio básico da publicidade.

Em um artigo de referência, Zajonc incitou os psicólogos a usar um modelo de processo dual no qual o afeto ou o "sentimento" é o primeiro processo.[10] Ele tem primazia, porque acontece primeiro (faz parte da percepção e, portanto, é extremamente rápido) e porque é mais poderoso (está intimamente ligado à motivação e, portanto, influencia fortemente o comportamento). O segundo processo — o raciocínio — é uma capacidade evolutivamente mais nova, enraizada na linguagem e não intimamente relacionada à motivação. Em outras palavras, o pensamento é o ginete; o afeto é o elefante. O sistema de raciocínio não está equipado para liderar — ele simplesmente não tem o poder de fazer as coisas acontecerem — mas pode ser um consultor útil.

Zajonc afirmou que o pensamento pode funcionar independentemente do sentimento na teoria, mas na prática as reações afetivas são tão rápidas e convincentes que agem como anteolhos em um cavalo: elas "reduzem o universo de alternativas" disponíveis para o pensamento subsequente.[11] O ginete é um servo atencioso, sempre tentando antecipar o próximo passo do elefante. Se o elefante se inclinar levemente para a esquerda, como se estivesse se preparando para dar um passo, o ginete olha para a esquerda e começa a se preparar para ajudar o elefante em sua iminente jornada para a esquerda. O ginete perde todo o interesse no que está à direita.

2. JULGAMENTOS SOCIAIS E POLÍTICOS SÃO PARTICULARMENTE INTUITIVOS

Veja os quatro pares de palavras a seguir. Seu trabalho é olhar apenas para a segunda palavra em cada par e depois categorizá-la como boa ou ruim:

flor — felicidade

ódio — alegria

amor — câncer

barata — solidão

É absurdamente fácil, mas imagine se eu lhe pedisse para fazê-lo em um computador, onde posso exibir a primeira palavra em cada par por 250 milissegundos (um quarto de segundo, apenas o tempo suficiente para lê-la) e então eu imediatamente exibisse a segunda palavra. Nesse caso, descobriríamos que você leva mais tempo para fazer seu julgamento de valor de *alegria* e *câncer* do que de *felicidade* e *solidão*.

Esse efeito é chamado de "priming afetivo" [ou pré-ativação afetiva], porque a primeira palavra desencadeia um flash intuitivo que leva a mente a seguir um caminho ou outro.[12] É como fazer o elefante se inclinar um pouco para a direita ou para a esquerda, antecipando a caminhada para a direita ou para a esquerda. O flash intuitivo entra em ação em 200 milissegundos e dura cerca de um segundo além disso, se não houver outro estímulo para apoiá-lo.[13] Se você vir a segunda palavra dentro dessa breve janela de tempo, e se ela tiver a mesma valência, você será capaz de responder com mais rapidez, porque sua mente já está inclinada naquela direção. Mas se a primeira palavra preparar sua mente para uma avaliação negativa (*ódio*) e depois eu lhe mostrar uma palavra positiva (*alegria*), você levará cerca de 250 milissegundos a mais para responder, pois é necessário dissipar a tendência à negatividade.

Até agora, isso é apenas uma confirmação da teoria de Zajonc sobre a velocidade e a onipresença do afeto, mas houve um grande progresso quando os psicólogos sociais começaram a usar *grupos sociais* como ativadores. Será que a velocidade de sua resposta seria afetada se eu usasse fotografias de negros e brancos como ativadores? Contanto que você não seja preconceituoso, isso não afetará seus tempos de reação. Mas, se você costuma prejulgar implicitamente as pessoas (isto é, de forma automática e inconsciente), esses preconceitos estarão embutidos nos flashes intuitivos, e essas intuições mudarão seus tempos de reação.

A medida mais amplamente usada para essas atitudes implícitas é o teste de associação implícita (IAT, da sigla em inglês), desenvolvido por Tony Greenwald, Mazarin Banaji e meu colega da UVA Brian Nosek.[14] Você pode fazer o IAT em ProjectImplicit.org [conteúdo em inglês]. Mas esteja avisado: pode ser perturbador. Você pode acabar percebendo que sua velocidade de resposta diminui quando lhe pedem para associar coisas boas aos rostos de uma raça em vez de outra. Pode acabar observando como sua atitude implícita contradiz seus valores explícitos. A maioria das pessoas acaba tendo associações implícitas negativas com muitos grupos sociais, como negros, imigrantes, obesos e idosos.

E se o elefante tende a evitar grupos como idosos (a quem poucos condenariam moralmente), sem dúvida devemos esperar alguma inclinação (preconceituosa) quando as pessoas pensam em seus inimigos políticos. Para investigar esses efeitos, meu colega na UVA Jamie Morris mediu as ondas cerebrais de liberais e conservadores enquanto liam palavras de forte conteúdo político.[15] Ele substituiu as palavras *flor* e *ódio* do exemplo anterior por palavras como *Clinton*, *Bush*, *bandeira*, *impostos*, *assistência social* e *pró-vida*. Quando partidários leem essas palavras, seguidas imediatamente por outras que todos concordam serem boas (*alegria*) ou ruins (*câncer*), seus cérebros às vezes revelavam um conflito. *Pró-vida* e *alegria* eram afetivamente incongruentes para os liberais, assim como *Clinton* e *alegria* para os conservadores. As palavras *pró* e *vida* são ambas positivas por si só, mas parte do que significa ser partidário é que você adquiriu o conjunto certo de reações intuitivas a centenas de palavras e expressões. Seu elefante sabe para onde se inclinar em resposta a termos como *pró-vida* e, à medida que o elefante oscila de um lado para outro ao longo do dia, você gosta e confia nas pessoas ao seu redor que se movem em sincronia com você.

A natureza intuitiva dos julgamentos políticos é ainda mais marcante no trabalho de Alex Todorov, em Princeton. Todorov estuda como formamos impressões sobre as pessoas. Quando ele começou seu trabalho, já havia muitas pesquisas mostrando que julgamos pessoas atraentes como mais inteligentes e virtuosas, e que é mais provável oferecermos o benefício da dúvida para alguém com um rosto bonito.[16] Os júris são mais propensos a absolver réus atraentes, e, quando pessoas bonitas são condenadas, os juízes lhes dão, em média, sentenças mais leves.[17] Essa é a dinâmica normal da primazia do afeto fazendo com que todos se inclinem a favor do réu, e isso sugere a seus ginetes que interpretem as evidências de uma maneira que apoie o desejo de seus elefantes de o absolver.

Mas Todorov descobriu que havia mais coisas acontecendo do que apenas a atração. Ele reuniu fotografias de vencedores e segundos colocados em centenas de eleições para o Senado dos EUA e para a Câmara dos Representantes. Então, mostrou às pessoas os pares de fotografias de cada eleição sem informações sobre partido político e pediu que escolhessem qual pessoa parecia mais competente. Ele descobriu que o candidato que as pessoas julgavam mais competente era quem de fato havia vencido a disputa em cerca de dois terços das vezes.[18] Os julgamentos rápidos sobre a atratividade física e carisma geral dos candidatos não foram tão bons preditores de vitória, portanto esses julgamentos sobre a competência não se baseavam apenas em um sentimento geral de positividade. Podemos ter múltiplas intuições surgindo simultaneamente, cada uma procurando um tipo diferente de informação.

E, estranhamente, quando Todorov exigiu que as pessoas fizessem seus julgamentos sobre competência depois de exibir o par de fotos na tela do computador por apenas *um décimo de segundo* — não o suficiente para que fixassem os olhos em cada imagem — seus julgamentos rápidos de competência também confirmaram os resultados reais.[19] O que quer que o cérebro esteja fazendo, é algo instantâneo, exatamente como quando olhamos a ilusão de Muller-Lyer.

A verdade é que a mente humana, assim como a mente dos animais, reage de maneira constante e intuitiva a tudo o que percebe e baseia suas respostas nessas reações. No primeiro segundo em que vê, ouve ou conhece outra pessoa, o elefante já começou a se aproximar ou se afastar, e essa inclinação influencia o que você pensa e faz a seguir. As intuições vêm primeiro.[20]

3. NOSSO CORPO GUIA NOSSOS JULGAMENTOS

Uma maneira de se conectar ao elefante é por meio de sua tromba. O nervo olfativo transporta sinais de odores para o córtex insular (a ínsula), uma região ao longo da superfície inferior da parte frontal do cérebro. Essa parte do cérebro costumava ser conhecida como "córtex gustatório" porque em todos os mamíferos processa informações do nariz e da língua. Ela ajuda a orientar o animal em direção aos alimentos certos e a evitar os errados. Mas, em humanos, esse antigo centro de processamento de alimentos assumiu novos deveres e agora orienta nosso gosto pelas pessoas. Torna-se mais ativo quando vemos algo moralmente suspeito, especialmente algo repulsivo, além das injustiças mais corriqueiras.[21] Se tivéssemos algum tipo de eletrodo minúsculo que pudesse ser enfiado pelo nariz até a ínsula, poderíamos controlar seus elefantes, fazendo com que se afastassem do que estavam vendo no momento em que pressionássemos o botão. Temos um eletrodo assim. É chamado de spray de pum.

Alex Jordan, um estudante de pós-graduação em Stanford, teve a ideia de pedir às pessoas que fizessem julgamentos morais enquanto ele secretamente disparava seus alarmes de repulsa. Ele foi até um cruzamento de pedestres no campus de Stanford e pediu aos transeuntes que preenchessem uma pequena pesquisa. Nela, as pessoas precisavam julgar quatro questões polêmicas, como o casamento entre primos em primeiro grau ou a decisão de um estúdio de cinema de lançar um documentário em que um diretor usava de subterfúgios para entrevistar as pessoas.

Alex se posicionou bem ao lado de uma lata de lixo que ele havia esvaziado. Antes de recrutar cada sujeito, colocava um saco de lixo novo na lixeira. Metade das vezes, antes que as pessoas atravessassem a rua (e sem que o vissem), ele borrifava o spray de pum duas vezes no saco de lixo, o que "perfumava" todo o cruzamento por alguns minutos. Para a outra metade dos recrutados para a pesquisa, ele trocava o saco de lixo, mas não borrifava o spray.

Sem sombra de dúvida, as pessoas fizeram julgamentos mais severos quando respiravam o ar malcheiroso.[22] Outros pesquisadores descobriram o mesmo efeito, pedindo aos participantes que preenchessem questionários depois de beberem algo amargo em comparação a bebidas doces.[23] Como diz meu colega de UVA, Jerry Clore, usamos "afeto como informação".[24] Quando estamos tentando decidir o que pensamos sobre algo, olhamos para dentro de nós, para nossos sentimentos. Se estou me sentindo bem, devo gostar, e se estiver sentindo algo desagradável, isso deve significar que não gosto.

Nem é preciso desencadear sentimentos de repulsa para obter esses efeitos. Basta lavar as mãos. Chenbo Zhong, da Universidade de Toronto, mostrou que os indivíduos que são convidados a lavar as mãos com sabão antes de preencher questionários se tornam mais moralistas sobre questões relacionadas à pureza moral (como pornografia e uso de drogas).[25] Quando estamos limpos, tendemos a manter coisas sujas longe de nós.

Zhong também demonstrou o processo inverso: a imoralidade faz as pessoas quererem se limpar. Indivíduos que são solicitados a recordar de suas próprias transgressões morais, ou simplesmente copiar manualmente um relato da transgressão moral de outra pessoa, acabam pensando em limpeza e demonstrando um forte desejo de se limpar.[26] É mais provável que escolham lenços para as mãos e outros produtos de higiene como brinde após o experimento. Zhong chama isso de efeito Macbeth, que empresta seu nome da obsessão de Lady Macbeth por água e limpeza depois que ela leva o marido a assassinar o rei Duncan. (Ela passa de "Um pouco d'água limpa-nos do feito" para "Sai, maldita mancha! Sai, estou dizendo!".)

Ou seja, há uma via de mão dupla entre nossos corpos e nossas mentes moralistas. A imoralidade nos faz sentir fisicamente sujos, e a limpeza às vezes pode nos deixar mais preocupados em preservar nossa pureza moral. Em uma das demonstrações mais bizarras desse efeito, Eric Helzer e David Pizarro pediram aos estudantes da Universidade de Cornell que preenchessem questionários de pesquisa sobre suas atitudes políticas enquanto estavam perto (ou longe) de um dispensador de desinfetante para as mãos. Os que foram instruídos a ficar perto do desinfetante tornaram-se temporariamente mais conservadores.[27]

O julgamento moral não é uma questão puramente racional em que avaliamos preocupações com danos, direitos e justiça. É um tipo de processo automático e rápido, mais parecido com os julgamentos que os animais fazem ao perceberem o mundo, sentindo-se atraídos ou repelidos por determinadas coisas. O julgamento moral é feito principalmente pelo elefante.

4. PSICOPATAS RACIOCINAM, MAS NÃO SENTEM

Aproximadamente 1 em cada 100 homens (e muito menos mulheres) são psicopatas. A maioria não é violenta, mas os que são cometem quase metade dos crimes mais graves, como assassinatos em série, estupros em série e assassinatos de policiais.[28] Robert Hare, um dos principais pesquisadores do assunto, define a psicopatia a partir de dois conjuntos de características. Existem características incomuns que os psicopatas *têm* — como o comportamento antissocial impulsivo, começando na infância — e existem as emoções morais que eles *não têm*. Eles não sentem compaixão, culpa, vergonha ou mesmo constrangimento, o que facilita mentirem e ferirem familiares, amigos e animais.

Os psicopatas têm *algumas* emoções. Quando Hare perguntou a um homem se ele já sentiu seu coração acelerar ou seu estômago revirar, ele respondeu: "Claro! Eu não sou um robô. Fico muito empolgado quando faço sexo ou quando brigo."[29] Mas os psicopatas não mostram emoções que indicam que se importam com outras pessoas. Eles parecem viver em um mundo de objetos, alguns dos quais andam sobre duas pernas. Um psicopata contou a Hare sobre um assassinato que cometera enquanto assaltava a casa de um homem idoso:

> Eu estava revirando a casa quando esse velhote desceu as escadas e... ele começou a gritar e teve uma merda de um surto... então coloquei uma bala... na cabeça dele e ainda

assim ele não calou a boca. Então cortei a garganta dele e ele... tipo... cambaleou e caiu no chão. Ele estava se afogando e fazendo uns sons, parecia um porco abatido! [risos] E ele realmente estava dando na porra dos meus nervos, então eu... dei umas bicas na cabeça dele. Isso o calou... Estava bem cansado, então peguei algumas cervejas na geladeira, liguei a TV e adormeci. Os policiais me acordaram [risos].[30]

A capacidade de raciocinar combinada com a falta de emoções morais é perigosa. Os psicopatas aprendem a dizer o que lhes proporciona o que desejam. O serial killer Ted Bundy, por exemplo, estudava psicologia na faculdade, onde se ofereceu para trabalhar em uma linha direta de apoio à crise. Nessas ligações, ele aprendeu a falar com as mulheres e a ganhar sua confiança. Então ele estuprou, mutilou e matou pelo menos 30 jovens antes de ser capturado em 1978.

A psicopatia não parece ser causada por mães más ou traumas de infância, nem tem qualquer outra explicação baseada nos cuidados recebidos. É uma condição geneticamente hereditária[31] que cria cérebros que não são afetados pelas necessidades, sofrimento ou dignidade dos outros.[32] O elefante não reage com a menor inclinação à mais grave injustiça. O ginete é perfeitamente normal — executa o raciocínio estratégico muito bem. Mas o trabalho do ginete é servir ao elefante, não agir como uma bússola moral.

5. OS BEBÊS SENTEM, MAS NÃO RACIOCINAM

Os psicólogos costumavam supor que as mentes infantis eram folhas de papel em branco. Os bebês chegam a um mundo de "grande e barulhenta confusão", como disse William James,[33] e passam os anos seguintes tentando compreendê-lo. Mas, quando os psicólogos do desenvolvimento elaboraram maneiras de examinar as mentes infantis, descobriram muita coisa já escrita nessas folhas de papel.

O segredo foi identificar o que surpreende os bebês. Crianças a partir de dois meses de idade prestam mais atenção a um acontecimento que as surpreenda do que a algo que estavam esperando. Se tudo é uma barulhenta confusão, então tudo deve ser igualmente surpreendente. Mas se a mente do bebê já nasce preparada para interpretar os acontecimentos de certas maneiras, então os bebês se surpreenderiam quando o mundo violasse suas expectativas.

Usando esse truque, os psicólogos descobriram que os bebês nascem com algum conhecimento de física e mecânica: eles esperam que os objetos se movam de acordo com as leis do movimento de Newton e ficam espantados quando os psicólogos mostram cenas que deveriam ser fisicamente impossíveis (como um carro de brinquedo que parece atravessar um objeto sólido). Os psicólogos sabem disso porque os bebês olham por mais tempo para cenas impossíveis do que para cenas semelhantes, mas menos mágicas (ver o carro de brinquedo passar *atrás* do objeto sólido).[34] Os bebês parecem ter alguma capacidade inata de processar acontecimentos em seu mundo físico — o mundo dos objetos.

Mas quando os psicólogos se aprofundaram, descobriram que os bebês vêm equipados com habilidades inatas também para entender seu mundo *social*. Eles entendem conceitos como prejudicar e ajudar.[35] Os psicólogos de Yale Kiley Hamlin, Karen Wynn e Paul Bloom encenaram shows de marionetes para bebês de seis e dez meses de idade, nos quais um "alpinista" (um boneco de madeira com olhos) lutava para subir uma colina. Às vezes, um segundo boneco aparecia e ajudava o alpinista debaixo para cima. Outras, um boneco diferente aparecia no topo da colina e repetidamente batia no alpinista até que ele caísse na encosta.

Alguns minutos depois, os bebês viram um novo show de marionetes. Dessa vez, o alpinista olhava de um lado para o outro entre o boneco prestativo e o boneco dificultador, e então decidia se aproximar do dificultador. Para os bebês, esse era o equivalente social a ver um carro atravessar uma caixa sólida; não fazia sentido, e os bebês olharam por mais tempo do que quando o alpinista decidia se juntar ao prestativo.[36]

No final do experimento, os prestativos e os dificultadores foram colocados em uma bandeja na frente dos bebês. As crianças foram muito mais propensas a pegar o boneco prestativo. Se os bebês não estivessem analisando seu mundo social, não teriam se importado com qual boneco pegavam. Mas claramente queriam o boneco gentil. Os pesquisadores concluíram que "a capacidade de avaliar indivíduos com base em suas interações sociais é universal e não aprendida".[37]

Faz sentido que os bebês possam facilmente aprender quem é bom para *eles*. Filhotes de cães também são capazes de fazer isso. Mas essas descobertas sugerem que, aos seis meses de idade, os bebês observam como as pessoas se comportam em relação a *outras pessoas,* e desenvolvem uma preferência por quem é bom, e não por quem é mau. Em outras palavras, o elefante começa a fazer algo semelhante a um julgamento moral durante a infância, muito antes do surgimento da linguagem e do raciocínio.

Comparando as descobertas dos experimentos com bebês e psicopatas, fica claro que as intuições morais surgem muito cedo e são necessárias para o desenvolvimento moral.[38] A capacidade de raciocinar surge muito mais tarde e, quando o raciocínio moral não é acompanhado de intuição moral, os resultados são desastrosos.

6. REAÇÕES AFETIVAS ESTÃO NO LUGAR CERTO E NA HORA CERTA NO CÉREBRO

Os estudos de Damasio em pacientes com lesão cerebral mostram que as áreas emocionais do cérebro são os *lugares* certos para se procurar os alicerces da moralidade, porque perdê-las interfere na capacidade moral. O caso seria ainda mais forte se essas áreas estivessem ativas nas horas *certas.* Elas se tornam mais ativas pouco antes de alguém fazer um julgamento ou decisão moral?

Em 1999, Joshua Greene, na época estudante de filosofia em Princeton, juntou-se ao neurocientista Jonathan Cohen para investigar o que realmente acontece no cérebro quando as pessoas fazem julgamentos morais. Ele estudou dilemas morais nos quais dois princípios éticos parecem se opor. Por exemplo, você provavelmente já ouviu falar do famoso "dilema do bonde",[39] em que a única maneira de impedir que um bonde descontrolado mate cinco pessoas é empurrando uma pessoa de uma ponte para os trilhos.

Há muito tempo que os filósofos discordam sobre se é aceitável causar dano a uma pessoa para ajudar ou salvar várias pessoas. O utilitarismo é a escola filosófica que diz que você deve sempre buscar alcançar o maior bem total, mesmo que algumas pessoas se machuquem no caminho, portanto, se realmente não houver outra maneira de salvar essas cinco vidas, vá em frente e empurre a pessoa. Outros filósofos acreditam que temos o dever de respeitar os direitos dos indivíduos e não devemos prejudicar as pessoas na busca de outros objetivos, mesmo os morais, como salvar vidas. Essa visão é conhecida como deontologia (palavra com raiz grega *deon* que significa *obrigação, dever*). Os deontologistas falam de princípios morais superiores derivados e justificados pelo raciocínio cuidadoso; eles nunca concordariam que esses princípios são apenas racionalizações *post hoc* de intuições. Greene, porém, tinha um palpite de que os sentimentos eram o que muitas vezes levavam as pessoas a fazer julgamentos deontológicos, enquanto os julgamentos utilitaristas eram mais frios e calculistas.

Para testar sua suposição, Greene escreveu 20 histórias que, como a do bonde, envolviam danos pessoais diretos, geralmente causados por um bom motivo. Por exemplo, você deve jogar uma pessoa ferida para fora de um barco salva-vidas para impedir que ele afunde e afogue os outros passageiros? Todas essas histórias foram escritas para produzir um forte flash afetivo negativo.

Greene também escreveu 20 histórias envolvendo danos *impessoais*, como uma versão do dilema do bonde em que você salva as cinco pessoas, acionando um interruptor que desvia o bonde para um trilho lateral, onde ele mata apenas uma pessoa. É a mesma troca objetiva de uma vida por cinco; portanto, alguns filósofos dizem que os dois casos são moralmente equivalentes, mas, de uma perspectiva intuicionista, há um mundo de diferenças.[40] Sem esse flash inicial de horror (o empurrão com as próprias mãos), o sujeito fica livre para examinar as duas opções e escolher a que mais salva vidas.

Greene submeteu 18 indivíduos à ressonância magnética funcional e lhes apresentou cada uma de suas histórias, uma de cada vez. Cada pessoa tinha que pressionar um de dois botões para indicar se era apropriado ou não que alguém seguisse o curso de ação descrito — por exemplo, empurrar o homem ou acionar o interruptor.

Os resultados foram claros e convincentes. Quando as pessoas leram histórias que envolviam danos pessoais, apresentaram maior atividade em várias regiões do cérebro relacionadas ao processamento emocional. Em muitas histórias, a força relativa dessas reações emocionais previu o julgamento moral médio.

Greene publicou esse famoso estudo em 2001 na revista *Science*.[41] Desde então, muitos outros laboratórios submeteram indivíduos à ressonância magnética funcional e pediram que olhassem fotografias de atos de violações morais, fizessem doações de caridade, atribuíssem punições por crimes ou jogassem contra adversários trapaceiros e cooperadores.[42] Com poucas exceções, os resultados contam uma história consistente: as áreas do cérebro envolvidas no processamento emocional são ativadas quase imediatamente, e a alta atividade nessas áreas se correlaciona com os tipos de julgamentos ou decisões morais que as pessoas por fim tomam.[43]

Em um artigo intitulado "The Secret Joke of Kant's Soul" [A Piada Secreta da Alma de Kant, em tradução livre], Greene resumiu o que ele e muitos outros haviam encontrado.[44] Ele não sabia o que E. O. Wilson havia dito sobre os filósofos consultarem seus "centros emocionais" quando escreveu o artigo, mas sua conclusão foi a mesma:

> Temos fortes sentimentos que nos dizem em termos claros e incertos que algumas coisas simplesmente não podem ser feitas e que outras simplesmente precisam ser feitas. Mas não é óbvio como entender esses sentimentos, e assim, com a ajuda de alguns filósofos particularmente criativos, inventamos uma história racionalmente atraente [sobre o que é certo].

Esse é um exemplo impressionante de consiliência. Wilson profetizou em 1975 que a ética logo seria "biologizada" e fundamentada como uma interpretação da atividade dos "centros emocionais" do cérebro. Em seu prenúncio, Wilson estava indo contra as visões dominantes de seu tempo. Psicólogos como Kohlberg disseram que a ação da ética estava no raciocínio, não na emoção. E o clima político era severo para pessoas como

Wilson, que ousavam sugerir que o pensamento evolucionário era uma maneira válida de examinar o comportamento humano.

No entanto, nos 33 anos entre as citações de Wilson e Greene, tudo mudou. Cientistas em muitos campos começaram a reconhecer o poder e a inteligência dos processos automáticos, incluindo a emoção.[45] A psicologia evolucionista se tornou respeitável, não em todos os departamentos acadêmicos, mas pelo menos entre a comunidade interdisciplinar de estudiosos que agora estuda moralidade.[46] Nos últimos anos, chegou a "nova síntese" que Wilson previu em 1975.

ELEFANTES ÀS VEZES SÃO ABERTOS À RAZÃO

Argumentei que o modelo humeano (a razão é um servo) se encaixa melhor nos fatos do que o modelo platônico (a razão poderia e deveria governar) ou o modelo jeffersoniano (cabeça e coração são coimperadores). Mas acho que Hume foi longe demais quando disse que a razão é "escrava" das paixões.

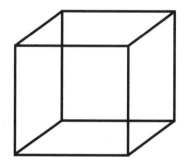

FIGURA 3.1. *Um cubo Necker, que pode ser lido por seu sistema visual de duas maneiras conflitantes, embora não ao mesmo tempo. Da mesma forma, alguns dilemas morais podem ser lidos por sua mente moralista de duas maneiras conflitantes, mas é difícil sentir as duas intuições ao mesmo tempo.*

Um escravo nunca deve questionar seu mestre, mas a maioria de nós é capaz de recordar momentos em que questionamos e revimos nosso primeiro julgamento intuitivo. A metáfora do ginete e do elefante funciona bem aqui. O ginete evoluiu para servir ao elefante, mas em uma parceria digna, mais parecida com um advogado servindo a um cliente do que um escravo servindo a um mestre. Bons advogados fazem o que podem para ajudar seus clientes, mas às vezes se recusam a atender aos pedidos. Talvez o pedido seja impossível (como encontrar um motivo para condenar Dan, o presidente do conselho estudantil — pelo menos para a maioria das pessoas em minha experiência de hipnose). Talvez o pedido seja autodestrutivo (como quando o elefante quer um terceiro pedaço de bolo, e o ginete se recusa entrar no jogo e tenta encontrar uma desculpa). O elefante é muito mais poderoso que o ginete, mas não é um ditador absoluto.

Quando o elefante ouve a razão? A principal maneira de mudarmos de ideia sobre questões morais é interagir com outras pessoas. Somos péssimos para buscar evidências que desafiam nossas próprias crenças, mas outras pessoas nos fazem esse favor, assim como somos muito bons em encontrar erros nas crenças de outras pessoas. Quando as discussões são hostis, as chances de mudança são pequenas. O elefante tende a se mover na direção oposta ao adversário e o ginete trabalha freneticamente para refutar as acusações do oponente.

Mas se houver afeto, admiração ou desejo de agradar a outra pessoa, o elefante se inclina *em direção a* essa pessoa e o ginete tenta encontrar alguma verdade em seus argumentos. O elefante pode nem sempre mudar de direção em resposta a objeções de seu *próprio* ginete, mas é facilmente guiado pela mera presença de elefantes amigáveis (essa é a ligação de persuasão social no modelo intuicionista social) ou por bons argumentos dados pelos ginetes desses elefantes amigáveis (essa é a ligação de persuasão racional).

Há até momentos em que mudamos de ideia por conta própria, sem a ajuda de outras pessoas. Às vezes, temos intuições conflitantes sobre algo, como muitas pessoas em relação ao aborto e outras questões controversas. Dependendo de qual vítima, qual argumento ou qual amigo você está pensando em um determinado momento, seu julgamento pode mudar de um lado para o outro, como se você estivesse vendo um cubo de Necker (Figura 3.1).

E, finalmente, é possível que as pessoas simplesmente cheguem a uma conclusão moral que contradiga seu julgamento intuitivo inicial, embora eu acredite que esse processo seja raro. Conheço apenas um estudo que demonstrou experimentalmente essa sobreposição, e suas descobertas são reveladoras.

Joe Paxton e Josh Greene pediram aos alunos de Harvard que julgassem a história de Julie e Mark que contei no Capítulo 2.[47] Para a metade dos sujeitos, eles forneceram um argumento muito fraco para justificar o incesto consensual ("Se Julie e Mark fizerem amor, então haverá mais amor no mundo"). E deram à outra metade um argumento de apoio mais forte (sobre como a aversão ao incesto é de fato causada por uma antiga adaptação evolutiva para evitar defeitos congênitos em um mundo sem contracepção, mas, como Julie e Mark usam contracepção, essa preocupação não é relevante). Você pode achar que os alunos de Harvard seriam mais persuadidos por um bom argumento, mas isso não fez diferença. O elefante se inclinou assim que os sujeitos ouviram a história. O ginete então encontrou uma maneira de refutar o argumento (forte ou fraco), e os sujeitos condenaram a história igualmente em ambos os casos.

Mas Paxton e Greene acrescentaram uma pequena modificação no experimento: alguns sujeitos não poderiam responder imediatamente. O computador os forçou a esperar dois minutos antes que pudessem declarar seu julgamento sobre Julie e Mark. Para esses sujeitos, o elefante se inclinou, mas os flashes intuitivos rápidos não duram dois minutos. Enquanto o sujeito estava sentado, olhando para a tela, a propensão inicial se dissipou, e o ginete teve tempo e liberdade para pensar em um argumento de apoio. As pessoas que foram forçadas a refletir sobre o argumento fraco ainda acabaram condenando Julie e Mark — um número um pouco mais alto do que o das pessoas que responderam imediatamente. Mas as pessoas que foram forçadas a refletir sobre o argumento forte por dois minutos tornaram-se substancialmente mais tolerantes com a decisão de Julie e Mark de fazer sexo. A demora permitiu ao ginete pensar por si mesmo e decidir por um julgamento que, para muitos sujeitos, era contrário à inclinação inicial do elefante.

Ou seja, em circunstâncias normais, o ginete segue a sugestão do elefante, assim como um advogado recebe instruções de um cliente. Mas, se você forçar os dois a sentar e conversar por alguns minutos, o elefante realmente se abre para conselhos do ginete e argumentos de fontes externas. As intuições vêm primeiro e, em circunstâncias normais, elas nos levam a um raciocínio socialmente estratégico, mas há maneiras de tornar o relacionamento mais uma via de mão dupla.

EM SUMA:

O primeiro princípio da psicologia moral é *Intuições vêm primeiro, depois vem o raciocínio estratégico*. Em apoio a esse princípio, revisei seis áreas de pesquisa experimental demonstrando que:

- Os cérebros avaliam de maneira instantânea e constante (como disseram Wundt e Zajonc).

- Julgamentos sociais e políticos dependem muito de flashes intuitivos rápidos (como demonstrou Todorov e seu trabalho com o IAT).

- Às vezes, nossos estados corporais influenciam nossos julgamentos morais. Cheiros e gostos podem tornar as pessoas mais críticas (assim como qualquer coisa que as faça pensar em pureza e limpeza).

- Os psicopatas raciocinam, mas não sentem (e são severamente deficientes no aspecto moral).

- Os bebês sentem, mas não raciocinam (e têm a semente da moralidade).

- As reações afetivas ocorrem no lugar certo, na hora certa do cérebro (como mostrado por Damasio, Greene e uma onda de estudos mais recentes).

Juntar todos os seis tópicos nos dá um retrato bem claro do ginete e do elefante, e dos papéis que desempenham em nossas mentes moralistas. O elefante (processos automáticos) é onde está a maior parte da ação na psicologia moral. O raciocínio é importante, é claro, particularmente entre as pessoas, e em especial quando as razões desencadeiam novas intuições. Os elefantes é que mandam, mas não são burros nem despóticos. As intuições podem ser moldadas pelo raciocínio, principalmente quando os argumentos são incorporados a uma conversa amigável ou a um romance, filme ou notícia atraente do viés emocional.[48]

Mas o ponto principal é que, quando vemos ou ouvimos coisas que outras pessoas fazem, o elefante começa a se inclinar imediatamente. O ginete, que está sempre tentando antecipar o próximo passo do elefante, começa a procurar uma maneira de apoiar essa inclinação. Quando minha esposa me repreendeu por deixar pratos sujos na bancada, honestamente acreditei que era inocente. Enviei o meu raciocínio em minha defesa e ele voltou com um argumento jurídico eficaz em apenas três segundos. Só porque escrevia sobre a natureza do raciocínio moral naquele exato momento é que me preocupei em examinar com atenção os argumentos do meu advogado e constatei que eram ficções, com pouca base em fatos reais.

Por que temos essa arquitetura mental estranha? Conforme os cérebros dos hominídeos triplicaram de tamanho nos últimos 5 milhões de anos, desenvolvendo linguagem e uma capacidade de raciocínio muito melhorada, por que desenvolvemos um advogado interno, em vez de um juiz ou cientista interno? Não teria sido mais adaptativo para nossos ancestrais descobrir a *verdade,* a verdadeira verdade sobre quem fez o quê e por quê, em vez de usar todo esse poder cerebral apenas para encontrar evidências em apoio ao que eles queriam acreditar? Isso depende do que você acha mais importante para a sobrevivência dos nossos ancestrais: verdade ou reputação.

QUATRO

Vote em Mim (Eis o Motivo)

Suponha que os deuses joguem cara ou coroa no dia do seu nascimento. Se der cara, você será uma pessoa extremamente honesta e justa ao longo de sua vida, mas todos ao seu redor acreditarão que você é um canalha. Se der coroa, trapaceará e mentirá sempre que isso atender às suas necessidades, mas todos ao seu redor acreditarão que você é um modelo de virtude. Qual resultado você preferiria? A obra *A República*, de Platão — uma das mais influentes do cânon ocidental — é um extenso argumento de que você deve escolher cara, para seu próprio bem. É melhor *ser* do que *parecer* virtuoso.

No início de *A República*, Glauco (irmão de Platão) desafia Sócrates a provar que a justiça — e não apenas a reputação de ser justo — leva à felicidade. Glauco pede a Sócrates que imagine o que aconteceria a um homem que possuísse o anel mítico de Giges, um anel de ouro que torna seu usuário invisível quando desejasse:

> Ninguém, ao que parece, seria tão incorruptível a ponto de permanecer no caminho da justiça ou ficar longe da propriedade de outras pessoas, se pudesse pegar impunemente o que quisesse do mercado, entrar na casa das pessoas e fazer sexo com quem desejasse, matar ou libertar da prisão quem quisesse, e fazer coisas que o tornariam um deus entre os ho-

mens. Em vez disso, suas ações não seriam de forma alguma diferentes das de uma pessoa injusta, e ambas seguiriam o mesmo caminho.[1]

O experimento mental de Glauco sugere que as pessoas são apenas virtuosas porque temem as consequências de serem apanhadas — especialmente os danos à sua reputação. Glauco diz que não ficará satisfeito até que Sócrates possa provar que um homem justo e de má reputação é mais feliz do que um homem injusto que todos pensam ser bom.[2]

É um grande desafio, e Sócrates aborda a questão com uma analogia: a justiça em um homem é como a justiça em uma cidade (uma *polis* ou cidade-Estado). Ele então argumenta que uma cidade justa é aquela em que há harmonia, cooperação e uma divisão do trabalho entre todas as castas.[3] Fazendeiros cultivam, carpinteiros constroem e governantes governam. Todos contribuem para o bem comum e lamentam quando o infortúnio acontece com qualquer um deles.

Mas, em uma cidade injusta, o ganho de um grupo é a perda de outro, facção trama contra facção, os poderosos exploram os fracos e a cidade se agrega. Para garantir que a *polis* não mergulhe no caos do egoísmo implacável, Sócrates diz que os filósofos devem governar, pois somente eles perseguirão o que é verdadeiramente bom, não apenas o que é bom para si.[4]

Tendo conseguido que seus ouvintes concordassem com essa imagem de uma cidade justa, harmoniosa e feliz, Sócrates argumenta que exatamente esse tipo de relacionamento se aplica a uma *pessoa* justa, harmoniosa e feliz. Se são os filósofos que devem governar a cidade feliz, é a razão que deve governar a pessoa feliz. E, se a razão governa, ela se preocupa com o que é verdadeiramente bom, não apenas com a aparência da virtude.

Platão (que havia estudado Sócrates) tinha um conjunto coerente de crenças sobre a natureza humana, e no centro dessas crenças estava sua fé na perfectibilidade da razão. Ela é a nossa natureza original, pensava; foi-nos dada pelos deuses e instalada em nossas cabeças esféricas. As paixões muitas vezes corrompem a razão, mas, se pudermos aprender a controlá-las, nossa racionalidade dada por Deus brilhará e nos guiará a fazer a coisa certa, não a mais popular.

Como é frequentemente o caso na filosofia moral, discussões sobre o que *devemos* fazer dependem de suposições — muitas vezes não declaradas — sobre a natureza e a psicologia humanas.[5] E, para Platão, a psicologia presumida está completamente errada. Neste capítulo, mostrarei que a razão não é adequada para governar; ela foi projetada para buscar justificativas, não verdade. Mostrarei que Glauco estava certo: as pessoas se preocupam muito mais com aparência e reputação do que com a realidade. Na verdade, exaltarei Glauco pelo resto do livro como o cara que acertou — que percebeu que o princípio mais importante para projetar uma sociedade ética é *se certificar de que a reputação de todos esteja em jogo o tempo todo*, para que o mau comportamento sempre traga más consequências.

William James, um dos fundadores da psicologia norte-americana, instigou os psicólogos a adotarem uma abordagem "funcional" da mente. Isso significa examinar as coisas em termos do que elas *fazem*, dentro de um sistema maior. A função do coração é bombear sangue pelo sistema circulatório, e você não conseguirá entender o coração a menos que tenha isso em mente. James aplicou a mesma lógica à psicologia: se deseja entender qualquer mecanismo ou processo mental, precisa conhecer sua função dentro de algum sistema mais amplo. Pensar é fazer, disse.[6]

Qual é, então, a função do raciocínio moral? Ele parece ter sido moldado, ajustado e criado (por seleção natural) para nos ajudar a encontrar a verdade, para que possamos saber a maneira correta de nos comportar e condenar aqueles que se comportam de maneira errada? Se você acredita nisso, é racionalista, como Platão, Sócrates e Kohlberg.[7] Ou o raciocínio moral parece ter sido moldado, ajustado e criado para nos ajudar a perseguir objetivos socialmente estratégicos, como preservar nossa reputação e convencer outras pessoas a nos apoiar, ou à nossa equipe, em disputas? Se acredita nisso, então é um glauconiano.

SOMOS TODOS POLÍTICOS INTUITIVOS

Se você vir uma centena de insetos trabalhando juntos em direção a um objetivo comum, pode apostar que são irmãos. Mas quando vê 100 pessoas trabalhando em um canteiro de obras ou marchando para a guerra, certamente ficaria surpreso se todas fossem membros de uma família numerosa. Os seres humanos são os campeões mundiais da cooperação além do parentesco, e fazemos isso em grande parte criando sistemas de responsabilização formal e informal. Somos realmente bons em responsabilizar os outros por suas ações e bastante hábeis em navegar por um mundo em que outros nos responsabilizam pelas nossas ações.

Phil Tetlock, um pesquisador pioneiro no estudo da responsabilização, define responsabilidade como a "expectativa explícita de que alguém será chamado para justificar suas crenças, sentimentos ou ações para os outros", além da expectativa de que as pessoas nos recompensem ou punam com base em quão bem nos justificamos.[8] Quando ninguém responde a ninguém, quando preguiçosos e trapaceiros ficam impunes, tudo desmorona. (O fervor com que as pessoas punem preguiçosos e trapaceiros surgirá em capítulos posteriores como uma diferença importante entre liberais e conservadores.)

Tetlock sugere uma metáfora útil para entender como as pessoas se comportam dentro das redes de responsabilização que constituem as sociedades humanas: agimos como *políticos intuitivos,* esforçando-nos para manter identidades morais atraentes diante de nossos múltiplos eleitores. Racionalistas como Kohlberg e Turiel retratavam as crianças como pequenos cientistas que usam a lógica e a experimentação para descobrir a verdade por si mesmas. Quando analisamos os esforços das crianças para entender o mundo físico, a metáfora do cientista é adequada; as crianças realmente formulam e testam hipóteses, e de fato convergem, gradualmente, na verdade.[9] Mas, de acordo com Tetlock, no mundo social as coisas são diferentes. O mundo social é glauconiano.[10] A aparência é geralmente muito mais importante que a realidade.

Na pesquisa de Tetlock, pede-se aos indivíduos que resolvam problemas e tomem decisões.[11] Por exemplo, eles recebem informações sobre um caso legal e são solicitados a inferir culpa ou inocência. É dito a alguns sujeitos que eles terão que explicar suas decisões para outra pessoa. Outros sujeitos são informados de que não serão responsabilizados por ninguém. Tetlock descobriu que, quando deixadas por conta própria, as pessoas exibem o rol habitual de erros, preguiça e confiança em intuições que foram documentados em tantas pesquisas de tomada de decisão.[12] Mas, quando sabem com antecedência que terão que se explicar, pensam de forma mais sistemática e autocrítica. São menos propensas a tirar conclusões precipitadas e mais propensas a rever suas crenças em resposta às evidências.

Isso pode ser uma boa notícia para os racionalistas — talvez sejamos capazes de pensar com cuidado sempre que acharmos que isso importa? Não exatamente. Tetlock encontrou dois tipos muito diferentes de raciocínio cuidadoso. O *pensamento exploratório* é uma "consideração imparcial de pontos de vista alternativos". O *pensamento confirmatório* é "uma tentativa unilateral de racionalizar um ponto de vista específico".[13] A responsabilização aumenta o pensamento exploratório apenas quando três condições se aplicam: (1) os tomadores de decisão são informados antes de formar qualquer opinião de que terão que se explicar perante o público, (2) as opiniões do público são desconhecidas e (3) eles acreditam que o público é bem informado e interessado na precisão.

Quando as três condições se aplicam, as pessoas fazem o possível para descobrir a verdade, porque é isso que o público quer ouvir. Mas, no resto do tempo — que é quase todo o tempo —, as pressões da responsabilização simplesmente aumentam a quantidade de pensamento confirmatório. As pessoas se esforçam mais para *parecer* certas do que *estar* certas. Tetlock resume assim:

> Uma função central do pensamento é garantir que alguém aja de maneira *que pode ser persuasivamente justificada ou desculpada perante os outros*. De fato, o processo de considerar a justificabilidade de suas escolhas pode ser tão predominante que os tomadores de decisão não apenas buscam razões convincentes para fazer uma escolha quando precisam explicar essa escolha a outras pessoas, *eles procuram por razões para se convencer* de que fizeram a escolha "certa".[14]

Tetlock conclui que o raciocínio consciente é realizado em grande parte com a finalidade de persuasão, e não de descoberta. Mas acrescenta que também estamos tentando nos convencer. Queremos acreditar nas coisas que estamos prestes a dizer aos outros. No restante deste capítulo, analisarei cinco pesquisas experimentais que apoiam Tetlock e Glauco. Nosso pensamento moral é muito mais parecido com um político que angaria votos do que com um cientista que busca a verdade.

1. SOMOS OBCECADOS POR PESQUISAS DE OPINIÃO

Ed Koch, o impetuoso prefeito de Nova York na década de 1980, era famoso por cumprimentar os eleitores com a pergunta: "Como estou indo?" Era uma reversão humorística do habitual cumprimento nova--iorquino: "Como você está indo?", mas transmitia a preocupação crônica de detentores de cargos eletivos. Poucos de nós algum dia concorrerão a um cargo público, mas a maioria das pessoas que conhecemos pertence a um ou mais eleitorados que queremos conquistar. Pesquisas sobre autoestima sugerem que todos estamos de forma inconsciente fazendo a pergunta de Koch todos os dias, em quase todos nossos encontros diários.

Ao longo de 100 anos, os psicólogos escreveram sobre a necessidade de pensar bem de si mesmo. Mas Mark Leary, um dos principais pesquisadores de autoconsciência, achava que não fazia sentido evolutivo haver uma profunda necessidade de *auto*estima.[15] Por milhões de anos, a sobrevivência de nossos ancestrais dependia de sua capacidade de fazer com que pequenos grupos os incluíssem e confiassem neles. Portanto, se houver algum ímpeto inato aqui, deve ser o de fazer com que os *outros* pensem bem de nós. Com base em sua revisão de pesquisas, Leary sugeriu que a autoestima é mais como um indicador interno, um "sociômetro" que mede continuamente seu valor como parceiro de relacionamento. Sempre que o indicador do sociômetro cai, um alarme é disparado e muda nosso comportamento.

Enquanto Leary desenvolvia a teoria do sociômetro na década de 1990, ele continuou conhecendo pessoas que negavam serem afetadas pelo que os outros pensavam delas. Será que algumas pessoas realmente se orientam por uma bússola própria?

Leary decidiu colocar esses autoproclamados dissidentes à prova. Primeiro, ele fez com que um grande grupo de estudantes avaliasse sua autoestima e quanto ela dependia do que as outras pessoas pensam. Depois, ele escolheu as poucas pessoas que — pergunta após pergunta — disseram não serem afetadas pelas opiniões dos outros e as convidou ao laboratório algumas semanas depois. Como fator de comparação, também convidou pessoas que disseram de forma consistente *serem* fortemente afetadas pelo que os outros pensam delas. O experimento começara.

Todos tiveram que sentar sozinhos em uma sala e contar sobre si mesmos por cinco minutos, falando ao microfone. No final de cada minuto, eles viam um número piscar em uma tela à sua frente. Esse número indicava o quanto uma pessoa ouvindo de outra sala gostaria de interagir com eles na próxima parte do estudo. Com as classificações de 1 a 7 (em que 7 é a mais alta), podemos imaginar como seria ver os números caírem enquanto falamos: 4... 3... 2... 3... 2.

Na verdade, Leary manipulou os números. Ele deu a algumas pessoas classificações descendentes, enquanto outras obtiveram classificações ascendentes: 4... 5 ... 6... 5... 6. Obviamente, é mais agradável ver seus números aumentarem, mas ver um ou outro conjunto de números (aparentemente de um completo estranho) seria capaz de mudar o que você acredita ser verdade sobre si mesmo, seus méritos, seu valor próprio?

Não é de surpreender que as pessoas que admitiram se importar com as opiniões dos outros tenham tido fortes reações aos números. A autoestima delas despencou. Mas os autoproclamados dissidentes sofreram choques quase tão grandes. Eles poderiam de fato se guiar por sua própria bússola, mas não perceberam que sua bússola seguia a opinião pública, não o norte verdadeiro. Foi exatamente como Glauco previra.

A conclusão de Leary foi que "o sociômetro opera em um nível inconsciente e pré-atentivo para examinar o ambiente social em busca de todo e qualquer indicativo de que o valor relacional de uma pessoa esteja baixo ou em declínio".[16] O sociômetro é parte do elefante. Como parecer preocupado com a opinião de outras pessoas nos faz parecer fracos, nós (como os políticos) frequentemente negamos que nos importamos com pesquisas de opinião pública. Mas o fato é que damos muita importância ao que os outros pensam de nós. As únicas pessoas conhecidas por não ter sociômetro são os psicopatas.[17]

2. NOSSO ASSESSOR DE IMPRENSA INTERIOR JUSTIFICA TUDO AUTOMATICAMENTE

Se quiser ver o raciocínio *post hoc* em ação, observe o assessor de imprensa de um presidente ou primeiro-ministro respondendo a perguntas de repórteres. Não importa quão ruim seja a política, o assessor sempre encontrará uma maneira de elogiá-la ou defendê-la. Os repórteres contestam afirmações e trazem citações contraditórias do político, ou mesmo citações do próprio assessor de imprensa nos dias anteriores. Às vezes, ouvimos uma pausa embaraçosa enquanto o assessor de imprensa procura as palavras certas, mas o que nunca ouviremos é: "Ei, excelente argumento! Talvez devêssemos repensar essa política."

Os assessores de imprensa não podem dizer isso porque não têm poder para fazer ou rever políticas. Eles são informados sobre o que trata a política, e seu trabalho é encontrar evidências e argumentos que a justifiquem ao público. E esse é um dos principais trabalhos do ginete: ser o assessor de imprensa interior em tempo integral do elefante.

Em 1960, Peter Wason (criador da tarefa de seleção do Capítulo 2) publicou seu relatório sobre o "problema 2–4–6".[18] Ele mostrou às pessoas uma série de três números e disse-lhes que o trio foi escolhido em conformidade com uma regra. Eles tiveram que adivinhar a regra gerando outros trios e, depois, perguntando ao pesquisador se estava em conformidade com a regra. Quando estavam confiantes de que haviam adivinhado a regra, deveriam contar ao pesquisador seu palpite.

Suponha que o primeiro sujeito veja o trio 2–4–6. Então cria a resposta: "4-6-8?"

"Sim", diz o pesquisador.

"Que tal 120-122-124?"

"Sim."

Parecia óbvio para a maioria das pessoas que a regra eram números pares consecutivos. Mas o pesquisador disse que estava errado, então eles testaram outras regras: "3–5–7?"

"Sim."

"E 35-37-39?"

"Sim."

"OK, então a regra deve ser qualquer série de números que aumenta de dois em dois?"

"Não."

As pessoas tinham pouca dificuldade em gerar novas hipóteses sobre a regra, às vezes bastante complexas. Mas o que elas quase nunca fizeram foi testar suas hipóteses oferecendo trios que *não estavam de acordo com sua hipótese*. Por exemplo, propor 2–4–5 (sim) e 2–4–3 (não) ajudaria as pessoas a se concentrarem na regra real: qualquer série de números ascendentes.

Wason chamou esse fenômeno de *viés de confirmação*, a tendência de procurar e interpretar novas evidências de maneira a confirmar o que você já pensa. As pessoas são muito boas em declarações desafiadoras feitas por *outras* pessoas, mas se a crença é *sua*, então é sua propriedade — quase um filho — e você deseja protegê-la, não desafiá-la e se arriscar a perdê-la.[19]

Deanna Kuhn, pesquisadora-líder do raciocínio cotidiano, encontrou evidências do viés de confirmação mesmo quando as pessoas resolvem um problema importante para a sobrevivência: saber quais alimentos nos deixam doentes. Para levar essa pergunta ao laboratório, ela criou conjuntos de oito cartões, cada um mostrando a imagem de uma criança comendo algo — bolo de chocolate versus bolo de cenoura, por exemplo — e depois mostrou o que aconteceu com a criança: a criança está sorrindo, ou então está franzindo a testa e com aparência de doente. Ela mostrou os cartões um de cada vez, para crianças e adultos, e pediu que dissessem se as "evidências" (os oito cartões) indicavam ou não que um dos tipos de comida deixava as pessoas doentes.

As crianças e os adultos geralmente começaram com um palpite — neste caso, o bolo de chocolate era o culpado mais provável. Elas concluíram que as evidências provavam que estavam certos. Mesmo quando os cartões mostravam uma associação mais forte entre o bolo de cenoura e a doença, as pessoas ainda apontavam para um ou dois cartões com uma criança doente comendo bolo de chocolate como evidência de sua teoria, e ignoravam o número maior de cartões incriminando o bolo de cenoura. Como afirma Kuhn, as pessoas pareciam dizer para si mesmas: "Aqui estão algumas evidências que posso apontar como corroboradoras da minha teoria e, portanto, a teoria está certa."[20]

Esse é o tipo de pensamento deficitário que uma boa educação deve corrigir, certo? Bem, considere as descobertas de outro eminente pesquisador de raciocínio, David Perkins.[21] Ele levou pessoas de várias idades e níveis de educação ao laboratório e pediu que pensassem em questões sociais, como se dar mais dinheiro às escolas melhoraria a qualidade do ensino e do aprendizado. Ele primeiro pediu que os sujeitos anotassem seu julgamento inicial. Depois, que pensassem no assunto e anotassem todas as razões que pudessem pensar — de ambos os lados — que fossem relevantes para se chegar a uma resposta final. Depois que terminaram, Perkins classificou cada razão usada pelos sujeitos como um argumento do "meu lado" ou do "outro lado".

Não é de surpreender que as pessoas tenham apresentado muito mais argumentos do "meu lado" do que do "outro lado". Também não surpreende que, quanto mais educação os sujeitos tivessem, mais razões surgiam. Porém, quando Perkins comparou os alunos de terceiro ano do ensino médio, da faculdade ou pós-graduação com os alunos do primeiro ano nessas mesmas escolas, quase não encontrou melhorias. Na verdade, os alunos do ensino médio que geram muitos argumentos são os que têm maior probabilidade de ingressar na faculdade, e os estudantes universitários que geram muitos argumentos são os que têm maior probabilidade de ingressar na pós-graduação. Escolas não *ensinam* pessoas a raciocinar melhor; elas *selecionam* os candidatos com QI mais alto, e pessoas com QI mais alto são capazes de elaborar mais argumentos.

As descobertas ficam mais perturbadoras. Perkins descobriu que o QI era, de longe, o maior preditor de quão bem as pessoas argumentavam, mas previa *apenas o número de argumentos do meu lado*. Pessoas inteligentes são realmente bons advogados e assessores de imprensa, mas não são melhores que as outras em encontrar razões que corroborem o lado contrário. Perkins concluiu que "as pessoas investem seu QI para reforçar seu próprio argumento, em vez de explorar toda a questão de maneira mais completa e imparcial".[22]

A pesquisa sobre o raciocínio cotidiano oferece pouca esperança para os racionalistas morais. Nos estudos que descrevi, não há interesse próprio em jogo. Quando perguntamos às pessoas sobre séries de dígitos, bolos e doenças, e orçamentos das escolas, elas têm reações intuitivas rápidas e automáticas. Um lado parece um pouco mais atraente que o outro. O elefante se inclina, ainda que ligeiramente, e o ginete começa a trabalhar em busca de evidências de apoio — e inevitavelmente consegue.

É assim que o assessor de imprensa trabalha em questões triviais, quando não há motivação para apoiar um lado ou o outro. Se o pensamento é confirmatório, e não exploratório, nesses casos fáceis e diretos, então quais as chances de as pessoas pensarem de maneira exploratória e imparcial quando o interesse próprio, a identidade social e as fortes emoções as fazem querer ou até *necessitar* chegar a uma conclusão predeterminada?

3. MENTIMOS, TRAPACEAMOS E JUSTIFICAMOS TÃO BEM QUE ACREDITAMOS SINCERAMENTE QUE SOMOS HONESTOS

No Reino Unido, os membros do Parlamento (MPs) têm sido autorizados a se ressarcir com dinheiro dos contribuintes por despesas razoáveis com a manutenção de uma segunda casa, uma vez que são obrigados a passar um tempo em Londres e em seus distritos de origem. Mas, como o escritório responsável por decidir o que era razoável aprovava quase todos os pedidos, os membros do Parlamento trataram-no como um grande cheque em branco. E, como suas despesas não eram reveladas ao público, os parlamentares achavam que estavam usando o anel de Giges — até que um jornal imprimiu uma cópia vazada desses pedidos de ressarcimento de despesas em 2009.[23]

Assim como Glauco previu, eles se comportaram de forma abominável. Muitos parlamentares declaravam como segunda casa a que precisasse de grandes e luxuosas reformas (incluindo dragagem de fossos). Quando as reformas eram concluídas, simplesmente redesignavam sua casa principal como secundária e a reformavam também, às vezes vendendo a casa recém-reformada com um lucro enorme.

Os comediantes dos programas de TV agradecem o fluxo interminável de escândalos oriundo de Londres, Washington e outros centros de poder. Mas será que o restante de nós é melhor que nossos líderes? Ou devemos primeiro procurar vigas em nossos próprios olhos?

Muitos psicólogos estudaram os efeitos da "negação plausível". Em um desses estudos, os sujeitos realizaram uma tarefa e receberam um pedaço de papel e uma confirmação verbal de quanto teriam a receber. Mas, quando levavam o recibo para outra sala para pegar seu dinheiro, o caixa lia um dígito errado e lhes entregava dinheiro a mais. Apenas 20% se manifestaram e corrigiram o erro.[24]

Mas a história mudou quando o caixa perguntava se o pagamento estava correto. Neste caso, 60% disseram que não e devolveram o dinheiro extra. Ser perguntado diretamente acaba com a negação plausível; seria preciso uma mentira direta para ficar com o dinheiro. Como resultado, as pessoas têm uma probabilidade três vezes maior de serem honestas.

Não podemos prever quem devolverá o dinheiro com base na maneira como as pessoas avaliam sua própria honestidade ou em sua capacidade de dar a resposta correta em um dilema moral do tipo usado por Kohlberg.[25] Se o ginete fosse o encarregado do comportamento ético, haveria uma grande correlação entre o raciocínio moral e o comportamento moral das pessoas. Mas ele não é, então não há.

Em seu livro *Previsivelmente Irracional*, Dan Ariely descreve uma brilhante série de estudos em que os participantes tiveram a oportunidade de ganhar mais dinheiro alegando ter resolvido mais problemas de matemática do que de fato fizeram. Ariely resume suas descobertas em muitas variações do paradigma como esta:

> Quando é dada a oportunidade, muitas pessoas honestas trapaceiam. De fato, em vez de descobrir que algumas maçãs podres prejudicavam as médias, descobrimos que *a maioria das pessoas trapaceou*, e que trapaceou só um pouco.[26]

As pessoas não tentavam se safar com o máximo que podiam. Ao contrário, quando Ariely lhes proporcionou algo como a invisibilidade do anel de Giges, elas trapacearam apenas até o ponto em que elas mesmas não conseguiam mais encontrar uma justificativa que preservasse sua crença em sua própria honestidade.

O ponto principal é que, em experimentos de laboratório que oferecem às pessoas invisibilidade combinada com negação plausível, *a maioria das pessoas trapaceia*. O assessor de imprensa (também conhecido como *advogado interior*)[27] é tão bom em encontrar justificativas que a maioria desses trapaceiros deixa o experimento tão convencido de sua própria virtude quanto quando entrou.

4. O RACIOCÍNIO (E O GOOGLE) PODE LEVAR VOCÊ AONDE QUISER

Quando meu filho, Max, tinha três anos, descobri que ele é alérgico à palavra *deve*. Quando eu dizia a ele "você *deve* se vestir para que possamos ir para a escola" (e ele adorava ir para a escola), ele fazia uma careta e choramingava. A palavra *deve* era uma pequena algema verbal que provocava nele o desejo de se libertar.

A palavra *pode* é muito mais gentil: "Você pode se vestir para irmos à escola?" Para ter certeza de que essas duas palavras eram realmente muito distintas para ele, tentei um pequeno experimento. Depois do jantar, uma noite, eu disse: "Max, você *deve* tomar sorvete agora."

"Mas eu não quero!"

Quatro segundos depois: "Max, você *pode* tomar sorvete, se quiser."

"Eu quero!"

A diferença entre *pode* e *deve* é a chave para entender os efeitos profundos do interesse próprio sobre o raciocínio. É também a chave para entender muitas das crenças mais estranhas — em abduções de OVNIs, tratamentos médicos charlatões e teorias da conspiração.

O psicólogo social Tom Gilovich estuda os mecanismos cognitivos de crenças estranhas. Sua formulação simples é que, quando *queremos* acreditar em algo, nos perguntamos: "*Posso* acreditar nisso?"[28] Então (como Kuhn e Perkins descobriram), procuramos evidências de apoio e, se encontrarmos uma única pseudoevidência, já podemos parar de pensar. Agora temos permissão para acreditar. Temos uma justificativa, caso alguém pergunte.

Por outro lado, quando nós *não* queremos acreditar em algo, nos perguntamos: "*Devo* acreditar nisso?" Depois, procuramos evidências contrárias e, se encontrarmos um único motivo para duvidar da afirmação, já podemos descartá-la. Você só precisa de uma chave para se libertar das algemas do *dever*.

Os psicólogos hoje têm armários de arquivos cheios de descobertas sobre o "raciocínio motivado"[29] mostrando os muitos truques que as pessoas usam para chegar às conclusões que desejam alcançar. Quando os sujeitos são informados de que um teste de inteligência lhes deu uma pontuação baixa, eles escolhem ler artigos que criticam (em vez de endossar) a validade dos testes de QI.[30] Quando as pessoas leem um estudo científico (fictício) que relata uma ligação entre o consumo de cafeína e o câncer de mama, as mulheres que bebem muito café encontram mais falhas no estudo do que homens e mulheres que consomem menos cafeína.[31] Pete Ditto, da Universidade da Califórnia em Irvine, pediu que os sujeitos lambessem uma tira de papel para determinar se tinham uma séria deficiência enzimática. Pete descobriu que as pessoas esperam mais tempo para que o papel mude de cor (o que nunca acontece) quando a mudança de cor é desejável do que quando ela indicaria uma deficiência, e aqueles que obtêm um prognóstico indesejável encontram mais razões pelas quais o teste pode não ser preciso (por exemplo: "Minha boca estava estranhamente seca hoje").[32]

A diferença entre uma mente perguntando "Devo acreditar?" versus "Posso acreditar?" é tão profunda que influencia até a percepção visual. Os indivíduos que pensavam que receberiam algo bom se um computador exibisse uma letra em vez de um número eram mais propensos a ver a figura ambígua **B** como a letra *B*, em vez de o número 13.[33]

Se as pessoas podem literalmente ver o que querem — dada uma certa ambiguidade —, é de se admirar que os estudos científicos falhem frequentemente em persuadir o público em geral? Os cientistas são realmente bons em encontrar falhas em estudos que contradizem suas próprias visões, mas às vezes acontece de as evidências se acumularem em muitos estudos até o ponto em que o cientista *deve* mudar de ideia. Já vi isso acontecer entre meus colegas (e comigo) muitas vezes,[34] e faz parte do sistema de responsabilização da ciência — você pareceria um tolo se apegando a teorias desacreditadas. Mas, para os não cientistas, não existe algo em que deva acreditar. É *sempre* possível questionar os métodos, encontrar uma interpretação alternativa dos dados ou, se tudo mais falhar, questionar a honestidade ou a ideologia dos pesquisadores.

E, agora que todos temos acesso aos mecanismos de busca em nossos telefones celulares, podemos chamar uma equipe de cientistas de apoio para quase qualquer conclusão 24 horas por dia. Tudo o que você quiser acreditar sobre as causas do aquecimento global ou se um feto pode sentir dor, basta pesquisar no Google. Você encontrará sites partidários de uma determinada hipótese resumindo e, algumas vezes, distorcendo estudos científicos relevantes. A ciência é um banquete variado, e o Google o levará ao estudo certo para você.

5. PODEMOS ACREDITAR EM QUASE QUALQUER COISA QUE APOIE NOSSO GRUPO

Muitos cientistas políticos costumavam presumir que as pessoas votam por razões egoísticas, escolhendo o candidato ou a política que mais as beneficiará. Mas décadas de pesquisa sobre a opinião pública levaram à conclusão de que o interesse próprio é um fraco preditor de preferências políticas. Pais de crianças em escolas públicas não apoiam mais a ajuda do governo às escolas do que outros cidadãos; jovens sujeitos ao recrutamento militar não se opõem mais à escalada militar do que os homens velhos demais para serem recrutados; e as pessoas que não possuem plano de saúde não têm maior probabilidade de apoiar o seguro de saúde governamental do que as pessoas que o possuem.[35]

Em vez disso, indivíduos se importam com seus *grupos*, sejam eles raciais, regionais, religiosos ou políticos. O cientista político Don Kinder resume as conclusões da seguinte forma: "Em questões de opinião pública, os cidadãos parecem estar se perguntando não 'O que eu ganho com isso?', mas sim 'O que o meu grupo ganha com isso?'"[36] As opiniões políticas funcionam como "emblemas de associação social".[37] Elas são como os adesivos que as pessoas colocam em seus carros, mostrando as causas políticas, universidades e equipes esportivas que apoiam. Nossa política é de grupo, não egoísta.

Se as pessoas podem ver o que quiserem na figura **13**, imagine quanto espaço há para os partidários enxergarem os diferentes fatos no mundo social.[38] Vários estudos documentaram o efeito de "polarização de atitude" que ocorre quando você fornece um único corpo de informações a pessoas com diferentes tendências partidárias. Liberais e conservadores têm respostas diametralmente opostas quando leem pesquisas sobre a pena de morte impedir o crime ou não, quando avaliam a qualidade dos argumentos apresentados pelos candidatos em um debate presidencial ou quando avaliam argumentos sobre ação afirmativa ou controle de armas.[39]

Em 2004, no calor das eleições presidenciais dos EUA, Drew Westen usou a ressonância magnética funcional para captar imagens dos cérebros de partidários em ação.[40] Ele recrutou 15 democratas e 15 republicanos fervorosos e os levou ao scanner, um de cada vez, para assistir a 18 conjuntos de slides. O primeiro slide de cada série mostrava uma declaração do presidente George W. Bush ou de seu oponente democrata, John Kerry. Por exemplo, as pessoas viram uma citação de Bush em 2000 elogiando Ken Lay, CEO da Enron, empresa que depois entrou em colapso quando suas grandes fraudes vieram à tona:

> Eu adoro esse cara... Quando eu for presidente, pretendo administrar o governo como um CEO que administra um país. Ken Lay e Enron são um modelo de como farei isso.

Então eles viram um slide descrevendo uma atitude tomada mais tarde que parecia contradizer a afirmação anterior:

> Bush evita qualquer menção a Ken Lay e critica Enron quando questionado.

A essa altura, os republicanos demonstraram aflição. Mas, naquele momento, Westen mostrou a eles outro slide que dava mais contexto, resolvendo a contradição:

> Pessoas que conhecem o presidente relatam que ele se sente atacado por Ken Lay e ficou genuinamente chocado ao descobrir que a liderança da Enron fora corrupta.

Havia um conjunto equivalente de slides mostrando Kerry pego em contradição e depois o exonerando. Em outras palavras, Westen projetou situações nas quais os partidários se sentiriam temporariamente ameaçados pela aparente hipocrisia de seus candidatos. Ao mesmo tempo, eles não sentiriam nenhuma ameaça — e talvez até certo prazer — quando era o representante do outro partido quem parecia flagrado em contradição.

Westen, na verdade, estava contrapondo dois modelos mentais. Será que os sujeitos revelariam o modelo de processo dual de Jefferson, no qual a cabeça (as partes racionais do cérebro) processa informações sobre contradições igualmente para todos os alvos, mas depois sua conclusão é anulada por uma resposta mais forte do coração (as áreas emocionais)? Ou o cérebro partidário funciona segundo alega Hume, com processos emocionais e intuitivos controlando tudo e só chamando o raciocínio quando seus serviços forem necessários para justificar a conclusão desejada?

Os dados apoiaram Hume fortemente. As informações ameaçadoras (hipocrisia do candidato preferido) ativaram imediatamente uma rede de áreas cerebrais relacionadas à emoção — áreas associadas a emoções negativas e respostas a punições.[41] As algemas (do "Devo acreditar?") machucam.

Sabe-se que algumas dessas áreas desempenham um papel importante no raciocínio, mas não houve aumento da atividade no córtex pré-frontal dorsolateral (CPFDL). O CPFDL é a área principal para tarefas de raciocínio frio.[42] Seja qual for o raciocínio que os partidários estivessem fazendo, não era o tipo de ponderação ou cálculo objetivo pelo qual o CPFDL é conhecido. [43]

Quando Westen os libertou da ameaça, o estriado ventral foi ativado — esse é um dos principais centros de recompensa do cérebro. O cérebro de todos os animais é projetado para produzir flashes de prazer quando o animal faz algo importante para sua sobrevivência, e esses sentimentos são gerados por meio de pequenos pulsos do neurotransmissor dopamina no estriado ventral (e em alguns outros locais). A heroína e a cocaína são viciantes porque provocam artificialmente essa resposta de dopamina. Os ratos ensinados a pressionar um botão para fornecer estimulação elétrica a seus centros de recompensa continuarão pressionando até que morram de inanição.[44]

Westen descobriu que os partidários que escapavam das algemas (pensando no slide final, que restabeleceu sua confiança no candidato) receberam uma pequena descarga de dopamina. E, se isso for verdade, explicaria por que os partidários extremos são tão teimosos, parciais e comprometidos com crenças que muitas vezes parecem bizarras ou paranoicas. Como ratos que não conseguem parar de pressionar um botão, os partidários podem simplesmente não conseguir parar de acreditar em coisas estranhas. O cérebro partidário recebeu tanto reforço que não consegue executar as contorções mentais capazes de libertá-lo de suas crenças indesejadas. O partidarismo extremo pode ser literalmente viciante.

A ILUSÃO RACIONALISTA

O *Webster's Third New International Dictionary* define *ilusão* [*delusion*] como "uma falsa concepção e crença persistente, invencível pela razão, em algo que não existe de fato".[45] Como intuicionista, eu diria que o culto à razão é por si só uma ilustração de uma das ilusões mais duradouras da história ocidental: a ilusão racionalista. A concepção de que o raciocínio é o nosso atributo mais nobre, aquele que nos faz nos assemelhar a deuses (para Platão) ou que nos leva além da "ilusão" de acreditar em deuses (para os Novos Ateus).[46] A ilusão racionalista não é apenas uma afirmação da natureza humana. É também uma alegação de que a casta racional (filósofos ou cientistas) deve ter mais poder, que geralmente vem acompanhado de um programa utópico para criar filhos mais racionais.[47]

De Platão a Kant e Kohlberg, muitos racionalistas afirmaram que a capacidade de um bom raciocínio sobre questões éticas *causa* o bom comportamento. Eles acreditam que o raciocínio é o caminho real para a verdade moral e que as pessoas capazes de um bom raciocínio têm maior probabilidade de agir de maneira moral.

Mas, se esse fosse o caso, os filósofos morais — que refletem sobre princípios éticos o dia todo — deveriam ser mais virtuosos que as outras pessoas. Será que são? O filósofo Eric Schwitzgebel tentou descobrir. Ele usou pesquisas e métodos mais furtivos para medir com que frequência os filósofos morais fazem doações à caridade, votam, ligam para as mães, doam sangue, doam órgãos, recolhem o próprio lixo em conferências de filosofia e respondem a e-mails enviados por supostos alunos.[48] E em nenhum desses aspectos os filósofos morais se mostraram melhores do que outros filósofos ou professores de outros campos.

Schwitzgebel chegou a vasculhar as listas de livros perdidos de dezenas de bibliotecas e descobriu que obras acadêmicas sobre ética, presumivelmente emprestadas sobretudo por especialistas em ética, têm mais chances de serem roubadas ou simplesmente nunca mais devolvidas do que livros de outras áreas da filosofia.[49] Ou seja, a experiência em raciocínio moral parece não melhorar o comportamento moral e pode até piorar (talvez tornando o ginete mais habilidoso em justificativas *post hoc*). Schwitzgebel ainda não encontrou uma única medida em que os filósofos morais se comportem melhor do que outros filósofos.

Quem valoriza a verdade deve parar de adorar a razão. Todos nós precisamos examinar as evidências com frieza e cuidado e encarar o raciocínio pelo que ele é. Os cientistas cognitivos franceses Hugo Mercier e Dan Sperber revisaram recentemente a vasta literatura de pesquisa sobre raciocínio motivado (em psicologia social) e sobre os vieses e erros de raciocínio (em psicologia cognitiva). Eles concluíram que a maioria das descobertas bizarras e deprimentes da pesquisa faz todo sentido quando encaramos o raciocínio como tendo evoluído não para nos ajudar a encontrar a verdade, mas para nos auxiliar nos argumentos, persuasão e manipulação no contexto de discussões com outras pessoas. Como eles dizem, "argumentadores habilidosos… não estão atrás da verdade, mas de argumentos que sustentem seus pontos de vista".[50] Isso explica por que o viés de confirmação é tão poderoso e tão inextirpável. Quão difícil poderia ser ensinar os alunos a explorar o outro lado, a procurar evidências contra sua visão preferida? Na verdade, é muito difícil, e ninguém ainda encontrou uma maneira de fazê-lo.[51] É difícil porque o viés de confirmação é um recurso intrínseco (de uma mente argumentativa), não um bug que pode ser removido (de uma mente platônica).

Não estou dizendo que todos devemos parar de pensar e seguir nossos sentimentos. Às vezes, sentimentos instintivos são melhores guias do que o raciocínio para fazer escolhas de consumo e julgamentos interpessoais,[52] mas muitas vezes são desastrosos como base para políticas públicas, ciência e direito.[53] O que estou dizendo é que devemos ser cautelosos com a capacidade de raciocínio de qualquer *indivíduo*. Devemos ver cada indivíduo como limitado, como um neurônio. Um neurônio é realmente bom em uma coisa: resumir o estímulo que entra em seus dendritos para "decidir" se deve disparar um pulso ao longo de seu axônio. Um neurônio sozinho não é muito inteligente. Mas, se juntarmos os neurônios da maneira correta, teremos um cérebro; obtemos um sistema emergente que é muito mais inteligente e mais flexível que um único neurônio.

Da mesma forma, cada raciocínio individual é realmente bom em uma coisa: encontrar evidências para apoiar a posição que já tem, geralmente por razões intuitivas. Não devemos esperar que os indivíduos produzam um raciocínio bom, imparcial e que busque a verdade, principalmente quando interesses pessoais ou a reputação estão em jogo. Mas se reunirmos indivíduos da maneira correta, de modo que alguns possam usar seus poderes de raciocínio para refutar as alegações de outros, e todos sentirão algum vínculo comum ou destino compartilhado que lhes permita interagir com civilidade, poderemos criar um grupo que acabe produzindo um bom raciocínio como uma propriedade emergente do sistema social. É por isso que é tão importante ter diversidade intelectual e ideológica dentro de qualquer grupo ou instituição cujo objetivo seja encontrar a verdade (como uma agência de inteligência ou uma comunidade de cientistas) ou produzir boas políticas públicas (como um órgão legislativo ou conselho consultivo).

E se nosso objetivo é produzir bom *comportamento*, não apenas um bom raciocínio, é ainda mais importante rejeitar o racionalismo e abraçar o intuicionismo. Ninguém jamais inventará uma aula de ética que faça as pessoas se comportarem com ética depois que saírem da sala de aula. As aulas são para os ginetes, e eles apenas usarão seus novos conhecimentos para servir seus elefantes com mais eficiência. Se quisermos que as pessoas se comportem de forma mais ética, há dois caminhos. Podemos mudar o elefante, o que leva muito tempo e é difícil de fazer. Ou, emprestando uma ideia do livro *Switch — Como mudar as coisas quando a mudança é difícil,* de Chip Heath e Dan Heath,[54] podemos mudar o caminho que o elefante e o ginete estão seguindo. Podemos fazer ajustes pequenos e baratos no ambiente, o que pode produzir grandes aumentos no comportamento ético.[55] Podemos contratar Glauco como consultor e lhe perguntar como criar instituições nas quais seres humanos reais, sempre preocupados com sua reputação, se comportarão de maneira mais ética.

EM SUMA:

O primeiro princípio da psicologia moral afirma que *as intuições vêm primeiro, depois vem o raciocínio estratégico.* Para demonstrar as funções estratégicas do raciocínio moral, revisei cinco áreas de pesquisa, mostrando que o pensamento moral é mais como um político que angaria votos do que um cientista que busca a verdade:

- Estamos obsessivamente preocupados com o que os outros pensam de nós, embora grande parte da preocupação seja inconsciente e invisível para nós.

- O raciocínio consciente funciona como um assessor de imprensa que justifica automaticamente qualquer posição assumida pelo presidente.

- Com a ajuda de nosso assessor de imprensa, somos capazes de mentir e trapacear com frequência, e depois encobrir tudo com tanta eficácia que convencemos até a nós mesmos.

- O raciocínio pode nos levar a quase qualquer conclusão a que queiramos chegar, pois perguntamos "Posso acreditar?" quando queremos acreditar em alguma coisa, mas "Devo acreditar?" quando não queremos. A resposta é quase sempre sim para a primeira pergunta e não para a segunda.

- Em questões morais e políticas, somos frequentemente partidários de nosso grupo, não egoístas. Empregamos nossas habilidades de raciocínio para apoiar e demonstrar comprometimento ao nosso grupo.

Concluí alertando que o culto à razão, que às vezes é encontrado nos círculos filosóficos e científicos, é uma ilusão. É um exemplo de fé em algo que não existe. Em vez disso, sugeri uma abordagem mais intuicionista à moralidade e à educação moral, mais humilde quanto às habilidades dos indivíduos e mais sintonizada com os contextos e sistemas sociais que permitem às pessoas pensar e agir bem.

Tentei argumentar que nossas capacidades morais são mais bem descritas de uma perspectiva intuicionista. Não afirmo ter exaurido a questão, nem ofereço provas irrefutáveis. Por causa do poder intransponível do viés de confirmação, contra-argumentos deverão ser produzidos por quem discordar de mim. No devido tempo, se a comunidade científica trabalhar como deveria, a verdade surgirá à medida que um grande número de mentes falhas e limitadas batalhar para chegar a uma conclusão.

Assim, concluímos a Parte I deste livro, que tratou do primeiro princípio da psicologia moral: *as intuições vêm primeiro, depois vem o raciocínio estratégico*. Para explicar esse princípio, usei a metáfora da mente como um ginete (raciocínio) de um elefante (intuição), e disse que a função do ginete é servir ao elefante. O raciocínio é importante, principalmente porque os argumentos às vezes influenciam outras pessoas, mas a maior parte da ação na psicologia moral está nas intuições. Na Parte II, serei muito mais específico sobre o que são essas intuições e de onde elas vêm. Elaborarei um mapa do espaço moral e mostrarei por que, em geral, ele é mais favorável aos políticos conservadores do que aos liberais.

PARTE II

A Moralidade Envolve Mais do que Dano e Justiça

Metáfora Central

A mente moralista é como uma língua com seis receptores de sabor.

CINCO

Além da Moralidade WEIRD

Obtive meu doutorado no McDonald's. Em parte, pelas horas passadas em frente a um McDonald's em West Philadelphia tentando recrutar adultos da classe trabalhadora para uma entrevista para minha pesquisa de dissertação. Quando alguém aceitava, nos sentávamos na área externa do restaurante, e eu perguntava o que eles achavam da família que comia o próprio cachorro, da mulher que usava a bandeira dos EUA como pano e tudo mais. Recebi alguns olhares estranhos à medida que as entrevistas progrediam, e também muitas risadas — principalmente quando contei a história do cara e o frango. Eu esperava por isso, porque havia escrito as histórias com a intenção de surpreender e até chocar as pessoas.

Mas o que eu não esperava era que esses sujeitos da classe trabalhadora às vezes achassem meu pedido de justificativas tão desconcertante. Cada vez que alguém dizia que as pessoas de uma história haviam cometido algo errado, eu perguntava: "Você pode me dizer por que é errado?" Quando entrevistei estudantes universitários no campus da Universidade da Pensilvânia, um mês antes, essa pergunta trouxe à tona as justificativas morais com bastante tranquilidade. Mas, alguns quarteirões a oeste, essa mesma pergunta muitas vezes levava a longas pausas e olhares incrédulos. Essas reações pareciam dizer: *Você quer dizer que não* sabe *por que é errado fazer isso com um frango? Eu tenho que explicar isso? De que planeta você veio?*

Esses sujeitos estavam certos em me questionar, porque eu realmente sou estranho. Vim de um mundo moral estranho e diferente — a Universidade da Pensilvânia. Os alunos da Penn foram os mais incomuns dentre os 12 grupos estudados. Eles foram os únicos em sua devoção inabalável ao "princípio do dano", que John Stuart Mill havia proposto em 1859: "O único propósito pelo qual o poder pode ser exercido legitimamente sobre qualquer membro de uma comunidade civilizada, contra sua vontade, é impedir o dano a terceiros."[1] Como disse um aluno da Penn: "É o frango dele, ele é quem está comendo, ninguém está se machucando."

Os alunos da Penn mostraram a mesma propensão das pessoas dos outros 11 grupos a dizer que os incomodaria testemunhar as violações de tabu, mas foram o *único* grupo que frequentemente ignorou seus próprios sentimentos de repulsa e disse que uma ação que os incomodava ainda poderia ser moralmente admissível. E foram o único grupo em que a maioria (73%) foi capaz de tolerar a história do frango. Como disse um aluno da Penn: "É pervertido, mas se for feito em particular, é direito dele."

Eu e meus colegas estudantes da Penn também éramos estranhos de outra maneira. Em 2010, os psicólogos culturais Joe Henrich, Steve Heine e Ara Norenzayan publicaram um importantíssimo artigo intitulado "The Weirdest Peolple in the World?"[2] [As Pessoas Mais Estranhas do Mundo?, em tradução livre]. Os autores apontaram que quase todas as pesquisas em psicologia são realizadas em um subconjunto muito pequeno da população humana: pessoas de culturas ocidentais [Western], instruídas [Educated], industrializadas [Industrialized], ricas [Rich] e democráticas [Democratic] (formando a sigla WEIRD, que em inglês significa estranho). Eles então revisaram dezenas de estudos mostrando que as pessoas WEIRD são outliers estatísticos, ou valor aberrantes; são as pessoas menos típicas e menos representativas que podemos estudar se quisermos fazer generalizações sobre a natureza humana. Mesmo entre ocidentais, os norte-americanos são mais extremos do que os europeus e, nos Estados Unidos, a classe média alta instruída (como minha amostra da Universidade da Pensilvânia) é a mais atípica de todas.

Várias das peculiaridades da cultura WEIRD podem ser capturadas nesta simples generalização: *quanto mais WEIRD você é, mais vê um mundo como objetos separados, em vez de relacionamentos*. Há muito tempo relata-se que os ocidentais têm um conceito de eu mais independente e autônomo do que os asiáticos orientais.[3] Por exemplo, quando solicitados a escrever 20 declarações começando com as palavras "eu sou...", é provável que os norte-americanos listem suas próprias características psicológicas internas (feliz, extrovertido, interessado em jazz), enquanto os asiáticos orientais têm mais chances de listar seus papéis e relacionamentos (um filho, um marido, um funcionário da Fujitsu).

As diferenças são profundas; até a percepção visual é afetada. No que é conhecido como tarefa da linha emoldurada, é mostrado um quadrado com uma linha desenhada dentro dele. Ao virar a página, vemos um quadrado vazio maior ou menor que o quadrado original. Sua tarefa é desenhar uma linha igual à que você viu na página anterior, em termos absolutos (mesmo número de centímetros; ignorando o novo quadrado) ou relativos (mesma proporção em relação ao quadrado). Os ocidentais, e particularmente os norte-americanos, se destacam na tarefa absoluta, porque veem a linha como um objeto independente e a armazenam separadamente na memória. Os asiáticos orientais, por outro lado, superam os norte-americanos na tarefa relativa, porque automaticamente percebem e se lembram da relação entre as partes.[4]

Essa diferença de percepção envolve uma diferença no estilo de pensar. A maioria das pessoas pensa holisticamente (vendo todo o contexto e os relacionamentos entre as partes), mas as pessoas WEIRD pensam de maneira mais analítica (separando o objeto focal do seu contexto, atribuindo-o a uma categoria e presumindo que o que é verdadeiro sobre a categoria é verdadeiro para o objeto).[5] Juntando tudo isso, faz sentido que os filósofos WEIRD, desde Kant e Mill, tenham gerado majoritariamente sistemas morais individualistas, baseados em regras e universalistas. Essa é a moralidade de que você precisa para governar uma sociedade de indivíduos autônomos.

Mas quando pensadores holísticos de uma cultura não WEIRD escrevem sobre moralidade, temos algo mais parecido com os Analectos de Confúcio, uma coleção de aforismos e casos interessantes que não podem ser reduzidos a uma única regra.[6] Confúcio fala sobre uma variedade de deveres e virtudes específicos de um relacionamento (como a devoção filial e o tratamento adequado dos subordinados).

Se pessoas WEIRD e não WEIRD pensam e veem o mundo de maneira diferente, é lógico que teriam diferentes preocupações morais. Se enxergamos um mundo cheio de indivíduos, precisaremos da moralidade de Kohlberg e Turiel — uma moralidade que protege esses indivíduos e seus direitos individuais. Enfatizaremos as preocupações sobre dano e justiça.

Mas se vivemos em uma sociedade não WEIRD, na qual as pessoas têm maior probabilidade de enxergar relacionamentos, contextos, grupos e instituições, não estaremos tão focados em proteger os indivíduos. Teremos uma moralidade mais *sociocêntrica*, o que significa (como Shweder descreveu no Capítulo 1) que colocamos as necessidades de grupos e instituições em primeiro lugar, geralmente à frente das necessidades dos indivíduos. E, neste caso, uma moralidade baseada em preocupações com dano e justiça não será suficiente. Teremos preocupações adicionais e precisaremos de virtudes adicionais para unir as pessoas.

A Parte II deste livro trata dessas preocupações e virtudes adicionais. É sobre o segundo princípio da psicologia moral: *a moralidade envolve mais do que dano e justiça*. Tentarei convencê-lo de que esse princípio é *descritivamente* verdadeiro — isto é, como um retrato das moralidades que vemos quando olhamos ao redor do mundo. Deixarei de lado a questão de saber se alguma dessas moralidades alternativas é *realmente* boa, verdadeira ou justificável. Como intuicionista, acho um erro sequer *levantar* essa pergunta emocionalmente poderosa até acalmarmos nossos elefantes e cultivarmos alguma compreensão do que essas moralidades estão tentando realizar. É muito fácil para os ginetes construir um caso contra toda moral, partido político e religião dos quais não gostamos.[7] Assim, vamos primeiro tentar entender a diversidade moral, antes de julgarmos outras moralidades.

TRÊS ÉTICAS SÃO MAIS DESCRITIVAS QUE UMA

A Universidade de Chicago se orgulha de sua classificação pela revista *Playboy* como a "pior universidade para festas" dos Estados Unidos. Os invernos são longos e brutais, as livrarias superam os bares e os alunos vestem camisetas com o símbolo da universidade acima de frases como "Onde a Diversão Vai para Morrer" e "O Inferno Congela Sim". Cheguei à universidade em uma noite de setembro de 1992, descarreguei a caminhonete alugada e saí para tomar uma cerveja. Na mesa ao lado da minha, começou uma acalorada discussão. Um homem barbudo bateu as mãos na mesa e gritou: "Droga, estou falando de Marx!"

Essa era a cultura de Richard Shweder. Recebi uma bolsa para trabalhar com Shweder por dois anos depois de terminar meu doutorado na Penn. Shweder era o principal pensador em psicologia cultural — uma nova disciplina que combinava o amor pelo contexto e a variabilidade dos antropólogos com o interesse dos psicólogos pelos processos mentais.[8] Um ditado da psicologia cultural é que "cultura e psique se inventam".[9] Em outras palavras, não podemos estudar a mente ignorando a cultura, como costumam fazer os psicólogos, porque a mente funciona apenas depois de ter sido preenchida por uma cultura específica. E não podemos estudar a cultura ignorando a psicologia, como costumam fazer os antropólogos, porque práticas e instituições sociais (como ritos de iniciação, feitiçaria e religião) são, em certa medida, moldadas por conceitos e desejos profundamente enraizados na mente humana, o que explica por que ela em geral assume formas semelhantes em diferentes continentes.

Fiquei particularmente atraído por uma nova teoria da moralidade que Shweder havia desenvolvido com base em sua pesquisa em Orissa (que descrevi no Capítulo 1). Depois de publicar o estudo, ele e seus colaboradores continuaram analisando as 600 transcrições de entrevistas que haviam coletado. Encontraram 3 grandes grupos de temas morais, que chamaram de ética da autonomia, comunidade e divindade.[10] Cada um é baseado em uma ideia diferente do que uma pessoa realmente é.

A ética da *autonomia se* baseia na noção de que as pessoas são, em primeiro lugar, indivíduos autônomos com desejos, necessidades e preferências. Elas devem ser livres para satisfazer esses desejos, necessidades e preferências como bem entenderem, e assim as sociedades desenvolvem conceitos morais como direitos, liberdade e justiça, que permitem que as pessoas coexistam pacificamente, sem interferir muito nos projetos umas das outras. Essa é a ética dominante nas sociedades individualistas. Podemos encontrá-las nos escritos de utilitaristas como John Stuart Mill e Peter Singer[11] (que valorizam a justiça e os direitos apenas na medida em que aumentam o bem-estar humano), e nos escritos de deontologistas como Kant e Kohlberg (que valorizam a justiça e os direitos mesmo nos casos em que isso pode diminuir o bem-estar geral).

Mas, assim que saímos da sociedade secular ocidental, ouvimos pessoas falando em duas linguagens morais adicionais. A ética de *comunidade* se baseia na ideia de que as pessoas são, antes de tudo, membros de entidades maiores, como famílias, equipes, exércitos, empresas, tribos e nações. Essas entidades maiores são mais do que a soma das pessoas que as compõem; elas são reais, relevantes e devem ser protegidas. As pessoas têm a obrigação de desempenhar seus papéis designados nessas entidades. Muitas sociedades, portanto, desenvolvem conceitos morais como dever, hierarquia, respeito, reputação e patriotismo. Nessas sociedades, a insistência ocidental de que as pessoas planejem suas próprias vidas e busquem seus próprios objetivos parece egoísta e perigosa — uma forma certeira de enfraquecer o tecido social e destruir as instituições e entidades coletivas das quais todos dependem.

A ética de *divindade* se baseia na ideia de que as pessoas são, antes de tudo, receptáculos temporários dentro dos quais uma alma divina foi implantada.[12] As pessoas não são apenas animais com uma porção extra de consciência; elas são filhas de Deus e devem se comportar de acordo. O corpo é um templo, não um playground. Mesmo que o ato de fazer sexo com uma carcaça de frango não faça mal nem viole os direitos de alguém, não deveria ser praticado, porque degrada o homem, desonra seu criador e viola a ordem sagrada do Universo. Muitas sociedades, portanto, desenvolvem conceitos morais como santidade e pecado, pureza e degeneração, elevação e degradação. Nessas sociedades, a liberdade pessoal das nações ocidentais seculares parece libertinismo, hedonismo e celebração dos instintos mais básicos da humanidade.[13]

Li pela primeira vez sobre as três éticas de Shweder em 1991, depois de coletar meus dados no Brasil, mas antes de escrever minha tese. Percebi que todas as minhas melhores histórias — aquelas que levavam as pessoas a reagir emocionalmente mesmo sem conseguir identificar uma vítima — envolviam desrespeito, o que violava a ética da comunidade (por exemplo, usar uma bandeira como pano de limpeza), ou repulsa e lascívia, que violavam a ética da divindade (por exemplo, o caso do frango).

Usei a teoria de Shweder para analisar as justificativas que as pessoas ofereceram (quando perguntei "Você pode me dizer por quê?"), e funcionou como mágica. Os alunos da Universidade da Pensilvânia falaram quase exclusivamente na linguagem da ética da autonomia, enquanto os outros grupos (especialmente os da classe trabalhadora) fizeram muito mais uso da ética da comunidade e um pouco mais da ética da divindade.[14]

Logo depois que cheguei a Chicago, solicitei uma bolsa da Fulbright para passar três meses na Índia, onde esperava estudar mais de perto a ética da divindade. (Ela foi a mais rara das três éticas nos dados de minha tese.) Como pude contar com a extensa rede de amigos e colegas de Shweder em Bhubaneswar, a capital de Orissa, foi fácil para mim montar um projeto de pesquisa detalhado, que foi aprovado. Depois de passar um ano em Chicago lendo sobre psicologia cultural e aprendendo com Shweder e seus alunos, voei para a Índia em setembro de 1993.

COMO ME TORNEI UM PLURALISTA

Fui extraordinariamente bem recebido e bem tratado. Fui acomodado em um apartamento adorável, que dispunha de cozinheira e empregada em período integral.[15] Por US$5 ao dia, aluguei um carro e um motorista. Fui recebido na universidade local pelo professor Biranchi Puhan, um velho amigo de Shweder, que me cedeu um escritório e me apresentou ao restante do departamento de psicologia, do qual recrutei uma equipe de pesquisa de estudantes ansiosos. Uma semana depois eu estava pronto para começar meu trabalho, que deveria ser uma série de experimentos sobre julgamento moral, particularmente violações da ética da divindade. Mas esses experimentos me ensinaram pouco em comparação com o que aprendi ao me deparar com a complexa rede social de uma pequena cidade indiana e conversar com meus anfitriões e conselheiros sobre minha confusão.

Uma causa da confusão foi eu ter trazido na bagagem duas identidades incompatíveis. Por um lado, eu era um ateu liberal de 29 anos com visões muito definidas sobre o certo e o errado. Por outro, eu queria ser como os antropólogos imparciais sobre os quais havia lido e estudado tanto, como Alan Fiske e Richard Shweder. Minhas primeiras semanas em Bhubaneswar foram, portanto, cheias de sentimentos de choque e dissonância. Jantei com homens cujas esposas nos serviam silenciosamente e depois se retiravam para a cozinha, sem falar comigo a noite toda. Disseram-me para ser mais rigoroso com meus empregados e parar de agradecê-los por me servir. Eu vi as pessoas se banharem e cozinharem com água visivelmente poluída que era considerada sagrada. Resumindo, eu estava imerso em uma sociedade religiosa, segregada por gênero, estratificada hierarquicamente e devotamente religiosa, e estava comprometido em entendê-la em seus próprios termos, não nos meus.

Levou apenas algumas semanas para minha dissonância desaparecer, não por eu ser um antropólogo nato, mas porque a capacidade de empatia normal do ser humano se manifestou. Eu *gostava* das pessoas que me receberam, ajudaram e ensinaram. Aonde quer que eu fosse, as pessoas eram gentis comigo. E quando somos gratos às pessoas, é mais fácil adotar sua perspectiva. Meu elefante se inclinou na direção deles, o que fez meu ginete procurar argumentos morais em sua defesa. Em vez de rejeitar automaticamente os homens como opressores sexistas e ter pena das mulheres, crianças e servos como vítimas desamparadas, comecei a ver um mundo moral em que as famílias, não os indivíduos, são a unidade básica da sociedade, e os membros de cada família estendida (que inclui seus servos) são intensamente interdependentes. Nesse mundo, igualdade e autonomia pessoal não eram valores sagrados. Honrar os idosos, deuses e convidados, proteger os subordinados e cumprir os deveres com base em seus papéis era mais importante.

Eu lera sobre a ética da comunidade de Shweder e a compreendera intelectualmente. Mas agora, pela primeira vez na vida, comecei a senti-la. Pude perceber a beleza em um código moral que enfatiza o dever, o respeito pelos mais velhos, o serviço ao grupo e a negação dos desejos do eu. Ainda conseguia ver o lado feio: que o poder, às vezes, leva à pompa e ao abuso. E pude perceber que os subordinados — particularmente as mulheres — eram frequentemente impedidos de fazer o que queriam por simples caprichos dos mais velhos (homens e mulheres). Mas, pela primeira vez em minha vida, pude sair de minha moralidade nativa, a ética da autonomia. Eu tinha uma base de apoio, e da perspectiva da ética da comunidade, a ética da autonomia parecia agora excessivamente individualista e focada em si mesma. Nos meus três meses na Índia, conheci poucos norte-americanos. Mas, quando embarquei no avião de volta para Chicago, ouvi uma voz alta com um sotaque inconfundivelmente norte-americano dizendo: "Olha, diga a ele que este é o compartimento acima do *meu* assento, e eu tenho *direito* de usá-lo." Eu me encolhi.

O mesmo aconteceu com a ética da divindade. Eu entendia intelectualmente o que significava tratar o corpo como um templo, e não como um playground, mas esse era um conceito analítico que usava para entender pessoas muito diferentes de mim. Pessoalmente, eu gostava muito do prazer e via poucas razões para escolher desfrutá-lo menos e não mais. E era muito dedicado à eficiência, de modo que via poucas razões para passar uma ou duas horas por dia fazendo orações e realizando rituais. Mas lá estava eu em Bhubaneswar, entrevistando padres, monges e devotos hindus sobre seus conceitos de pureza e degeneração e tentando entender por que os hindus dão tanta ênfase ao banho, às escolhas alimentares e às preocupações sobre o que ou quem uma pessoa toca. Por que os deuses hindus se preocupam com o estado dos corpos de seus devotos? (E não são apenas os deuses hindus; o Alcorão e a Bíblia Hebraica revelam preocupações semelhantes, e muitos cristãos acreditam que "a limpeza está próxima da santidade".)[16]

Na pós-graduação, fiz algumas pesquisas sobre repulsa moral, e isso me preparou para pensar nessas questões. Eu me juntei a Paul Rozin (um dos principais especialistas em psicologia da comida e da alimentação) e Clark McCauley (psicólogo social na vizinha Bryn Mawr College). Queríamos saber por que a emoção de repulsa — que claramente se originou como uma emoção que nos afasta de coisas sujas e contaminantes — agora pode ser desencadeada por algumas violações morais (como traição ou abuso infantil), mas não por outras (como assaltar um banco ou fraudar os impostos).[17]

Nossa teoria, em resumo, era que a mente humana automaticamente percebe uma espécie de dimensão vertical do espaço social, originada em Deus ou na perfeição moral, e de cima para baixo passa pelos anjos, humanos, outros animais, monstros, demônios e, por fim, o diabo, ou mal perfeito.[18] A lista de seres sobrenaturais varia de cultura para cultura, e não há essa dimensão vertical elaborada em todas elas. Mas encontramos amplamente a noção de que alto = bom = puro = Deus, enquanto baixo = ruim = sujo = animal. Essa noção é tão ampla, na verdade, que parece ser um tipo de arquétipo (se você gosta da terminologia junguiana) ou de ideia configurada inatamente (se prefere a linguagem da psicologia evolucionista).

Nossa ideia era que a repulsa moral é sentida sempre que vemos ou ouvimos histórias de pessoas cujo comportamento mostra que estão em um patamar mais baixo dessa dimensão vertical. As pessoas se sentem degradadas quando pensam em coisas assim e se sentem elevadas ao ouvir sobre ações virtuosas.[19] Um homem que assalta um banco faz uma coisa ruim e queremos vê-lo punido. Mas um homem que trai seus próprios pais ou escraviza crianças pelo comércio sexual parece monstruoso — desprovido de um sentimento humano básico. Essas ações nos revoltam e parecem desencadear parte da mesma fisiologia de repulsa desencadeada pela visão de ratos saindo de uma lata de lixo.[20]

Essa era a nossa teoria, e era bastante fácil encontrar evidências que a corroborassem na Índia. As noções hindus de reencarnação não poderiam ser mais explícitas: nossas almas reencarnam em criaturas superiores ou inferiores na próxima vida, com base na virtude de nossa conduta durante esta vida. Mas, assim como ocorreu com a ética da comunidade, a grande surpresa foi que, depois de alguns meses, comecei a *sentir* a ética da divindade de maneiras sutis.

Alguns desses sentimentos estavam relacionados a questões físicas de sujeira e limpeza em Bhubaneswar. Vacas e cães vagavam livremente pela cidade, então era preciso caminhar com cuidado para desviar dos dejetos; às vezes, era possível ver pessoas defecando na beira da estrada; e o lixo era amontoado em pilhas cheias de moscas. Portanto, me pareceu natural adotar a prática indiana de tirar os sapatos ao entrar em qualquer residência, criando um limite nítido entre espaços sujos e limpos. Ao visitar os templos, sintonizava-me com sua topografia espiritual: o pátio é mais alto (mais puro) que a rua; a antecâmara do templo, ainda mais alta; e o santuário interno, onde o deus estava alojado, só podia ser acessado pelo sacerdote brâmane, que seguira todas as regras necessárias de pureza pessoal. As residências tinham uma topografia semelhante, e eu tinha que me certificar de nunca entrar na cozinha ou no cômodo onde as ofertas eram feitas para as divindades. A topografia da pureza se aplica até ao seu próprio corpo: comemos com a mão direita (após lavá-la) e usamos a mão esquerda para nos limpar (com água) após a defecação, assim desenvolvemos um senso intuitivo de que esquerda = sujo e direita = limpo. Torna-se automático não dar coisas a outras pessoas usando a mão esquerda.

Se esses novos sentimentos fossem apenas uma nova capacidade de detectar partículas invisíveis de sujeira que emanavam de objetos, eles teriam me ajudado a entender o transtorno obsessivo-compulsivo, mas não a moralidade. Esses sentimentos eram mais do que isso. Na ética da divindade, existe uma ordem para o Universo, e as coisas (assim como as pessoas) devem ser tratadas com a reverência ou repula que merecem. De volta a Chicago, comecei a sentir essências positivas emanando de alguns objetos. Pareceu-me correto tratar certos livros com reverência — não os deixando no chão nem os levando para o banheiro. Velórios e até enterros (que antes me pareciam um desperdício de dinheiro e espaço) começaram a fazer mais sentido emocional. O corpo humano não se torna repentinamente um objeto, como o de qualquer outro cadáver de animal, no momento da morte. Existem maneiras certas e erradas de tratar os corpos, mesmo quando não há um ser consciente dentro deles para experienciar maus-tratos.

Também comecei a entender por que as guerras culturais norte-americanas envolveram tantas batalhas em torno do sacrilégio. Uma bandeira é apenas um pedaço de pano, que pode ser queimado como forma de protesto? Ou cada bandeira contém algo imaterial de modo que, quando os manifestantes a queimam, fazem algo ruim (mesmo que ninguém veja)? Quando um artista mergulha um crucifixo em uma jarra de sua própria urina, ou esfrega esterco de elefante em uma imagem da Virgem Maria, essas obras pertencem a museus de arte?[21] O artista pode simplesmente dizer aos cristãos religiosos: "Se não quiser ver, não vá ao museu"? Ou a mera existência de tais obras torna o mundo mais sujo, profano e degradado?

Se você não vê nada de errado aqui, tente inverter a vertente política. Imagine que um artista conservador tenha criado esses trabalhos usando imagens de Martin Luther King Jr. e Nelson Mandela em vez de Jesus e Maria. Imagine que sua intenção fosse zombar da quase deificação da esquerda de tantos líderes negros. Tais obras poderiam ser exibidas em museus de Nova York ou Paris sem provocar protestos irados? Alguns adeptos da esquerda podem achar que o próprio museu foi poluído pelo racismo, mesmo depois que as obras fossem removidas?[22]

Assim como a ética da comunidade, eu já lera sobre a ética da divindade antes de ir para a Índia e a tinha compreendido intelectualmente. Mas na Índia, e nos anos depois que voltei, a senti. Pude ver a beleza em um código moral que enfatizava o autocontrole; a resistência à tentação; o cultivo do eu superior, mais nobre; e a negação dos desejos do eu. Também pude ver o lado sombrio dessa ética: uma vez que permitimos que sentimentos viscerais de repulsa guiem nossa concepção da vontade de Deus, as minorias que provocam a mais ínfima repulsa na maioria (como homossexuais ou obesos) podem ser ostracizadas e tratadas com crueldade. A ética da divindade às vezes é incompatível com compaixão, igualitarismo e direitos humanos básicos.[23]

Mas, ao mesmo tempo, oferece uma perspectiva valiosa pela qual podemos entender e criticar algumas das partes sombrias das sociedades seculares. Por exemplo, por que muitas pessoas se incomodam com o materialismo desenfreado? Se alguns indivíduos querem trabalhar arduamente para ganhar dinheiro e comprar artigos de luxo para impressionar outras pessoas, como podemos criticá-las usando a ética da autonomia?

Para dar outro exemplo, recentemente eu almoçava no refeitório da UVA e, na mesa ao lado, duas jovens conversavam. Uma delas estava muito agradecida por algo que a outra havia concordado em fazer por ela. Para expressar sua gratidão, ela exclamou: "Oh, meu Deus! Se você fosse um cara, eu pularia no seu pau agora!" Senti uma mistura de diversão e repulsa, mas como poderia criticá-la dentro da perspectiva da ética da autonomia?

A ética da divindade nos permite dar voz a sentimentos incipientes de elevação e degradação — nosso senso do que é "superior" e "inferior". Ela nos proporciona uma maneira de condenar o consumismo crasso e a sexualidade irracional ou banalizada. É possível compreender as queixas de longa data sobre o vazio espiritual de uma sociedade consumista em que a missão de todos é satisfazer seus desejos pessoais.[24]

SAINDO DA MATRIZ

Entre as ideias mais profundas que surgiram em todo o mundo e em todas as épocas está o fato de que o mundo que experienciamos é uma ilusão, semelhante a um sonho. A iluminação é uma forma de despertar. Essa ideia está presente em muitas religiões e filosofias,[25] e também é matéria-prima de ficção científica, principalmente desde o romance de William Gibson de 1984, *Neuromancer*. Gibson cunhou o termo *ciberespaço* e o descreveu como uma "matriz" que surge quando 1 bilhão de computadores são conectados e as pessoas se envolvem em "uma alucinação consensual".

Os criadores do filme *Matrix* transformaram a ideia de Gibson em uma experiência visual deslumbrante e assustadora. Em uma de suas cenas mais famosas, o protagonista, Neo, pode fazer uma escolha. Ele pode tomar uma pílula vermelha, que o desconectará da matriz, dissolverá a alucinação e lhe dará o comando de seu corpo físico real (que está deitado em um tanque de gosma). Ou pode tomar uma pílula azul, esquecer que já teve essa escolha, e sua consciência retornará à alucinação agradável em que quase todos os seres humanos passam sua existência consciente. Neo toma a pílula vermelha e a matriz se dissolve ao seu redor.

Para mim não foi tão dramático, mas os escritos de Shweder foram minha pílula vermelha. Comecei a ver que muitas matrizes morais coexistem dentro de cada nação. Cada matriz fornece uma visão de mundo completa, unificada e atraente de modo emocional, facilmente justificável pela evidência observável e quase inabalável ao ataque de argumentos de pessoas de fora.

Cresci em uma família judia nos subúrbios de Nova York. Meus avós fugiram da Rússia czarista e encontraram trabalho na indústria de vestuário de Nova York. Para sua geração, o socialismo e os sindicatos trabalhistas foram respostas efetivas à exploração e às terríveis condições de trabalho que enfrentavam. Franklin Roosevelt foi o líder heroico que protegeu os trabalhadores e derrotou Hitler. Desde então, os judeus estão entre os eleitores mais leais do Partido Democrata.[26]

Minha moralidade não foi moldada apenas por minha família e etnia. Frequentei a Universidade de Yale, que na época era a segunda universidade mais liberal da Ivy League. Não era incomum, durante as discussões em sala de aula, professores e alunos fazerem piadas e comentários críticos sobre Ronald Reagan, o Partido Republicano ou a posição conservadora sobre acontecimentos atuais controversos. Ser liberal era descolado; ser liberal era moralmente correto. Os alunos de Yale, nos anos 1980, apoiavam com afinco as vítimas do *apartheid*, o povo de El Salvador, o governo da Nicarágua, o meio ambiente e os sindicatos grevistas de Yale, que nos privaram de todos os refeitórios da universidade durante grande parte do meu último ano.

O liberalismo parecia tão obviamente ético. Os liberais marcharam pela paz, pelos direitos dos trabalhadores, pelos direitos civis e pelo secularismo. O Partido Republicano foi (como vimos) o partido da guerra, dos grandes negócios, do racismo e do cristianismo evangélico. Eu não conseguia entender como qualquer pessoa pensante abraçaria voluntariamente o partido do mal e, assim, eu e meus colegas liberais procuramos explicações psicológicas para o conservadorismo, mas não para o liberalismo. *Nós* apoiávamos políticas liberais porque víamos o mundo com clareza e queríamos ajudar as pessoas, mas *eles* apoiavam políticas conservadoras por puro interesse próprio (abaixe meus impostos!) ou racismo velado (pare de financiar programas sociais para minorias!). Nunca consideramos a possibilidade de existir mundos morais alternativos nos quais reduzir os danos (ajudando as vítimas) e aumentar a justiça (buscando a igualdade de grupo) não fossem os principais objetivos.[27] E, se não podíamos imaginar outras moralidades, não conseguiríamos acreditar que os conservadores fossem tão sinceros em suas crenças morais quanto nós.

Quando mudei de Yale para Penn e depois da Penn para a Universidade de Chicago, a matriz permaneceu praticamente igual. Somente na Índia me vi em uma posição diferente. Se eu estivesse lá como turista, teria sido fácil manter a associação à minha matriz por três meses; eu me encontrava de vez em quando com outros turistas ocidentais e trocávamos histórias sobre sexismo, pobreza e opressão que presenciamos. Mas como estava lá para estudar psicologia cultural, fiz tudo o que pude para me encaixar em outra matriz, uma que fora tecida principalmente a partir da ética da comunidade e da divindade.

Quando voltei para os Estados Unidos, os conservadores sociais não pareciam mais tão loucos. Eu conseguia ouvir os líderes da "direita religiosa", como Jerry Falwell e Pat Robertson, com uma espécie de desapego clínico. Eles querem mais oração e castigos nas escolas, e menos educação sexual e acesso ao aborto? Não achei que essas medidas reduziriam a AIDS e a gravidez na adolescência, mas conseguia ver por que os conservadores cristãos queriam "revigorar" o clima moral das escolas e desencorajar a visão de que as crianças deveriam ser o mais livres possível para agir de acordo com seus desejos. Os conservadores sociais acham que os programas de assistência social e o feminismo aumentam as taxas de maternidade solo e enfraquecem as estruturas sociais tradicionais que obrigam os homens a sustentar seus próprios filhos? Bem, agora que eu não estava mais na defensiva, pude ver que esses argumentos faziam sentido, ainda que também haja muitos efeitos positivos em libertar as mulheres da dependência dos homens. Eu havia escapado de minha mentalidade partidária anterior (rejeite primeiro, faça perguntas retóricas depois) e comecei a pensar em políticas liberais e conservadoras como manifestações de visões profundamente conflitantes, mas igualmente sinceras, de uma boa sociedade.[28]

Era bom estar livre da raiva partidária. E uma vez que não estava mais com raiva, não estava mais comprometido a chegar à conclusão que a raiva moralista exige: nós estamos certos, eles estão errados. Pude explorar novas matrizes morais, cada uma apoiada por suas próprias tradições intelectuais. Parecia um tipo de despertar.

Em 1991, Shweder escreveu sobre o poder da psicologia cultural em causar tais despertares:

> No entanto, as concepções defendidas por outros estão disponíveis para nós, no sentido de que, quando realmente entendemos sua concepção das coisas, reconhecemos *possibilidades latentes dentro de nossa própria racionalidade...* e esses modos de conceber as coisas se tornam evidentes para nós pela primeira vez, ou mais uma vez. Em outras palavras, não há "pano de fundo" homogêneo em nosso mundo. Somos múltiplos desde o início.[29]

É impossível mensurar a importância dessa citação para a psicologia moral e política. Somos múltiplos desde o início. Nossas mentes têm o potencial de se tornar moralistas em relação a muitas questões diferentes, e apenas algumas delas são ativadas durante a infância. Outras questões em potencial são deixadas inexploradas e desconectadas da rede de significados e valores compartilhados que se tornam nossa matriz moral adulta. Se crescemos em uma sociedade WEIRD, nos tornamos tão versados na ética da autonomia que somos capazes de detectar opressão e desigualdade mesmo onde as aparentes vítimas não veem nada de errado. Mas anos depois, ao viajar pelo mundo, ser pai ou talvez apenas ler um bom romance sobre uma sociedade tradicional, podemos encontrar outras intuições morais latentes dentro de nós. Podemos nos ver respondendo a dilemas que envolvem autoridade, sexualidade ou o corpo humano de maneiras difíceis de explicar.

Por outro lado, se somos criados em uma sociedade mais tradicional ou em uma família cristã evangélica nos Estados Unidos, ficamos tão versados na ética da comunidade e da divindade que podemos detectar desrespeito e degradação, mesmo quando as aparentes vítimas não veem nada de errado. Mas se nos depararmos com discriminação (como conservadores e cristãos às vezes enfrentam no mundo acadêmico),[30] ou se simplesmente ouvirmos o discurso de Martin Luther King Jr. "Eu tenho um sonho", poderemos encontrar uma nova ressonância nos argumentos morais sobre opressão e igualdade.

EM SUMA

O segundo princípio da psicologia moral é: *a moralidade envolve mais do que dano e justiça*. Para sustentar essa afirmação, descrevi uma pesquisa que mostra que as pessoas que crescem nas sociedades ocidentais, instruídas, industrializadas, ricas e democráticas (WEIRD) são outliers estatísticos em muitas medidas psicológicas, incluindo as de psicologia moral. Também demonstrei que:

- Quanto mais WEIRD você for, mais percebe um mundo cheio de objetos distintos, em vez de relacionamentos.

- O pluralismo moral é *descritivamente* verdadeiro. Como simples questão de fato antropológico, o domínio moral varia entre culturas.

- O domínio moral é incomumente restrito nas culturas WEIRD, nas quais é amplamente limitado à ética da autonomia (isto é, preocupações morais sobre indivíduos prejudicando, oprimindo ou enganando outros indivíduos). Ele é mais amplo — incluindo a ética da comunidade e da divindade — na maioria das outras sociedades e dentro de matrizes morais religiosas e conservadoras nas sociedades WEIRD.

- Matrizes morais unem as pessoas e as cegam à coerência, ou até mesmo à existência, de outras matrizes. Dificultam que as pessoas considerem a possibilidade de que realmente exista mais de uma forma de verdade moral ou mais de uma estrutura válida para julgar as pessoas ou administrar uma sociedade.

Nos próximos três capítulos, listarei as intuições morais, mostrando exatamente o que mais existe além de dano e justiça. Mostrarei como um pequeno conjunto de fundamentos morais inatos e universais pode ser usado para construir uma grande variedade de matrizes morais. Oferecerei ferramentas que você pode usar para entender argumentos morais emanados de matrizes que não sejam a sua.

SEIS

Os Botões Gustativos da Mente Moralista

Alguns anos atrás, fui a um restaurante chamado The True Taste [O Verdadeiro Sabor, em tradução livre]. O interior era totalmente branco. Cada mesa estava posta apenas com colheres — cinco colheres pequenas em cada lugar. Sentei-me à mesa e olhei o menu. Ele era dividido em seções como "Açúcares", "Méis", "Seivas de Árvores" e "Artificiais". Chamei o garçom para que ele me explicasse. Eles não serviam comida?

O garçom, como acabei descobrindo, também era proprietário e único funcionário do restaurante. Ele me disse que o restaurante era o primeiro do gênero no mundo: era um bar de degustação de adoçantes. Eu poderia provar adoçantes de 32 países. Ele explicou que era biólogo especializado no sentido do paladar. E descreveu os 5 tipos de receptores do paladar encontrados em cada botão gustativo da língua — doce, azedo, salgado, amargo e umami (que significa saboroso em japonês). Disse que, em sua pesquisa, descobriu que a ativação do receptor doce produzia o maior aumento de dopamina no cérebro, o que indicava que os seres humanos são configurados para buscar o sabor doce mais que os outros quatro. Assim, considerou que era mais eficiente, em termos de unidades de prazer por caloria, consumir adoçantes, e concebeu a ideia de abrir um restaurante que visasse estimular exclusivamente esse único receptor de sabor. Perguntei-lhe como estavam os negócios.

"Terríveis", disse ele, "mas pelo menos estou me saindo melhor do que o químico que abriu um bar de degustação de sal aqui na rua".

Tudo bem, eu confesso, isso não aconteceu de verdade, mas é uma metáfora de como me sinto às vezes quando leio livros sobre filosofia moral e psicologia. A moralidade é tão rica e complexa, tão multifacetada e internamente contraditória. Pluralistas como Shweder encararam o desafio, oferecendo teorias capazes de explicar a diversidade moral dentro e entre culturas. No entanto, muitos autores reduzem a moralidade a um único princípio, geralmente alguma variante da maximização do bem-estar (basicamente, ajudar as pessoas, não as prejudicar).[1] Ou, às vezes, ela é justiça ou noções relacionadas de equidade, direitos ou respeito pelos indivíduos e sua autonomia.[2] Temos o Bar Utilitarista, que serve apenas adoçantes (bem-estar), e a Culinária Deontológica, que serve apenas sais (direitos). Essas são suas opções.

Nem Shweder nem eu estamos dizendo que "qualquer uma serve", ou que todas as sociedades ou todas as "culinárias" são igualmente boas. Mas acreditamos que o monismo moral — a tentativa de fundamentar toda a moralidade em um único princípio — leva a sociedades insatisfeitas para a maioria das pessoas e com alto risco de se tornarem desumanas, pois ignoram tantos outros princípios morais.[3]

Todos nós, humanos, temos os mesmos cinco receptores de sabor, mas nem todos gostamos dos mesmos alimentos. Para entender de onde vêm essas diferenças, podemos começar com uma história evolutiva sobre frutas adocicadas e animais gordurosos, que eram sinônimo de boa alimentação para nossos ancestrais comuns. Mas também teremos que examinar a história de cada cultura e analisar os hábitos alimentares de cada indivíduo na infância. Só o fato de saber que todo mundo tem receptores de doce não explica por que alguém prefere comida tailandesa à mexicana ou por que ninguém coloca açúcar na cerveja. É preciso muito trabalho adicional para conectar os receptores universais de sabor aos itens específicos consumidos por uma pessoa em particular.

O mesmo ocorre com os julgamentos morais. Para entender por que as pessoas são tão agregadas por questões morais, podemos começar com uma exploração de nossa herança evolutiva comum, mas também teremos que examinar a história de cada cultura e a socialização infantil de cada indivíduo dentro dessa cultura. Só o fato de todos nos preocuparmos com o dano não explica por que uma pessoa prefere caçar a jogar vôlei ou por que quase ninguém dedica suas horas de vigília principalmente a servir aos pobres. Será necessário muito trabalho adicional para conectar os receptores morais universais aos julgamentos morais específicos de uma pessoa em particular.

O sábio chinês Mêncio fez a analogia entre moral e alimentos 2.300 anos atrás, quando escreveu que "os princípios morais agradam nossas mentes, como carne, carneiro e porco agradam nossas bocas".[4] Neste capítulo e nos próximos dois, desenvolverei a analogia de que *a mente moralista é como uma língua com seis receptores de sabor*. Nessa analogia, a moralidade é como a culinária: é uma construção cultural, influenciada por acidentes do ambiente e da história, mas não é tão flexível de modo que "qualquer coisa sirva". Não se pode ter uma culinária baseada em casca de árvore, nem uma baseada principalmente em gostos amargos. Elas variam, mas todas devem agradar às línguas equipadas com os mesmos cinco receptores de sabor.[5] As matrizes morais variam, mas todas devem agradar mentes moralistas equipadas com os mesmos seis receptores sociais.

O NASCIMENTO DA CIÊNCIA MORAL

Atualmente, pessoas seculares costumam ver o Iluminismo como uma batalha entre dois inimigos mortais: de um lado, a ciência, com sua principal arma, a razão; e do outro, a religião, com seu antigo escudo de superstição. A razão derrotou a superstição, a luz substituiu a escuridão. Mas, quando David Hume estava vivo, travava uma batalha de três oponentes. Os pensadores do Iluminismo se uniram para rejeitar a revelação divina como fonte do conhecimento moral, mas se dividiram na questão de se a moralidade *transcendia* a natureza humana — isto é, emergia da própria natureza da racionalidade e, portanto, poderia ser deduzida pelo raciocínio, como Platão acreditava — ou se era *parte* da natureza humana, como a linguagem ou o paladar, que tinha que ser estudada pela observação.[6] Dadas as preocupações de Hume sobre os limites do raciocínio, ele acreditava que os filósofos que tentavam chegar à verdade moral sem olhar para a natureza humana não eram melhores do que os teólogos que pensavam que podiam encontrar a verdade moral revelada em textos sagrados. Ambos eram transcendentalistas.[7]

O trabalho de Hume sobre moralidade foi a quintessência do projeto Iluminista: uma exploração de uma área anteriormente pertencente à religião, usando métodos e atitudes das novas ciências naturais. Seu primeiro grande trabalho, *Tratado da Natureza Humana*, tinha o seguinte subtítulo: *Uma tentativa de introduzir o método experimental de raciocínio em sujeitos morais*. Hume acreditava que a "ciência moral" precisava começar por uma investigação cuidadosa sobre como realmente são os humanos. E quando examinou a natureza humana — na história, nas questões políticas e entre seus colegas filósofos — percebeu que o "sentimento" (intuição) é a força motriz de nossas vidas morais, enquanto o raciocínio é tendencioso e impotente, apto principalmente para ser um servo das paixões.[8] Ele também identificou uma diversidade de virtudes e rejeitou as tentativas de alguns de seus contemporâneos de reduzir toda a moralidade a uma única virtude, como a bondade, ou eliminar as virtudes e substituí-las por algumas leis morais.

Por achar que a moralidade se baseava em uma variedade de sentimentos, que nos proporcionam prazer quando encontramos virtude e desprazer quando encontramos o vício, Hume frequentemente se baseava em analogias sensoriais e, em particular, na analogia do paladar:

> A moralidade não é nada na abstrata Natureza das Coisas, mas é inteiramente relativa ao Sentimento ou Paladar mental de cada Ser em particular; da mesma maneira que as distinções de doce e amargo, quente e frio, surgem do sentimento particular de cada Sentido ou Órgão. As percepções morais, portanto, não devem ser classificadas com as Operações do Entendimento, mas com Sabores ou Sentimentos.[9]

O julgamento moral é um tipo de percepção, e a ciência moral deve começar por um estudo cuidadoso dos receptores de sabores morais. Não é possível deduzir os cinco receptores do paladar por puro raciocínio, nem deve procurá-los nas escrituras. Não há nada de transcendental neles. É preciso examinar as línguas.

Hume acertou. Quando morreu em 1776, ele e outros sentimentalistas[10] haviam estabelecido uma base fantástica para a "ciência moral", que, em minha opinião, foi amplamente sustentada pela pesquisa moderna.[11] Seria natural pensar, então, que nas décadas após sua morte, as ciências morais progrediram rapidamente. Mas não foi bem assim. Nas décadas após a morte de Hume, os racionalistas declararam sua vitória sobre a religião e levaram as ciências morais a uma digressão de 200 anos.

ATAQUE DOS SISTEMATIZADORES

O autismo fascina os classificadores psiquiátricos há décadas, porque não é uma doença única e delimitada. Ele é geralmente descrito como um distúrbio de "espectro", porque as pessoas podem ser mais ou menos autistas, e não está claro onde traçar a linha entre aqueles que têm uma doença mental grave e os que não são muito bons em interpretar outras pessoas. Em um dos extremos do espectro, autistas têm "cegueira mental".[12] Falta-lhes o software sociocognitivo que o restante de nós usa para adivinhar as intenções e desejos de outras pessoas.

De acordo com um dos principais pesquisadores do autismo, Simon Baron-Cohen, existem de fato dois espectros, duas dimensões nas quais podemos enquadrar cada pessoa: empatia e sistematização. Ser empático é "o impulso de identificar as emoções e pensamentos de outra pessoa e de reagir a elas com uma emoção apropriada".[13] Se você prefere ficção a não ficção, ou se gosta de conversar sobre pessoas que não conhece, provavelmente está acima da média na escada da empatia. Ser sistemático é "o impulso de analisar as variáveis em um sistema, derivar as regras subjacentes que governam o comportamento do sistema".[14] Se você é bom em ler mapas e manuais de instruções, ou se gosta de descobrir como as

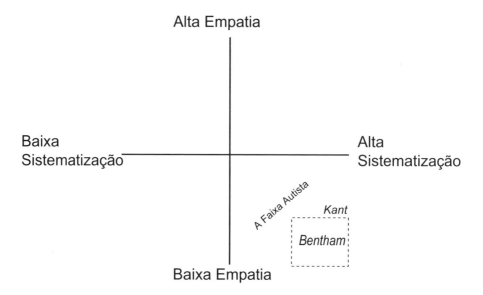

FIGURA 6.1. *Duas dimensões de estilo cognitivo*. Pessoas com autismo têm alta sistematização e baixíssima empatia. Assim como alguns importantes filósofos morais. (Adaptado de Baron-Cohen 2009.)

máquinas funcionam, provavelmente está acima da média na escala da sistematização.

Se cruzarmos esses dois traços, obteremos um espaço bidimensional (veja a Figura 6.1), e cada pessoa poderá ser enquadrada em um local específico nesse espaço. Baron-Cohen mostrou que o autismo é o que se obtém quando genes e fatores pré-natais se combinam para produzir um cérebro com excepcionalmente baixa empatia e excepcionalmente alta sistematização.

O autismo, incluindo a síndrome de Asperger (um subtipo de autismo altamente funcional) é melhor pensado como um espaço de personalidade — o canto inferior direito do quadrante inferior direito — do que como uma doença separada.[15] As duas principais teorias éticas da filosofia ocidental foram fundadas por homens com sistematização tão alta quanto possível e bem baixos em empatia.

BENTHAM E SEU BAR UTILITARISTA

Jeremy Bentham nasceu na Inglaterra em 1748. Ele foi para Oxford aos 12 anos de idade, formou-se como advogado e dedicou sua carreira a reformar a bagunça de regras e punições contraditórias e muitas vezes inúteis que se acumularam ao longo de muitos séculos para constituir a lei inglesa. Seu trabalho mais importante foi intitulado *Introduction to the Principles of Morals and Legislation*. Nele, propôs que um único princípio governasse todas as reformas, todas as leis e todas as ações humanas: o *princípio da utilidade*, que ele definiu como "o princípio que aprova ou desaprova toda ação, de acordo com sua tendência a aumentar ou diminuir a felicidade da parte cujo interesse está em questão".[16] Cada lei deve ter como objetivo maximizar a utilidade da comunidade, que é definida como a soma aritmética simples das utilidades esperadas de cada membro. Bentham então sistematizou os parâmetros necessários para calcular a utilidade, incluindo a intensidade, duração e certeza de "hedons" (prazeres) e "dolors" (dores). Ele criou um algoritmo, o "cálculo felicífico", para somar hedons e dolors para alcançar um veredicto moral sobre qualquer ação, para qualquer pessoa, em qualquer país.

A filosofia de Bentham mostrou um grau extraordinário de sistematização e, como diz Baron-Cohen, sistematizar é bom. Os problemas surgem, no entanto, quando a sistematização ocorre na ausência de empatia. Em um artigo intitulado "Aspenger's Syndrome and the Eccentricity and Genius of Jeremy Bentham", Philip Lucas e Anne Sheeran coletaram relatos da vida pessoal de Bentham e os compararam aos critérios de diagnóstico da síndrome de Asperger.[17] Eles encontraram uma estreita correspondência com os principais critérios de diagnóstico, incluindo aqueles que envolvem baixo nível de empatia e de relações sociais. Bentham tinha poucos amigos quando criança e deixou uma série de ex-amigos com raiva quando adulto. Ele nunca se casou, referia-se a si mesmo como um eremita e parecia se importar pouco com outras pessoas. Um contemporâneo o descreveu da seguinte forma: "Ele considera as pessoas a seu redor tanto quanto as moscas em um dia de verão."[18]

Um critério relacionado é uma capacidade imaginativa prejudicada, particularmente no que diz respeito à vida interior de outras pessoas. Em sua filosofia e em seu comportamento pessoal, Bentham ofendeu muitos de seus contemporâneos por sua incapacidade de perceber a variedade e a sutileza nas motivações humanas. John Stuart Mill — um utilitarista decididamente não autista — passou a desprezar Bentham. Escreveu que a personalidade de Bentham o desqualificava como filósofo por causa da "incompletude" de sua mente:

> Ele não apresentava empatia em muitos dos sentimentos mais naturais e fortes da natureza humana; era totalmente desconectado de muitas de suas experiências mais significativas; sua falta de imaginação lhe negou a faculdade pela qual uma mente entende outra mente diferente de si mesma e se aprofunda nos sentimentos dessa outra mente.[19]

Lucas e Sheeran concluem que, se Bentham estivesse vivo hoje, "é provável que recebesse o diagnóstico da síndrome de Asperger".[20]

KANT E A CULINÁRIA DEONTOLÓGICA

Immanuel Kant nasceu na Prússia em 1724. Ele conhecia bem o trabalho de Hume e se inclinou favoravelmente às teorias sentimentalistas no início de sua carreira, em especial quando escreveu sobre a estética e o sublime. Mas, embora ele tenha concedido que sentimentos como a simpatia são cruciais para uma descrição de por que as pessoas *de fato* se comportam moralmente, ficou perturbado com a subjetividade que tal explicação implicava para a ética. Se uma pessoa tem sentimentos morais diferentes de outra, ela tem obrigações morais diferentes? E se as pessoas de uma cultura tiverem sentimentos diferentes do que as de outra cultura?

Kant, como Platão, queria descobrir a forma atemporal e imutável do Bem. Acreditava que a moralidade tinha que ser a mesma para todas as criaturas racionais, independentemente de suas tendências culturais ou individuais. Para descobrir essa forma atemporal, simplesmente não faria sentido usar métodos de observação — olhar ao redor do mundo e ver que virtudes as pessoas buscavam. Em vez disso, ele disse que a lei moral só poderia ser estabelecida pelo processo de filosofar *a priori* (antes da experiência). Tinha que consistir em princípios que são inerentes e revelados por intermédio da operação da razão.[21] E Kant encontrou esse princípio: a não contradição. Em vez de oferecer uma regra concreta com algum conteúdo específico, como "ajude os pobres" ou "honre seus pais", Kant forneceu uma regra abstrata a partir da qual (alegava) todas as outras regras morais válidas poderiam ser derivadas. Ele chamou isso de imperativo categórico (ou incondicional): "Aja apenas de acordo com a máxima pela qual você pode, ao mesmo tempo, desejar que ela se torne uma lei universal."[22]

Bentham nos disse para usar a aritmética para descobrir o curso de ação certo, mas Kant sugeriu usar a lógica. Os dois homens realizaram milagres de sistematização, resumindo toda a moralidade a uma única frase, uma única fórmula. Será que Kant também tinha síndrome de Asperger?

Como Bentham, Kant era um solitário que nunca se casou e cuja vida interior parece fria. Ele era famoso por seu amor à rotina (partia para o passeio da tarde às três e meia todos os dias, independentemente do clima), e alguns especialistas especularam que ele também sofria da síndrome de Asperger.[23] Depois de ler os relatos da vida pessoal de Kant, acho que o caso não é tão claro quanto o de Bentham. Kant era benquisto e parecia gostar de companhia, embora algumas de suas socializações parecessem calculadas (ele valorizava o riso e a companhia porque eram bons para sua saúde).[24] A coisa mais segura a fazer é tirar proveito das duas dimensões de Baron-Cohen e dizer que Kant foi um dos sistematizadores mais extraordinários da história da humanidade, apesar de ter pouca empatia, mas não pode ser enquadrado com Bentham no quadrante inferior direito da Figura 6.1.

DE VOLTA AOS TRILHOS

Não quero sugerir que o utilitarismo e a deontologia kantiana sejam incorretos como teorias morais apenas porque foram fundados por homens que podem ter tido a síndrome de Asperger. Isso seria um argumento *ad hominem*, um erro lógico e uma coisa cruel a dizer. Além disso, o utilitarismo e a deontologia kantiana têm sido enormemente profícuos em filosofia e políticas públicas.

Mas, na psicologia, nosso objetivo é descritivo. Queremos descobrir como a mente moral funciona *na realidade*, não como *deve* funcionar, e isso não pode ser feito por raciocínio, matemática ou lógica. Só pode ser feito pela observação, e a observação geralmente é mais intensa quando informada pela empatia.[25] No entanto, a filosofia começou a se afastar da observação e da empatia no século XIX, colocando cada vez mais ênfase no raciocínio e no pensamento sistemático. À medida que as sociedades ocidentais se tornaram mais educadas, industrializadas, ricas e democráticas, as mentes de seus intelectuais mudaram. Eles se tornaram mais analíticos e menos holísticos.[26] O utilitarismo e a deontologia se tornaram muito mais atraentes para os especialistas em ética do que a abordagem confusa, pluralista e sentimentalista de Hume.

Essa tendência explica por que achei a psicologia moral tão monótona quando a estudei na faculdade. Kohlberg havia adotado o racionalismo de Kant. Ele criou uma teoria na qual o desenvolvimento moral tinha um e apenas um objetivo: o entendimento completo da justiça. Toda essa abordagem me pareceu errada. Era supersistematizada e subempática. Era o restaurante The True Taste, servindo uma moralidade de um só receptor.[27]

EXPANDINDO O PALADAR

Então, o que mais há além do dano e da justiça? As três éticas de Shweder ofereceram um ponto de partida útil, mas, como a maioria dos antropólogos culturais, Shweder desconfiava das explicações evolucionárias do comportamento humano. A visão predominante entre os antropólogos havia muito tempo era de que a evolução levou nossas espécies ao ponto de se tornarem criaturas bípedes, que utilizam ferramentas e dotadas de um cérebro grande, mas uma vez que desenvolvemos a capacidade de cultura, a evolução biológica parou ou pelo menos se tornou irrelevante. A cultura é tão poderosa que pode fazer com que os seres humanos se comportem de maneira a substituir quaisquer instintos ancestrais que compartilhamos com outros primatas.

Eu estava convencido de que a visão predominante na antropologia estava errada e que nunca seria possível entender a moralidade sem a evolução. Mas Shweder havia me ensinado a ter cuidado com as explicações evolutivas, que às vezes são reducionistas (porque ignoram os significados compartilhados que são o foco da antropologia cultural) e ingenuamente funcionalistas (porque são muito rápidas em presumir que todo comportamento evoluiu para servir a uma função). Será que eu conseguiria formular um relato evolucionário da intuição moral que não fosse reducionista e que fosse cauteloso em suas afirmações sobre o "propósito" ou "função" dos mecanismos psicológicos evoluídos? Eu não podia simplesmente apontar para aspectos da moral que pareciam universais — como compaixão e reciprocidade — e afirmar que eram inatos apenas porque eram encontrados em todos os lugares. Eu tinha que ter uma história evolutiva cuidadosa para cada uma e precisava dizer como essas intuições inatas interagiam com a evolução cultural para produzir a variedade de matrizes morais que agora se espalham pela Terra.

Comecei analisando listas de virtudes de todo o mundo. Virtudes são construções sociais. As virtudes ensinadas às crianças em uma cultura guerreira são diferentes daquelas ensinadas em uma cultura agrícola ou em uma cultura industrializada moderna. Sempre existe alguma sobreposição entre as listas, mas mesmo assim existem diferentes tonalidades de significado. Buda, Cristo e Maomé falaram sobre compaixão, mas de maneiras bastante diferentes.[28] No entanto, quando vemos que alguma versão de bondade, justiça e lealdade é valorizada na maioria das culturas, começamos a nos perguntar se pode haver alguns receptores sociais pan-humanos de baixo nível (análogos aos receptores de sabor) que tornam particularmente fácil para as pessoas perceberem alguns tipos de acontecimentos sociais em vez de outros.

Para colocar em termos da analogia do sabor: a maioria das culturas tem uma ou mais bebidas doces amplamente consumidas — geralmente derivadas de uma fruta local ou, em nações industrializadas, apenas de açúcar e alguns aromas. Seria bobagem postular a existência de receptores separados para suco de manga, suco de maçã, Coca-Cola e Fanta. Há um receptor principal em ação aqui — o receptor de doce — e cada cultura inventou várias maneiras de ativá-lo.[29] Se um antropólogo nos disser que uma tribo esquimó não tem uma bebida assim, isso não significa que seus membros não tenham o receptor de doce; apenas mostraria que a culinária esquimó faz pouco uso dele, pela razão óbvia de que os esquimós, até recentemente, tinham pouco acesso às frutas. E quando os primatólogos nos dizem que os chimpanzés e os bonobos amam frutas e trabalharão arduamente em laboratório para obter um gole de Coca-Cola, o caso de um receptor doce inato se torna ainda mais forte.

Meu objetivo era encontrar ligações entre virtudes e teorias evolutivas bem estabelecidas. Não queria cometer o erro clássico dos teóricos evolucionistas amadores, que é escolher uma característica e depois perguntar: "Posso pensar em uma história sobre como essa característica pode ter sido adaptativa?" A resposta a essa pergunta é quase sempre sim, porque o raciocínio pode levá-lo aonde você quiser. Qualquer pessoa com acesso a uma poltrona pode sentar-se e gerar o que Rudyard Kipling chamou de "just-so stories"* — relatos fantásticos de como o camelo desenvolveu sua corcunda e o elefante sua tromba. Meu objetivo, em contraste, era identificar os elos mais óbvios entre dois campos que eu respeitava profundamente: antropologia e psicologia evolucionista.

TEORIA DOS ALICERCES MORAIS

Fiz uma parceria com um amigo dos meus anos na Universidade de Chicago, Craig Joseph, que também havia trabalhado com Shweder. A pesquisa de Craig examinou os conceitos de virtude entre os muçulmanos no Egito e nos Estados Unidos.

Pegamos emprestada a ideia de "modularidade" dos neurologistas cognitivos Dan Sperber e Lawrence Hirschfeld.[30] Os módulos são como pequenos interruptores no cérebro de todos os animais. Eles são atraídos por padrões importantes para a sobrevivência em um nicho ecológico específico e, quando detectam esse padrão, enviam um sinal que (em certo ponto) muda o comportamento do animal de uma maneira (geralmente) adaptativa. Por exemplo, muitos animais reagem com medo na primeira vez que

---

* N.T.: Em ciência e filosofia, uma "just-so story" é uma explicação não passível de verificação para uma prática cultural, um traço biológico ou de comportamento de humanos ou outros animais.

veem uma cobra, porque seus cérebros incluem circuitos neurais que funcionam como detectores de cobra.[31] Como Sperber e Hirschfeld colocam:

> Um módulo cognitivo desenvolvido — por exemplo, um detector de cobras, um dispositivo de reconhecimento de rostos... é uma adaptação a uma gama de fenômenos que apresentavam problemas ou oportunidades no ambiente ancestral das espécies. Sua função é processar um determinado tipo de estímulo ou informação — por exemplo, cobras [ou] rostos humanos.

Essa era uma descrição perfeita de como seriam os "receptores" gustativos morais universais. Seriam adaptações a ameaças e oportunidades de longa data na vida social. Eles chamariam a atenção das pessoas para certos tipos de eventos (como crueldade ou desrespeito) e desencadeariam reações intuitivas instantâneas, talvez até emoções específicas (como simpatia ou raiva).

Essa abordagem era exatamente o que precisávamos para explicar o aprendizado e a variação cultural. Sperber e Hirschfeld distinguiram entre os gatilhos *originais* de um módulo e seus gatilhos *reais*.[32] Os gatilhos originais são o conjunto de objetos para os quais o módulo foi projetado[33] (ou seja, o conjunto de todas as cobras é o gatilho original do módulo detector de cobras). Os gatilhos reais são todas as coisas no mundo que o acionam (incluindo cobras reais, bem como cobras de brinquedo, pedaços de madeira curvos e cordas grossas, quaisquer objetos que possam assustar você se os vir na grama). Módulos cometem erros e muitos animais desenvolveram truques para explorar os erros de outros animais. Por exemplo, a mosca-das-flores também evoluiu listras amarelas e pretas, fazendo com que se pareça com uma vespa, o que aciona o módulo de evitação de vespas em alguns pássaros que, de outra forma, fariam um belo banquete das moscas-das-flores.

A variação cultural da moralidade pode ser explicada, em parte, pela observação de que as culturas podem encolher ou expandir os gatilhos reais de qualquer módulo. Por exemplo, nos últimos 50 anos, as pessoas de muitas sociedades ocidentais passaram a sentir compaixão em relação a

	Cuidado/ dano	Justiça/ trapaça	Lealdade/ traição	Autoridade/ subversão	Pureza/ degradação
Desafio adaptativo	Proteger e cuidar dos filhos	Colher benefícios de parcerias mútuas	Formar coalisões coesas	Formar relacionamentos benéficos dentro das hierarquias	Evitar contaminantes
Gatilhos originais	Sofrimento, estresse ou necessidade expressos pelo filho de alguém	Trapaça, cooperação, enganação	Ameaça ou desafio ao grupo	Sinais de dominância e submissão	Resíduos de produtos, pessoas doentes
Gatilhos reais	Bebês focas, personagens fofos de desenhos	Fidelidade conjugal, máquinas de venda quebradas	Times esportivos, nações	Chefes, profissionais respeitados	Ideias tabus (comunismo, racismo)
Emoções características	Compaixão	Raiva, gratidão, culpa	Orgulho de grupo, ódio aos traidores	Respeito, medo	Repulsa
Virtudes relevantes	Cuidado, gentileza	Equidade, justiça, confiabilidade	Lealdade, patriotismo, autossacrifício	Obediência, deferência	Temperança, castidade, devoção, limpeza

FIGURA 6.2. *Os cinco alicerces da moralidade (primeiro rascunho).*

muitos outros tipos de sofrimento animal e a sentir repulsa em resposta a muitos menos tipos de atividades sexuais. Os gatilhos reais podem mudar em uma única geração, mesmo que demore muitas gerações para a evolução genética alterar o design do módulo e seus gatilhos originais.

Além disso, em qualquer cultura, muitas controvérsias morais acabam envolvendo maneiras concorrentes de vincular um comportamento a um módulo moral. Pais e professores devem ter permissão para surrar as crianças por desobediência? No lado esquerdo do espectro político, a palmada tipicamente desencadeia julgamentos de crueldade e opressão. Para a direita, às vezes está ligada a julgamentos sobre a aplicação adequada das regras, particularmente sobre o respeito pelos pais e professores. Portanto, ainda que todos compartilhemos o mesmo pequeno conjunto de módulos cognitivos, podemos conectar ações a módulos de tantas maneiras de modo que podemos construir matrizes morais conflitantes sobre o mesmo pequeno conjunto de fundamentos.

Craig e eu tentamos identificar os melhores candidatos a módulos cognitivos universais sobre os quais as culturas constroem suas matrizes morais. Assim, chamamos nossa abordagem de teoria dos alicerces morais.[34] Nós a criamos identificando os desafios adaptativos da vida social frequentemente descritos pelos psicólogos evolucionistas e, em seguida, conectando esses desafios às virtudes que são encontradas de alguma forma em muitas culturas.[35]

Cinco desafios adaptativos se destacaram com mais clareza: cuidar de crianças vulneráveis, formar parcerias com não parentes para colher os benefícios da reciprocidade, formar coalizões para competir com outras coalizões, negociar hierarquias de status e manter a si mesmo e seus parentes livres de parasitas e patógenos, que se espalham rapidamente quando as pessoas vivem próximas umas das outras. (Apresentarei o sexto alicerce — Liberdade/opressão — no Capítulo 8.)

Na Figura 6.2, criei uma coluna para cada um dos cinco alicerces inicialmente propostos.[36] A primeira linha apresenta os desafios adaptativos. Se nossos ancestrais enfrentassem esses desafios por centenas de milhares de anos, a seleção natural favoreceria aqueles cujos módulos cognitivos os ajudassem a se adaptar — rápida e intuitivamente — em comparação com aqueles que tinham que confiar em sua inteligência geral (o ginete) para resolver problemas recorrentes. A segunda linha fornece os gatilhos originais — ou seja, os tipos de padrões sociais que esse módulo deve detectar. (Observe que os alicerces são realmente *conjuntos* de módulos que trabalham juntos para enfrentar o desafio adaptativo.)[37] A terceira linha lista exemplos dos gatilhos reais — as coisas que de fato acionam os módulos pertinentes (às vezes por engano) nas pessoas em uma sociedade ocidental moderna. A quarta linha lista algumas emoções que fazem parte do resultado de cada alicerce, pelo menos quando ele é ativado com muita força. A quinta linha lista algumas das palavras de virtude que usamos para falar sobre pessoas que provocam um "sabor" moral específico em nossas mentes.

Falarei sobre cada alicerce em mais detalhes no próximo capítulo. Por enquanto, só quero demonstrar a teoria usando o alicerce Cuidado/dano. Imagine que seu filho de quatro anos seja levado ao hospital para remover o apêndice. Você pode assistir ao procedimento através de uma janela de vidro. Seu filho recebe anestesia geral e você o vê deitado, inconsciente, na mesa de operações. Em seguida, vê o bisturi do cirurgião perfurar seu abdômen. Você sentiria uma onda de alívio, sabendo que ele finalmente está recebendo a operação que salvará sua vida? Ou sentiria tanta dor que teria que desviar o olhar? Se seus "dolors" (dores) superam seus "hedons" (prazeres), então sua reação é irracional, de um ponto de vista utilitarista, mas faz todo o sentido como resposta de um módulo. Respondemos de modo emocional a sinais de violência ou sofrimento, principalmente quando uma criança está envolvida, ainda mais quando é nosso filho. Respondemos mesmo quando sabemos conscientemente que não é de fato uma violência e que ele não está de fato sofrendo. É como a ilusão de Muller-Lyer: não conseguimos deixar de ver uma linha mais longa, mesmo quando sabemos conscientemente que elas têm o mesmo comprimento.

Ao assistir à cirurgia, você percebe duas enfermeiras auxiliando na operação — uma mais velha e outra mais jovem. Ambas estão atentas por completo ao procedimento, mas a mais velha ocasionalmente acaricia a cabeça do seu filho, como se estivesse tentando confortá-lo. A enfermeira mais jovem é toda profissional. Suponhamos, para fins de argumentação, que houvesse prova conclusiva de que os pacientes sob anestesia profunda não ouvem ou sentem nada. Se fosse esse o caso, qual deveria ser sua reação às duas enfermeiras? Se você for um utilitarista, não deve ter preferência. As ações da enfermeira mais velha não fizeram nada para reduzir o sofrimento ou melhorar o resultado cirúrgico. Se for kantiano, também não daria crédito extra à enfermeira mais velha. Ela parece ter agido de forma distraída, ou (pior ainda, para Kant) agiu com base em seus sentimentos. Não agiu com comprometimento a um princípio universalizável. Mas se você for um humeano, é perfeitamente adequado gostar e elogiar a enfermeira mais velha. Ela incorporou tão plenamente a virtude de cuidar que o faz de forma automática e sem esforço, mesmo quando não há um efeito prático. Ela é virtuosa em cuidar, o que é uma coisa boa e bonita em uma enfermeira. Tem um sabor agradável.

EM SUMA

O segundo princípio da psicologia moral é: *A moralidade envolve mais do que dano e justiça*. Neste capítulo, comecei a dizer exatamente o que mais ela envolve:

- A moralidade é, de muitas formas, semelhante ao sabor — uma analogia feita há muito tempo por Hume e Mêncio.

- Deontologia e utilitarismo são moralidades de "um receptor", que provavelmente atrairão com mais intensidade as pessoas com alto nível de sistematização e pouca empatia.

- A abordagem pluralista, sentimentalista e naturalista de Hume à ética é mais promissora que o utilitarismo ou a deontologia da psicologia moral moderna. Como primeiro passo para retomar o projeto de Hume, devemos tentar identificar os receptores do paladar da mente moralista.

- A modularidade pode nos ajudar a pensar em receptores inatos e em como eles produzem uma variedade de percepções iniciais que são desenvolvidas de maneiras culturalmente variáveis.

- Cinco bons candidatos a receptores do paladar da mente moralista são cuidado, justiça, lealdade, autoridade e pureza.

Na psicologia, as teorias são abundantes. Qualquer um pode inventar uma. O progresso acontece quando as teorias são testadas, corroboradas e corrigidas com base em evidências empíricas, especialmente quando uma teoria se mostra útil — por exemplo, se ajuda as pessoas a entender por que metade da população de seu país parece viver em um universo moral diferente. E foi isso que aconteceu em seguida.

SETE

Os Alicerces Morais da Política

Por trás de todo ato de altruísmo, heroísmo e integridade humana, encontramos egoísmo ou estupidez. Pelo menos essa é a opinião de muitos cientistas sociais que aceitaram a ideia de que o *Homo sapiens* é, de fato, *Homo economicus*.[1] O "homem econômico" é uma criatura simples que faz todas as escolhas da vida como um comprador em um supermercado com bastante tempo para comparar potes de purê de maçã. Se essa é a sua visão da natureza humana, é fácil criar modelos matemáticos de comportamento, porque realmente existe apenas um princípio em ação: o interesse próprio. As pessoas fazem o que resulta em maior benefício pelo menor custo.

Para ver como essa visão está errada, responda às dez perguntas da Figura 7.1. O *Homo economicus* colocaria um preço em enfiar uma agulha em seu próprio braço, e um preço mais baixo — talvez zero — nas outras nove ações, nenhuma das quais lhe causa um dano direto ou lhe impõem um custo.

Mais importantes que os valores atribuídos são as comparações entre colunas. O *Homo economicus* não acharia as ações na coluna B mais repugnantes do que as da coluna A. Se você achou alguma das ações na coluna B pior que suas contrapartes na coluna A, parabéns, você é um ser humano, não a fantasia de um economista. Você tem preocupações que

Quanto alguém teria que lhe pagar para que você executasse cada uma dessas ações? O pagamento será feito em segredo e sua ação não acarraterá qualquer consequência social, legal ou prejudicial para você. Responda escrevendo um número de 0 a 4 depois de cada ação, em que:

0 = R$ 0, eu faria de graça
1 = R$ 100
2 = R$ 10.000
3 = R$ 1.000.000
4 = não faria isso por dinheiro algum

Coluna A	Coluna B
1a. Enfiar uma agulha hipodérmica estéril no seu braço. _____	1b. Enfiar uma agulha hipodérmica estéril no braço de uma criança que você não conhece. _____
2a. Aceitar uma TV de plasma que um amigo quer lhe dar. Você sabe que seu amigo obteve a TV há um ano quando o fabricante a enviou para ele por engano e sem cobrar nada. _____	2b. Aceitar uma TV de plasma que um amigo quer lhe dar. Você sabe que ele comprou a TV há um ano de um ladrão que a roubou de uma família rica. _____
3a. Emitir uma crítica sobre seu país (algo que acredite ser verdadeiro) ao ligar anonimamente para um programa de rádio de seu país. _____	3b. Emitir uma crítica sobre seu país (algo que acredite ser verdadeiro) ao ligar anonimamente para um programa de rádio em um país estrangeiro. _____
4a. Dar um tapa na cara de um amigo (com a permissão dele) como parte de um esquete de humor. _____	4b. Dar um tapa na cara de seu pai (com a permissão dele) como parte de um esquete de humor. _____
5a. Assistir a uma peça avant-garde em que os atores agem como bobos por 30 minutos, não conseguindo resolver problemas simples e caindo a todo momento no palco. _____	5b. Assistir a uma peça avant-garde em que os atores agem como animais por 30 minutos, engatinhando pelo palco nus e grunhindo como chimpanzés. _____
Total da Coluna A: _____	Total da Coluna B: _____

FIGURA 7.1. *Qual o seu preço?*

vão além do estrito interesse próprio. Tem um conjunto operacional de alicerces morais.

Escrevi esses cinco pares de ações para que a coluna B lhe desse um flash intuitivo de cada alicerce, como se eu colocasse um grão de sal ou açúcar em sua língua. As cinco linhas ilustram violações do alicerce de Cuidado (dano a uma criança), Justiça (lucro com a perda imerecida de outra pessoa), Lealdade (criticar sua nação para forasteiros), Autoridade (desrespeitar seu pai) e Pureza (agir de maneira degradante ou repulsiva).

No restante deste capítulo, descreverei esses alicerces e como eles se tornaram parte da natureza humana. Mostrarei que eles são usados de maneira e graus diferentes para apoiar matrizes morais das vertentes políticas de esquerda e de direita.

CONSIDERANDO O QUE É SER INATO

Antes, era um risco para um cientista afirmar que qualquer aspecto do comportamento humano era inato. Para sustentar essas alegações, era preciso demonstrar que determinada característica era predefinida, imutável pela experiência e encontrada em todas as culturas. De acordo com essa definição, não há muito que pode ser considerado inato, além de alguns reflexos infantis, como o gesto fofo de fechar as mãos quando colocamos um dedo em suas mãozinhas. Se propuséssemos que algo mais complexo do que isso era inato — particularmente uma diferença em razão do sexo —, seríamos informados de que havia uma tribo em algum lugar da Terra que não apresentava tal característica, portanto, ela não seria inata.

Desde a década de 1970, avançamos muito em nossa compreensão do cérebro e agora sabemos que características podem ser inatas sem serem gravadas no cérebro ou universais. Como explica o neurocientista Gary Marcus, "a natureza concede ao recém-nascido um cérebro consideravelmente complexo, mas que é melhor visto como *pré-configurado* — flexível e sujeito a alterações, em vez de *predeterminado*, fixo e imutável".[2]

Para substituir a noção de rede pré-configurada, Marcus sugere uma analogia melhor: o cérebro é como um livro, cujo primeiro rascunho é escrito pelos genes durante o desenvolvimento fetal. Nenhum capítulo está completo no nascimento, e alguns são apenas contornos grosseiros esperando para serem preenchidos durante a infância. Mas nem um único capítulo — seja sobre sexualidade, linguagem, preferências alimentares ou moralidade — é composto de páginas em branco nas quais uma sociedade pode escrever qualquer conjunto concebível de palavras. A analogia de Marcus leva à melhor definição do que é inato que já vi:

> A natureza fornece um primeiro rascunho, que a experiência depois revisa... "Configurado" não significa não ser imutável; significa *"estruturado antes da experiência"*.[3]

A lista de cinco alicerces morais foi minha primeira tentativa de especificar como a mente moralista foi "estruturada antes da experiência". Mas a teoria dos alicerces morais também tenta explicar como esse primeiro rascunho é revisado durante a infância para produzir a diversidade de moralidades que encontramos nas culturas — e no espectro político.

1. ALICERCE DO CUIDADO/DANO

Os répteis têm a má reputação de serem frios — não apenas de sangue, mas de coração. Algumas mães répteis até ficam por perto depois que seus bebês eclodem para oferecer alguma proteção, mas em muitas espécies não. Quando os primeiros mamíferos começaram a amamentar seus filhotes, o custo da maternidade aumentou muito. As fêmeas não poderiam mais gerar dezenas de filhotes e simplesmente confiar que alguns sobreviveriam sozinhos.

Os mamíferos contam menos com a sorte e investem muito mais em cada um dos filhotes, de modo que enfrentam o desafio de cuidar e nutrir seus filhos por um longo tempo. As mães primatas relegam menos ainda à sorte e investem ainda mais em cada filhote. E bebês humanos, que têm cérebros tão grandes que precisam passar pelo canal do parto um ano an-

Os Alicerces Morais da Política 141

FIGURA 7.2. *Bebê Gogo, Max e Gogo.*

tes de ser capaz de andar, necessitam de um investimento tão grande por parte da mãe que seria impossível para ela arcar sozinha. Ela precisa de ajuda nos últimos meses de gravidez, ajuda para dar à luz e para alimentar e cuidar da criança durante anos após o nascimento. Diante desse grande investimento, há um enorme desafio adaptativo: cuidar da criança vulnerável e dispendiosa, mantê-la segura, viva e protegida de danos.

Não é concebível que o capítulo sobre maternidade no livro da natureza humana seja entregue inteiramente em branco, deixando para as mães a tarefa de aprender tudo por meio da instrução cultural ou tentativa e erro. Mães naturalmente sensíveis a sinais de sofrimento, angústia ou necessidade aumentaram suas chances em relação às menos sensíveis.

E não são apenas as mães que precisam de conhecimento inato. Dado o número de pessoas que direcionam seus recursos para investir em cada criança, a evolução favoreceu mulheres e (em menor grau) homens que tinham uma reação automática a sinais de necessidade ou de sofrimento, como choro, das crianças em seu meio (que, antigamente, era provável que fossem seus parentes).[4] O sofrimento de seus próprios filhos é o gatilho original de um dos principais módulos do alicerce do Cuidado. (Costumo me referir aos alicerces usando apenas o primeiro de seus dois nomes — Cuidado em vez de Cuidado/dano.) Ele funciona em conjunto com outros

FIGURA 7.3. *Um gatilho real para o alicerce de Cuidado/dano.*

módulos relacionados[5] para enfrentar o desafio adaptativo de proteger e cuidar das crianças.

Essa não é uma "just-so story", mencionada no Capítulo 6. É a minha versão da narrativa do início da teoria do apego, uma teoria bem fundamentada que descreve o sistema pelo qual mães e filhos regulam o comportamento um do outro, para que a criança obtenha uma boa mistura de proteção e oportunidades para uma exploração independente.[6]

O conjunto de gatilhos reais para qualquer módulo geralmente é muito maior que o de gatilhos originais. A foto na Figura 7.2 ilustra essa expansão de quatro maneiras. Primeiro, você pode achá-la encantadora. Se esse é o caso, é porque sua mente responde automaticamente a certas proporções e padrões que distinguem crianças de adultos humanos. O encanto nos leva a cuidar, nutrir, proteger e interagir.[7] Ele faz o elefante se inclinar. Segundo, embora essa criança não seja seu filho, pode provocar uma resposta emocional instantânea, porque o alicerce do Cuidado pode ser acionado por qualquer criança. Terceiro, você pode achar os companheiros do meu filho (Gogo e Bebê Gogo) fofos, mesmo que não sejam crianças de verdade, porque foram projetados por uma empresa de brinquedos para acionar seu alicerce do Cuidado. Quarto, Max ama Gogo; ele grita quando acidentalmente me sento em Gogo e costuma dizer: "Sou a mamãe do Gogo", porque seu sistema de apego e o alicerce do Cuidado estão se desenvolvendo normalmente.

Se você é capaz de se comover com uma foto de uma criança dormindo com dois macacos de pelúcia, imagine como se sentiria ao ver uma criança ou um animal fofo enfrentando uma ameaça de violência, como na Figura 7.3.

Não faz sentido evolutivo que você se importe com o que acontece com meu filho Max, uma criança faminta em um país distante ou um bebê foca. Mas Darwin não precisa explicar por que você derramou uma lágrima *específica*. Ele apenas tem que explicar por que você tem glândulas lacrimais e por que elas às vezes podem ser ativadas por um sofrimento que não é seu.[8] Darwin deve explicar os gatilhos originais de cada módulo. Os gatilhos reais podem mudar rapidamente. Hoje, nos preocupamos com a violência em relação a muito mais classes de vítimas do que nossos avós.[9]

Partidos políticos e grupos de interesse se esforçam para fazer com que as preocupações deles se transformem em gatilhos reais de seus módulos morais. Para obter seu voto, seu dinheiro ou seu tempo, eles precisam ativar pelo menos um de seus alicerces morais.[10] Por exemplo, a Figura 7.4 mostra dois carros que fotografei em Charlottesville. O que você é capaz de adivinhar sobre a preferência política dos motoristas?

Os adesivos para carros costumam ser emblemas tribais; eles anunciam os times que apoiamos, desde equipes esportivas e universidades a bandas de rock. O motorista do carro com o adesivo "Save Darfur" [Salve Darfur] está anunciando que faz parte do time dos liberais. Sabemos disso intuitivamente, mas posso dar uma razão mais formal: a matriz moral dos liberais, nos Estados Unidos e em outros lugares, repousa com mais intensidade no alicerce do Cuidado do que as matrizes dos conservadores, e esse motorista selecionou três adesivos instigando as pessoas a proteger vítimas inocentes.[11] O motorista não tem qualquer relação com essas vítimas. Ele está tentando fazer com que você conecte seu pensamento sobre Darfur e o consumo de carne às intuições geradas pelo seu alicerce de Cuidado.

FIGURA 7.4. *O cuidado em liberais e conservadores.*

Foi mais difícil encontrar adesivos relacionados à compaixão de conservadores, mas o carro com o adesivo "wounded warrior" [soldado ferido] é um exemplo. Esse motorista também está tentando convencê-lo a cuidar, mas o cuidado conservador é um pouco diferente — não é direcionado a animais ou pessoas de outros países, mas àqueles que se sacrificaram pelo grupo.[12] Não é universalista; é mais local e combinado com lealdade.

2. O ALICERCE DA JUSTIÇA/TRAPAÇA

Suponha que um colega de trabalho se ofereça para assumir sua carga de trabalho por cinco dias para que você possa adicionar uma segunda semana às suas férias no Caribe. Como será que você se sentiria? O *Homo economicus* sentiria um prazer absoluto, como se tivesse acabado de receber uma cesta de Natal. Mas o resto de nós sabe que a cesta não é de graça. É um grande favor, e você não pode retribuir ao seu colega de trabalho trazendo de volta uma garrafa de rum. Se aceitar a oferta, é provável que demonstre seu apreço expressando sua gratidão, elogiando sua bondade, mas também com uma promessa de fazer o mesmo quando ele sair de férias.

Os teóricos da evolução costumam se referir aos genes como "egoístas", o que significa que eles só são capazes de influenciar um animal a fazer coisas que disseminam cópias desse gene. Mas uma das ideias mais importantes sobre as origens da moralidade é que genes "egoístas" podem dar origem a criaturas generosas, desde que essas criaturas sejam seletivas em sua generosidade. O altruísmo em relação aos parentes não é um enigma. Por outro lado, o altruísmo diante de não parentes representou um dos mistérios mais antigos da história do pensamento evolucionário.[13] Um grande passo em direção a sua solução ocorreu em 1971, quando Robert Trivers publicou sua teoria do altruísmo recíproco.[14]

Trivers observou que a evolução pode criar altruístas em espécies cujos indivíduos sejam capazes de se lembrar de interações anteriores com seus companheiros e depois limitar sua gentileza àqueles que provavelmente retribuiriam o favor. Nós, humanos, somos obviamente uma dessas espécies. Trivers propôs que desenvolvemos um conjunto de emoções morais que nos fazem agir com base no princípio do "toma lá, dá cá". Geralmente, somos legais com as pessoas quando as conhecemos. Mas depois disso somos seletivos: cooperamos com aqueles que foram bons conosco e evitamos aqueles que se aproveitaram de nós.

A vida humana é uma série de oportunidades de cooperação mutuamente benéfica. Se jogarmos nossas cartas corretamente, podemos trabalhar com outras pessoas para aumentar a fatia que compartilhamos. Caçadores trabalham juntos para derrubar grandes presas que ninguém

FIGURA 7.5. *A justiça das alas esquerda e direita*. Em cima: Cartaz do Occupy Wall Street no Zuccotti Park, na cidade de Nova York. Trad: "Marchando pelos mansos e oprimidos, pelos famintos e sem-teto. Tributem os Ricos de Forma Justa." Em baixo: Cartaz na reunião do movimento Tea Party (conservadores) em Washington, D.C. (foto de Emily Ekins). Trad: "Dissemine Minha Ética de Trabalho, Não Minha Riqueza." Todos acreditam que os impostos devem ser "justos".

seria capaz de capturar sozinho. Vizinhos vigiam as casas e emprestam ferramentas uns aos outros. Colegas de trabalho cobrem os turnos um do outro. Por milhões de anos, nossos ancestrais enfrentaram o desafio adaptativo de colher esses benefícios sem serem explorados. Aqueles cujas emoções morais os compeliram a agir com base no "toma lá, dá cá" colheram mais desses benefícios do que aqueles que empregaram qualquer outra estratégia, como "ajudar quem precisa" (que convida à exploração) ou "receba, mas não retribua" (que pode funcionar apenas uma vez com cada pessoa; em breve ninguém estará disposto a compartilhar uma torta com você).[15] Os gatilhos originais dos módulos de Justiça são atos de cooperação ou egoísmo exibidos pelas pessoas. Sentimos prazer, apreço e amizade quando as pessoas mostram sinais de que podemos confiar em uma retribuição. Sentimos raiva, desprezo e, às vezes, até repulsa quando as pessoas tentam nos enganar ou tirar vantagem de nós.[16]

Os gatilhos reais dos módulos de Justiça incluem muitas coisas que se vincularam cultural e politicamente à dinâmica da reciprocidade e da trapaça. Na esquerda, as preocupações com a igualdade e a justiça social se baseiam em parte no alicerce do Cuidado — grupos ricos e poderosos são acusados de lucrar explorando os que estão por baixo, sem pagar sua "parcela justa" da carga tributária. Essa é uma questão importante do movimento Occupy Wall Street, que visitei em outubro de 2011 (veja a Figura 7.5).[17] Na direita, o movimento Tea Party também está muito preocupado com a justiça. Eles veem os democratas como "socialistas", que recebem dinheiro de trabalhadores norte-americanos e o entregam a pessoas preguiçosas (incluindo aquelas que recebem benefícios sociais ou de desemprego) e a imigrantes ilegais (na forma de assistência médica e educação gratuitas).[18]

Todo mundo se preocupa com justiça, mas existem dois tipos principais. Para a esquerda, a justiça geralmente implica igualdade, mas, para a direita, ela é proporcionalidade — as pessoas devem ser recompensadas proporcionalmente pelo que contribuem, mesmo que isso garanta resultados desiguais.

3. O ALICERCE DA LEALDADE/TRAIÇÃO

No verão de 1954, Muzafar Sherif convenceu 22 grupos de pais da classe trabalhadora a deixá-lo tirar seus filhos de 12 anos de suas mãos por três semanas. Ele levou os meninos para um acampamento de verão que havia alugado no Robbers Cave State Park, em Oklahoma. Lá, conduziu um dos estudos mais famosos em psicologia social e um dos mais ricos para entender os alicerces da moralidade. Sherif levou os meninos ao acampamento em dois grupos de 11, em dois dias consecutivos, e os alojou em diferentes partes do parque. Nos primeiros cinco dias, cada grupo achou que estava sozinho. Mesmo assim, começaram a demarcar território e a criar identidades tribais.

Um grupo se autodenominou "Rattlers" e o outro grupo recebeu o nome "Eagles". Os Rattlers descobriram uma boa lagoa para nadar subindo o rio a partir do acampamento principal e, após um mergulho inicial, fizeram algumas melhorias no local, como criar um caminho de pedras até a água. Eles então reivindicaram o local como deles, como seu esconderijo especial, que visitavam todos os dias. Um dia, os Rattlers ficaram perturbados ao descobrir copos de papel no local (que de fato eles mesmos haviam deixado para trás); ficaram zangados porque "estranhos" tinham usado sua lagoa.

Cada grupo por consenso elegeu um líder. Quando os meninos decidiam o que fazer, todos sugeriam ideias. Mas quando chegava a hora de escolher uma dessas ideias, o líder geralmente fazia a escolha. Normas, canções, rituais e identidades distintas começaram a se formar em cada grupo (os Rattlers são durões e nunca choram; os Eagles não insultam). Mesmo que estivessem lá para se divertir, e apesar de acreditarem que estavam sozinhos na floresta, cada grupo acabou fazendo o tipo de coisa que seria bastante útil se estivessem prestes a enfrentar um grupo rival que reivindicava o mesmo território. O que de fato estava acontecendo.

No sexto dia do estudo, Sherif deixou os Rattlers se aproximarem o suficiente do campo de beisebol para ouvir que outros meninos — os Eagles — usavam o campo, mesmo que os Rattlers o tivessem reivindicado como deles. Os Rattlers imploraram aos conselheiros do acampamento que os deixassem desafiar os Eagles para um jogo de beisebol. Como planejara fazer desde o início, Sherif organizou um torneio de uma semana de competições esportivas e habilidades de acampamento. A partir daí, segundo Sherif: "o desempenho em todas as atividades que agora poderiam se tornar competitivas (armar barracas, beisebol etc.) foi realizado com mais entusiasmo e também com mais eficiência."[19] O comportamento tribal aumentou drasticamente. Ambos os lados criaram bandeiras e as penduraram no território reivindicado. Destruíram as bandeiras um do outro, invadiram e vandalizaram os dormitórios, se ofenderam, construíram armas (meias cheias de pedras) e muitas vezes teriam chegado a se agredir se os conselheiros não tivessem intervindo.

Todos reconhecemos esse retrato da infância. A mente masculina parece ser inatamente tribal — isto é, estruturada antes da experiência, para que meninos e homens *gostem* de fazer o tipo de coisa que leva à coesão de grupo e ao sucesso nos conflitos entre grupos (incluindo a guerra).[20] A virtude da lealdade é muito importante para ambos os sexos, embora os objetos dessa lealdade tendam a ser equipes e coalizões para os meninos, em contraste com os relacionamentos interpessoais para as meninas.[21]

Apesar de algumas alegações de antropólogos na década de 1970, os seres humanos não são a única espécies que se envolve em guerra ou mata sua própria espécie. Há evidências de que os chimpanzés protegem seu território, atacam os territórios rivais e, se conseguirem, matam os machos do grupo vizinho e tomam seu território e suas fêmeas.[22] Hoje temos indícios de que a guerra tem sido uma característica constante da vida humana desde muito antes da agricultura e da propriedade privada.[23] Por milhões de anos, portanto, nossos ancestrais enfrentaram o desafio adaptativo de formar e manter coalizões que pudessem rechaçar desafios e ataques de grupos rivais. Somos descendentes de tribalistas de sucesso, não seus primos mais individualistas.

Muitos sistemas psicológicos contribuem para o tribalismo eficaz e para o sucesso na competição entre grupos. O alicerce da Lealdade/traição é apenas uma parte de nossa preparação inata para enfrentar o desafio adaptativo de formar grupos coesos. O gatilho original do alicerce da Lealdade é qualquer coisa que diga quem é do seu time e quem é traidor, principalmente quando seu time está lutando com outras equipes. Mas, por amarmos tanto o tribalismo, procuramos meios de formar grupos e

FIGURA 7.6. *Um carro decorado com emblemas de lealdade, e um sinal de trânsito modificado para rejeitar um tipo de lealdade.*

equipes que possam competir apenas pela diversão de competir. Grande parte da psicologia do esporte envolve a expansão dos fatores desencadeantes reais do alicerce da Lealdade, para que as pessoas possam ter o prazer de se unir para buscar troféus inofensivos. (Um troféu é evidência de vitória. O desejo de receber troféus — incluindo partes do corpo de inimigos mortos — é generalizado na guerra, ocorrendo mesmo em tempos modernos.)[24]

Não posso ter certeza de que o proprietário do carro na Figura 7.6 é um homem, mas estou bastante confiante de que é um republicano, com base em sua escolha para decorar o carro usando apenas o alicerce da Lealdade. O V com espadas cruzadas é o símbolo das equipes esportivas da UVA (os Cavaliers) e o proprietário optou por pagar US$20 por ano para ter uma placa personalizada em homenagem à bandeira americana ("Old Glory") e à unidade norte-americana ("United We Stand").

O amor de companheiros leais é acompanhado pelo correspondente ódio aos traidores, que geralmente são considerados muito piores que inimigos. O Alcorão, por exemplo, está cheio de avisos sobre a duplicidade de membros externos ao grupo, principalmente judeus, mas ele não ordena que os muçulmanos matem judeus. Muito pior do que um judeu é um apóstata — um muçulmano que traiu ou simplesmente abandonou a fé. O Alcorão ordena que os muçulmanos matem apóstatas, e o próprio Alá promete que "certamente os assará em uma Fogueira; e sempre que suas peles forem queimadas por completo, lhes daremos em troca uma nova pele, para que sofram o castigo. Certamente Deus é Todo-poderoso, Todo-sábio".[25] Da mesma forma, em *O Inferno,* Dante reserva o círculo mais profundo do inferno — e o sofrimento mais insuportável — para o crime de traição. Muito pior do que a luxúria, a gula, a violência ou mesmo a heresia é a traição da família, da equipe ou da nação.

Dadas essas fortes ligações entre amor e ódio, é mesmo de se admirar que o alicerce da Lealdade desempenhe um papel importante na política? A esquerda se aproxima do universalismo e se afasta do nacionalismo,[26] por isso, muitas vezes tem problemas para se conectar aos eleitores embasados no alicerce da Lealdade. De fato, devido à sua forte dependência no alicerce Cuidado, os liberais norte-americanos são frequentemente hostis à política externa norte-americana. Por exemplo, durante o último ano da presidência de George W. Bush, alguém vandalizou uma placa de trânsito perto de minha casa (Figura 7.6). Não posso afirmar que o vândalo rejeite equipes e grupos de todos os tipos, mas posso dizer que ele está muito mais à esquerda do espectro do que o proprietário do carro com a placa "OGLORY". As duas fotografias mostram declarações opostas sobre a necessidade de os norte-americanos serem jogadores de equipe em um momento em que os EUA travavam guerras no Iraque e no Afeganistão. Ativistas liberais costumam propiciar que conservadores conectem o liberalismo ao alicerce Lealdade — e não de um jeito bom. O título do livro de Ann Coulter em 2003 diz tudo: *Treason: Liberal treachery from the Cold War to the war on terrorism* ["Alta Traição: A traição liberal da Guerra Fria à guerra ao terrorismo", em tradução livre].[27]

4. O ALICERCE DA AUTORIDADE/SUBVERSÃO

Logo depois que voltei da Índia, conversava com um motorista de táxi que me disse que acabara de se tornar pai. Perguntei-lhe se planejava ficar nos Estados Unidos ou retornar à sua terra natal, a Jordânia. Nunca esquecerei sua resposta: "Vamos voltar para a Jordânia porque jamais quero ouvir meu filho dizendo 'vai se foder' para mim." Bem, a maioria das crianças norte-americanas nunca dirá uma coisa tão terrível aos pais, mas algumas o farão, e muitas outras dirão indiretamente. As culturas variam muito no grau de exigência de respeito a ser demonstrado aos pais, professores e outras pessoas em posições de autoridade.

O desejo de respeitar relacionamentos hierárquicos é tão profundo que muitos idiomas o codificam diretamente. Em francês, como em outras línguas românicas, as pessoas são obrigadas a escolher se abordam alguém usando a forma respeitosa (*vous*) ou a forma familiar (*tu*). Até o inglês, que não incorpora status às conjugações verbais, o incorpora em outro aspecto. Até recentemente, os norte-americanos se dirigiam a estranhos e superiores usando título e sobrenome (Sra. Smith, Dr. Jones), enquanto íntimos e subordinados eram chamados pelo primeiro nome. Se um norte-americano já sentiu um flash de aversão ao ser chamado pelo primeiro nome por um vendedor que não foi solicitado a fazê-lo, ou sentiu uma pontada de constrangimento quando uma pessoa mais velha a quem sempre respeitou lhe pediu que a chamasse pelo primeiro nome, ele experimentou a ativação de alguns dos módulos que compõem o alicerce da Autoridade/subversão.

A maneira óbvia de começar a pensar na evolução do alicerce da Autoridade é considerar a ordem de importância e as hierarquias de dominância de galinhas, cães, chimpanzés e muitas outras espécies que vivem em grupos. As exibições feitas por indivíduos de baixa classificação geralmente são semelhantes entre as espécies, porque sua função é sempre a mesma — mostrar submissão, o que significa parecer pequeno e não ameaçador. O fracasso em detectar sinais de dominância e, em seguida, reagir da maneira adequada, geralmente resulta em uma bela surra.

Até agora, essa não parece uma história promissora sobre a origem do alicerce "moral"; parece mais a origem da opressão dos fracos pelos poderosos. Mas autoridade não deve ser confundida com poder.[28] Mesmo entre os chimpanzés, em que hierarquias de dominância envolvem realmente o poder bruto e a capacidade de infligir violência, o macho alfa desempenha algumas funções socialmente benéficas, como assumir o "papel de controle".[29] Ele resolve algumas disputas e suprime grande parte do conflito violento que ocorre quando não há um macho alfa óbvio. Como afirma o primatólogo Frans de Waal: "Sem acordo sobre a hierarquia e certo respeito pela autoridade, não pode haver grande sensibilidade às regras sociais, como qualquer pessoa que tenha tentado ensinar regras simples a um gato há de concordar."[30]

Esse papel de controle é bastante visível nas tribos humanas e nas primeiras civilizações. Muitos dos primeiros textos legais começam fundamentando o domínio do rei pela escolha divina e depois dedicam a autoridade do rei a proporcionar ordem e justiça. A primeira frase do Código de Hamurábi (século XVIII AEC) inclui a seguinte cláusula: "Então Anu e Bel [dois deuses] me chamaram pelo nome de Hamurábi, o príncipe exaltado, temente à Deus, para promover a regra da justiça na Terra, destruir os maus e os perversos; para que os fortes não prejudiquem os fracos."[31]

A autoridade humana, então, não é apenas o poder bruto embasado pela ameaça da força. Ela assume a responsabilidade de manter a ordem e a justiça. Obviamente, as autoridades em geral exploram seus subordinados para seu próprio benefício, embora acreditem que são perfeitamente justos. Mas se quisermos entender como as civilizações humanas surgiram e dominaram a Terra em apenas alguns milhares de anos, teremos que examinar atentamente o papel da autoridade na criação da ordem moral.

Quando comecei a faculdade, endossava a crença comum de que hierarquia = poder = exploração = mal. Mas quando comecei a trabalhar com Alan Fiske, descobri que estava errado. A teoria de Fiske dos quatro tipos básicos de relações sociais inclui o chamado "ranking de autoridade". Com base em seu próprio trabalho de campo na África, Fiske demonstrou que as pessoas que se relacionam dessa maneira têm expectativas mútuas mais parecidas com as de pais e filhos do que com ditadores e seus subordinados temerosos:

> No ranking de autoridade, as pessoas têm posições assimétricas em uma hierarquia linear na qual os subordinados se sujeitam, respeitam e (talvez) obedeçam, enquanto os superiores têm precedência e assumem a responsabilidade pastoral dos subordinados. Exemplos são hierarquias militares... culto aos antepassados ([incluindo] ofertas de devoção filial

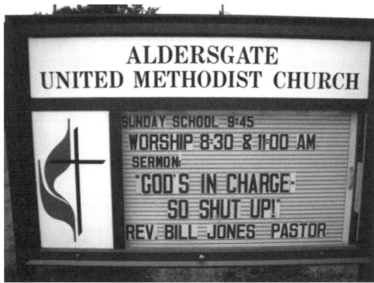

FIGURA 7.7. *Duas avaliações bastante diferentes do alicerce da Autoridade/subversão*. Propaganda para a revista liberal *The Nation* (em cima) [Trad: Qual sua nação? Insubordi(Nação)]; igreja em Charlottesville, Virgínia (em baixo; foto de Sarah Estes Graham) [Trad: Deus está no comando, então cala a boca!].

e expectativas de proteção e aplicação de normas), [e] moralidades religiosas monoteístas... As relações do ranking de autoridade são baseadas em percepções de assimetrias legítimas, não em poder coercitivo; elas não são inerentemente exploradoras.[32]

O alicerce da Autoridade, como o descrevo, é emprestado diretamente de Fiske. É mais complexo do que os outros alicerces porque seus módulos devem olhar em duas direções — para os superiores e para os subordinados. Esses módulos trabalham juntos para ajudar as pessoas a enfrentar o desafio adaptativo de criar relacionamentos benéficos dentro das hierarquias. Somos descendentes dos indivíduos que foram mais capazes de jogar esse jogo — de subir de status e ao mesmo tempo cultivar a proteção dos superiores e a lealdade dos subordinados.[33]

Os gatilhos originais de alguns desses módulos incluem padrões de aparência e comportamento que indicam classificações mais altas versus mais baixas. Como os chimpanzés, as pessoas são capazes de registrar essa informação e lembrar quem está acima de quem na hierarquia.[34] Quando as pessoas dentro de uma ordem hierárquica agem de maneira a negar ou subverter essa ordem, sentimos isso de forma instantânea, mesmo que não tenhamos sido diretamente prejudicados. Se em parte a autoridade envolve proteger a ordem e combater o caos, todo mundo tem interesse em apoiar a ordem existente e em responsabilizar as pessoas pelo cumprimento das obrigações de sua posição.[35]

Os gatilhos reais do alicerce Autoridade/subversão, portanto, incluem qualquer coisa que seja interpretada como um ato de obediência, desobediência, respeito, desrespeito, submissão ou rebeldia em relação às autoridades consideradas legítimas. Eles também incluem atos que subvertem as tradições, instituições ou valores percebidos para proporcionar estabilidade. Assim como o alicerce da Lealdade, é muito mais fácil para a direita política elaborar com base nesse alicerce do que para a esquerda, que geralmente se define em parte por sua oposição à hierarquia, à desigualdade e ao poder. Não deve ser difícil para você adivinhar a orientação política da revista anunciada na Figura 7.7. Por outro lado, embora os metodistas não sejam necessariamente conservadores, a placa em frente à igreja deixa claro que não são unitaristas.

5. O ALICERCE DA PUREZA/DEGRADAÇÃO

No início de 2001, Armin Meiwes, um técnico de reparo de computadores alemão publicou um anúncio incomum na internet: "Procura-se homem de 21 a 30 anos, forte e com boa constituição física para ser abatido e depois consumido." Centenas de homens responderam por e-mail, e Meiwes entrevistou alguns deles em sua casa de fazenda. Bernd Brandes, um engenheiro de computação de 43 anos, foi o primeiro entrevistado que não mudou de ideia quando percebeu que a pretensão de Meiwes não era mera fantasia. (Aviso: leitores mais sensíveis devem pular o próximo parágrafo inteiro.)

Na noite de 9 de março, os dois homens fizeram um vídeo para provar que Brandes consentiu totalmente com o que estava prestes a acontecer. Brandes então ingeriu álcool e algumas pílulas para dormir, mas ele ainda estava alerta quando Meiwes cortou seu pênis, depois de ser incapaz de arrancá-lo com uma dentada (como Brandes havia solicitado). Meiwes salteou o pênis em uma frigideira com vinho e alho. Brandes comeu um pedaço e depois foi para uma banheira sangrar até a morte. Algumas horas depois, Brandes ainda não estava morto, então Meiwes o beijou, cortou sua garganta e depois pendurou o corpo em um gancho de carne para destrinchá-lo. Então, armazenou a carne no freezer e a comeu gradualmente ao longo dos dez meses seguintes. Meiwes foi, por fim, capturado, preso e julgado, mas, como a participação de Brandes foi totalmente voluntária, Meiwes foi condenado apenas por homicídio culposo, não doloso, na primeira vez em que o caso foi a julgamento.[36]

Se sua matriz moral é limitada à ética da autonomia, você corre o risco de ficar estupefato com esse caso. Com certeza achará o episódio perturbador, e a violência do ato provavelmente ativa seu alicerce de Cuidado/dano. Mas qualquer tentativa de condenar Meiwes ou Brandes colide com o princípio de dano de John Stuart Mill, que apresentei no Capítulo 5: "O único propósito pelo qual o poder pode ser exercido legitimamente sobre qualquer membro de uma comunidade civilizada, contra sua vontade, é impedir o dano a terceiros." A próxima linha da citação original é: "Seu próprio bem, físico ou moral, não é garantia suficiente." Dentro da ética da autonomia, as pessoas têm o direito de viver suas vidas como bem entenderem (desde que não prejudiquem ninguém), e têm o direito de terminar suas vidas como e quando bem entenderem (desde que não deixem dependentes desamparados). Brandes escolheu um meio de morte extraordinariamente repulsivo, mas, como costumavam dizer os estudantes da Universidade da Pensilvânia na pesquisa de minha tese, só porque algo é repugnante não quer dizer que é errado. No entanto, a maioria das pessoas acha que *há* algo terrivelmente errado aqui, e que deve ser contra a lei que adultos se envolvam em atividades consensuais como essa. Por quê?

Imagine que Meiwes cumpriu sua sentença de prisão e depois voltou para sua casa. (Suponha que uma equipe de psiquiatras estabeleça que ele não representa ameaça para quem não pedir explicitamente para ser comido.) Imagine que a casa dele fique a um quarteirão de distância da sua casa. Você consideraria o retorno dele perturbador? Se Meiwes fosse então forçado pela pressão social a se mudar de sua cidade, você sentiria um certo alívio? E o que dizer da casa onde essa atrocidade aconteceu? Quanto alguém teria que pagar para você morar nela por uma semana? Você acha que essa mácula só poderia ser eliminada se a casa fosse totalmente queimada?

Esses sentimentos — de mácula, poluição e purificação — são irracionais do ponto de vista utilitarista, mas fazem todo o sentido na ética da divindade de Shweder. Meiwes e Brandes conspiraram para tratar o corpo de Brandes como um pedaço de carne, ao qual acrescentaram o horror adicional do toque de sexualidade. Eles se comportaram de maneira monstruosa — o mais baixo que qualquer ser humano pode atingir na dimensão vertical da divindade discutida no Capítulo 5. Somente vermes e demônios comem carne humana. Mas por que nos importamos tanto com o que as outras pessoas escolhem fazer com seus corpos?

A maioria dos animais nasce sabendo o que deve comer. Os sistemas sensoriais de um coala são "estruturados antes da experiência" para guiá-

-lo às folhas de eucalipto. Os seres humanos, no entanto, precisam aprender o que comer. Como ratos e baratas, somos onívoros.

Ser onívoro traz a enorme vantagem da flexibilidade: você pode viajar para um novo continente e ter certeza de que encontrará algo para comer. Mas também traz a desvantagem de que novos alimentos podem ser tóxicos, infectados por micróbios ou infestados de vermes parasitas. O "dilema onívoro" (um termo cunhado por Paul Rozin)[37] é que os onívoros devem procurar e explorar novos alimentos em potencial, mantendo a cautela até que se comprove que são seguros.

Os onívoros, portanto, passam a vida com dois motivadores concorrentes: a neofilia (atração por coisas novas) e a neofobia (medo de coisas novas). As pessoas variam em termos de qual motivação é mais forte, e essa variação voltará para nos ajudar nos próximos capítulos: os liberais têm maior pontuação em neofilia (também conhecida como "abertura à experiência"), não apenas para novos alimentos, mas também para novas pessoas, músicas e ideias. Os conservadores são mais elevados em neofobia; preferem se ater ao que é testado e comprovado, e se preocupam muito mais com a preservação de fronteiras, limites e tradições.[38]

A emoção de repulsa evoluiu inicialmente para otimizar as respostas ao dilema do onívoro.[39] Indivíduos que tinham um senso de repulsa adequadamente calibrado foram capazes de consumir mais calorias do que seus análogos com exacerbado senso de repulsa, ao mesmo tempo consumindo menos micróbios perigosos do que os indivíduos com senso de repulsa insuficiente. Mas não são apenas os alimentos que representam uma ameaça: quando os primeiros hominídeos desceram das árvores e começaram a viver em grupos maiores no chão, aumentaram muito o risco de infecção mútua e de seus dejetos. O psicólogo Mark Schaller mostrou que a repulsa faz parte do que ele chama de "sistema imunológico comportamental" — um conjunto de módulos cognitivos desencadeados por sinais de infecção ou doença em outras pessoas e que fazem você querer se afastar delas.[40] É muito mais eficaz prevenir a infecção lavando os alimentos, expulsando leprosos ou simplesmente evitando pessoas sujas do que deixar os micróbios entrarem em seu corpo e depois esperar que seu sistema imunológico biológico consiga matar todos eles.

O desafio adaptativo original que impulsionou a evolução do alicerce da Pureza, portanto, foi a necessidade de evitar patógenos, parasitas e outras ameaças que se espalham pelo toque físico ou proximidade. Os gatilhos originais dos principais módulos que compõem essa base incluem cheiros, visões ou outros padrões sensoriais que predizem a presença de patógenos perigosos em objetos ou pessoas. (Exemplos incluem cadáveres humanos, excrementos, pessoas com lesões ou feridas visíveis e animais carniceiros, como urubus.)

Entretanto, os gatilhos reais do alicerce da Pureza são extraordinariamente variáveis e expansíveis entre culturas e épocas. Uma expansão comum e direta é para membros externos ao grupo. As culturas diferem em suas atitudes em relação aos imigrantes, e há alguma evidência de que atitudes liberais e acolhedoras são mais comuns em épocas e lugares onde os riscos de doenças são mais baixos.[41] Pragas, epidemias e novas doenças geralmente são trazidas por estrangeiros — assim como muitas ideias, produtos e tecnologias novas —, então as sociedades enfrentam um análogo do dilema do onívoro, equilibrando xenofobia e xenofilia.

Assim como no alicerce da Autoridade, o da Pureza parece ter uma origem frágil como fundamento da moralidade. Ele não é apenas uma resposta primitiva aos patógenos? E essa resposta não leva a preconceitos e discriminação? Agora que temos antibióticos, devemos rejeitar completamente esse fundamento, certo?

Não tão rápido. O alicerce da Pureza propicia que consideremos algumas coisas como "intocáveis", tanto de maneira ruim (porque é tão sujo ou poluído que queremos ficar longe) quanto de maneira boa (porque é tão santificado, tão sagrado, que queremos protegê-lo da profanação). Se não tivéssemos um senso de repulsa, acredito que também não teríamos um senso de sagrado. E se você pensa, como eu, que um dos maiores mistérios não resolvidos é como as pessoas conseguiram se reunir para formar grandes sociedades cooperativas, então pode ter um interesse especial na psicologia da sacralidade. Por que as pessoas tratam tão prontamente objetos (bandeiras, cruzes), lugares (Meca, um campo de batalha relacionado ao nascimento de sua nação), pessoas (santos, heróis) e princípios (liberdade, fraternidade, igualdade) como se tivessem um valor imensurável? Quaisquer que sejam suas origens, a psicologia da sacralidade ajuda a conectar

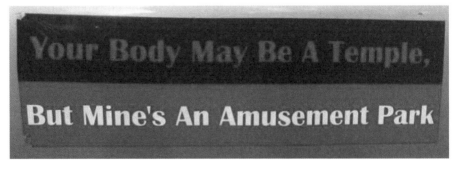

FIGURA 7.8. *Duas visões distintas do alicerce da Pureza/degradação*. A *Alegoria da Castidade*, de Hans Memling (1475), e um adesivo de carro em Charlottesville, Virgínia [Trad: Seu corpo pode ser um templo, mas o meu é um parque de diversões]. Outro adesivo no carro (apoiando o senador democrata Jim Webb) confirma que o proprietário tem uma orientação à esquerda.

os indivíduos em comunidades morais.[42] Quando alguém em uma comunidade moral profana um dos pilares sagrados de apoio à comunidade, a reação certamente será rápida, emocional, coletiva e punitiva.

Voltando, finalmente, a Meiwes e Brandes: eles não causaram danos a ninguém seja de maneira direta, material ou utilitarista.[43] Mas profanaram vários princípios morais fundamentais da sociedade ocidental, como nossas crenças compartilhadas de que a vida humana é extremamente valiosa e que o corpo humano é mais do que apenas um pedaço de carne. Pisotearam esses princípios não por necessidade, e nem a serviço de um objetivo superior, mas por desejo carnal. Se o princípio de dano de Mill nos impede de considerar suas ações ilegais, então o princípio de dano de Mill parece inadequado como base de uma comunidade moral. Independentemente da existência de Deus, as pessoas sentem que algumas coisas, ações e pessoas são nobres, puras e elevadas; outras são básicas, poluídas e degradadas.

O caso Meiwes nos diz algo sobre política? É um caso muito revoltante para ser usado em pesquisas; tenho certeza de que liberais e conservadores condenariam Meiwes (embora não tenha tanta certeza quanto aos libertários).[44] Mas, se diminuirmos um pouco o grau de repulsa, veremos uma grande diferença entre esquerda e direita em relação ao uso de conceitos como santidade e pureza. É mais provável que os conservadores norte-americanos falem sobre "a santidade da vida" e "a santidade do casamento". Os conservadores — em particular os religiosos — provavelmente veem o corpo como um templo, abrigando uma alma interior, e não como uma máquina a ser otimizada ou como um playground a ser usado para se divertir.

As duas imagens na Figura 7.8 mostram exatamente o contraste que Shweder havia descrito em sua ética da divindade. A imagem no topo é de uma pintura do século XV, *A Alegoria da Castidade*,[45] que mostra a Virgem Maria no alto, protegida por uma formação rochosa de ametista. Debaixo dela flui um riacho (simbolizando sua pureza) guardado por dois leões. A pintura retrata a castidade como uma virtude, um tesouro a ser protegido.

Essa ideia não faz parte apenas da história antiga; ela inspirou um movimento de voto de virgindade nos Estados Unidos nos anos 1990. O grupo Silver Ring Thing pede a seus membros que jurem permanecer celibatários e puros até o casamento. Aqueles que fazem o voto recebem um anel de prata, para usar como uma aliança de casamento, inscrito com o nome de versículos da Bíblia como: "1 Tessalonicenses 4: 3–4". Esses versículos declaram: "Porque esta é a vontade de Deus, a vossa santificação; que vos abstenhais da fornicação; que cada um de vós saiba possuir o seu vaso em santificação e honra."[46]

Para a esquerda, no entanto, a virtude da castidade é geralmente descartada como ultrapassada e sexista. Jeremy Bentham nos pediu para maximizar nossos "hedons" (prazeres) e minimizar nossos "dolors" (dores). Se sua moralidade se concentra nos indivíduos e em suas experiências conscientes, por que diabos alguém *não* deveria usar o corpo como parque de diversões? Os cristãos devotos são frequentemente apontados pelos liberais seculares como puritanos reprimidos que temem o prazer.

O alicerce da Pureza é usado mais fortemente pela direita religiosa, mas também é usado pela esquerda espiritual. É possível identificar a função original de evitar as impurezas desse alicerce nos mercados da Nova Era, onde encontramos uma variedade de produtos que prometem purificá-lo de "toxinas". E também é possível encontrar o alicerce da Pureza subjacente a algumas das paixões morais do movimento ambiental. Muitos ambientalistas criticam o industrialismo, o capitalismo e os automóveis, não apenas pela poluição física que geram, mas também por um tipo de poluição mais simbólico — a degradação da natureza e da natureza original da humanidade, antes de ser corrompida pelo capitalismo industrial.[47]

O alicerce da Pureza é crucial para entender as guerras culturais norte-americanas, principalmente sobre questões biomédicas. Se rejeitarmos completamente o alicerce da Pureza, será difícil entender a confusão sobre a maioria das controvérsias biomédicas de hoje. A única questão ética sobre o aborto se torna: em que momento um feto pode sentir dor? O suicídio assistido por médicos se torna obviamente uma coisa boa: as pessoas que sofrem devem poder terminar suas vidas e receber ajuda médica para fazê-lo sem dor. O mesmo vale para a pesquisa com células-tronco: por que não retirar tecidos de todos os embriões cujas vidas são mantidas em animação suspensa em clínicas de fertilidade? Eles não podem sentir dor, mas seus tecidos podem ajudar os pesquisadores a desenvolver curas que poupariam pessoas sencientes da dor.

O filósofo Leon Kass está entre os principais porta-vozes da ética da divindade de Shweder e do alicerce da Pureza em que se baseia. Escrevendo em 1997, um ano depois de a ovelha Dolly se tornar o primeiro mamífero clonado, Kass lamentou o modo como a tecnologia frequentemente apaga os limites morais e aproxima as pessoas da perigosa crença de que podem fazer o que quiserem. Em um artigo intitulado "The Wisdom of Regunance", Kass argumentou que nossos sentimentos de repulsa às vezes podem nos fornecer um aviso valioso de que estamos indo longe demais, mesmo quando estamos moralmente estupefatos e não conseguimos justificar esses sentimentos por meio de suas vítimas:

> A repulsa, aqui e em outros lugares, revolta-se contra os atos da vontade humana, advertindo-nos a não transgredir o que é indescritivelmente profundo. De fato, nesta era em que tudo é considerado permitido desde que seja feito livremente, em que nossa natureza humana não exige mais respeito, em que nossos corpos são vistos como meros instrumentos de nossas vontades racionais autônomas, a repulsa pode ser a única voz que resta para defender a essência de nossa humanidade. Rasas são as almas que se esqueceram como é estremecer.[48]

EM SUMA

Comecei este capítulo tentando acionar suas intuições sobre os cinco alicerces morais que apresentei no Capítulo 6. Depois, defini que ser inato é ser "estruturado antes da experiência", como o primeiro rascunho de um livro que é revisado à medida que os indivíduos crescem em culturas diversas. Essa definição me permitiu propor que os alicerces morais são inatos. Regras e virtudes específicas variam entre as culturas; portanto, é tolice procurar universalidade nos livros já concluídos. Não encontraremos um único parágrafo que exista de forma idêntica em todas as culturas humanas. Mas, se procurarmos conexões entre a teoria da evolução e as observações antropológicas, poderemos oferecer alguns palpites fundamentados sobre o que estava no primeiro rascunho universal da natureza humana. Tentei fazer (e justificar) cinco dessas suposições:

- O alicerce do Cuidado/dano evoluiu em resposta ao desafio adaptativo de cuidar de crianças vulneráveis. Ele nos torna sensíveis a sinais de sofrimento e necessidade; nos faz desprezar a crueldade e querer cuidar daqueles que estão sofrendo.

- O alicerce da Justiça/trapaça evoluiu em resposta ao desafio adaptativo de colher os frutos da cooperação sem ser explorado. Isso nos torna sensíveis a indícios de que outra pessoa provavelmente será um bom (ou mau) parceiro para colaboração e altruísmo recíproco. Ele nos faz querer evitar ou punir trapaceiros.

- O alicerce da Lealdade/traição evoluiu em resposta ao desafio adaptativo de formar e manter coalizões. Ele nos torna sensíveis a sinais de que outra pessoa é (ou não é) um jogador de equipe. Ele nos faz confiar e recompensar essas pessoas, e nos faz querer ferir, marginalizar ou até matar aqueles que nos traem ou a nosso grupo.

- O alicerce da Autoridade/subversão evoluiu em resposta ao desafio adaptativo de criar relacionamentos que nos beneficiarão dentro das hierarquias sociais. Ele nos torna sensíveis a sinais de posição ou status e a sinais de que outras pessoas estão (ou não) se comportando adequadamente, dada sua posição.

- O alicerce da Pureza/degradação evoluiu inicialmente em resposta ao desafio adaptativo do dilema do onívoro e depois ao desafio mais amplo de viver em um mundo de patógenos e parasitas. Ele inclui o sistema imunológico comportamental, que pode nos tornar mais cautelosos com uma variedade diversificada de objetos e ameaças simbólicas. Ele possibilita às pessoas atribuírem valores irracionais e extremos — positivos e negativos — a objetos que são importantes para unir grupos.

Mostrei como as duas extremidades do espectro político se baseiam em cada um dos alicerces de maneiras diferentes ou em diferentes graus. Parece que a esquerda depende principalmente dos alicerces de Cuidado e Justiça, enquanto a direita usa todos os cinco. Se isso for verdade, então a moralidade da esquerda é como a comida servida no restaurante The True Taste? A moral de esquerda ativa apenas um ou dois receptores de sabor, enquanto a moral de direita envolve um paladar mais amplo, incluindo lealdade, autoridade e santidade? E, se é assim, isso oferece aos políticos conservadores uma variedade mais ampla de maneiras de se conectar com os eleitores?

OITO

A Vantagem Conservadora

Em janeiro de 2005, fui convidado para palestrar no Partido Democrata em Charlottesville sobre psicologia moral. Apreciei a oportunidade porque havia passado grande parte de 2004 como redator de discurso na campanha presidencial de John Kerry. Não era um trabalho remunerado — eu era apenas um cara que, enquanto passeava com o cachorro todas as noites, reescrevia mentalmente alguns dos apelos ineficazes de Kerry. Por exemplo, no discurso de aceitação de candidatura de Kerry na Convenção Nacional Democrata, ele listou uma variedade de fracassos do governo Bush e, após cada um proclamou: "os Estados Unidos podem fazer melhor" e "a ajuda está a caminho". O primeiro slogan não se conecta a nenhum alicerce moral. O segundo traz uma sutil conexão ao alicerce do Cuidado/dano, mas apenas se pensarmos nos EUA como uma nação de cidadãos desamparados que precisam de um presidente democrata para cuidar deles.

Em meu texto mentalmente revisado, Kerry lista uma variedade de promessas de campanha de Bush e depois de cada uma pergunta: "Você vai cumpri-la, George?" Esse slogan simples teria feito com que os muitos programas novos de Bush, além de seus cortes de impostos e vastos gastos em duas guerras, parecessem mais furtos sorrateiros do que generosidade. Kerry poderia ter ativado os módulos de detecção de trapaceiros do alicerce Justiça/trapaça.

A mensagem de minha palestra para os democratas de Charlottesville foi simples: *Os republicanos entendem a psicologia moral. Os democratas não.* Os republicanos compreendem há muito tempo que o elefante é o responsável pelo comportamento político, não o ginete, e sabem como os elefantes funcionam.[1] Seus slogans, comerciais políticos e discursos vão direto ao ponto, como no infame anúncio de 1988 mostrando uma foto de ficha policial de um homem negro, Willie Horton, que cometeu um assassinato brutal depois de ser libertado da prisão em uma saída temporária de fim de semana pelo candidato democrata conhecido por ser "gentil demais com o crime", o governador Michael Dukakis. Os democratas muitas vezes direcionaram seus apelos mais diretamente ao candidato, enfatizando políticas específicas e os benefícios que trarão para você, eleitor.

Nem George W. Bush nem seu pai, George H. W. Bush, tiveram a capacidade de levar o público às lágrimas, mas ambos tiveram a grande sorte de concorrer contra democratas cerebral e emocionalmente frios (Michael Dukakis, Al Gore e John Kerry). Não é por acaso que o único democrata desde Franklin Roosevelt a vencer a eleição e depois a reeleição combinasse habilidade oratória e gregária com uma emotividade quase musical. Bill Clinton sabia como encantar elefantes.

Os republicanos não pretendem apenas causar medo, como acusam alguns democratas. Eles desencadeiam toda a gama de intuições descritas pela teoria dos alicerces morais. Assim como os democratas, eles podem mencionar vítimas inocentes (das políticas democratas prejudiciais) e justiça (principalmente a injustiça de receber dinheiro de impostos de pessoas trabalhadoras e prudentes para apoiar trapaceiros, preguiçosos e tolos irresponsáveis). Mas os republicanos desde Nixon têm quase um monopólio dos apelos à lealdade (particularmente patriotismo e virtudes militares) e autoridade (incluindo respeito pelos pais, professores, idosos e pela polícia, bem como pelas tradições). E depois que recrutaram o apoio de conservadores cristãos durante a campanha de Ronald Reagan, em 1980, e se tornaram o partido dos "valores da família", os republicanos herdaram uma poderosa rede de ideias cristãs sobre pureza e sexualidade que lhes permitiram retratar os democratas como o partido de Sodoma e Gomorra. Contra o crescente crime e o caos das décadas de 1960 e 1970, essa moralidade dos cinco alicerces teve amplo apelo, mesmo para muitos democratas (os chamados democratas pró-Reagan). A visão moral oferecida pelos democratas desde a década de 1960, ao contrário, parecia estreita, concentrada demais em ajudar as vítimas e em lutar pelos direitos dos oprimidos. Os democratas ofereciam apenas açúcar (cuidado) e sal (justiça como igualdade), enquanto a moralidade republicana apelava a todos os cinco receptores de sabor.

Essa foi a história que contei aos democratas de Charlottesville. Não acusei os republicanos de trapaça. Culpei os democratas pela ingenuidade psicológica. Esperava uma reação irada, mas, depois de duas derrotas consecutivas para George W. Bush, os democratas estavam tão famintos por uma explicação que a plateia parecia disposta a considerar a minha. Naquela época, porém, minha explicação era apenas especulação. Eu ainda não havia coletado dados para apoiar minha alegação de que os conservadores respondiam a um conjunto mais amplo de paladares morais do que os liberais.[2]

MENSURANDO AS MORAIS

Felizmente, naquele ano, a chegada de um aluno de pós-graduação à UVA me levou para o bom caminho. Se o Match.com proporcionasse uma maneira de parear orientadores e alunos de pós-graduação, não teria encontrado um parceiro melhor do que Jesse Graham. Ele se formou na Universidade de Chicago (amplitude acadêmica), obteve um mestrado na Harvard Divinity School (apreciação pela religião) e depois passou um ano ensinando inglês no Japão (experiência transcultural). No projeto de pesquisa do primeiro ano de Jesse, ele criou um questionário para mensurar a pontuação das pessoas nos cinco alicerces morais.

Trabalhamos com meu colaborador Brian Nosek para criar a primeira versão do MFQ — Moral Foundations Questionnaire [Questionário de Alicerces Morais, em tradução livre], que começava com estas instruções: "Ao decidir se algo é certo ou errado, em que medida as seguintes considerações são relevantes para o sua opinião?" Em seguida, explicamos a escala de resposta, de 0 ("nem um pouco relevante — isso não tem nada a ver com meus julgamentos de certo e errado") a 5 ("extremamente rele-

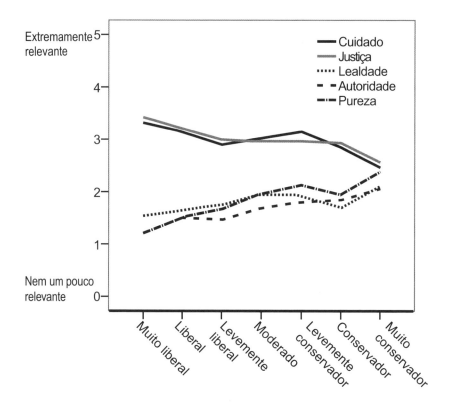

FIGURA 8.1. *A primeira evidência para a teoria dos alicerces morais.* (Adaptado com permissão do artigo de Graham, Haidt e Nosek, 2009, p. 1033; publicado pela American Psychological Association.)

vante — esse é um dos fatores mais importantes quando julgo certo e errado"). Em seguida, listamos 15 declarações — três para cada um dos cinco alicerces — como "se alguém foi ou não cruel" (para o alicerce Cuidado) ou "se alguém mostrou ou não falta de respeito pela autoridade" (para o alicerce Autoridade).

Brian era o diretor do ProjectImplicit.org, um dos maiores sites de pesquisa na internet, assim conseguimos recrutar 1.600 indivíduos para preencher o MFQ em uma semana. Quando Jesse fez um gráfico dos dados, encontrou exatamente as diferenças que havíamos previsto. Reproduzi o gráfico de Jesse na Figura 8.1, que mostra respostas de pessoas que disseram ser "muito liberais" na extrema esquerda e depois se movem pelo espectro político passando pelos moderados (no meio) até os que se identificaram como "muito conservador" (na extrema direita).[3]

Como podemos ver, as linhas de Cuidado e Justiça (as duas principais) são moderadamente altas em todos os aspectos. Todos — na esquerda, na direita e no centro — dizem que as preocupações com compaixão, crueldade, justiça e injustiça são relevantes para seus julgamentos sobre certo e errado. Ainda assim, as linhas se inclinam para baixo. Os liberais dizem que essas questões são um pouco mais relevantes para a moralidade do que os conservadores.

Mas, quando olhamos para os alicerces de Lealdade, Autoridade e Pureza, a história é bem diferente. Os liberais rejeitam amplamente essas considerações. Eles mostram uma lacuna tão grande entre esses alicerces e os de Cuidado e Justiça que podemos dizer, em resumo, que os liberais têm uma moral de dois alicerces.[4] À medida que avançamos para a direita, as linhas se inclinam para cima. No momento em que alcançamos os que se dizem "muito conservadores", todas as cinco linhas convergiram. Podemos dizer, em resumo, que os conservadores têm uma moral de cinco alicerces. Mas será realmente verdade que os conservadores se preocupam com uma gama mais ampla de valores e questões morais do que os liberais? Ou esse padrão só surgiu por causa das perguntas que fizemos?

No ano seguinte, Jesse, Brian e eu refinamos o MFQ. Adicionamos perguntas que pediam às pessoas que avaliassem sua concordância com as declarações que escrevemos para desencadear intuições relacionadas a cada alicerce. Por exemplo, você concorda com essa declaração de Cuidado: "Uma das piores coisas que uma pessoa pode fazer é machucar um animal indefeso"? Que tal essa declaração sobre Lealdade: "É mais importante ser jogador de equipe do que se expressar"? A descoberta original de Jesse foi reproduzida perfeitamente. Encontramos o mesmo padrão da Figura 8.1, e os resultados foram os mesmo em vários países além dos Estados Unidos.[5]

Comecei a apresentar nossos gráficos sempre que dava palestras sobre psicologia moral. Ravi Iyer, um estudante de pós-graduação da Universidade do Sul da Califórnia, ouviu minha palestra no segundo semestre de 2006 e me enviou um e-mail para perguntar se poderia usar o MFQ em sua pesquisa sobre atitudes em relação à imigração. Ravi é um habilidoso programador web e se ofereceu para nos ajudar a criar um site para nossa própria pesquisa. Na mesma época, Sena Koleva, uma estudante de pós-graduação da Universidade da Califórnia em Irvine, me perguntou se poderia usar o MFQ. Sena estudava psicologia política com seu orientador, Pete Ditto (cujo trabalho sobre "raciocínio motivado" descrevo no Capítulo 4). Respondi sim para os dois pedidos.

Todo mês de janeiro, psicólogos sociais de todo o mundo se reúnem em uma única conferência para conhecer os trabalhos uns dos outros — e para fofocar, fazer contatos e beber. Em 2007, essa conferência foi realizada em Memphis, Tennessee. Ravi, Sena, Pete, Jesse e eu nos encontramos tarde da noite no bar do hotel, para compartilhar nossas descobertas e nos conhecer.

Nós cinco éramos politicamente liberais, mas compartilhávamos da mesma preocupação com a maneira como nosso campo liberal abordava a psicologia política. O objetivo de tantas pesquisas era explicar o que havia de errado com os conservadores. (Por que os conservadores não defendem a igualdade, a diversidade e a mudança, como pessoas normais?) Naquele dia, em uma sessão de psicologia política, vários dos oradores fizeram piadas sobre conservadores ou sobre as limitações cognitivas do presidente Bush. Todos nós achamos que isso estava errado, não apenas moralmente (porque cria um clima hostil para os poucos conservadores que poderiam estar na plateia), mas também cientificamente (porque revela uma motivação para levar a certas conclusões, e todos nós tínhamos plena consciência de como é fácil para as pessoas chegarem às conclusões desejadas).[6] Nós cinco também compartilhamos uma profunda preocupação com a polarização e a incivilidade da vida política norte-americana, e queríamos usar a psicologia moral para ajudar os partidários políticos a se entenderem e se respeitarem.

Conversamos sobre várias ideias para estudos futuros e, para cada uma, Ravi dizia: "Sabe, nós poderíamos fazer isso online." Ele propôs a criação de um site no qual as pessoas pudessem se registrar na primeira visita e, em seguida, participar de dezenas de estudos sobre psicologia moral e política. Poderíamos, então, vincular todas as suas respostas e desenvolver um perfil moral abrangente para cada visitante (anônimo). Em troca, da-

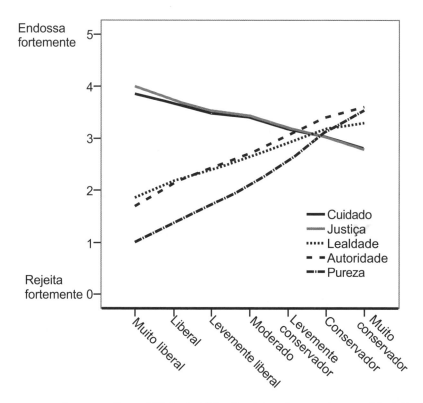

FIGURA 8.2. *A pontuação no MFQ, de 132 mil sujeitos de pesquisa, em 2011.* Dados de YourMorals.org.

mos aos visitantes um feedback detalhado, mostrando seus resultados em comparação com os demais participantes. Se o feedback fosse interessante o suficiente, as pessoas contariam a seus amigos sobre o site.

Nos meses seguintes, Ravi criou o site — www.YourMorals.org [conteúdo em inglês] — e nós cinco trabalhamos juntos para aprimorá-lo. Em 9 de maio, obtivemos a aprovação do comitê de ética em pesquisas com seres humanos da UVA para conduzir a pesquisa, e o site entrou no ar no dia seguinte. Dentro de algumas semanas, estávamos recebendo dez ou mais visitantes por dia. Então, em agosto, o escritor de ciência Nicholas Wade me entrevistou para um artigo no *New York Times* sobre as raízes da moralidade.[7] O artigo, que mencionava nosso site, foi publicado em 18 de setembro e, no final da semana, 26 mil novos visitantes haviam concluído uma ou mais de nossas pesquisas.

A Figura 8.2 mostra nossos dados sobre o MFQ em 2011, com mais de 130 mil indivíduos. Fizemos muitas melhorias desde o primeiro questionário de Jesse, mas sempre encontramos o mesmo padrão básico de 2006. As linhas de Cuidado e Justiça se inclinam para baixo; as linhas de Lealdade, Autoridade e Pureza se inclinam para cima. Os liberais valorizam o Cuidado e a Justiça muito mais do que os outros três alicerces; os conservadores endossam todos os cinco alicerces de maneira mais ou menos igual.[8]

Descobrimos essa diferença básica, não importa como fazemos as perguntas. Por exemplo, em um estudo, perguntamos às pessoas quais características as tornariam mais ou menos propensas a escolher uma raça específica de cachorro como animal de estimação. De que lado do espectro político você acha que essas características seriam mais atraentes?

- A raça é extremamente dócil.
- É muito independente e se relaciona com seu dono como amigo e igual.
- É extremamente fiel à sua casa e família e não se entrosa rapidamente com estranhos.
- É muito obediente e facilmente treinada para receber ordens.
- É muito limpa e, como um gato, cuida muito bem da sua higiene pessoal.

Descobrimos que as pessoas querem cães que se encaixem em suas próprias matrizes morais. Os liberais querem cães que sejam dóceis (ou seja, que se ajustem aos valores do alicerce do Cuidado) e que se relacionem com seus donos como iguais (justiça como igualdade). Os conservadores, por outro lado, querem cães leais (lealdade) e obedientes (autoridade). (O aspecto Pureza não mostrou inclinação partidária; ambos os lados preferem cães limpos.)

O padrão convergente mostrado na Figura 8.2 não é apenas encontrado nas pesquisas pela internet. Também o encontramos na igreja. Jesse reuniu textos de dezenas de sermões de igrejas unitaristas (liberais) e dezenas de outros proferidos em igrejas batistas do sul (conservadoras). Antes de ler

A *Vantagem Conservadora*

os sermões, Jesse identificou centenas de palavras conceitualmente relacionadas a cada alicerce (por exemplo, *paz, cuidado* e *compaixão* do lado positivo do Cuidado, e *sofrimento, cruel* e *brutal* do lado negativo; *obedecer, dever* e *honra* do lado positivo da Autoridade, e *desafiar, desrespeitar* e *rebelar* do lado negativo). Jesse então usou um programa de computador chamado LIWC para contar o número de vezes que cada palavra era usada nos dois conjuntos de textos.[9] Esse método simplificado confirmou nossas descobertas no MFQ: pregadores unitaristas fizeram maior uso das palavras dos alicerces Cuidado e Justiça, enquanto pregadores batistas fizeram mais uso das palavras dos alicerces Lealdade, Autoridade e Pureza.[10]

Também encontramos esse padrão nas ondas cerebrais. Fizemos uma parceria com Jamie Morris, neurocientista social da UVA, para apresentar aos alunos liberais e conservadores 60 sentenças em duas versões. Uma endossava uma ideia consistente com um alicerce específico, e a outra a rejeitava. Por exemplo, metade dos participantes lia: "A igualdade total no local de trabalho é necessária." A outra metade lia a frase: "A igualdade total no local de trabalho é irrealista." Os sujeitos usavam uma touca especial para medir as ondas cerebrais à medida que as palavras em cada frase eram exibidas na tela, uma palavra de cada vez. Mais tarde, analisamos o eletroencefalograma (EEG) para determinar quais cérebros mostraram evidência de surpresa ou choque no momento em que a palavra-chave foi apresentada (por exemplo, *necessária* versus *irrealista*).[11]

Os cérebros liberais mostraram mais surpresa, em comparação com os cérebros conservadores, em resposta a sentenças que rejeitaram preocupações de Cuidado e Justiça. Eles também demonstraram mais surpresa em resposta a sentenças que endossavam preocupações de Lealdade, Autoridade e Pureza (por exemplo: "Na adolescência, os conselhos dos pais devem ser considerados" versus "...devem ser questionados"). Em outras palavras, quando as pessoas escolhem os rótulos de "liberal" ou "conservador", não estão apenas optando por endossar valores diferentes nos questionários. No primeiro meio segundo, depois de ouvir uma declaração, os cérebros partidários já estão reagindo de maneira diferente. Esses flashes iniciais de atividade neural *são* o elefante, inclinando-se levemente, o que faz com que seus ginetes raciocinem de maneira diferente, procurem diferentes tipos de evidências e cheguem a conclusões diferentes. As intuições vêm primeiro, depois vem o raciocínio estratégico.

O QUE FAZ AS PESSOAS VOTAREM EM REPUBLICANOS?

Quando Barack Obama conquistou a indicação democrata para a corrida presidencial, fiquei exultante. Finalmente, parecia que os democratas haviam escolhido um candidato com um paladar moral mais amplo, alguém capaz de falar sobre os cinco alicerces. Em seu livro *A Audácia da Esperança,* Obama mostrou-se um liberal que entendia os argumentos conservadores sobre a necessidade de ordem e o valor da tradição. Quando fez um discurso no Dia dos Pais em uma igreja negra, elogiou o casamento e a família tradicional biparental e apelou aos homens negros para que assumissem mais responsabilidade por seus filhos.[12] Ao proferir um discurso sobre patriotismo, criticou a contracultura liberal da década de 1960 por queimar bandeiras norte-americanas e por não honrar os veteranos que retornavam do Vietnã.[13]

Mas, no segundo semestre de 2008, comecei a me preocupar. Seu discurso para uma importante organização de direitos civis se resumia à justiça social e ganância corporativa.[14] Usou apenas os alicerces de Cuidado e Justiça, e justiça geralmente significava igualdade de renda. Em seu famoso discurso em Berlim, Obama se apresentou como "um concidadão do mundo" e falou de "cidadania global".[15] Criou uma controvérsia meses antes, recusando-se a usar um broche da bandeira dos EUA na lapela do paletó, como costumam fazer os políticos norte-americanos. A controvérsia parecia absurda para os liberais, mas o discurso de Berlim reforçou a narrativa conservadora emergente de que Obama era um liberal universalista, alguém em quem não se podia confiar para colocar os interesses de sua nação acima dos interesses do resto do mundo. Seu oponente, John McCain, aproveitou o fracasso de Obama em edificar sobre o alicerce da Lealdade com seu próprio lema de campanha: "O País Primeiro."

Temendo que Obama seguisse o caminho de Gore e Kerry, escrevi um artigo aplicando a teoria dos alicerces morais à corrida presidencial. Eu queria mostrar aos democratas como falar sobre questões políticas de maneira a ativar mais de dois alicerces. John Brockman, que administra um fórum científico online, o Edge.org, me convidou para publicar o artigo no site,[16] desde que eu retirasse a maioria dos conselhos e me concentrasse na psicologia moral.

Intitulei o artigo: "What Makes People Vote Republican?" [O que Faz as Pessoas Votarem em Republicanos?, em tradução livre]. Comecei resumindo as explicações-padrão que os psicólogos ofereceram por décadas: os conservadores são assim porque foram criados por pais excessivamente rigorosos, porque têm um medo excessivo de mudanças, novidades e complexidade ou porque sofrem de medos e preocupações existenciais e, portanto, se apegam a uma visão de mundo simples, sem tons de cinza.[17] Todas essas abordagens tinham uma característica em comum: usavam a psicologia para explicar o conservadorismo. Elas tornaram desnecessário para os liberais levar a sério ideias conservadoras, porque essas ideias são causadas por infâncias ruins ou traços de personalidade desagradáveis. Sugeri uma abordagem muito diferente: comece assumindo que os conservadores são tão sinceros quanto os liberais e depois use a teoria dos alicerces morais para entender as matrizes morais de ambos os lados.

A ideia principal do ensaio foi a de que existem duas abordagens radicalmente diferentes para o desafio de criar uma sociedade na qual pessoas não relacionadas possam conviver em paz. Uma abordagem foi exemplificada por John Stuart Mill, a outra pelo grande sociólogo francês Emile Durkheim. Descrevi a visão de Mill assim:

> Primeiro, imagine a sociedade como um contrato social elaborado para nosso benefício mútuo. Todos os indivíduos são iguais e todos devem ser deixados o mais livre possível para se mover, desenvolver talentos e formar relacionamentos como desejarem. O santo padroeiro de uma sociedade contratual é John Stuart Mill, que escreveu (em *Sobre a Liberdade*) que "o único propósito pelo qual o poder pode ser exercido legitimamente sobre qualquer membro de uma comunidade civilizada, contra sua vontade, é impedir o dano a terceiros". A visão de Mill atrai muitos liberais e libertários; uma sociedade milliana seria, na melhor das hipóteses, um lugar pacífico,

aberto e criativo, em que indivíduos diferentes respeitam os direitos uns dos outros e se unem voluntariamente (como nos apelos de Obama por "unidade") para ajudar os necessitados ou mudar as leis para o bem comum.

Mostrei como essa visão da sociedade repousa exclusivamente sobre os alicerces do Cuidado e da Justiça. Se você presumir que todos se baseiam nesses dois fundamentos, pode presumir que as pessoas se sentirão incomodadas pela crueldade e pela injustiça e serão motivadas a respeitar os direitos umas das outras. Em seguida, comparei a visão de Mill à de Durkheim:

> Agora imagine a sociedade não como um acordo entre os indivíduos, mas como algo que emergiu organicamente ao longo do tempo, conforme as pessoas iam encontrando maneiras de viver juntas, ligando-se umas às outras, suprimindo o egoísmo umas das outras e punindo os desviantes e parasitas sociais que eternamente ameaçam minar grupos cooperativos. A unidade social básica não é o indivíduo, é a família hierarquicamente estruturada, que serve de modelo para outras instituições. Os indivíduos nessas sociedades nascem em relacionamentos fortes e restritivos que limitam profundamente sua autonomia. O padroeiro desse sistema moral mais vinculativo é o sociólogo Emile Durkheim, que alertou sobre os perigos da anomia (falta de normas) e escreveu, em 1897, que "o homem não pode se apegar a objetivos mais elevados e se submeter a uma regra quando não percebe que exista algo acima dele ao qual ele pertence. Libertar-se de toda pressão social é abandonar-se e desmoralizar-se". Uma sociedade durkheimiana, na melhor das hipóteses, seria uma rede estável composta de muitos grupos aninhados e sobrepostos que socializam, remodelam e cuidam de indivíduos que, se deixados à própria sorte, buscariam prazeres superficiais, carnais e egoístas. Uma sociedade durkheimiana valorizaria o autocontrole acima da autoexpressão, o de-

ver acima dos direitos e a lealdade aos grupos acima das preocupações com grupos externos.

Demonstrei que uma sociedade durkheimiana não pode se sustentar apenas nos alicerces de Cuidado e Justiça.[18] É preciso se basear também nos alicerces de Lealdade, Autoridade e Pureza. Mostrei então como a esquerda norte-americana falha em entender o conservadorismo social e a direita religiosa porque é incapaz de enxergar um mundo durkheimiano como algo além de uma abominação moral.[19] Um mundo durkheimiano é geralmente hierárquico, punitivo e religioso. Ele impõe limites à autonomia das pessoas e apoia as tradições, incluindo frequentemente os papéis de gênero tradicionais. Para os liberais, essa visão deve ser combatida, não respeitada.

Se sua matriz moral repousa inteiramente nos alicerces do Cuidado e da Justiça, é difícil ouvir as implicações sagradas do lema não oficial dos Estados Unidos: E pluribus unum (De muitos, um). Por "sagrado", refiro-me ao conceito que apresentei com o alicerce da Pureza no capítulo anterior. É a capacidade de atribuir um valor infinito a ideias, objetos e eventos, particularmente as ideias, objetos e eventos que unem um grupo em uma única entidade. O processo de conversão pluribus (diversas pessoas) em unum (uma nação) é um milagre que ocorre em todas as nações de sucesso na Terra.[20] As nações declinam ou se segregam quando param de realizar esse milagre.

Na década de 1960, os democratas se tornaram o partido de pluribus. Os democratas geralmente comemoram a diversidade, apoiam a imigração sem assimilação, opõem-se a tornar o inglês o idioma nacional, não gostam de ostentar broches da bandeira na lapela e se dizem cidadãos do mundo. É mesmo de se admirar que tenham se saído tão mal nas eleições presidenciais desde 1968?[21] O presidente é o sumo sacerdote do que o sociólogo Robert Bellah chama de "religião civil norte-americana".[22] O presidente deve invocar o nome de Deus (embora não Jesus), glorificar os heróis e a história dos EUA, citar seus textos sagrados (a Declaração de Independência e a Constituição) e realizar a transubstanciação de pluribus em unum. Os católicos escolheriam um padre que se recusa a falar latim ou que se considera um devoto de todos os deuses?

No restante do artigo, aconselhei os democratas a parar de menosprezar o conservadorismo como uma patologia e começar a pensar na moral além do cuidado e da justiça. Pedi que eles suprissem a lacuna de sacralidade entre as duas partes, fazendo um maior uso dos alicerces de Lealdade, Autoridade e Pureza, não apenas em suas "mensagens", mas em como pensam sobre políticas públicas e os interesses do país.[23]

O QUE DEIXEI PASSAR

O artigo provocou fortes reações dos leitores, às vezes compartilhadas comigo por e-mail. No espectro esquerdo, muitos leitores permaneceram presos em suas matrizes morais baseadas no Cuidado e se recusaram a acreditar que o conservadorismo era uma visão moral alternativa. Por exemplo, um leitor disse que concordava com o meu diagnóstico, mas achava que o narcisismo era um fator adicional que eu não havia mencionado: "Falta de compaixão os define [republicanos], e os narcisistas também carecem dessa importante característica humana." Ele achou "triste" que o narcisismo republicano os impedisse de entender minha perspectiva sobre sua "doença".

As reações da direita foram em geral mais positivas. Muitos leitores com antecedentes militares ou religiosos acharam meu retrato de sua moralidade preciso e útil, como neste e-mail:

> Recentemente, me aposentei da Guarda Costeira dos EUA após 22 anos de serviço... Depois da aposentadoria, consegui um emprego em [uma agência científica do governo]. A cultura [do novo escritório] tende mais para o modelo liberal independente... O que vejo aqui é uma organização repleta de individualismo e lutas internas, à custa de objetivos maiores. Nas Forças Armadas, sempre me impressionei com as grandes ações que poderiam ser realizadas por um pequeno número de pessoas dedicadas com recursos limitados. No meu novo grupo, fico impressionado quando conseguimos realizar qualquer coisa.[24]

A Vantagem Conservadora

Também recebi muitas respostas raivosas, principalmente de adeptos do conservadorismo econômico, que acreditavam que eu havia entendido mal sua moral. Um desses leitores me enviou um e-mail com o assunto "Otário", que explicou da seguinte maneira:

> Voto em republicanos porque sou contra outras pessoas (figuras de autoridade) pegando meu dinheiro (pelo qual trabalho muito) e entregando a uma mãe solteira e improdutiva, que vive de assistência social, parindo bebês viciados em crack que se tornarão futuros democratas. Simples assim... Você é um "filósofo" superinstruído, com mãos macias, que é pago para fazer perguntas estúpidas e apresentar respostas "razoáveis"... Vá tomar ácido e ler um pouco de Jung.

Outro leitor irritado postou em um blog a sua própria lista das "15 principais razões pelas quais as pessoas votam nos democratas". Sua razão número um era "QI baixo", mas o restante de sua lista revelou muito sobre sua matriz moral e seu valor central. Incluiu o seguinte:

- Preguiça.
- Você quer algo a troco de nada.
- Você precisa de alguém para culpar pelos seus problemas.
- Você tem medo de responsabilização pessoal ou simplesmente não está disposto a aceitá-la.
- Você despreza as pessoas que trabalham duro por seu dinheiro, vivem suas próprias vidas e não contam com o governo para obter ajuda para rastejarem até o túmulo.
- Você teve cinco filhos de três homens diferentes e precisa da assistência social.

Esses e-mails transbordavam conteúdo moral, mas tive dificuldade em categorizá-los usando a teoria do alicerce moral. Grande parte do conteúdo estava relacionado à justiça, mas esse tipo de justiça não tinha nada a ver com igualdade. Era a justiça da ética de trabalho protestante e a lei hindu do carma: as pessoas devem colher o que plantam. Quem trabalha arduamente deve poder manter os frutos de seu trabalho. Pessoas preguiçosas e irresponsáveis devem sofrer as consequências.

Esse e-mail e outras respostas dos adeptos do conservadorismo econômico me fizeram perceber que eu e meus colegas do YourMorals.org fizemos um péssimo trabalho ao captar noções conservadoras de justiça, focadas na proporcionalidade, não na igualdade. As pessoas devem receber o que merecem, com base no que fizeram. Presumimos que igualdade e proporcionalidade faziam parte do alicerce da Justiça, mas as perguntas que usamos para medir esse alicerce eram principalmente sobre igualdade e direitos iguais. Portanto, descobrimos que os liberais se preocupavam mais com justiça, e foi isso que deixou os adeptos do conservadorismo econômico tão zangados comigo. Eles acreditam que os liberais não dão a mínima para justiça (como proporcionalidade).

Proporcionalidade e igualdade são duas expressões diferentes do mesmo módulo cognitivo subjacente, como havíamos presumido? Ambas estão relacionadas ao altruísmo recíproco, como Robert Trivers o havia descrito? É fácil explicar por que as pessoas se preocupam com a proporcionalidade e são tão ávidas para punir um trapaceiro. Isso decorre diretamente da análise de Trivers de como nos beneficiamos da troca de favores com parceiros confiáveis. Mas e a igualdade? As preocupações liberais sobre igualdade política e econômica estão realmente relacionadas ao altruísmo recíproco? A raiva passional que as pessoas sentem em relação a agressores e opressores é a mesma que sentem em relação a trapaceiros?

Examinei o que se sabia sobre o igualitarismo nas sociedades caçadoras-coletoras e encontrei um forte argumento para diferenciar esses dois tipos de justiça. O desejo de igualdade parece estar mais intimamente relacionado à psicologia da liberdade e da opressão do que à psicologia da reciprocidade e da troca. Depois de conversar sobre essas questões com meus colegas do YourMorals.org e de conduzir alguns novos estudos sobre vários tipos de justiça e liberdade, adicionamos um sexto alicerce provisório — Liberdade/opressão.[25] Também decidimos rever nosso pensamento sobre justiça para colocar mais ênfase na proporcionalidade. Explico a seguir.

O ALICERCE DA LIBERDADE/OPRESSÃO

No capítulo anterior, sugeri que os humanos são, como nossos ancestrais primatas, equipados de maneira inata para viver em hierarquias de domínio que podem ser bastante brutais. Mas se isso é verdade, por que as sociedades caçadoras-coletoras nômades são sempre igualitárias? Não há hierarquia (pelo menos entre os homens adultos), não há chefe, e as normas do grupo incentivam ativamente o compartilhamento de recursos, em especial a carne.[26] As evidências arqueológicas corroboram com essa visão, indicando que nossos ancestrais viveram centenas de milhares de anos em bandos igualitários de caçadores-coletores variáveis.[27] A hierarquia só se dissemina quando os grupos adotam a agricultura ou domesticam animais e se tornam mais sedentários. Essas mudanças criam muito mais propriedades privadas e grupos de tamanhos muito maiores. E também acabaram com a igualdade. A melhor terra e uma parte de tudo o que as pessoas produzem geralmente são controladas por um chefe, líder ou pela classe de elite (que levava algumas de suas riquezas para o túmulo, o que facilitou a interpretação dos arqueólogos no futuro). Então, nossas mentes são "estruturadas antes da experiência" para hierarquia ou para a igualdade?

Segundo o antropólogo Christopher Boehm, para a hierarquia. Boehm estudou culturas tribais no início de sua carreira, mas também estudou chimpanzés com Jane Goodall. Ele reconheceu as semelhanças extraordinárias na maneira como humanos e chimpanzés exibem domínio e submissão. Em seu livro *Hierarchy in the Forest* [sem publicação no Brasil], Boehm concluiu que os seres humanos são inatamente hierárquicos, mas que, em algum momento dos últimos milhões de anos, nossos ancestrais passaram por uma "transição política" que lhes permitiu viver como igualitários, unindo-se para reprimir, punir ou matar qualquer pretenso macho alfa que tentasse dominar o grupo.

Chimpanzés machos alfa não são verdadeiramente *líderes* dos seus grupos. Eles prestam alguns serviços públicos, como mediação de conflitos.[28] Mas, na maioria das vezes, são mais bem descritos como *valentões* que pegam o que querem. No entanto, mesmo entre os chimpanzés, às vezes acontece de os subordinados se unirem para derrubar os alfas, chegando ocasionalmente ao ponto de matá-los.[29] Os chimpanzés alfa devem conhecer seus limites e ter habilidade política suficiente para cultivar alguns aliados e evitar a rebelião.

Imagine a vida hominídea ancestral como um tenso equilíbrio de poder entre o alfa (e um ou dois aliados) e o conjunto maior de homens que são excluídos do poder. Então arme todos com lanças. É provável que o equilíbrio de poder mude quando a força física não decide mais o resultado de cada luta. Basicamente, foi isso que aconteceu, sugere Boehm, à medida que nossos ancestrais desenvolviam melhores armas para caçar e abater a partir de 500 mil anos atrás, quando o registro arqueológico começa a mostrar um afloramento de ferramentas e tipos de armas.[30] Uma vez que os humanos primitivos desenvolveram lanças, qualquer um poderia matar um macho alfa metido a valentão. E, se você adicionar a capacidade de se comunicar com a linguagem e considerar que toda sociedade humana usa a linguagem para fofocar sobre violações morais,[31] fica mais fácil perceber como os humanos desenvolveram a capacidade de se unir para envergonhar, marginalizar ou matar alguém cujo comportamento ameaçava ou simplesmente irritava o resto do grupo.

A afirmação de Boehm é que, em algum momento do último meio milhão de anos, bem após o advento da linguagem, nossos ancestrais criaram as primeiras comunidades morais verdadeiras.[32] Nessas comunidades, as pessoas usavam a fofoca para identificar comportamentos de que não gostavam, particularmente os comportamentos agressivos e dominantes de aspirantes a macho alfa. Nas raras ocasiões em que as fofocas não eram suficientes para colocá-los na linha, elas tinham a capacidade de usar armas para derrotá-los. Boehm cita um relato dramático de tal comunidade em ação entre o povo !Kung do deserto de Kalahari:

> Um homem chamado Twi matou outras três pessoas, quando a comunidade, em um raro episódio de unanimidade, o

emboscou e feriu fatalmente em plena luz do dia. Enquanto ele estava morrendo, todos os homens o atacaram com flechas envenenadas até que, nas palavras de um informante, "ele parecia um porco-espinho". Então, depois que ele morreu, todas as mulheres e homens se aproximaram de seu corpo e o espetaram com lanças, simbolicamente compartilhando a responsabilidade por sua morte.[33]

Não que a natureza humana de repente tenha mudado e se tornado igualitária; os homens ainda tentavam dominar os outros quando podiam se safar. As pessoas munidas de armas e fofocas criaram o que Boehm chama de "hierarquias de dominância reversa", nas quais cidadãos comuns se unem para dominar e conter potenciais machos alfa. (É estranhamente semelhante ao sonho de Marx da "ditadura do proletariado".)[34] O resultado é um estado frágil de igualitarismo político alcançado pela cooperação entre criaturas inatamente predispostas a arranjos hierárquicos. É um ótimo exemplo de como o que é "inato" se refere apenas a um primeiro esboço da mente. A edição final pode parecer bem diferente, então é um erro olhar para os caçadores-coletores de hoje e dizer: "Veja, é assim a *verdadeira* natureza humana!"

Para os grupos que fizeram essa transição política para o igualitarismo, houve um espetacular avanço no desenvolvimento de matrizes morais. As pessoas agora viviam em redes muito mais densas de normas, sanções informais e, ocasionalmente, punições violentas. Aqueles capazes de navegar com habilidade neste novo mundo e manter boas reputações foram recompensados ao ganhar a confiança, a cooperação e o apoio político de outros. Aqueles que não respeitavam as normas do grupo ou que agiam como agressores eram removidos do pool genético ao serem marginalizados, expulsos ou mortos. As práticas de genes e cultura (como o assassinato coletivo de degenerados) coevoluíram.

O resultado final, diz Boehm, foi um processo às vezes chamado de "autodomesticação". Assim como os criadores de animais podem produzir criaturas mais mansas e dóceis, procriando seletivamente para essas características, nossos ancestrais começaram a se reproduzir seletivamente (de

FIGURA 8.3. *A Bandeira do estado da Virgínia, ilustrando o alicerce da Liberdade/opressão.*

maneira não intencional) para a capacidade de construir matrizes morais compartilhadas e depois viver cooperativamente dentro delas.

O alicerce Liberdade/opressão, proponho, evoluiu em resposta ao desafio adaptativo de viver em pequenos grupos com indivíduos que, se tivessem a chance, dominariam, intimidariam e coagiriam os outros. Os gatilhos originais, portanto, incluem sinais de tentativa de dominação. Qualquer coisa que sugira o comportamento agressivo e controlador de um macho (ou fêmea) alfa pode desencadear essa forma de raiva moralista, às vezes chamada de *reatância*. (O desejo ainda mais forte de praticar uma ação quando uma autoridade diz que você não pode.)[35] Mas as pessoas não sofrem opressão sozinhas; a ascensão de um pretenso dominador desencadeia uma motivação para se unir como iguais a outros indivíduos oprimidos para resistir, conter e, em casos extremos, matar o opressor. Os indivíduos que não conseguem detectar sinais de dominação e responder a eles com raiva moralista e unificadora de grupos enfrentaram a perspectiva de acesso reduzido a alimentos, a parceiros e todas as outras coisas que tornam os indivíduos (e seus genes) bem-sucedidos no sentido darwiniano.[36]

O alicerce de Liberdade obviamente opera em conflito com o de Autoridade. Todos nós reconhecemos alguns tipos de autoridade como legítimos em alguns contextos, mas também somos cautelosos com aqueles que afirmam ser líderes, a menos que primeiro tenham conquistado nossa confiança. Estamos atentos a sinais de que eles cruzaram a linha para a autoexaltação e tirania.[37]

É o alicerce da Liberdade que fundamenta a matriz moral de revolucionários e "combatentes da liberdade" em todos os lugares. A Declaração Americana da Independência é uma longa enumeração de "reiterados ataques e usurpações, todos com objetivo direto de estabelecer uma Tirania absoluta sobre esses estados". O documento começa com a afirmação de que "todos os homens são criados igualmente" e termina com uma promessa de unidade: "Empenhamos mutuamente nossas vidas, nossas fortunas e nossa sagrada honra." Os revolucionários franceses, da mesma forma, tiveram que clamar por *fraternité* e *égalité* para atrair os cidadãos comuns a se juntarem a eles em sua busca regicida por *liberté*.

A bandeira do meu estado, Virgínia, celebra o assassinato (veja a Figura 8.3). É uma bandeira bizarra, a menos que você entenda o alicerce da Liberdade/opressão. A bandeira mostra a virtude (encarnada como uma mulher) pisando sobre o peito de um rei morto, com o lema *Sic sempre tiranis* ("Assim sempre aos tiranos"). Esse foi o grito de guerra atribuído a Marcus Brutus quando ele e seus coconspiradores assassinaram Júlio César por agir como um macho alfa. John Wilkes Booth gritou a mesma frase do centro do palco no Teatro Ford momentos depois de atirar em Abraham Lincoln (a quem os sulistas consideravam um tirano que os impedia de declarar independência).

O assassinato de autoridades muitas vezes parece virtuoso para os revolucionários. De alguma forma é *sentido* como a coisa certa a se fazer, e esses sentimentos parecem muito distantes do altruísmo recíproco de Trivers e do "toma lá, dá cá". Isso não é justiça. Essa é a transição política de Boehm e a dominância reversa.

Se os gatilhos originais desse alicerce incluem agressores e tiranos, os gatilhos reais incluem quase tudo que é percebido como uma imposição de restrições ilegítimas à liberdade de alguém, inclusive do governo (na pers-

FIGURA 8.4. *A liberdade dos liberais: Interior de um café em New Paltz, Nova York.* O cartaz à direita declara: "Ninguém é livre quando há oprimidos." A bandeira à direita mostra logos de empresas substituindo as estrelas na bandeira dos EUA. O cartaz ao centro declara: "Como acabar com a violência contra mulheres e crianças."

pectiva da direita norte-americana). Em 1993, quando Timothy McVeigh foi preso poucas horas depois de explodir um prédio federal em Oklahoma City, matando 168 pessoas, ele vestia uma camiseta com os dizeres *Sic sempre tyrannis*. De maneira menos ameaçadora, a raiva populista do movimento Tea Party se fundamenta sobre esse alicerce, como mostra sua bandeira não oficial, que declara "Não pise em mim" (veja a Figura 7.4).

Mas, apesar dessas manifestações por parte da direita, o desejo de se unir para combater a opressão e substituí-la pela igualdade política parece ser pelo menos tão prevalente quanto na esquerda. Por exemplo, um leitor liberal do meu artigo sobre os republicanos expressou a tese de Boehm com precisão:

> O inimigo da sociedade para um liberal é alguém que abusa de seu poder (autoridade) e ainda exige, e, em alguns casos, obriga outros a "respeitá-lo" de qualquer maneira... Uma autoridade liberal é alguém ou algo que conquista o respeito da sociedade fazendo as coisas acontecerem de modo a *unificar a sociedade e suprimir seu inimigo*. [Grifo meu.][38]

Não é apenas o acúmulo e o abuso de poder político que ativa a raiva do alicerce da Liberdade/opressão; os gatilhos reais podem se expandir

FIGURA 8.5. *A liberdade dos conservadores: um carro em um dormitório na Liberty University, Lynchburg, Virgínia*. O adesivo inferior declara: "Libertarianismo: Mais Liberdade, Menos Governo."

para abranger a acumulação de riqueza, o que ajuda a explicar a aversão generalizada ao capitalismo por parte da extrema esquerda. Por exemplo, um leitor liberal me explicou: "O capitalismo é, por fim, predatório — uma sociedade moral será socialista, ou seja, as pessoas se ajudarão."

É possível perceber a forte dependência do alicerce da Liberdade/opressão sempre que as pessoas falam sobre justiça social. Os proprietários de uma cafeteria progressista e "coletivo cultural" em New Paltz, Nova York, usaram esse alicerce, e o de Cuidado, em suas escolhas de decoração, como podemos ver na Figura 8.4.

O ódio à opressão pode ser encontrado de ambos os lados do espectro político. Para os liberais — que são mais universalistas e mais apoiados no alicerce do Cuidado/dano —, a diferença parece ser que o alicerce Liberdade/opressão é empregado a serviço dos desafortunados, vítimas e grupos impotentes em toda parte. Isso leva os liberais (mas não outros) a sacralizar a igualdade, que é então conquistada por meio da luta por direitos civis e humanos. Os liberais às vezes vão além da igualdade de *direitos* para buscar a igualdade de *resultados*, que não pode ser obtida em um sistema capitalista. Pode ser por isso que a esquerda geralmente defende impostos mais altos sobre os ricos, altos níveis de serviços oferecidos aos pobres e, às vezes, uma renda mínima garantida para todos.

Os conservadores, por outro lado, são mais paroquiais — mais preocupados com seus grupos do que com toda a humanidade. Para eles, o alicerce Liberdade/opressão e o ódio à tirania sustentam muitos dos princípios do conservadorismo econômico: não pise em mim (com seu Estado liberal "babá" e seus altos impostos), não pise nos meus negócios (com suas regulamentações opressivas) e não pise na minha nação (com suas Nações Unidas e seus tratados internacionais de redução de soberania).

Os conservadores norte-americanos, portanto, sacralizam a palavra *liberdade*, não a palavra *igualdade*. Isso os une politicamente aos libertários. O pregador evangélico Jerry Falwell escolheu o nome Liberty University quando fundou sua faculdade ultraconservadora em 1971. A Figura 8.5 mostra o carro de um aluno da Liberty. Em geral, estudantes da Liberty são pró-autoridade. Defendem as famílias patriarcais tradicionais. Mas se opõem à dominação e ao controle de um governo secular, especialmente um governo liberal que (segundo temem) usa seu poder para redistribuir a riqueza (como se pensava que o "camarada Obama" faria).

JUSTIÇA COMO PROPORCIONALIDADE

O movimento Tea Party surgiu aparentemente do nada nos primeiros meses da presidência de Obama para remodelar o cenário político norte-americano e realinhar a guerra cultural nos EUA. O movimento se intensificou em 19 de fevereiro de 2009, quando Rick Santelli, correspondente de uma rede de notícias de negócios, lançou um vídeo criticando um novo programa destinando US$75 bilhões para ajudar os proprietários que haviam tomado emprestado mais dinheiro do que conseguiam agora pagar. Santelli, que transmitia ao vivo do pregão da Bolsa Mercantil de Chicago, disse: "O governo está promovendo o mau comportamento." Ele então pediu ao presidente Obama que lançasse um site para realizar um referendo nacional

> para saber se realmente queremos *subsidiar as hipotecas dos perdedores*, ou se gostaríamos de pelo menos comprar carros e casas em execução hipotecária e entregá-los a pessoas que possam ter uma chance de realmente prosperar no futuro e *recompensar as pessoas capazes de carregar a água em vez de apenas bebê-la*. [Nesse momento, surgem aplausos atrás dele]... Esses são os Estados Unidos. Quantos de vocês querem *pagar pela hipoteca de seus vizinhos que têm um banheiro extra e não conseguem pagar as contas?* Presidente Obama, você está ouvindo? [Grifo meu.]

Santelli então anunciou que estava pensando em sediar um "Tea Party em Chicago" em julho.[39] Os comentaristas da esquerda zombavam de Santelli, e muitos pensavam que ele estava endossando a repulsiva moralidade do tipo "lei da selva", na qual os "perdedores" (muitos dos quais foram enganados por credores sem escrúpulos) deveriam ser deixados à própria sorte. Mas, de fato, Santelli defendia a lei do carma.

Demorei muito tempo para entender a justiça, porque, como muitas pessoas que estudam moralidade, eu pensava na justiça como uma forma de interesse próprio esclarecido, com base na teoria de altruísmo recíproco de Trivers. Os genes para a justiça evoluíram, disse Trivers, porque as pessoas que tinham esses genes superaram as que não os tinham. Não precisamos abandonar a ideia do *Homo economicus;* apenas temos que dar a ele reações emocionais que o obriguem a brincar de "toma lá, dá cá".

Nos últimos dez anos, no entanto, os teóricos da evolução perceberam que o altruísmo recíproco não é tão fácil de encontrar em espécies não humanas.[40] A alegação muito divulgada de que os morcegos hematófagos compartilham suas fontes de sangue com outros morcegos que anteriormente fizeram o mesmo com eles acabou sendo demonstrada como um caso de seleção de parentesco (parentes que compartilham suas fontes alimentares), não de altruísmo recíproco.[41] A evidência de reciprocidade em chimpanzés e macacos-prego é melhor, mas ainda ambígua.[42] Parece que é preciso mais do que apenas um alto nível de inteligência social para se obter o altruísmo recíproco. É preciso o tipo de comunidade moralista, fofoqueira e punitiva que surgiu apenas quando a linguagem e o armamento possibilitaram que os primeiros humanos derrotassem os agressores e os mantivessem reprimidos usando uma matriz moral compartilhada.[43]

O altruísmo recíproco também é incapaz de explicar por que as pessoas cooperam em atividades do grupo. A reciprocidade funciona muito bem para pares de pessoas, que podem se engajar no "toma lá, dá cá", mas em grupos geralmente não é do interesse de um indivíduo ser o carrasco — aquele que pune os preguiçosos. Mesmo assim, punimos, e nossa propensão a punir acaba sendo uma das chaves da cooperação em larga escala.[44] Em um experimento clássico, os economistas Ernst Fehr e Simon Gächter pediram a estudantes suíços que participassem de 12 rodadas de um jogo de "bens públicos".[45] O jogo é o seguinte: você e seus 3 parceiros recebem 20 fichas em cada rodada (cada uma vale cerca de US$0,10). Você pode manter suas fichas ou "investir" algumas ou todas no "banco" comum do grupo. No final de cada rodada, os pesquisadores multiplicam as fichas no "banco" por 1,6 e depois dividem o montante entre os 4 jogadores. Portanto, se todos colocarem todas as 20 fichas, o montante aumentará de 80 para 128 e todos ficarão com 32 fichas (que se transformam em dinheiro real no final do experimento). Mas cada indivíduo se sai melhor se guardar suas fichas: se não apostar nada enquanto seus parceiros colocam 20 fichas cada, você mantém suas 20 fichas mais um quarto do montante fornecido por seus confiantes parceiros (um quarto de 96), assim termina a rodada com 44 fichas.

Cada participante estava em um computador em um cubículo, para que ninguém soubesse quem eram seus parceiros em uma rodada em particular, embora vissem uma tela de feedback após cada rodada revelando exatamente quanto cada um dos quatro jogadores havia contribuído. Além disso, após cada rodada, Fehr e Gächter embaralharam os grupos para que cada pessoa jogasse com três novos parceiros — não havia chance de desenvolver normas de confiança, nem chance de alguém usar o "toma lá, dá cá" (mantendo as próprias fichas na rodada seguinte quando alguém "trapaceia" na rodada atual).

Nessas circunstâncias, a escolha certa para o *Homo economicus* é clara: não contribua, nunca. No entanto, de fato, os estudantes contribuíram para o montante comum — cerca de dez fichas na primeira rodada. Mas, no decorrer do jogo, as pessoas se sentiram prejudicadas pelas baixas contribuições de alguns de seus parceiros, e as contribuições caíram de forma constante, chegando a cerca de seis fichas na sexta rodada.

Esse padrão — cooperação parcial, mas em declínio — já havia sido relatado anteriormente. Mas eis a razão pela qual esse estudo é tão brilhante: após a sexta rodada, os pesquisadores disseram aos sujeitos que havia uma nova regra: depois de saber quanto cada um de seus parceiros contribuiu em cada rodada, agora você teria a opção de pagar, com suas próprias fichas, para *punir* especificamente outros jogadores. Cada ficha que você paga para punir tira três fichas do jogador punido.

Para o *Homo economicus,* o curso de ação certo está mais uma vez perfeitamente claro: nunca pague para punir, porque você nunca mais jogará com esses três parceiros; portanto, não há chance de se beneficiar da reciprocidade ou de se beneficiar de uma reputação sólida. No entanto, notavelmente, *84% dos sujeitos pagaram para punir,* pelo menos uma vez. E, ainda mais notável, *a cooperação disparou* na primeira rodada em que o castigo foi permitido, e continuou subindo. Na décima segunda rodada, a contribuição média foi de 15 fichas.[46] Punir o mau comportamento promove a virtude e beneficia o grupo. E, como Glauco argumentou em seu exemplo do anel de Giges, quando a ameaça de punição é removida, as pessoas se comportam de maneira egoísta.

Por que a maioria dos jogadores pagou para punir? Em parte, pela sensação boa que proporciona.[47] Detestamos ver as pessoas explorando outras. Queremos ver trapaceiros e preguiçosos "receber o que merecem". Queremos que a lei do carma siga seu curso e estamos dispostos a ajudar a aplicá-la.

Quando as pessoas trocam favores, ambas as partes acabam mais ou menos em posição de igualdade, e é fácil pensar (como eu pensava) que o

FIGURA 8.6. *Justiça como proporcionalidade.* A direita normalmente se preocupa mais em apanhar e punir parasitas sociais do que a esquerda. (Pôster de campanha do Partido Conservador nas eleições parlamentares no Reino Unido em 2010. Trad: "Cortaremos os benefícios daqueles que se recusam a trabalhar.")

altruísmo recíproco é a fonte das intuições morais sobre igualdade. Mas o igualitarismo parece estar mais enraizado no ódio à dominação do que no amor à igualdade em si.[48] O sentimento de ser dominado ou oprimido por um valentão é muito diferente do sentimento de ser enganado em uma troca de bens ou favores.

Depois que minha equipe no YourMorals.org identificou a Liberdade/opressão como o sexto alicerce (provisoriamente) separado, começamos a perceber que, em nossos dados, as preocupações com a igualdade política estavam relacionadas a uma aversão à opressão e à preocupação com as vítimas, não a um desejo de reciprocidade.[49] E se o amor à igualdade política se apoia nos alicerces de Liberdade/opressão e Cuidado/dano em vez de Justiça/trapaça, então o alicerce de Justiça não tem mais uma personalidade dividida; não se trata mais de igualdade *e* proporcionalidade. Está relacionado principalmente à proporcionalidade.

Quando as pessoas trabalham juntas em uma tarefa, em geral, querem ver os trabalhadores mais dedicados obterem os maiores ganhos.[50] As pessoas geralmente querem igualdade de resultados, mas isso porque é normal que as contribuições das pessoas sejam iguais. Quando as pessoas repartem dinheiro ou qualquer outro tipo de recompensa, a igualdade é apenas um caso especial do princípio mais amplo da proporcionalidade. Quando alguns membros de um grupo contribuem muito mais do que os outros — ou ainda pior, quando alguns não contribuem com nada —, a maioria dos adultos *não* quer ver os benefícios distribuídos igualmente.[51]

Podemos, portanto, refinar a descrição do alicerce de Justiça fornecido no capítulo anterior. Ainda é um conjunto de módulos que evoluíram em resposta ao desafio adaptativo de colher os frutos da cooperação sem ser explorado por parasitas.[52] Mas, agora que começamos a falar sobre comunidades morais nas quais a cooperação é sustentada por fofocas e punições, podemos enxergar além de *indivíduos* tentando escolher parceiros (sobre o que falei no capítulo anterior). Podemos perceber melhor o forte desejo das pessoas de proteger suas *comunidades* contra trapaceiros, preguiçosos e parasitas, que, se permitissem seguir seus caminhos sem serem importunados, fariam com que outros parassem de cooperar, o que levaria a sociedade à ruína. O alicerce Justiça sustenta a raiva moralista quando alguém o engana diretamente (por exemplo, um revendedor de carros que conscientemente lhe vende um abacaxi). Mas também embasa uma preocupação mais generalizada com trapaceiros, sanguessugas e qualquer pessoa que "beba a água", em vez de carregá-la para o grupo.

Os gatilhos reais do alicerce da Justiça variam dependendo do tamanho do grupo e de muitas circunstâncias históricas e econômicas. Em uma grande sociedade industrial com uma rede de proteção social, é provável que os gatilhos reais incluam pessoas que contam com essa rede de proteção para mais do que uma ajuda em um momento de desespero. Preocupações com o abuso da rede de proteção social explicam os e-mails irritados que recebi dos adeptos do conservadorismo econômico, como o homem que não queria que o dinheiro de seus impostos fossem para "uma mãe solteira e improdutiva, que vive de assistência social, parindo bebês viciados em crack que se tornarão futuros democratas". Explica a lista elaborada pelos conservadores das razões pelas quais as pessoas votam nos democratas, como "preguiça" e "você despreza as pessoas que trabalham duro por seu dinheiro, vivem suas próprias vidas e não dependem do governo para obter ajuda para rastejarem até o túmulo". Explica o discurso de Santelli sobre o resgate aos donos de imóveis, muitos dos quais haviam mentido em seus pedidos de hipoteca para se qualificar para grandes em-

FIGURA 8.7. *Um carro em Charlottesville, Virgínia, cujo dono prefere a compaixão à proporcionalidade.* Trad.: "Olho por olho e o mundo acabará cego."

préstimos aos quais não faziam jus. E explica o pôster da campanha na Figura 8.6, do Partido Conservador de David Cameron, no Reino Unido.

TRÊS VERSUS SEIS

Juntando tudo que foi dito: a teoria dos alicerces morais diz que existem (pelo menos) seis sistemas psicológicos que compõem os alicerces universais das muitas matrizes morais do mundo.[53] As várias moralidades encontradas na esquerda política tendem a repousar com mais intensidade nos alicerces de Cuidado/dano e Liberdade/opressão. Esses dois alicerces apoiam ideais de justiça social, que enfatizam a compaixão pelos pobres e uma luta pela igualdade política entre os subgrupos que compõem a sociedade. Os movimentos de justiça social enfatizam a solidariedade — clamam que as pessoas se unam para combater a opressão das elites dominantes e intimidadoras. (É por isso que não existe um alicerce de igualdade separado. As pessoas não almejam a igualdade por si só; elas lutam pela igualdade quando percebem que estão sendo intimidadas ou dominadas, como durante as revoluções norte-americana e francesa e as revoluções culturais da década de 1960.)[54]

Todos — esquerda, direita e centro — se preocupam com o Cuidado/dano, mas os liberais se preocupam mais. De acordo com muitas medidas, pesquisas e controvérsias políticas, os liberais acabam sendo mais perturbados pelos sinais de violência e sofrimento, em comparação com os conservadores e, especialmente, com os libertários.[55]

Todos — esquerda, direita e centro — se preocupam com a Liberdade/opressão, mas cada facção política se importa de uma maneira diferente. Nos Estados Unidos de hoje, os liberais estão mais preocupados com os direitos de certos grupos vulneráveis (por exemplo, minorias raciais, crianças, animais) e esperam que o governo defenda os fracos contra a opressão dos fortes. Os conservadores, por outro lado, sustentam ideias mais tradicionais de liberdade como o direito de serem deixados em paz, e frequentemente se ressentem de programas liberais que usam o governo para violar suas liberdades, a fim de proteger os grupos com os quais os liberais mais se importam.[56] Por exemplo, os pequenos empresários apoiam predominantemente o Partido Republicano,[57] em parte, porque se ressentem de o governo lhes dizendo como administrar seus negócios sob a bandeira de proteção de trabalhadores, minorias, consumidores e do ambiente. Isso ajuda a explicar por que os libertários ficaram do lado do Partido Republicano nas últimas décadas. Eles se preocupam quase que exclusivamente com a liberdade,[58] e sua concepção de liberdade é a mesma dos republicanos: é o direito de ser deixado em paz, livre de interferências do governo.

O alicerce da Justiça/trapaça se refere à proporcionalidade e à lei do carma. Trata de se assegurar que as pessoas obtenham o que merecem e não recebam o que não merecem. Todos — esquerda, direita e centro — se preocupam com a proporcionalidade; todo mundo fica com raiva quando pessoas recebem mais do que merecem. Mas os conservadores se preocupam mais e são fortemente embasados pelo alicerce da Justiça — uma vez que a justiça é restrita à proporcionalidade. Por exemplo, quão relevante é para sua moralidade que "todos façam a sua parte"? Você concorda que "quem trabalha mais deva receber mais"? Os liberais não rejeitam esses aspectos, mas são ambivalentes. Os conservadores, ao contrário, os endossam com entusiasmo.[59]

Os liberais podem achar que seu conceito de carma se deva às suas associações com a Nova Era, mas uma moralidade baseada na compaixão e nas preocupações com a opressão os força a violar o carma (proporcionalidade) de várias maneiras. Os conservadores, por exemplo, acreditam que é evidente que as respostas ao crime devam ser baseadas na proporcionalidade, como mostrado em slogans como "Pratique o crime, cumpra pena" e "Três delitos e você já era". No entanto, os liberais costumam se sentir desconfortáveis com o lado negativo do carma — a retaliação —, como mostrado no adesivo na Figura 8.7. Afinal, a retaliação causa dano, e o dano ativa o alicerce de Cuidado/dano. Um estudo recente constatou que os professores liberais distribuem notas aos alunos dentro de uma faixa de variação muito mais restrita do que os professores conservadores. Os professores conservadores estão mais dispostos a recompensar os melhores alunos e punir os piores.[60]

Os três alicerces restantes — Lealdade/traição, Autoridade/subversão e Pureza/degradação — apresentam as maiores e mais consistentes diferenças partidárias. Os liberais são ambivalentes sobre esses alicerces, na melhor das hipóteses, enquanto os conservadores sociais os adotam. (Os libertários fazem pouco uso deles, e é por isso que tendem a apoiar posições liberais em questões sociais como casamento gay, uso de drogas e leis para "proteger" a bandeira norte-americana.)

Comecei este capítulo contando nossa descoberta original: os liberais têm uma moral de dois alicerces, baseada no Cuidado e Justiça, enquanto os conservadores têm uma moral de cinco alicerces. Mas, com base no que aprendemos nos últimos anos, preciso revisar essa declaração. Os liberais têm uma moral de três alicerces, enquanto os conservadores usam todos os seis. As matrizes morais liberais se apoiam nos alicerces de Cuidado/dano, Liberdade/opressão e Justiça/trapaça, embora os liberais frequentemente se disponham a abrir mão da justiça (como proporcionalidade) quando ela entra em conflito com a compaixão ou com seu desejo de combater a opressão. A moralidade conservadora repousa sobre todos os seis alicerces, embora os conservadores estejam mais dispostos do que os liberais a sacrificar o Cuidado e permitir que algumas pessoas se machuquem para que alcancem seus muitos outros objetivos morais.

EM SUMA

A psicologia moral pode ajudar a explicar por que o Partido Democrata tem tanta dificuldade em se conectar com os eleitores desde 1980. Os republicanos entendem melhor o modelo intuicionista social do que os democratas. Falam de maneira mais direta com o elefante. Eles também têm uma melhor compreensão da teoria dos alicerces morais; e acionam todos os receptores de paladar.

Apresentei a visão durkheimiana da sociedade, preferida pelos conservadores sociais, na qual a unidade social básica é a família, e não o indivíduo, e em que ordem, hierarquia e tradição são altamente valorizadas. Comparei essa visão com a visão liberal milliana, que é mais aberta e individualista. Afirmei que uma sociedade milliana tem dificuldade em transformar *pluribus* em *unum*. Os democratas geralmente buscam políticas que promovam *pluribus* ao custo do *unum*, políticas que os deixam abertos a acusações de traição, subversão e sacrilégio.

Descrevi então como meus colegas e eu revisamos a teoria dos alicerces morais para explicar melhor as intuições sobre liberdade e justiça:

- Adicionamos o alicerce Liberdade/opressão, que faz as pessoas perceberem e se ressentirem de qualquer sinal de tentativa de dominação. Isso desencadeia um desejo de se unir para resistir ou derrotar agressores e tiranos. Esse alicerce sustenta o igualitarismo e o antiautoritarismo da esquerda, bem como a raiva antigoverno representada por "não pise em mim" e "me dê liberdade" dos libertários e de alguns conservadores.

- Modificamos o alicerce Justiça para focar mais a proporcionalidade. Ele começa com a psicologia do altruísmo recíproco, mas seus deveres foram expandidos quando os humanos criaram comunidades morais fofoqueiras e punitivas. A maioria das pessoas tem uma profunda preocupação intuitiva com a lei do carma — elas querem ver trapaceiros punidos e bons cidadãos recompensados na proporção de suas ações.

Com essas revisões, a teoria dos alicerces morais agora pode explicar um dos grandes enigmas que preocuparam os democratas nos últimos anos: por que os norte-americanos das áreas rurais e da classe trabalhadora geralmente votam nos republicanos quando é o Partido Democrata que deseja redistribuir o dinheiro de maneira mais uniforme?

Os democratas costumam dizer que os republicanos enganaram essas pessoas a votarem contra seus interesses econômicos. (Essa foi a tese do popular livro de 2004 *What's the Matter with Kansas?* [sem publicação no Brasil].)[61] Mas, da perspectiva da teoria dos alicerces morais, os eleitores das áreas rurais e da classe trabalhadora estavam de fato votando de acordo com seus interesses *morais*. Eles não querem comer no restaurante The True Taste, e não querem que sua nação se dedique principalmente ao cuidado das vítimas e à busca da justiça social. Até que os democratas compreendam a visão durkheimiana da sociedade e a diferença entre uma moral de seis alicerces e uma de três, eles não entenderão o que leva as pessoas a votar nos republicanos.

Na Parte I deste livro, apresentei o primeiro princípio da psicologia moral: *As intuições vêm primeiro, depois vem o raciocínio estratégico.* Na Parte II, descrevi essas intuições em detalhes ao apresentar o segundo princípio: *A moralidade envolve mais do que dano e justiça.* Agora, estamos prontos para examinar como a diversidade moral pode facilmente segregar pessoas boas em grupos hostis que não querem se entender. Estamos prontos para avançar para o terceiro princípio: *A moralidade agrega e cega.*

PARTE III

A Moralidade Agrega e Cega

Metáfora Central

Somos 90% chimpanzés e 10% abelhas.

NOVE

Por que Tendemos a Formar Grupos?

Nos terríveis dias após os ataques terroristas de 11 de Setembro de 2001, senti um desejo tão primitivo que fiquei envergonhado em admiti-lo aos meus amigos: queria colocar um adesivo da bandeira dos EUA no meu carro.

O desejo parecia surgir do nada, sem conexão com qualquer coisa que já fizera. Era como se houvesse uma caixa de alarme ancestral no fundo do meu cérebro com uma placa dizendo: "Em caso de ataque estrangeiro, quebre o vidro e aperte o botão." Eu não sabia que o alarme estava lá, mas quando os quatro aviões quebraram o vidro e apertaram o botão, tive um senso avassalador de ser norte-americano. Queria fazer algo, qualquer coisa, para apoiar meus pares. Como tantos outros, doei sangue e dinheiro para a Cruz Vermelha. Estava mais aberto e prestativo com estranhos. E queria mostrar minha participação em meu time exibindo a bandeira de alguma maneira.

Mas eu era professor, e professores não fazem essas coisas. Bandeira e nacionalismo são para conservadores. Os professores são universalistas liberais que viajam pelo mundo todo, com um reflexo de cautela em dizer que sua nação é melhor do que as outras.[1] Quando vemos uma bandeira dos EUA em um carro no estacionamento de funcionários da UVA, podemos apostar que o carro pertence a uma secretária ou a um trabalhador braçal.

Depois de três dias e uma série de sentimentos que nunca tive antes, encontrei uma solução para o meu dilema. Coloquei uma bandeira dos EUA em um canto do para-brisa traseiro e coloquei a bandeira das Nações Unidas no canto oposto. Dessa forma, eu poderia anunciar que amava meu país, mas não se preocupe, pessoal, eu não o coloco acima de outros países, e esse foi, afinal, um ataque mais ou menos ao mundo inteiro, certo?

Até agora, neste livro, criei um retrato da natureza humana que é um tanto cínico. Argumentei que Glauco estava certo e que nos preocupamos mais em *parecer* bons do que realmente *ser* bons.[2] As intuições vêm primeiro, depois vem o raciocínio *estratégico*. Mentimos, trapaceamos e tomamos atalhos éticos com frequência quando achamos que podemos nos safar, e depois usamos nosso raciocínio moral para gerenciar nossa reputação e nos justificar aos outros. Acreditamos em nosso próprio raciocínio *post hoc* de maneira tão profunda que acabamos convencidos de nossa própria virtude.

Acredito que possamos entender a maior parte da psicologia moral ao vê-la como uma forma de interesse próprio esclarecido e, se for interesse próprio, é facilmente explicado pela seleção natural darwiniana que trabalha no nível do indivíduo. Os genes são egoístas,[3] genes egoístas criam pessoas com vários módulos mentais, e alguns desses módulos mentais nos tornam estrategicamente altruístas, não confiáveis ou universalmente altruístas. Nossas mentes moralistas foram moldadas pela seleção de parentes e altruísmo recíproco aumentado pela fofoca e pelo gerenciamento da reputação. Essa é a mensagem de quase todos os livros sobre as origens evolutivas da moralidade, e nada do que eu disse até agora contradiz essa ideia.

Mas, na Parte III deste livro, mostrarei por que esse retrato está incompleto. Sim, as pessoas geralmente são egoístas, e grande parte de nosso comportamento moral, político e religioso pode ser entendido como maneiras ligeiramente veladas de buscar o interesse próprio. (Basta olhar para a terrível hipocrisia de tantos políticos e líderes religiosos.) Mas também é verdade que as pessoas tendem a formar *grupos*. Adoramos fazer parte de times, clubes, ligas e comunidades. Adotamos identidades de grupo e trabalhamos lado a lado com estranhos em busca de objetivos comuns com tanto entusiasmo que parece que nossas mentes foram projetadas para o trabalho em equipe. Acho que não podemos entender moralidade, política ou religião até que tenhamos uma boa imagem dessa tendência de formar grupos e suas origens. Não conseguimos entender a moralidade conservadora e as sociedades durkheimianas descritas no capítulo anterior. Nem o socialismo, o comunismo e o comunalismo de esquerda.

Explicando melhor: quando digo que a natureza humana é *egoísta*, quero dizer que nossas mentes contêm uma variedade de mecanismos mentais que nos tornam hábeis em promover nossos próprios interesses, em concorrência com nossos pares. Quando digo que a natureza humana também é de *formar grupos*, quero dizer que nossas mentes contêm uma variedade de mecanismos mentais que nos tornam hábeis em promover os interesses de nosso *grupo*, em concorrência com outros grupos.[4] Não somos santos, mas às vezes somos bons jogadores de equipe.

Dito assim, a origem desses mecanismos de formação de grupos se torna um enigma. Hoje, temos mentes grupais porque indivíduos com maior senso de grupo há muito tempo superaram os de menor senso *dentro do mesmo grupo*? Se a resposta for sim, então essa é apenas uma seleção natural padrão básica, operando no nível do indivíduo. E, se for esse o caso, esse é o senso de grupo glauconiano — e devemos esperar que as pessoas se preocupem com a *aparência* de lealdade, não com a realidade.[5] Ou temos mecanismos de grupo (como o reflexo de união para defender a pátria) porque grupos que conseguiram gerar coesão e cooperar superaram competitivamente os que não conseguiram se unir? Nesse caso, estou invocando um processo conhecido como "seleção de grupo", que foi banida dos círculos científicos da década de 1970 como uma heresia.[6]

Neste capítulo, argumentarei que a seleção de grupo foi falsamente condenada e injustamente banida. Apresentarei quatro novas evidências que acredito exonerar a seleção de grupo (em algumas formas, mas não em todas). Essas novas evidências demonstram o valor de pensar em grupos como entidades reais que competem entre si. Essa nova evidência nos leva diretamente ao terceiro e último princípio da psicologia moral: *A mora-*

lidade agrega e cega. Sugerirei que a natureza humana é principalmente egoísta, mas com uma camada de senso de grupo que resultou do fato de que a seleção natural funciona em vários níveis simultaneamente. Indivíduos competem com indivíduos, e essa competição recompensa o egoísmo — o que inclui algumas formas de cooperação estratégica (até mesmo os criminosos são capazes de trabalhar juntos para promover seus próprios interesses).[7] Mas, ao mesmo tempo, grupos competem com grupos, e essa competição favorece grupos compostos de verdadeiros jogadores de equipe — aqueles que estão dispostos a cooperar e trabalhar para o bem do grupo, mesmo quando poderiam se sair melhor sendo negligentes, trapaceando ou abandonando o grupo.[8] Esses dois processos impulsionaram a natureza humana em direções diferentes e nos deram a estranha mistura de egoísmo e abnegação que conhecemos hoje.

TRIBOS VITORIOSAS?

Eis um exemplo de um tipo de seleção de grupo. Em algumas páginas memoráveis de *A Origem do Homem*, Darwin defendeu a seleção de grupo, levantou a principal objeção e, em seguida, propôs uma maneira de contorná-la:

> Quando duas tribos de homens primitivos, morando na mesma região, entravam em competição, se (outras circunstâncias fossem iguais) a tribo incluísse um grande número de membros corajosos, solidários e fiéis, sempre prontos a alertar os outros sobre o perigo, a ajudar e defender um ao outro, *essa tribo teria mais êxito e subjugaria a outra... A* vantagem que soldados disciplinados têm sobre hordas indisciplinadas decorre principalmente da confiança que cada homem sente em seus companheiros... *Pessoas egoístas e beligerantes não se unem e, sem coesão, nada pode ser alcançado. Uma tribo rica nas qualidades anteriores se espalharia e seria vitoriosa sobre outras tribos.*[9]

Tribos coesas começaram a funcionar como organismos individuais, competindo com outros organismos. As tribos mais coesas geralmente venciam. A seleção natural, portanto, trabalhou em tribos da mesma maneira que em todos os outros organismos.

Mas, no parágrafo seguinte, Darwin levantou o problema do parasitismo social, que ainda é a principal objeção levantada contra a seleção de grupo:

> Mas pode-se questionar: como, dentro dos limites da mesma tribo, um grande número de membros foi dotado com essas qualidades sociais e morais, e como o padrão de excelência foi elevado? *É extremamente duvidoso que os filhos dos pais mais compreensivos e benevolentes, ou daqueles que foram mais fiéis a seus companheiros, tenham sido criados em maior número do que os filhos de pais egoístas e desleais pertencentes à mesma tribo.* Aquele que estava pronto para sacrificar sua vida, por mais selvagem que fosse, em vez de trair seus companheiros, muitas vezes não deixava filhos para herdar sua nobre natureza.[10]

Darwin compreendeu a lógica básica do que agora é conhecido como *seleção multinível*.[11] A vida é uma hierarquia de níveis aninhados, como bonecas russas: genes dentro de cromossomos dentro de células dentro de organismos individuais dentro de "colmeias", sociedades e outros grupos. Pode haver competição em qualquer nível da hierarquia, mas, para nossos propósitos (o estudo da moralidade), os únicos dois níveis importantes são os do organismo individual e do grupo. Quando os grupos competem, o grupo coeso e cooperativo geralmente vence. Mas, dentro de cada grupo, indivíduos egoístas (parasitas sociais) saem ganhando. Eles compartilham os ganhos do grupo enquanto contribuem pouco para seus esforços. O exército mais corajoso vence, mas dentro do exército mais corajoso os poucos covardes que ficam para trás são os mais propensos a sobreviver à luta, voltar para casa vivos e se tornarem pais.

A seleção multinível se refere a uma maneira de quantificar a força da pressão de seleção em cada nível, ou seja, com que intensidade a competição pela vida favorece os genes para determinadas características.[12] Um gene para o autossacrifício suicida seria favorecido pela seleção em nível de grupo (ajudaria a equipe a vencer), mas seria tão fortemente antagonizado pela seleção em nível individual que essa característica poderia evoluir apenas em espécies como as abelhas, em que a competição dentro da colmeia foi praticamente eliminada e quase toda a seleção é de grupo.[13] As abelhas (e as formigas e os cupins) são os melhores jogadores de equipe: um por todos e todos por um, o tempo todo, mesmo que isso signifique morrer para proteger a colmeia de invasores.[14] (Os seres humanos podem ser transformados em homens-bomba, mas é preciso muito treinamento, pressão e manipulação psicológica. Isso não é natural para nós.)[15]

Assim que os grupos humanos passaram a ter alguma habilidade mínima para se unir e competir com outros grupos, a seleção em nível de grupo entrou em cena e os grupos mais coesos tiveram uma vantagem sobre grupos de individualistas egoístas. Mas como os humanos primitivos adquiriram essas habilidades de grupo para início de conversa? Darwin propôs uma série de "prováveis passos" pelos quais os humanos evoluíram ao ponto em que poderia haver grupos de jogadores de equipe.

O primeiro passo foi o "instinto social". Em tempos ancestrais, os solitários eram mais propensos a serem escolhidos por predadores do que seus irmãos mais gregários, que sentiam uma forte necessidade de permanecer perto do grupo. O segundo passo foi a reciprocidade. As pessoas que ajudaram outras tiveram mais chances de obter ajuda quando mais precisavam.

Mas o "estímulo ao desenvolvimento das virtudes sociais" mais importante foi o fato de as pessoas serem fortemente preocupadas com "os elogios e censuras de nossos semelhantes".[16] Darwin, escrevendo na Inglaterra da era vitoriana, compartilhava da visão de Glauco (da aristocrática Atenas) de que as pessoas são obcecadas por sua reputação. Darwin acreditava que as emoções que impulsionam essa obsessão foram adquiridas pela seleção natural, agindo no nível individual: aqueles que não tinham um senso de vergonha ou um amor pela glória eram menos propensos a atrair amigos e parceiros. Darwin também acrescentou um passo final: a capacidade de tratar deveres e princípios como sagrados, que ele via como parte de nossa natureza religiosa.

Quando juntamos esses passos, eles nos levam por um caminho evolutivo, desde os primeiros primatas até seres humanos, entre os quais o parasitismo social não é mais tão atraente. Em um exército real, que sacraliza a honra, a lealdade e a pátria, o covarde não tem mais a maior probabilidade de voltar para casa e ter filhos. Ele é o que tem mais chance de ser espancado, deixado para trás ou levar um tiro pelas costas por cometer sacrilégio. E se conseguir retornar vivo, sua reputação repelirá mulheres e potenciais empregadores.[17] Exércitos reais, assim como os grupos mais eficazes, têm muitas maneiras de suprimir o egoísmo. E sempre que um grupo encontra uma maneira de fazer isso, ele altera o equilíbrio de forças em uma análise multinível: a seleção em nível individual se torna menos importante, e a seleção de grupo, mais poderosa. Por exemplo, se houver uma base genética para sentimentos de lealdade e santidade (ou seja, os alicerces de Lealdade e Pureza), a intensa competição entre grupos fará com que esses genes se tornem mais comuns na próxima geração. A razão é que os grupos nos quais essas características são comuns substituirão aqueles nos quais elas são raras, mesmo que esses genes imponham um pequeno custo aos seus portadores (em relação aos que não os possuem em cada grupo).

No que pode ser a afirmação mais concisa e presciente da história da psicologia moral, Darwin resumiu a origem evolutiva da moralidade da seguinte maneira:

> Por fim, nosso senso ou consciência moral se torna um sentimento altamente complexo — originário dos instintos sociais, guiados em grande parte pela aprovação de nossos semelhantes, governados pela razão, pelo interesse próprio e, depois, por sentimentos religiosos profundos, e confirmados por instrução e hábito.[18]

A resposta de Darwin ao problema do parasitismo social satisfez os leitores por quase 100 anos, e a seleção de grupo se tornou o padrão do pensamento evolutivo. Infelizmente, a maioria dos escritores não se deu ao trabalho de descobrir exatamente como cada espécie em particular resolveu o problema do parasitismo social, como Darwin havia feito para os seres humanos. As alegações sobre animais que se comportam "para o bem do grupo" proliferaram — por exemplo, a alegação de que animais individuais restringem a alimentação ou a procriação para não colocar o grupo em risco de exaurir o suprimento de alimentos. Alegações ainda mais nobres foram feitas sobre animais agindo para o bem das espécies ou mesmo do ecossistema.[19] Essas afirmações foram ingênuas, porque os indivíduos que seguiram a estratégia altruísta deixariam menos filhos sobreviventes e logo seriam substituídos na população pela prole dos parasitas sociais.

Em 1966, esse pensamento equivocado foi descartado, e com ele quase todo o pensamento sobre a seleção de grupo.

UM REBANHO VELOZ DE CERVOS?

Em 1955, um jovem biólogo chamado George Williams assistiu a uma palestra na Universidade de Chicago de um especialista em cupins. O orador afirmou que muitos animais são cooperativos e prestativos, assim como os cupins. Ele disse que a velhice e a morte são a maneira como a natureza abre espaço para os membros mais jovens e mais aptos de cada espécie. Mas Williams era bem versado em genética e evolução, e rejeitou o otimismo tolo do palestrante. De acordo com sua experiência, os animais não morrem para beneficiar os demais, exceto em circunstâncias muito especiais, como as que prevalecem em um ninho de cupins (onde todos são irmãos). Então, decidiu escrever um livro que "purificaria a biologia" de um pensamento tão desleixado de uma vez por todas.[20]

Em *Adaptation and Natural Selection* [sem publicação no Brasil], publicado em 1966, Williams mostra aos biólogos como pensar claramente sobre a adaptação. Ele considerava a seleção natural um processo de design. Não há designer inteligente ou consciente, mas Williams achou a linguagem do design útil.[21] Por exemplo, as asas só podem ser entendidas como mecanismos biológicos projetados para produzir o voo. Williams observou que a adaptação em um determinado nível sempre implica um processo de seleção (design) operando nesse nível, e alertou os leitores a não procurarem níveis mais altos (como grupos) quando os efeitos da se-

Por que Tendemos a Formar Grupos?

leção em níveis mais baixos (como indivíduos) podem explicar completamente a característica.

Ele trabalhou com o exemplo da velocidade de corrida em cervos. Quando cervos correm em um rebanho, observamos um rebanho veloz, movendo-se e, às vezes, mudando de direção como uma unidade. Podemos ficar tentados a explicar o comportamento do rebanho apelando para a seleção de grupo: ao longo de milhões de anos, os rebanhos mais rápidos tiveram mais êxito em escapar dos predadores do que os mais lentos, e, com o tempo, os rebanhos rápidos substituíram os mais lentos. Mas Williams apontou que os cervos foram primorosamente bem projetados como *indivíduos* para fugir de predadores. O processo de seleção operou no nível dos indivíduos: cervos mais lentos eram devorados, enquanto seus companheiros mais velozes *dentro do mesmo rebanho* escaparam. Não há necessidade de considerar a seleção em nível de grupo. Um rebanho veloz de cervos não passa de um rebanho de cervos velozes.[22]

Williams deu um exemplo do que seria necessário para nos forçar a uma análise em nível de grupo: mecanismos comportamentais cujo objetivo ou função era claramente a proteção do *grupo*, em vez de do indivíduo. Se cervos com sentidos particularmente aguçados servissem de sentinelas, enquanto os corredores mais velozes do rebanho tentassem atrair os predadores para longe do rebanho, teríamos evidências de adaptações relacionadas ao grupo e, como Williams disse: "Somente por meio de uma teoria da seleção entre grupos poderíamos obter uma explicação científica das adaptações relacionadas ao grupo."[23]

Williams afirmou que a seleção de grupo era possível em teoria. Mas, em seguida, dedicou a maior parte do livro a provar sua tese de que "adaptações relacionadas ao grupo não existem de fato".[24] Ele trouxe exemplos de todo o reino animal, mostrando em todos os casos que o que parece altruísmo ou autossacrifício para um biólogo ingênuo (como aquele especialista em cupins) acaba sendo egoísmo individual ou seleção de parentesco (em que ações dispendiosas fazem sentido porque beneficiam outras cópias dos mesmos genes em indivíduos intimamente relacionados, como acontece com os cupins). Richard Dawkins fez a mesma coisa em seu best-seller de 1976, *O Gene Egoísta,* admitindo que a seleção de grupo é possível, mas desmascarando casos aparentes de adaptações relacionadas ao grupo.

No final dos anos 1970, havia um forte consenso de que quem dissesse que um comportamento ocorria "para o bem do grupo" era um tolo que poderia ser tranquilamente ignorado.

Às vezes, recordamos os anos 1970 como a "década do eu". Esse termo foi empregado pela primeira vez para se referir ao crescente individualismo da sociedade norte-americana, mas também descreve um amplo conjunto de mudanças nas ciências sociais. A ideia do ser humano como *Homo economicus* se espalhou por toda parte. Na psicologia social, por exemplo, a principal explicação da justiça (conhecida como "teoria da equidade") foi baseada em quatro axiomas, o primeiro dos quais foi: "Os indivíduos tentarão maximizar seus resultados." Os autores observaram então que "mesmo o cientista mais controverso teria dificuldade em desafiar nossa primeira proposição. Teorias em uma ampla variedade de disciplinas se baseiam na suposição de que 'o homem é egoísta'".[25] Todos os atos de aparente altruísmo, cooperação e até simples justiça precisavam ser explicados, em última análise, como formas veladas de interesse próprio.[26]

Obviamente, a vida real está cheia de casos que violam o axioma. As pessoas deixam gorjetas em restaurantes para os quais nunca mais voltarão; doam anonimamente para instituições de caridade; às vezes se afogam depois de pular em rios para salvar crianças que não conhecem. Não tem problema, disseram os cínicos; são apenas falsas confirmações de antigos sistemas projetados para a vida em pequenos grupos do Pleistoceno, no qual a maioria das pessoas era parente próxima.[27] Agora que vivemos em grandes sociedades de anônimos, nossos antigos circuitos egoístas nos levam erroneamente a ajudar estranhos que não nos ajudarão em troca. Nossas "qualidades morais" não são adaptações, como Darwin acreditava. São subprodutos; erros. A moralidade, disse Williams, é "uma capacidade produzida de forma acidental, em sua estupidez ilimitada, por um processo biológico que normalmente se opõe à expressão de tal capacidade".[28] Dawkins compartilhou desse cinismo: "Tratemos, então, de ensinar a generosidade e o altruísmo, porque nascemos egoístas."[29]

Discordo. Os seres humanos são as girafas do altruísmo. Somos aberrações únicas da natureza que, às vezes — ainda que raramente —, podem ser tão altruístas e imbuídos de espírito de equipe quanto as abelhas.[30] Se o seu ideal moral é a pessoa que dedica a vida a ajudar estranhos, tudo bem — essas pessoas são tão raras que costumamos enviar equipes de reportagem para registrar o fato para o noticiário noturno. Mas, se nos concentrarmos, como Darwin, no comportamento em *grupos* de pessoas que se conhecem e compartilham objetivos e valores, então nossa capacidade de trabalhar juntos, dividir as tarefas, ajudar um ao outro e funcionar como uma equipe é tão difundida que nem percebemos. Nunca veremos a manchete: "Quarenta e Cinco Estudantes Universitários Aleatórios Trabalham Juntos de Forma Cooperativa e Não Remunerada para Preparar a Estreia da Peça *Romeu e Julieta*."

Quando Williams propôs seu fantasioso exemplo de cervos que dividiam as tarefas e trabalhavam juntos para proteger o rebanho, não era óbvio que grupos humanos fazem exatamente isso? Por seu próprio critério, se as pessoas em todas as sociedades se organizam prontamente em grupos cooperativos com uma divisão clara de trabalho, essa capacidade é um excelente candidato para ser uma adaptação relacionada ao grupo. Nas palavras do próprio Williams: "Somente por meio de uma teoria da seleção entre grupos poderíamos obter uma explicação científica das adaptações relacionadas ao grupo."

Os ataques de 11 de Setembro ativaram várias dessas adaptações relacionadas ao grupo em minha mente. Eles me transformaram em um jogador de equipe, com um desejo fervoroso e inesperado de exibir a bandeira e, em seguida, fazer coisas para apoiar minha equipe, como doar sangue, dinheiro e, sim, defender a pátria.[31] E minha reação foi amena em comparação com as centenas de norte-americanos que entraram em seus carros naquela tarde e dirigiram grandes distâncias até Nova York na vã esperança de poderem ajudar a resgatar os sobreviventes dos escombros, ou os milhares de jovens que se voluntariaram para o serviço militar nas semanas seguintes. Essas pessoas estavam agindo por motivos egoístas ou de grupo?

O reflexo de se unir para defender a pátria é apenas um exemplo de mecanismo de grupo.[32] É exatamente o tipo de mecanismo mental que esperaríamos encontrar se os humanos fossem moldados pela seleção de grupo da maneira descrita por Darwin. Não é possível ter certeza, no entanto, de que esse reflexo realmente *evoluiu* por seleção em nível de grupo. A seleção de grupos é controversa entre os teóricos da evolução, muitos dos quais ainda concordam com Williams que a seleção de grupos nunca aconteceu de fato entre os seres humanos. Eles acham que qualquer coisa que se pareça com uma adaptação relacionada ao grupo — se analisada com bastante cuidado — acabará se provando uma adaptação para ajudar as pessoas a superar seus companheiros de grupo, e não uma adaptação para ajudar o grupo a superar outros grupos.

Antes de prosseguirmos com a investigação da moralidade, da política e da religião, precisamos abordar esse problema. Se os especialistas estão divididos, por que deveríamos apoiar aqueles que defendem que a moralidade é (em parte) uma adaptação relacionada ao grupo?[33]

Nas seções a seguir, apresentarei quatro razões. Mostrarei quatro "provas" em minha defesa da seleção multinível (que inclui a seleção de grupos). Mas meu objetivo aqui não é apenas construir um caso jurídico em uma batalha acadêmica com a qual você talvez nem se importe. Meu objetivo é lhe mostrar que a moralidade é a chave para entender a humanidade. Vou levá-lo por uma breve jornada pelas origens da humanidade, na qual veremos como o senso de grupo nos ajudou a transcender o egoísmo. Mostrarei que essa tendência de formar grupos — apesar de todas as coisas terríveis e tribais que nos leva a fazer — é um dos ingredientes mágicos que possibilitaram o desenvolvimento de civilizações, o domínio da Terra e a vida cada vez mais pacífica em apenas alguns milhares de anos.[34]

PROVA A: GRANDES TRANSIÇÕES NA EVOLUÇÃO

Suponha que você participe de uma regata. Cem remadores, cada um em um barco a remo separado, iniciam uma corrida de 16 quilômetros ao longo de um rio largo e moroso. O primeiro a cruzar a linha de chegada ganhará R$10 mil. No meio da corrida, você está na liderança. Mas então, do nada, é ultrapassado por um barco com dois remadores, cada um usando apenas um remo. Que injusto! Dois remadores se juntaram em um barco! E então, ainda mais estranho, você observa o barco com dois remadores ser ultrapassado por uma fileira de três barcos amarrados para formar um único barco longo. Os remadores são séptuplos idênticos. Seis deles remam em perfeita sincronia, enquanto o sétimo é o timoneiro, guiando o barco e marcando o ritmo da remada. Mas esses trapaceiros são destituídos da vitória logo antes de cruzarem a linha de chegada, pois, por sua vez, são ultrapassados por um engenhoso grupo de 24 irmãs que alugaram uma lancha. Parece que não há regras nesta corrida sobre que tipos de veículos são permitidos.

Essa foi a história metafórica da vida na Terra. Nos primeiros bilhões de anos de vida, os únicos organismos foram células procarióticas (como bactérias). Cada uma agindo de maneira isolada, competindo com outras e reproduzindo cópias de si mesma.

Mas então, cerca de 2 bilhões de anos atrás, duas bactérias se uniram de alguma maneira dentro de uma única membrana, o que explica por que as mitocôndrias têm seu próprio DNA, não relacionado ao DNA no núcleo.[35] Elas são o barco a remo com duas pessoas em meu exemplo. Células que possuem organelas internas podem colher os benefícios da cooperação e da divisão do trabalho (veja Adam Smith). Não havia mais nenhuma competição entre essas organelas, pois elas só eram capazes de se reproduzir quando a célula inteira se reproduzia; portanto, era "um por todos e todos por um". A vida na Terra passou pelo que os biólogos chamam de "grande transição".[36] A seleção natural continuou como de costume, mas agora havia um tipo radicalmente novo de criatura a ser selecionada. Surgira um novo tipo de *veículo* pelo qual genes egoístas poderiam se replicar. Os eucariontes unicelulares tiveram grande êxito e se espalharam pelos oceanos.

Algumas centenas de milhões de anos depois, alguns desses eucariontes desenvolveram uma nova adaptação: eles permaneceram juntos após a divisão celular para formar organismos multicelulares nos quais cada célula tinha exatamente os mesmos genes. Eles são os séptuplos remando nos três barcos em meu exemplo. Mais uma vez, a competição é suprimida (porque cada célula só pode se reproduzir se o organismo se reproduzir, por meio de seu esperma ou óvulo). Um grupo de células se torna um indivíduo, capaz de dividir o trabalho entre suas células (especializadas em membros e órgãos). Surge um poderoso novo tipo de veículo e, em um curto espaço de tempo, o mundo está coberto de plantas, animais e fungos.[37] É outra grande transição.

Grandes transições são raras. Os biólogos John Maynard Smith e Eörs Szathmáry contam apenas oito exemplos claros nos últimos 4 bilhões de anos (o último são as sociedades humanas).[38] Mas essas transições estão entre os eventos mais importantes da história biológica e são exemplos da seleção multinível em ação. É a mesma história repetidas vezes: sempre que se encontra uma maneira de suprimir o parasitismo social para que unidades individuais possam cooperar, trabalhar em equipe e dividir as tarefas, a seleção no nível mais baixo se torna menos importante, a no nível mais alto se torna mais poderosa e essa seleção de nível superior favorece os superorganismos mais coesos.[39] (Um superorganismo é um organismo feito de organismos menores.) À medida que esses superorganismos proliferam, eles começam a competir entre si e a evoluir para obter maior sucesso nessa concorrência. Essa competição entre superorganismos é uma forma de seleção de grupo.[40] Há variação entre os grupos, e os grupos mais aptos transmitem suas características para as futuras gerações dos grupos.

Grandes transições podem ser raras, mas, quando acontecem, a Terra muda.[41] Veja o que aconteceu mais de 100 milhões de anos atrás, quando algumas vespas desenvolveram o truque de dividir as tarefas entre uma rainha (que põe todos os ovos) e vários tipos de trabalhadores que mantêm o ninho e trazem alimentos para compartilhar. Esse truque foi descoberto pelos himenópteros primitivos (membros da ordem que inclui as vespas, que deram origem a abelhas e formigas) e de forma independente várias dezenas de outras vezes (pelos ancestrais de cupins, ratos-toupeiras-pelados e algumas espécies de camarão, pulgões, besouros e aranhas).[42] Em cada caso, o problema do parasitismo social foi superado e os genes egoístas começaram a criar membros do grupo relativamente altruístas que juntos constituíam um grupo extremamente egoísta.

Esses grupos eram um novo tipo de veículo: uma colmeia ou colônia de parentes genéticos próximos, que funcionavam como uma unidade (por exemplo, em busca de alimento e em combate) e se reproduziam como uma unidade. Eles são as irmãs da lancha em meu exemplo, aproveitando as inovações tecnológicas e a engenharia mecânica que não existiam antes. Foi outra transição. Outro tipo de grupo começou a funcionar como se fosse um único organismo, e os genes que circulavam nas colônias venceram os genes que não conseguiam "se recompor" e circulavam nos corpos de insetos mais egoístas e solitários. Os insetos coloniais representam apenas 2% de todas as espécies de insetos, mas em um curto período de tempo reivindicaram os melhores locais de alimentação e reprodução, empurraram seus concorrentes para áreas marginais e mudaram a maioria dos ecossistemas terrestres do planeta (por exemplo, ao possibilitar a evolução de plantas com flores, que necessitam de polinizadores).[43] Agora eles são a maioria, em biomassa, dentre todos os insetos da Terra.

Mas onde estão os seres humanos? Desde os tempos antigos, as pessoas têm comparado as sociedades humanas às colmeias. Mas será que isso é apenas uma analogia vaga? Se compararmos a rainha da colmeia com a rainha ou rei de uma cidade-Estado, sim, é vaga. Uma colmeia ou colônia não tem governante, nem chefe. A rainha é apenas o ovário. Mas, se simplesmente perguntarmos se os seres humanos passaram pelo mesmo processo evolutivo das abelhas — uma transição importante do individualismo egoísta para "colmeias" com senso de grupo que prospera quando encontra uma maneira de suprimir o parasitismo social —, a analogia fica muito mais clara.

Muitos animais são sociais: eles vivem em grupos, bandos ou rebanhos. Mas apenas alguns animais ultrapassaram o limiar e se tornaram *ultrassociais,* o que significa que vivem em grupos muito grandes que possuem alguma estrutura interna, permitindo-lhes colher os benefícios da divisão do trabalho.[44] Colmeias e colônias de formigas, com suas castas separadas de soldados, batedores e enfermeiros, são exemplos de ultrassocialidade, assim como as sociedades humanas.

Uma das principais características que ajudou todos os seres ultrassociais não humanos a mudar de comportamento parece ter sido a *necessidade de defender o ninho compartilhado.* Os biólogos Bert Hölldobler e E. O. Wilson resumem a recente descoberta de que a ultrassocialidade (também chamada de "eussocialidade")[45] é encontrada entre algumas espécies de camarão, pulgões, tripes e besouros, bem como entre vespas, abelhas, formigas e cupins:

> Em todas [as espécies] conhecidas [que] exibem os estágios iniciais da eussocialidade, seu comportamento protege um *recurso permanente e defensável* contra predadores, parasitas ou concorrentes. O recurso é *invariavelmente um ninho mais os alimentos garantidos* dentro da faixa de forrageamento dos habitantes do ninho.[46]

Hölldobler e Wilson atribuem papéis de apoio a dois outros fatores: a necessidade de alimentar os filhotes por um período prolongado (o que dá uma vantagem a espécies que podem dispor de irmãos ou machos para ajudar a mãe) e os conflitos entre grupos. Todos esses três fatores se aplicavam às primeiras vespas que se instalavam em ninhos defensáveis de ocorrência natural (como buracos nas árvores). A partir daí, os grupos mais cooperativos mantiveram os melhores locais de nidificação, que modificaram de maneiras cada vez mais elaboradas para se tornarem ainda mais produtivos e mais protegidos. Seus descendentes incluem as abelhas que conhecemos hoje, cujas colmeias foram descritas como "uma fábrica dentro de uma fortaleza".[47]

Esses mesmos três fatores se aplicam aos seres humanos. Assim como as abelhas, nossos ancestrais eram (1) criaturas territoriais com predileção por ninhos defensáveis (como cavernas) que (2) geraram proles vulneráveis que exigiam enormes quantidades de cuidado, que precisavam ser prestados enquanto (3) o grupo estava sob ameaça de grupos vizinhos. Por centenas de milhares de anos, portanto, existiam condições exercendo pressão para a evolução da ultrassocialidade e, como resultado, somos o único primata ultrassocial. A linhagem humana pode ter inicialmente agido de forma muito semelhante aos chimpanzés,[48] mas quando nossos ancestrais começaram a sair da África, eles haviam se tornado pelo menos um pouco parecidos com as abelhas.

E muito mais tarde, quando alguns grupos começaram a plantar vegetais e pomares, e depois a construir celeiros, galpões de armazenamento, pastagens cercadas e residências permanentes, passaram a ter um suprimento de alimento ainda mais estável que precisava ser defendido com mais vigor. Como as abelhas, os humanos começaram a construir ninhos cada vez mais elaborados e, em apenas alguns milhares de anos, um novo tipo de veículo apareceu na Terra — a cidade-Estado, capaz de erguer muros e criar exércitos.[49] As cidades-Estados e, mais tarde, os impérios se espalharam rapidamente pela Eurásia, norte da África e Mesoamérica, mudando muitos dos ecossistemas da Terra e permitindo que a dominância total de seres humanos subisse de insignificante no início do Holoceno (cerca de 12 mil anos atrás) à dominação mundial hoje.[50] Como os insetos coloniais fizeram com os outros insetos, empurramos todos os outros mamíferos para as margens, para a extinção ou a servidão. A analogia com as abelhas não é superficial ou vaga. Apesar de suas muitas diferenças, as civilizações humanas e as colmeias são produtos de grandes transições na história evolutiva. Elas são as lanchas.

A descoberta das importantes transições é a Prova A no novo julgamento da seleção de grupos. A seleção de grupo pode ou não ser comum entre outros animais, mas acontece sempre que os indivíduos encontram maneiras de suprimir o egoísmo e trabalhar em equipe, em competição com outras equipes.[51] Ela cria adaptações relacionadas ao grupo. Não é exagero, e não deve ser uma heresia sugerir que foi assim que obtivemos a camada de senso de grupo que constitui parte essencial de nossas mentes moralistas.

PROVA B: INTENCIONALIDADE COMPARTILHADA

Em 49 AEC, Gaius Julius tomou a importante decisão de atravessar o Rubicão, um rio raso no norte da Itália. Ele violou a lei romana (que proibia os generais de abordar Roma com seus exércitos), iniciou uma guerra civil e se tornou Júlio César, o governante absoluto de Roma. E também nos deu uma metáfora para qualquer ação pequena que ponha em movimento um trem imparável de eventos com consequências importantes.*

É muito divertido olhar para a história e identificar travessias do rio Rubicão. Eu costumava acreditar que havia muitos pequenos passos na

---

* N.T.: Na travessia, o imperador teria dito a famosa frase "Anerrifthô Kubos" (em grego), imortalizada em latim "Alea jacta est" e traduzida como "A sorte está lançada", em referência a uma tomada de decisão em uma situação arriscada e diante de um caminho duvidoso e perigoso.

evolução da moral para identificar apenas um deles como o rio Rubicão, mas mudei de ideia quando ouvi Michael Tomasello, um dos principais especialistas em cognição de chimpanzés do mundo, proferir esta frase: "É inconcebível que você veja dois chimpanzés carregando um tronco juntos."[52]

Fiquei atônito. Os chimpanzés são, sem dúvida, a segunda espécie mais inteligente do planeta, capaz de criar ferramentas, aprender linguagem de sinais, prever as intenções de outros chimpanzés e ludibriar o companheiro para conseguir o que quer. Como indivíduos, eles são brilhantes. Então, por que não conseguem trabalhar juntos? O que lhes falta?

A grande inovação de Tomasello foi criar um conjunto de tarefas simples que poderiam ser dadas a chimpanzés e a crianças humanas de forma quase idêntica.[53] A solução da tarefa renderia ao chimpanzé ou à criança um agrado (geralmente um pedaço de comida para o chimpanzé, um pequeno brinquedo para a criança). Algumas das tarefas exigiam pensar apenas em objetos físicos no espaço físico — por exemplo, usar um bastão para pegar um prêmio posicionado fora de alcance ou escolher o prato que continha o maior número de guloseimas, em vez do menor. Em todas as dez tarefas, os chimpanzés e as crianças de dois anos se saíram igualmente bem, resolvendo os problemas corretamente em cerca de 68% das vezes.

Mas outras tarefas exigiam a colaboração da pesquisadora ou, pelo menos, o reconhecimento de que ela pretendia compartilhar informações. Por exemplo, em uma tarefa, a pesquisadora demonstrou como retirar o prêmio de um tubo transparente, abrindo um buraco no papel que cobria uma extremidade e, em seguida, deu um tubo idêntico ao chimpanzé ou à criança. Será que os sujeitos de pesquisa entenderiam que a pesquisadora estava tentando ensiná-los o que fazer? Em outra tarefa, o pesquisador escondia o prêmio em um de dois copos e depois tentava mostrar ao chimpanzé ou à criança qual o copo correto (olhando ou apontando para ele). As crianças enfrentaram esses desafios sociais, resolvendo-os corretamente 74% das vezes. Os chimpanzés foram um fiasco, resolvendo-os apenas 35% das vezes (um desempenho similar ao gerado pelo acaso em muitas das tarefas).

Segundo Tomasello, a cognição humana se afastou da de outros primatas quando nossos ancestrais desenvolveram a *intencionalidade compartilhada*.[54] Em algum momento dos últimos milhões de anos, um pequeno grupo de nossos ancestrais desenvolveu a capacidade de compartilhar representações mentais de tarefas que dois ou mais deles pretendiam realizar juntos. Por exemplo, enquanto forrageira, uma pessoa puxa um galho enquanto a outra pega a fruta, e ambos compartilham a refeição. Chimpanzés nunca fazem isso. Ou enquanto caçam, os dois se separam para se aproximar de um animal de ambos os lados. Os chimpanzés às vezes parecem fazer isso, como nos casos amplamente relatados de chimpanzés caçando macacos colobus,[55] mas Tomasello argumenta que os chimpanzés não estão realmente trabalhando juntos. Em vez disso, cada chimpanzé está examinando a cena e, em seguida, tomando a ação que lhe parece melhor naquele momento.[56] Tomasello observa que essas caçadas aos macacos são o *único* momento em que os chimpanzés parecem estar trabalhando juntos, e mesmo nesses casos raros eles não mostram sinais de uma cooperação real. Eles não fazem nenhum esforço para se comunicar, por exemplo, e são péssimos em compartilhar os ganhos entre os caçadores, cada um deles deve usar a força para obter uma porção de carne no final. Todos perseguem o macaco ao mesmo tempo, mas nem todos parecem estar de acordo sobre a caçada.

Por outro lado, quando os primeiros seres humanos começaram a compartilhar intenções, sua capacidade de caçar, coletar, criar filhos e invadir grupos vizinhos aumentou exponencialmente. Todos na equipe agora tinham uma representação mental da tarefa, sabiam que seus parceiros compartilhavam da mesma representação, sabiam quando um parceiro agia de maneira que impedia o sucesso ou monopolizava os ganhos e reagia negativamente a essas violações. Quando todos em um grupo começaram a compartilhar um entendimento comum de como as coisas deveriam ser feitas e, em seguida, sentiram um flash de negatividade quando qualquer indivíduo violava essas expectativas, nasceu a primeira matriz moral.[57] (Lembre-se de que uma matriz é uma alucinação *consensual*.) Creio que essa foi a nossa travessia do Rubicão.

Tomasello acredita que a ultrassocialidade humana surgiu em duas etapas. A primeira foi a capacidade de compartilhar intenções em gru-

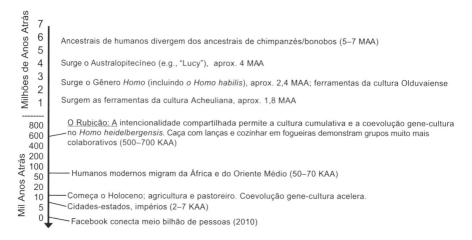

FIGURA 9.1. *Linha do tempo dos principais eventos da evolução humana.* MAA = milhão de anos atrás; KAA = mil anos atrás. Datas extraídas de Potts e Sloan, 2010; Richerson e Boyd, 2005; e Tattersall, 2009.

pos de duas ou três pessoas que caçavam ou forrageavam juntas. (Esse foi o Rubicão.) Depois de várias centenas de milhares de anos de evolução para um melhor compartilhamento e colaboração como caçadores-coletores nômades, os grupos mais colaborativos começaram a ficar maiores, talvez em resposta à ameaça de outros grupos. Os grupos mais coesos venceram — aqueles que conseguiram aumentar sua capacidade de compartilhar intenções de 3 para 300 ou 3 mil pessoas. Esta foi a segunda etapa: a seleção natural favoreceu níveis crescentes do que Tomasello chama de "espírito de grupo" — a capacidade de aprender e se adaptar às normas sociais, sentir e compartilhar emoções relacionadas ao grupo e, finalmente, criar e obedecer às instituições sociais, incluindo a religião. Um novo conjunto de pressões de seleção operou *dentro* dos grupos (por exemplo, dissidentes eram punidos ou pelo menos tinham menor possibilidade de serem escolhidos como parceiros para empreitadas conjuntas),[58] assim como *entre* grupos (os mais coesos tomaram território e outros recursos dos menos coesos).

A intencionalidade compartilhada é a Prova B no novo julgamento da seleção do grupo. Depois de entender a profunda percepção de Tomasello, começamos a perceber as vastas redes de intencionalidade compartilhada das quais grupos humanos são constituídos. Muitas pes-

FIGURA 9.2. *Machado de mão da cultura acheuliana.*

soas presumem que a linguagem era o nosso Rubicão, mas ela só se tornou possível *depois que* nossos ancestrais adquiriram a intencionalidade compartilhada. Tomasello observa que uma palavra não é uma relação entre um som e um objeto. É um acordo *entre as pessoas* que compartilham uma representação conjunta das coisas em seu mundo e um conjunto de convenções para se comunicar entre si sobre essas coisas. Se a chave para a seleção de grupos é um ninho defensável compartilhado, a intencionalidade compartilhada permitiu que os humanos construíssem ninhos vastos e elaborados, mas leves e móveis. As abelhas constroem colmeias com cera e fibras de madeira, que depois lutam, matam e morrem para defender. Os seres humanos constroem comunidades morais a partir de normas, instituições e deuses compartilhados que, mesmo no século XXI, eles lutam, matam e morrem para defender.

PROVA C: GENES E CULTURAS COEVOLUEM

Quando nossos ancestrais cruzaram o Rubicão? Nunca saberemos quando o primeiro par de forrageiros trabalhou em equipe para colher figos de uma árvore, mas, ao começarmos a ver sinais no registro fóssil de acúmulo de inovações culturais e o aperfeiçoamento das inovações anteriores, podemos supor que os inovadores haviam feito a travessia. Quando a cultura se acumula, significa que as pessoas estão aprendendo umas com as outras, adicionando suas próprias inovações e transmitindo suas ideias para as gerações posteriores.[59]

Nossos ancestrais começaram a divergir do ancestral comum que compartilhamos com chimpanzés e bonobos entre 5 milhões e 7 milhões de anos atrás. Ao longo dos milhões de anos seguintes, houve muitas espécies de hominídeos bípedes caminhando pela África. Mas, a julgar pelo tamanho do cérebro e pelo uso limitado de ferramentas, essas criaturas (incluindo os australopitecineos como "Lucy") podem ser mais bem enquadradas como macacos bípedes do que como seres humanos primitivos.[60]

Então, a partir de 2,4 milhões de anos atrás, hominídeos com cérebros maiores começam a aparecer no registro fóssil. Eles foram os primeiros membros do gênero *Homo,* e incluem o *Homo habilis,* que recebeu esse nome porque essas criaturas eram "homens hábeis" em comparação a seus ancestrais. Eles deixaram para trás uma profusão de ferramentas simples de pedra, conhecidas como ferramentas da cultura Olduvaiense. Essas ferramentas, em grande parte apenas lascas afiadas que quebravam de pedras maiores, ajudaram o *Homo habilis* a cortar e raspar a carne de carcaças mortas por outros animais. Eles não eram grandes caçadores.

Então, a partir de 1,8 milhão de anos atrás, alguns hominídeos da África Oriental começaram a fabricar ferramentas inovadoras e mais elaboradas, conhecidas como ferramentas da cultura acheuliana.[61] A principal era um machado de mão em forma de gota, e sua simetria e criação cuidadosa evidenciam a grande inovação, algo feito por mentes como a nossa (veja Figura 9.2). Esse parece um ponto de partida promissor para começar a falar sobre a cultura cumulativa. Mas há um fato misterioso: as ferramentas acheulianas são quase idênticas em todos os lugares, da África à Europa e Ásia, ao longo de mais de um milhão de anos. *Quase não há variação,* o que sugere que o conhecimento de como fazer essas ferramentas pode não ter sido transmitido culturalmente. Em vez disso, o conhecimento de como fabricar essas ferramentas pode ter se tornado inato, assim como o "conhecimento" de como construir uma barragem é inato nos castores.[62]

Faz apenas 600 mil ou 700 mil anos que começamos a ver criaturas que podem ter feito a travessia. Os primeiros hominídeos com cérebros tão grandes quanto os nossos começam a aparecer na África e depois na Europa. Eles são conhecidos coletivamente como *Homo heidelbergensis,* e foram os ancestrais dos neandertais, e nossos. Em seus acampamentos, encontramos a primeira evidência clara de fogueiras e lanças. As mais antigas lanças conhecidas eram apenas pedaços de pau afiados, mas depois se tornaram pontas de pedras afiadas presas a hastes de madeira e balanceadas para um arremesso preciso. Essas pessoas construíram armas complexas e depois trabalharam juntas para caçar e matar animais grandes, que levavam de volta ao acampamento central para serem desmembrados, cozidos e compartilhados.[63]

Homo heidelbergensis é, portanto, nosso melhor candidato à travessia do Rubicão.[64] Essas pessoas tinham cultura cumulativa, trabalho em equipe e uma divisão de tarefas. Devem ter tido intencionalidade compartilhada, incluindo pelo menos alguma matriz moral rudimentar que os ajudou a trabalhar juntos e depois compartilhar os frutos de seus esforços. Ao fazerem a travessia, elas transformaram não apenas o curso da evolução humana, mas a própria natureza do processo evolutivo. A partir desse momento, as pessoas viviam em um ambiente cada vez mais criado por elas.

Os antropólogos Pete Richerson e Rob Boyd argumentaram que as inovações culturais (como lanças, técnicas de culinária e religiões) evoluem da mesma maneira que as inovações biológicas, e as duas correntes de evolução estão tão entrelaçadas que não podemos estudar uma sem a outra.[65] Por exemplo, um dos casos mais bem compreendidos de coevolução da cultura de genes ocorreu entre as primeiras pessoas que domesticaram gado. Nos seres humanos, como em todos os outros mamíferos, a capacidade de digerir a lactose (o açúcar do leite) é perdida durante a infância. O gene que produz a lactase (a enzima que decompõe a lactose) desliga após alguns anos de ação, porque os mamíferos não bebem leite depois de desmamados. Mas esses primeiros criadores de gado, no norte da Europa e em algumas partes da África, tinham um vasto suprimento de leite fresco, que podia ser dado aos filhos, mas não aos adultos. Qualquer indivíduo cujos genes modificados atrasassem o desligamento da produção de lactase tinha uma vantagem. Com o tempo, essas pessoas deixaram mais descendentes capazes de beber leite do que seus primos intolerantes à lactose. (Esse gene foi identificado.)[66] As mutações genéticas também impulsionaram as inovações culturais: grupos com o novo gene da lactase mantiveram rebanhos ainda maiores e encontraram mais maneiras de usar e processar o leite, como transformá-lo em queijo. Essas inovações culturais levaram a outras mutações genéticas e assim por diante.

Se inovações culturais (como a criação de gado) podem levar a respostas genéticas (como a tolerância à lactose em adultos), então as inovações culturais relacionadas à moralidade também levaram a respostas genéticas? Sim. Richerson e Boyd argumentam que a coevolução gene-cultura ajudou a mover a humanidade da sociabilidade de pequenos grupos de outros primatas para a ultrassocialidade tribal encontrada hoje em todas as sociedades humanas.[67]

De acordo com a "hipótese dos instintos tribais", os grupos humanos sempre viveram em certo grau de competição com os grupos vizinhos. Os que descobriram (ou tropeçaram) em inovações culturais que os ajudaram a cooperar e a manterem-se coesos em grupos maiores que a família tendiam a vencer essas competições (exatamente como Darwin disse).

Entre as inovações mais importantes, está o apego humano por usar marcadores simbólicos para mostrar a participação no próprio grupo. Das tatuagens e piercings faciais usados entre as tribos da Amazônia, passando pela circuncisão masculina exigida pelos judeus às tatuagens e piercings faciais usados pelos punks no Reino Unido, os seres humanos tomam medidas extraordinárias, dispendiosas e às vezes dolorosas para que seus corpos anunciem os grupos aos quais pertencem. Essa prática certamente começou de maneira modesta, talvez apenas com pós coloridos para pintura corporal.[68] Mas, independentemente de como isso começou, os grupos que construíram e inventaram marcadores mais permanentes encontraram uma maneira de criar um senso de "nós" que se estendia além do parentesco. Confiamos e cooperamos mais prontamente com pessoas que se parecem e soam como nós.[69] Esperamos que compartilhem de nossos valores e normas.

E tão logo os grupos tenham desenvolvido a inovação *cultural* do prototribalismo, modificaram o ambiente dentro do qual a evolução *genética* ocorreu. Como explicam Richerson e Boyd:

> Tais ambientes favoreceram a evolução de um conjunto de novos instintos sociais adequados à vida nesses grupos, incluindo uma psicologia que "espera" que a vida seja estruturada por normas morais e é projetada para aprender e internalizar tais normas; novas emoções, como vergonha e culpa,

que aumentam a chance de as normas serem seguidas, e uma psicologia que "espera" que o mundo social seja dividido em grupos simbolicamente identificados.[70]

Nessas sociedades prototribais, os indivíduos que achavam mais difícil conviver, restringir seus impulsos antissociais e observar as normas coletivas mais importantes não teriam sido a melhor escolha de ninguém na hora de escolher parceiros para caçar, forragear ou acasalar. Em particular, pessoas violentas seriam marginalizadas, punidas ou, em casos extremos, mortas.

Esse processo foi descrito como "autodomesticação".[71] Os ancestrais de cães, gatos e porcos se tornaram menos agressivos ao serem domesticados e moldados para a parceria com seres humanos. Em primeiro lugar, somente os mais amigáveis se aproximavam dos assentamentos humanos; eles se voluntariaram para se tornar os ancestrais dos animais de estimação e de fazenda de hoje.

De maneira semelhante, os primeiros humanos se domesticaram quando começaram a selecionar amigos e parceiros com base em sua capacidade de viver dentro da matriz moral da tribo. De fato, nossos cérebros, corpos e comportamento mostram muitos dos mesmos sinais de domesticação encontrados em nossos animais domésticos: dentes menores, corpo menor, redução da agressividade e mais disposição para brincadeiras, levada até a vida adulta.[72] A razão é que a domesticação geralmente pega características que desaparecem no final da infância e as mantém ativas por toda a vida. Animais domesticados (incluindo humanos) têm traços mais infantis e são mais sociáveis e dóceis do que seus ancestrais selvagens.

Esses instintos tribais são uma espécie de camada extra, um conjunto de emoções relacionadas ao grupo e mecanismos mentais estabelecidos sobre nossa natureza primata mais antiga e egoísta.[73] Pode parecer deprimente pensar que nossas mentes moralistas são basicamente mentes tribais, mas pense na alternativa. Nossas mentes tribais nos tornam mais suscetíveis à segregação, porém sem nosso longo período de vida tribal não haveria nada para dividir. Haveria apenas pequenas famílias de forrageiros — não tão sociáveis quanto os caçadores-coletores de hoje — lutando para sobreviver e perdendo a maioria de seus membros para a fome a cada seca

FIGURA 9.3. *Lyudmila Trut com Pavlik, um descendente da 42ª geração dos animais do estudo original de Belyaev.*

prolongada. A coevolução das mentes tribais e das culturas tribais não nos preparou apenas para a guerra, como também para uma convivência muito mais pacífica dentro de nossos grupos e, nos tempos modernos, também para cooperação em larga escala.

A coevolução gene-cultura é a Prova C no novo julgamento da seleção de grupos. Depois que nossos ancestrais cruzaram o Rubicão e se tornaram criaturas com cultura acumulativa, seus genes começaram a coevoluir com suas inovações culturais. Pelo menos algumas dessas inovações foram direcionadas à identificação dos membros de uma comunidade moral, promoção da coesão do grupo, supressão da agressividade e do parasitismo social dentro do grupo e defesa do território compartilhado por essa comunidade. Esses são precisamente os tipos de mudanças que fazem grandes transições acontecerem.[74] Mesmo que a seleção de grupo não tenha desempenhado papel algum na evolução de qualquer outro mamífero,[75] a evolução humana tem sido tão diferente desde a chegada da intencionalidade compartilhada e da coevolução gene-cultura que os humanos podem muito bem ser um caso especial. A rejeição total da seleção de grupo nas décadas de 1960 e 1970, baseada principalmente em argumentos e exemplos de outras espécies, foi prematura.

PROVA D: A EVOLUÇÃO PODE SER RÁPIDA

Quando exatamente nos tornamos ultrassociais? Os seres humanos em todos os lugares têm um senso de grupo tão desenvolvido que a maioria das mutações genéticas deve ter ocorrido antes de nossos ancestrais se espalharem da África e do Oriente Médio, cerca de 50 mil anos atrás.[76] (Desconfio que foi o desenvolvimento de um grupo cooperativo que permitiu que esses ancestrais conquistassem o mundo e dominassem o território neandertal tão rapidamente.) Mas a coevolução gene-cultura parou nesse ponto? Nossos genes congelaram, deixando todas as adaptações posteriores para serem resolvidas pela inovação cultural? Por décadas, muitos antropólogos e teóricos da evolução disseram que sim. Em uma entrevista em 2000, o paleontólogo Stephen Jay Gould afirmou que "a seleção natural quase se tornou irrelevante na evolução humana" porque a mudança cultural funciona em um ritmo que é "ordens de magnitude" mais rápido do que a mudança genética. Em seguida, afirmou que "*não* houve *mudança biológica* em humanos ao longo de 40 mil ou 50 mil anos. Tudo o que chamamos de cultura e civilização construímos *com o mesmo corpo e cérebro*".[77]

Se você acredita na afirmação de Gould de que não houve evolução biológica nos últimos 50 mil anos, então terá mais interesse na era do Pleistoceno (cerca de 2 milhões de anos antes do surgimento da agricultura) e considerará o Holoceno (últimos 12 mil anos) irrelevante para a compreensão da evolução humana. Mas será que 12 mil anos são de fato apenas um piscar de olhos no tempo evolutivo? Darwin achava que não; ele costumava escrever muito sobre os efeitos obtidos por criadores de animais e plantas em apenas algumas gerações.

A velocidade com que a evolução genética pode ocorrer é mais bem ilustrada por um estudo extraordinário de Dmitri Belyaev, um cientista soviético desprezado em 1948 por sua crença na genética mendeliana. (A moralidade soviética exigia a crença de que traços adquiridos durante a vida poderiam ser transmitidos aos filhos.)[78] Belyaev se mudou para um instituto de pesquisa na Sibéria, onde decidiu testar suas ideias realizando um experimento simples de criação de raposas. Em vez de selecionar raposas com base na qualidade de suas peles, como os criadores costumavam fazer, ele as selecionou por sua mansidão. Os filhotes de raposa que tinham menos medo de seres humanos eram escolhidos para acasalar e dar origem à próxima geração. Em poucas gerações, as raposas se tornaram mais mansas. Porém o mais importante: depois de nove gerações, novos traços começaram a aparecer em alguns filhotes, e eram os mesmos que distinguiam cães de lobos. Por exemplo, manchas de pelo branco apareceram na cabeça e no peito; mandíbulas e dentes encolheram; e as caudas anteriormente retas começaram a se enrolar. Depois de apenas 30 gerações, as raposas se tornaram tão mansas que podiam ser mantidas como animais de estimação. Lyudmila Trut, uma geneticista que havia trabalhado com Belyaev no projeto e que o administrou após sua morte, descreveu as raposas como "dóceis, ansiosas por agradar e nitidamente domesticadas".[79]

Não é apenas a seleção em nível individual que é rápida. Um segundo estudo feito com galinhas mostra que a seleção de grupo pode produzir resultados igualmente drásticos. Se deseja aumentar a produção de ovos, o bom senso lhe diz para criar apenas as galinhas que põem mais ovos. Mas a realidade da indústria de ovos é que as galinhas vivem amontoadas em gaiolas, e as melhores poedeiras tendem a ser as mais agressivas e dominantes. Portanto, se usarmos a seleção individual (reproduzindo apenas as galinhas mais produtivas), a produtividade total na verdade diminui, porque o comportamento agressivo — incluindo morte e canibalismo — aumenta.

Nos anos 1920, o geneticista William Muir usou a seleção de grupo para contornar esse problema.[80] Ele trabalhou com gaiolas contendo 12 galinhas cada e simplesmente escolheu as *gaiolas* que produziram mais ovos a cada geração. Então reproduziu *todas* as galinhas nessas gaiolas para gerar a próxima geração. Em apenas três gerações, os níveis de agressividade despencaram. Na sexta geração, a taxa de mortalidade caiu da terrível linha de base de 67% para apenas 8%. O total de ovos produzidos por galinha saltou de 91 para 237, principalmente porque as galinhas começaram a viver mais, mas também porque punham mais ovos por dia. As galinhas selecionadas pelo grupo foram mais produtivas do que aquelas submetidas à seleção em nível individual. Elas também desenvolveram uma aparência mais semelhante às imagens de galinhas que vemos em livros infantis — rechonchudas e com belas penas, em contraste com as galinhas debilitadas, feridas e parcialmente sem penas resultantes da seleção em nível individual.

Provavelmente os humanos nunca foram submetidos a uma pressão de seleção tão forte e consistente quanto essas raposas e galinhas; portanto, seriam necessárias mais de 6 ou 10 gerações para produzir novos traços. Mas quanto tempo mais? O genoma humano pode responder a novas pressões de seleção em, digamos, 30 gerações (600 anos)? Ou seriam necessárias mais de 500 gerações (10 mil anos) para que uma nova pressão de seleção produzisse alguma adaptação genética?

A velocidade real da evolução genética é uma pergunta que pode ser respondida com dados e, graças ao Projeto Genoma Humano, agora temos esses dados. Várias equipes sequenciaram o genoma de milhares de pessoas de todos os continentes. Os genes sofrem mutações e derivam nas populações, mas é possível distinguir essa deriva gênica aleatória dos casos em que os genes estavam sendo "impelidos" pela seleção natural.[81] Os resultados são surpreendentes e são exatamente o oposto da afirmação de Gould: a evolução genética *acelerou muito* nos últimos 50 mil anos. A taxa na qual o gene sofreu mutações em resposta às pressões de seleção começou a aumentar há cerca de 40 mil anos, e a curva ficou cada vez mais acentuada há 20 mil anos. A mudança genética atingiu um crescimento durante a era do Holoceno, na África e na Eurásia.

Faz todo sentido. Nos últimos dez anos, os geneticistas descobriram o quão ativos são os genes. Eles estão constantemente ligando e desligando em resposta a condições como estresse, fome ou doenças. Agora imagine esses genes dinâmicos construindo *veículos* (pessoas) determinados a se expor a novos climas, predadores, parasitas, opções alimentares, estruturas sociais e formas de guerra. Imagine as densidades populacionais aumentando em disparada durante o Holoceno, de modo que havia mais pessoas colocando mais mutações genéticas em jogo. Se os genes e as adaptações culturais coevoluírem em uma "valsa rodopiante" (como Richerson e Boyd alegam), e se o parceiro cultural de repente começar a dançar rock, os genes também acelerarão seu ritmo.[82] É por isso que a evolução genética se intensificou na era do Holoceno, provocando mutações como o gene de tolerância à lactose ou um gene que mudou o sangue dos tibetanos para que pudessem viver em grandes altitudes.[83] Genes para esses traços recentes e dezenas de outros já foram identificados.[84] Se a evolução genética foi capaz de ajustar nossos ossos, dentes, pele e metabolismo em apenas alguns milhares de anos, à medida que nossas dietas e climas mudaram, como a evolução genética poderia não ter adaptado nossos cérebros e comportamentos enquanto nossos ambientes sociais sofreram a transformação mais radical na história dos primatas?

Não acho que a evolução possa criar um novo módulo mental do zero em apenas 12 mil anos, mas não vejo razão para que recursos existentes — como os seis alicerces que descrevi nos Capítulos 7 e 8, ou a tendência de sentir vergonha — não tenham sido ajustados se as condições mudarem e depois permanecerem estáveis por mil anos. Por exemplo, quando uma sociedade se torna mais hierárquica ou empreendedora, ou quando um grupo adota agricultura, pastoreio ou comércio de arroz, essas mudanças alteram as relações humanas de várias maneiras e recompensam conjuntos de virtudes muito diferentes.[85] A mudança cultural aconteceria muito rapidamente — a matriz moral construída sobre os seis alicerces pode mudar radicalmente dentro de algumas gerações. Mas, se essa nova matriz moral permanecer um pouco estável por algumas dezenas de gerações, novas pressões de seleção serão aplicadas e poderá haver mais coevolução gene-cultura.[86]

A evolução rápida é a Prova D no novo julgamento da seleção de grupos. Se a evolução genética pode ser rápida e se o genoma humano coevoluir com as inovações culturais, é bem possível que a natureza humana tenha sido alterada em apenas alguns milhares de anos, em algum lugar da África, pela seleção de grupos durante períodos particularmente difíceis.

Por exemplo, o clima na África oscilou bastante entre 70 mil e 140 mil anos atrás.[87] A cada mudança de mais quente para mais frio ou de mais úmido para mais seco, as fontes de alimentos mudavam e a fome generalizada provavelmente era comum. Uma erupção vulcânica catastrófica 74 mil anos atrás, do vulcão Toba, na Indonésia, pode ter mudado drasticamente o clima da Terra em um único ano.[88] Qualquer que seja a causa, sabemos que quase todos os humanos foram mortos em algum momento durante esse período. Cada indivíduo vivo hoje é descendente de apenas alguns milhares de pessoas que passaram por um ou mais gargalos populacionais.[89]

Qual era o segredo delas? Provavelmente nunca saberemos, mas vamos imaginar que 95% da comida na Terra desaparecesse magicamente hoje à noite, garantindo que quase todos nós passemos fome até morrermos daqui a dois meses. A lei e a ordem entrariam em colapso. Caos e destruição se instalariam. Quem dentre nós ainda estaria vivo daqui a um ano? Seriam os indivíduos maiores, mais fortes e mais violentos de cada cidade? Ou seriam as pessoas que conseguiriam trabalhar juntas em grupos para monopolizar, esconder e compartilhar o restante do suprimento de alimentos entre si?

Agora imagine inanições como essa ocorrendo a cada poucos séculos e pense no que alguns desses eventos fariam com o pool genético humano. Mesmo que a seleção de grupo estivesse restrita a apenas alguns milhares de anos, ou ao período mais longo entre 70 mil e 140 mil anos atrás, poderia ter nos dado as adaptações relacionadas ao grupo que nos levaram a sair da África logo após o gargalo para conquistar e povoar o globo.[90]

NEM TUDO É GUERRA

Até agora, a seleção de grupo foi apresentada em sua forma mais simples possível: os grupos competem entre si como se fossem organismos individuais, e os grupos mais coesos eliminam e substituem os menos coesos durante a guerra intertribal. Foi assim que Darwin imaginou pela primeira vez. Mas quando a psicóloga evolucionista Lesley Newson leu um rascunho deste capítulo, ela me enviou esta nota:

> Acho que é importante não dar aos leitores a impressão de que grupos competindo necessariamente significam grupos em guerra ou brigando entre si. Eles estavam competindo para ser os mais eficientes em transformar recursos em prole. Não esqueça que mulheres e crianças também eram membros muito importantes desses grupos.

Claro que ela está certa. A seleção de grupos não requer guerra ou violência. Quaisquer que sejam as características que tornem um grupo mais eficiente na aquisição de alimentos e em transformá-los em prole, elas tornam esse grupo mais apto do que seus vizinhos. A seleção de grupo incita a cooperação, a capacidade de suprimir o comportamento antissocial e estimula os indivíduos a agir de maneiras que beneficiem seus grupos. Os comportamentos de servir em grupo às vezes impõem um custo terrível aos forasteiros (como na guerra). Mas, em geral, o grupo é focado em melhorar o bem-estar dos seus indivíduos, e não em prejudicar um grupo externo.

EM SUMA

Darwin acreditava que a moralidade era uma adaptação que evoluiu pela seleção natural operando em nível individual *e* de grupo. Tribos com membros mais virtuosos substituíram tribos com membros mais egoístas. Mas a ideia de Darwin foi banida do mundo acadêmico quando Williams e Dawkins argumentaram que o problema do parasita social prejudica a seleção de grupos. As ciências entraram então em um período de três décadas durante o qual a competição *entre* grupos foi subestimada e todos focaram a competição entre indivíduos *dentro dos* grupos. Atos aparentemente altruístas deveriam ser explicados como formas veladas de egoísmo.

Mas, nos últimos anos, surgiram novas correntes que elevam o papel dos grupos no pensamento evolutivo. A seleção natural funciona em vários níveis simultaneamente, às vezes incluindo grupos de organismos. Não posso afirmar com certeza que a natureza humana tenha sido moldada pela seleção de grupo — há cientistas cujas visões eu respeito de ambos os lados do debate. Mas como psicólogo estudando moralidade, posso dizer que a seleção multinível ajudaria muito a explicar por que as pessoas são simultaneamente tão egoístas e tão "grupistas".[91]

Há uma grande quantidade de novas correntes de estudo desde a década de 1970 que nos levam a repensar a seleção de grupo (como parte da seleção multinível). Organizei essas vertentes em quatro "provas" que, coletivamente, representam uma defesa[92] da seleção de grupo.

Prova A: Grandes transições produzem superorganismos. A história da vida na Terra mostra exemplos reiterados de "grandes transições". Quando o problema do parasitismo social é atenuado em um nível da hierarquia biológica, *veículos* maiores e mais poderosos (superorganismos) surgem no nível acima da hierarquia, com novas propriedades, como divisão de tarefas, cooperação e altruísmo dentro do grupo.

Prova B: Intencionalidade compartilhada gera matrizes morais. A travessia do Rubicão que permitiu a nossos ancestrais funcionarem tão bem em seus grupos foi o surgimento da capacidade exclusivamente humana de compartilhar intenções e outras representações mentais. Essa habilidade permitiu que os humanos primitivos colaborassem, dividissem as tarefas e desenvolvessem normas comuns para julgar o comportamento um do outro. Essas normas compartilhadas foram o começo das matrizes morais que governam a vida social hoje.

Prova C: Genes e culturas coevoluem. Depois que nossos ancestrais atravessaram o Rubicão e começaram a compartilhar intenções, nossa evolução se tornou um caso de duas vertentes. As pessoas criaram novos costumes, normas e instituições que alteravam o grau em que muitos traços de grupo eram adaptativos. Em particular, a coevolução gene-cultura nos deu um conjunto de instintos tribais: adoramos demarcar a associação ao grupo e depois cooperamos preferencialmente com os membros do nosso grupo.

Prova D: A evolução pode ser rápida. A evolução humana não parou ou desacelerou 50 mil anos atrás. Acelerou. A coevolução gene-cultura atingiu seu ápice nos últimos 12 mil anos. Não podemos apenas examinar os caçadores-coletores modernos e presumir que eles representam a natureza humana universal no estágio em que "paralisaram" há 50 mil anos. Períodos de profundas mudanças ambientais (como as ocorridas entre 70 mil e 140 mil anos atrás) e de mudança cultural (como a ocorrida durante a era do Holoceno) devem figurar com mais destaque em nossas tentativas de entender quem somos e como adquirimos nossas mentes moralistas.

A maior parte da natureza humana foi moldada pela seleção natural operando no nível do indivíduo. A maioria, mas não todas. Também temos algumas adaptações relacionadas ao grupo, como muitos norte--americanos descobriram nos dias após o 11 de Setembro. Nós, seres humanos, temos uma natureza dupla — somos primatas egoístas que desejam fazer parte de algo superior e mais nobre que nós mesmos. Somos 90% chimpanzé e 10% abelha.[93] Se considerarmos essa afirmação metaforicamente, os comportamentos que refletem o senso de grupo e de colmeia das pessoas farão muito mais sentido. É quase como se houvesse um interruptor em nossas cabeças que ativasse nosso potencial de nos tornar um único enxame quando as condições são apropriadas.

DEZ

O Interruptor da Colmeia

Em setembro de 1941, William McNeill foi convocado para o Exército dos EUA. Ele passou vários meses em treinamento básico, que consistia principalmente em marchar pelo campo de treino em formação estreita com algumas dezenas de outros homens. A princípio, McNeill achou que a marcha era apenas uma maneira de passar o tempo, porque sua base não possuía armas para treinar. Mas depois de algumas semanas, quando sua unidade começou a sincronizar bem os movimentos, ele começou a experimentar um estado alterado de consciência:

> Palavras não são capazes de descrever a emoção despertada pelo movimento prolongado em uníssono que o treinamento envolvia. Uma sensação de bem-estar generalizado é do que me lembro; mais especificamente, uma estranha sensação de engrandecimento pessoal; uma espécie de expansão, de se tornar maior que a vida, graças à participação em um ritual coletivo.[1]

McNeill lutou na Segunda Guerra Mundial e mais tarde se tornou um célebre historiador. Sua pesquisa o levou à conclusão de que a principal inovação dos exércitos grego, romano e europeus posteriores era o tipo de treino e marcha síncronos que o exército o forçara a praticar anos antes.

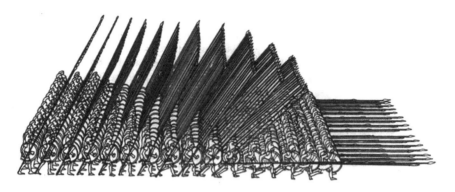

FIGURA 10.1. *A falange macedônica*.

Ele levantou a hipótese de que o processo de "conexão muscular" — mover-se juntos — era um mecanismo que evoluiu muito antes do início da história registrada para desligar o eu e criar um superorganismo temporário. A conexão muscular permitiu que as pessoas se esquecessem de si mesmas, confiassem umas nas outras, funcionassem como uma unidade e depois aniquilassem grupos menos coesos. A Figura 10.1 mostra o superorganismo que Alexandre, o Grande, usou para derrotar exércitos muito maiores.

McNeill estudou relatos de homens em batalha e descobriu que eles arriscam suas vidas não tanto por seu país ou seus ideais quanto por seus irmãos de armas. Ele citou um veterano que deu este exemplo do que acontece quando "eu" se torna "nós":

> Muitos veteranos, se forem honestos consigo mesmos, admitirão, acredito, que a experiência do esforço conjunto em batalha... fora o ponto alto de suas vidas... O "eu" passa de maneira imperceptível para o "nós", "meu" se torna "nosso", e o destino individual perde sua importância central... Acredito que isso seja nada mais do que a garantia da imortalidade que torna o autossacrifício nesses momentos relativamente tão fácil... Posso cair, mas não morro, pois o que é real em mim prossegue e vive nos irmãos pelos quais abri mão de minha vida.[2]

A HIPÓTESE DA COLMEIA

No capítulo anterior, sugeri que a natureza humana é 90% chimpanzé e 10% abelha. Somos como chimpanzés quando agimos como primatas cujas mentes foram moldadas pela competição incansável de indivíduos com seus vizinhos. Descendemos de uma longa linhagem de vencedores no jogo da vida social. É por isso que somos glauconianos, geralmente mais preocupados com a aparência da virtude do que com a realidade (como na história de Glauco e o anel de Giges).[3]

Mas a natureza humana também tem uma camada de senso de grupo mais recente. Somos como abelhas quando agimos como criaturas ultrassociais cujas mentes foram moldadas pela competição incansável entre grupos. Somos descendentes de humanos ancestrais, cujas mentes dotadas de senso de grupo os ajudaram a se tornar coesos, cooperar e superar outros grupos. Isso não significa que nossos ancestrais eram jogadores de equipe autômatos ou incondicionais; significa que eram seletivos. Sob as condições certas, eles foram capazes de adotar uma mentalidade de "um por todos e todos por um", na qual realmente trabalhavam para o bem do grupo, e não apenas para seu próprio progresso dentro do grupo.

Minha hipótese neste capítulo é que *seres humanos são criaturas de colmeia condicionais*. Temos a capacidade (sob condições especiais) de transcender o interesse próprio e nos concentrar (de forma temporária e extática) em algo maior que nós mesmos. Essa habilidade é o que chamo de *interruptor da colmeia*. O que proponho é uma adaptação relacionada ao grupo que só pode ser explicada "por uma teoria da seleção entre grupos", como disse Williams.[4] Algo que não pode ser explicado pela seleção no nível individual. (Como essa habilidade estranha poderia ajudar uma pessoa a superar seus companheiros de grupo?) O interruptor de colmeia é uma adaptação para tornar os grupos mais coesos e, portanto, mais bem-sucedidos na competição com outros grupos.[5]

Se a hipótese da colmeia for verdadeira, ela tem enormes implicações em como devemos projetar organizações, estudar religião e procurar significado e alegria em nossas vidas.[6] Será verdade? Existe realmente um interruptor de colmeia?

EMOÇÕES COLETIVAS

Quando os europeus começaram a explorar o mundo no final do século XV, levaram consigo uma extraordinária variedade de plantas e animais. Cada continente tinha suas próprias maravilhas; a diversidade do mundo natural era vasta além do que se poderia imaginar. Mas os relatos sobre os habitantes dessas terras longínquas eram, de certa forma, mais uniformes. Os viajantes europeus de todos os continentes testemunharam pessoas se reunindo para dançar em uma espécie de transe fervoroso ao redor de uma fogueira, sincronizadas com o bater de tambores, muitas vezes ao ponto de exaustão. Em *Dançando nas Ruas: Uma história do êxtase coletivo*, Barbara Ehrenreich descreve como os exploradores europeus reagiram a essas danças: com repulsa. As máscaras, pinturas corporais e gritos guturais faziam as danças parecerem animalescas. Os corpos dançando ritmicamente e as ocasionais pantomimas sexuais eram, para a maioria dos europeus, degradantes, grotescas e completamente "selvagens".

Os europeus não estavam preparados para entender o que estavam vendo. Como argumenta Ehrenreich, a dança coletiva e extasiante é uma "biotecnologia" quase universal para unir grupos.[7] Ela concorda com McNeill que é uma forma de conexão muscular. Promove amor, confiança e igualdade. Era comum na Grécia Antiga (pense em Dionísio e seu culto) e no início do cristianismo (que ela diz ser uma religião "dançada" até que a dança na igreja foi suprimida na Idade Média).

Mas, se a dança extasiante é tão benéfica e tão difundida, por que os europeus a rejeitaram? A explicação histórica de Ehrenreich é intricada demais para resumir aqui, mas a última parte da história é a ascensão do individualismo e de noções mais refinadas do eu na Europa, a partir do século XVI. Essas mudanças culturais aceleraram-se durante o Iluminismo e a Revolução Industrial. É o mesmo processo histórico que deu origem à cultura WEIRD (ocidental, educada, industrializada, rica e democrática) no século XIX.[8] Como expliquei no Capítulo 5, quanto mais WEIRD você é, mais percebe um mundo cheio de objetos separados, em vez de relacionamentos. Quanto mais WEIRD você é, mais difícil é entender o que aqueles "selvagens" estavam fazendo.

Ehrenreich ficou surpresa ao descobrir quão pouco a psicologia era capaz de ajudar em sua busca para entender a alegria coletiva. A psicologia tem uma linguagem rica para descrever as relações entre pares de pessoas, desde atrações passageiras até o amor capaz de suprimir o ego e a obsessão patológica. Mas e o amor que pode existir entre dezenas de pessoas? Ela observa que "se a atração homossexual é o amor que 'não ousa falar seu nome', o amor que une as pessoas ao coletivo não tem nome para falar".[9]

Entre os poucos estudiosos proficientes que encontrou em sua busca estava Emile Durkheim. Ele insistiu que havia "fatos sociais" que não eram redutíveis a fatos sobre indivíduos. Fatos sociais — como a taxa de suicídio ou normas de patriotismo — surgem à medida que as pessoas interagem. Eles são tão reais e dignos de estudo (pela sociologia) quanto as pessoas e seus estados mentais (estudados pela psicologia). Durkheim não conhecia a seleção multinível e a teoria das grandes transições, mas sua sociologia se encaixa incrivelmente bem com as duas ideias.

Durkheim com frequência criticava seus contemporâneos, como Freud, que tentou explicar moralidade e religião usando apenas a psicologia dos indivíduos e seus relacionamentos em pares. (Deus é apenas uma figura paterna, disse Freud.) Durkheim argumentou, em contraste, que o *Homo sapiens* era de fato o *Homo duplex*, uma criatura que existe em dois níveis: como indivíduo e como parte da sociedade em geral. A partir de seus estudos sobre religião, ele concluiu que as pessoas têm dois conjuntos distintos de "sentimentos sociais", um para cada nível. O primeiro conjunto de sentimentos "liga cada indivíduo à pessoa de seus concidadãos: eles se manifestam na comunidade, nas relações cotidianas da vida. Eles incluem sentimentos de honra, respeito, carinho e medo que podemos sentir uns pelos outros".[10] Esses sentimentos são facilmente explicados pela seleção natural que opera no nível do indivíduo: assim como Darwin afirmou, as pessoas evitam parceiros que não compartilham desses sentimentos.[11]

Mas Durkheim observou que as pessoas também tinham a capacidade de experimentar outro conjunto de emoções:

> O segundo é formado por aqueles que me ligam à entidade social como um todo; eles se manifestam principalmente nos relacionamentos da sociedade com outras sociedades e po-

dem ser chamados de "intersociais". O primeiro [conjunto de emoções] deixa minha autonomia e personalidade quase intactas. Sem dúvida, eles me ligam aos outros, mas sem tirar grande parte da minha independência. Quando ajo sob a influência do segundo conjunto, por outro lado, *sou simplesmente parte de um todo, cujas ações sigo e a cuja influência estou sujeito*.[12]

Acho impressionante que Durkheim invoque a lógica da seleção multinível, propondo a existência de um novo conjunto de sentimentos sociais para ajudar grupos (que são coisas reais) a seus relacionamentos "intersociais". Esses sentimentos de segundo nível acionam o interruptor da colmeia, desligam o eu, ativam a camada de senso de grupo e permitem que a pessoa se torne "simplesmente parte de um todo".

O mais importante desses sentimentos durkheimianos de nível superior é a "efervescência coletiva", que descreve a paixão e o êxtase que os rituais de grupo podem gerar. Como afirma Durkheim:

O próprio ato de congregar é um estimulante excepcionalmente poderoso. Uma vez que os indivíduos estão reunidos, um tipo de eletricidade é gerada a partir de sua proximidade e rapidamente as lança em um nível extraordinário de êxtase.[13]

Nesse estado, "as energias vitais ficam hiperexcitadas; as paixões, mais intensas; as sensações, mais poderosas".[14] Durkheim acreditava que as emoções coletivas transportam os humanos, de maneira plena mas temporária, para o mais alto de nossos dois reinos, o reino do *sagrado,* onde o eu desaparece e os interesses coletivos predominam. O reino do *profano,* em contraste, é o mundo cotidiano comum em que vivemos a maior parte de nossas vidas, preocupados com riqueza, saúde e reputação, mas incomodados com a sensação de que há, em algum lugar, algo superior e mais nobre.

Durkheim acreditava que nossa constante transição entre esses dois reinos deram origem a nossas ideias sobre deuses, espíritos, céus e a própria noção de uma ordem moral objetiva. São fatos sociais que não podem ser entendidos pelos psicólogos que estudam indivíduos (ou pares), assim como a estrutura de uma colmeia não pode ser deduzida por entomologistas que analisam abelhas solitárias (ou pares).

AS MUITAS MANEIRAS DE ACIONAR O INTERRUPTOR

A efervescência coletiva parece maravilhosa, certo? Pena que você precisa de 23 amigos e uma fogueira para alcançá-la. Será mesmo? Um dos fatos mais intrigantes sobre o interruptor de colmeia é que existem muitas maneiras de ativá-lo. Mesmo que você duvide que ele seja uma adaptação em nível de grupo, espero que concorde comigo que ele existe e que geralmente torna as pessoas menos egoístas e mais afetuosas. Veja três exemplos de acionamento do interruptor que você pode ter experimentado.

1. Admiração pela natureza

Na década de 1830, Ralph Waldo Emerson proferiu um conjunto de palestras sobre a natureza que formaram a base do Transcendentalismo Norte-americano, um movimento que rejeitava o hiperintelectualismo analítico das principais universidades dos Estados Unidos. Emerson argumentou que as verdades mais profundas devem ser conhecidas pela intuição, não pela razão, e que as experiências de admiração pela natureza estavam entre as melhores maneiras de acionar essas intuições. Ele descreveu a sensação de revitalização e a alegria que obtinha de observar as estrelas, uma bela vista das montanhas ou de uma simples caminhada na floresta:

> De pé no chão nu — minha cabeça banhada pelo ar aprazível e elevado ao espaço infinito — *todo egoísmo mesquinho desaparece*. Eu me torno um olho transparente; não sou nada; vejo tudo; as torrentes do Ser Universal circulam através de mim; sou parte ou partícula de Deus.[15]

Darwin registra uma experiência semelhante em sua autobiografia:

> Em meu diário escrevi que, no momento em que estou no meio da grandiosidade de uma floresta brasileira, "não é possível expressar de forma adequada os sentimentos mais elevados de desejo, admiração e devoção que inundam e elevam a mente". Lembro-me bem da minha convicção de que há mais no homem do que a respiração do seu corpo.[16]

Emerson e Darwin encontraram na natureza um portal entre o reino do profano e o do sagrado. Mesmo que o interruptor de colmeia tenha sido originalmente uma adaptação relacionada ao grupo, ele pode ser acionado quando se está sozinho por sentimentos de admiração pela natureza, como místicos e ascetas sabem há milênios.

A emoção de admiração é mais frequentemente desencadeada quando enfrentamos situações com duas características: vastidão (algo avassalador e que nos faz sentir pequenos) e uma necessidade de acomodação (isto é, nossa experiência não é facilmente assimilada em nossas estruturas mentais existentes; precisamos "acomodar" a experiência alterando essas estruturas).[17] A admiração age como uma espécie de botão de reset: faz as pessoas se esquecerem de si mesmas e de suas preocupações mesquinhas. Ela abre espaço para novas possibilidades, valores e direções na vida. É uma das emoções mais intimamente ligadas ao interruptor de colmeia, junto com o amor e a alegria coletivos. As pessoas descrevem a natureza em termos espirituais — como Emerson e Darwin o fizeram — precisamente porque a natureza pode acionar o interruptor de colmeia e desligar o eu, fazendo você sentir que é *simplesmente uma parte de um todo*.

2. Durkheimógenos

Quando Cortés conquistou o México em 1519, encontrou os astecas praticando uma religião baseada em cogumelos que continham o alucinogênio psilocibina. Os cogumelos eram chamados *teonanacatl* — literalmente "carne de Deus" no idioma local. Os primeiros missionários cristãos notaram a semelhança entre comer cogumelos e a Eucaristia cristã, mas a prática asteca era mais do que um ritual simbólico. O *teonanacatl* levava as pessoas diretamente do reino profano ao sagrado em cerca de 30 minutos.[18] A Figura 10.2 mostra um deus prestes a agarrar um comedor de cogumelos em um pergaminho asteca do século XVI. As práticas religiosas dos astecas do norte concentravam-se no consumo de peiote, colhido de um cacto que contém mescalina. As práticas religiosas dos astecas do sul, no consumo de *ayahuasca* ("videira de espíritos" em quéchua), uma bebida feita a partir de videiras e folhas contendo DMT (dimetiltriptamina).

Essas três drogas são classificadas como alucinógenas (assim como o LSD e outros compostos sintéticos) porque a classe de alcaloides quimicamente semelhantes nessas drogas induz uma série de alucinações visuais e auditivas. Mas acho que essas drogas também poderiam ser chamadas de durkheimógenos, dada sua capacidade única (mas duvidosa) de desligar o eu e dar às pessoas experiências que mais tarde descrevem como "religiosas" ou "transformadoras".[19]

A maioria das sociedades tradicionais tem algum tipo de ritual para transformar meninos em homens e meninas em mulheres. Geralmente é

FIGURA 10.2. *Um comedor de cogumelo asteca, prestes a ser transportado para o reino do sagrado*. Detalhe do Códice Magliabechiano, CL.XIII.3, século XVI.

muito mais árduo do que um bar mitzvah; frequentemente envolve medo, dor, simbolismo da morte e renascimento e uma revelação do conhecimento pelos deuses ou anciãos.[20] Muitas sociedades usaram drogas alucinógenas para catalisar essa transformação. As drogas acionam o interruptor de colmeia e ajudam a criança egoísta a desaparecer. A pessoa que volta do outro mundo é então tratada como um adulto moralmente responsável. Uma análise antropológica de tais ritos conclui: "Esses estados eram induzidos para aumentar o aprendizado e para criar um vínculo entre os membros de uma coorte, quando apropriado, para que as necessidades psíquicas individuais fossem subordinadas às necessidades do grupo social."[21]

Quando os ocidentais tomam essas drogas, desprovidos de todos os ritos e rituais, geralmente não se comprometem com um grupo, mas costumam ter experiências difíceis de distinguir das "experiências de pico" descritas pelo psicólogo humanista Abe Maslow.[22] Em um dos poucos experimentos controlados, realizados antes da ilegalização das drogas na maioria dos países ocidentais, 20 estudantes de Divindade foram reunidos na capela do porão de uma igreja em Boston.[23] Todos tomaram uma pílula, mas durante os primeiros 20 minutos, ninguém sabia quem havia tomado psilocibina e quem havia tomado niacina (uma vitamina B que causa uma sensação de calor e rubor). Porém, aos 40 minutos do experimento, ficou claro para todos. Os 10 que tomaram niacina (e que foram os primeiros a sentir algo) estavam presos na Terra, desejando que os outros 10 estivessem bem em sua viagem fantástica.

Os pesquisadores coletaram relatórios detalhados de todos os participantes antes e depois do estudo, bem como seis meses depois. Eles descobriram que a psilocibina havia produzido efeitos estatisticamente significativos em nove tipos de experiências: (1) unidade, incluindo perda do senso de si e um sentimento de unidade subjacente; (2) transcendência do tempo e do espaço; (3) um profundo sentimento positivo; (4) um senso de sacralidade; (5) um senso de adquirir conhecimento intuitivo que parecia profundo e assertivamente verdadeiro; (6) paradoxalidade; (7) dificuldade em descrever o que havia acontecido; (8) transitoriedade, com tudo voltando ao normal em poucas horas; e (9) mudanças positivas persistentes de atitude e comportamento.

Vinte e cinco anos depois, Rick Doblin localizou 19 dos 20 sujeitos de pesquisas originais e os entrevistou.[24] Ele concluiu que "todos os que tomaram a psilocibina e que participaram do acompanhamento em longo prazo, mas nenhum do grupo de controle, ainda consideravam que sua experiência original continha elementos genuinamente místicos e contribuíra de maneira única e valiosa para suas vidas espirituais". Um dos indivíduos que tomou a psilocibina relembrou sua experiência assim:

> De repente, eu me senti atraído ao infinito, e de repente perdi o contato com a minha mente. Senti que estava envolvido na vastidão da Criação... Às vezes, olhava para cima e via a luz sobre o altar; e era um tipo ofuscante de luz e radiação... Tomamos uma quantidade tão infinitesimal de psilocibina, e ainda assim me conectei ao infinito.

3) Raves

O rock sempre foi associado a impulsividade e sexualidade. Os pais norte-americanos na década de 1950 costumavam compartilhar do horror dos europeus do século XVII diante da dança extasiante dos "selvagens". Mas, na década de 1980, os jovens britânicos misturaram novas tecnologias para criar um novo tipo de dança que substituiu o individualismo e a sexualidade do rock por sentimentos mais comunitários. Os avanços na eletrônica trouxeram gêneros musicais novos e mais hipnóticos, como *techno, trance, house* e *drum and bass*. Os avanços na tecnologia a laser possibilitaram levar efeitos visuais espetaculares para qualquer festa. E os avanços na farmacologia disponibilizaram uma série de novas drogas na pista de dança, particularmente o MDMA, uma variante de anfetamina que fornece às pessoas energia duradoura, bem como sentimentos intensificados de amor e receptividade. (Não é surpresa que o nome coloquial do MDMA seja ecstasy [êxtase].) Quando alguns ou todos esses ingredientes foram combinados, o resultado foi tão profundo que os jovens começaram a convergir aos milhares para festas que duravam a noite toda, começando pelo Reino Unido, e depois, na década de 1990, para todo o mundo desenvolvido.

Há uma descrição de uma experiência de rave na autobiografia de Tony Hsieh, *Satisfação Garantida*. Hsieh (pronuncia-se "Shay") é o CEO da varejista online Zappos.com. Ganhou uma fortuna aos 24 anos quando vendeu sua startup de tecnologia à Microsoft. Nos anos seguintes, Hsieh se perguntou o que fazer com sua vida. Ele tinha um pequeno grupo de amigos que costumava sair junto em São Francisco. A primeira vez que Hsieh e sua "tribo" (como eles se chamavam) frequentaram uma rave, seu interruptor de colmeia foi acionado. Veja como ele descreve o ocorrido:

> O que experimentei em seguida mudou minha perspectiva para sempre... Sim, a decoração e os lasers eram bem legais, e sim, esse era o maior recinto repleto de pessoas dançando que eu já tinha visto. Mas nenhuma dessas coisas explicava o sentimento de deslumbramento que eu estava experimentando... Como alguém que normalmente é conhecido como a pessoa mais lógica e racional de um grupo, fiquei surpreso ao me ver envolvido por um sentimento avassalador de espiritualidade — não no sentido religioso, mas de um senso de *profunda conexão com todos que estavam lá e com o resto do universo*. Havia um sentimento de não julgamento... *Não* havia *um senso de autoconsciência* ou sentimento de que alguém estava dançando para ser visto... Todo mundo estava de frente para o DJ, que estava em um palco elevado... Todo o recinto parecia *uma tribo maciça e unida de milhares de pessoas*, e o DJ era o líder tribal... As batidas eletrônicas constantes e sem palavras eram os batimentos cardíacos unificadores que sincronizavam a multidão. Era como se *a existência da consciência individual houvesse desaparecido e fosse substituída por uma única consciência grupal unificadora.*[25]

Hsieh tropeçou em uma versão moderna da conexão muscular descrita por Ehrenreich e McNeill. O cenário e a experiência o impressionaram, desligaram seu "eu" e o fundiram em um gigantesco "nós". Aquela noite foi um momento decisivo em sua vida; ela o levou a criar um novo tipo de negócio que incorporava parte do comunalismo e da supressão do ego que sentira na rave.

Existem muitas outras maneiras de acionar o interruptor de colmeia. Nos dez anos em que discuti essas ideias com meus alunos da UVA, ouvi relatos de pessoas ficando "excitadas" por cantar em corais, tocando em bandas, ouvindo sermões, participando de comícios políticos e meditando. A maioria dos meus alunos experimentou o acionamento do interruptor pelo menos uma vez, embora apenas alguns tenham tido uma experiência transformadora. Normalmente, os efeitos desaparecem dentro de algumas horas ou dias.

Agora que sei o que pode acontecer quando o interruptor da colmeia é acionado da maneira certa, na hora certa, vejo meus alunos de maneira diferente. Ainda os vejo como indivíduos competindo entre si por notas, honras e parceiros românticos. Mas tenho uma nova apreciação pelo fervor com que se lançam em atividades extracurriculares, a maioria das quais os transforma em jogadores de equipe. Eles encenam peças, competem em esportes, defendem causas políticas e se voluntariam para dezenas de projetos para ajudar os pobres e os doentes em Charlottesville e em países distantes. Eu os vejo procurando uma conexão, que só conseguem encontrar ao fazer parte de um grupo maior. Agora os vejo lutando e pesquisando em dois níveis simultaneamente, pois somos todos *Homo duplex*.

A BIOLOGIA DO INTERRUPTOR DE COLMEIA

Se o interruptor de colmeia for real — se for uma adaptação em nível de grupo projetada pela seleção de grupo para sua coesão —, ele deve ser formado por neurônios, neurotransmissores e hormônios. Não será uma área do cérebro — um grupo de neurônios que os humanos têm e que os chimpanzés não. Pelo contrário, será um sistema *funcional* montado a partir de circuitos e substâncias preexistentes reutilizados de maneiras ligeiramente novas para produzir uma habilidade radicalmente nova. Nos últimos dez anos, houve uma avalanche de pesquisas sobre as duas[26] matérias-primas mais prováveis desse sistema funcional. [27]

Se a evolução se deparou com uma maneira de unir as pessoas em grandes grupos, a cola mais óbvia é a ocitocina, um hormônio e neurotransmissor produzido pelo hipotálamo. A ocitocina é amplamente utilizada entre os vertebrados para preparar as fêmeas para a maternidade. Nos mamíferos, causa contrações uterinas e a descida do leite, além de uma poderosa motivação para tocar e cuidar dos filhos. A evolução muitas vezes reutilizou a ocitocina para forjar outros tipos de vínculos. Nas espécies em que os machos permanecem junto com suas parceiras ou protegem sua prole, os cérebros masculinos foram levemente modificados para responder melhor à ocitocina.[28]

Nas pessoas, a ocitocina vai muito além da vida familiar. Se lançarmos spray de ocitocina no nariz de uma pessoa, ela demonstrará mais confiança em um jogo que envolve transferir dinheiro temporariamente para um parceiro anônimo.[29] Por outro lado, pessoas que demonstram confiança fazem com que os níveis de oxitocina de seus parceiros aumentem. Os níveis de ocitocina também aumentam quando as pessoas assistem a vídeos envolvendo o sofrimento de outras pessoas — pelo menos entre aqueles que relatam sentimentos de empatia e desejo de ajudar.[30] Nosso cérebro secreta mais ocitocina quando temos contato íntimo com outra pessoa, mesmo que esse contato seja apenas uma massagem nas costas feita por um estranho.[31]

Que hormônio adorável! Não é de admirar que a imprensa tenha se alvoroçado nos últimos anos, apelidando-a de "droga do amor" e "hormônio do carinho". Se pudéssemos colocar a ocitocina na água potável do mundo, será que as guerras e as crueldades cessariam?

Infelizmente, não! Se o interruptor de colmeia é um produto da seleção de grupo, ele deve exibir a característica típica da seleção de grupo: o altruísmo paroquial.[32] A ocitocina nos conecta a nossos parceiros e grupos, para que possamos competir com mais eficácia com outros grupos. Ela não nos conecta com a humanidade em geral.

Vários estudos recentes validaram essa previsão. Em um conjunto de estudos, os holandeses participaram de uma variedade de jogos econômicos enquanto estavam sentados sozinhos em cubículos, conectados por computadores a pequenas equipes.[33] Metade dos homens recebeu um spray nasal de ocitocina e a outra, um spray de placebo. Os homens que receberam a ocitocina tomaram decisões menos egoístas — eles se preocuparam mais em ajudar seu grupo, mas não demonstraram nenhuma preocupação em melhorar os resultados dos homens nos outros grupos. Em um desses estudos, a ocitocina tornou os homens mais dispostos a prejudicar outras equipes (em um jogo do dilema do prisioneiro), porque essa era a melhor maneira de proteger seu próprio grupo. Em um conjunto de estudos de acompanhamento, os autores afirmam que a ocitocina fez com que os holandeses gostassem mais de nomes holandeses e valorizassem mais salvar vidas holandesas (nos dilemas do tipo bonde). Repetidas vezes, os pesquisadores procuravam sinais de que esse aumento do amor dentro do grupo fosse associado ao aumento do ódio a um grupo externo (em relação aos muçulmanos), mas não conseguiram encontrá-los.[34] A ocitocina simplesmente faz as pessoas amarem mais o seu grupo. Ela os torna altruístas paroquiais. Os autores concluem que suas descobertas "fornecem evidências para a ideia de que mecanismos neurobiológicos em geral e sistemas ocitocinérgicos em particular evoluíram para sustentar e facilitar a coordenação e a cooperação dentro do grupo".

O segundo candidato à promoção da coordenação dentro do grupo é o sistema de neurônios-espelho. Esses neurônios foram descobertos acidentalmente na década de 1980, quando uma equipe de cientistas italianos começou a inserir minúsculos eletrodos em neurônios individuais no cérebro de macacos. Os pesquisadores tentavam descobrir o papel de algumas células individuais em uma região do córtex cerebral que sabiam controlar os movimentos motores finos. Eles descobriram que havia alguns neurônios que disparavam rapidamente apenas quando o macaco fazia um movimento muito específico, como segurar uma noz entre o polegar e o indicador (em comparação a, digamos, agarrar a noz com a mão inteira). Mas, uma vez que esses eletrodos foram implantados e conectados a um alto-falante (para que fosse possível ouvir a taxa de disparo), eles começaram a ouvir ruídos de disparo em momentos estranhos, como quando um macaco estava perfeitamente imóvel e era o *pesquisador* que acabara de pegar algo com o polegar e o indicador. Isso não fazia sentido, porque a percepção e a ação deveriam ocorrer em regiões separadas do cérebro. No entanto, havia neurônios que não se importavam se o macaco estava fazendo alguma coisa ou vendo alguém fazê-la. O macaco parecia *espelhar* as ações de outros na mesma parte de seu cérebro que usaria para praticar a mesma ação.[35]

Trabalhos posteriores demonstraram que a maioria dos neurônios-espelho não dispara quando vê um movimento físico específico, mas quando vê uma ação que indica um objetivo ou intenção mais geral. Por exemplo, assistir a um vídeo de uma mão pegando um copo de uma mesa limpa, como se fosse levá-lo à boca, aciona um neurônio-espelho para comer. Mas exatamente o mesmo movimento da mão e o mesmo copo sendo apanhado de uma mesa *bagunçada* (onde uma refeição parece ter terminado) aciona um neurônio-espelho diferente para apanhar coisas em geral. Os macacos têm sistemas neurais que inferem *intenções* dos outros — o que é claramente um pré-requisito para a intencionalidade compartilhada de Tomasello[36] — mas eles ainda não estão prontos para compartilhá-la. Neurônios-espelho parecem projetados para o uso *privado* do próprio macaco, seja para ajudá-lo a aprender com os outros ou para prever o que outro macaco fará a seguir.

Em seres humanos, o sistema de neurônios-espelho é encontrado em regiões do cérebro que correspondem diretamente àquelas estudadas em macacos. Mas, nos humanos, os neurônios-espelho têm uma conexão muito mais forte com as áreas do cérebro relacionadas à emoção — primeiro ao córtex insular, e então à amígdala e outras áreas límbicas.[37] Os seres humanos sentem a dor e a alegria uns dos outros em um grau muito maior do que qualquer outro primata. Ver alguém sorrir ativa alguns dos mesmos neurônios de quando sorrimos. A outra pessoa está efetivamente sorrindo em nosso cérebro, o que nos deixa felizes e propensos a sorrir, o que, por sua vez, transmite o sorriso para o cérebro de outra pessoa.

Os neurônios-espelho são perfeitamente adequados para os sentimentos coletivos de Durkheim, particularmente a "eletricidade" emocional da efervescência coletiva. Mas sua natureza durkheimiana aparece ainda mais claramente em um estudo liderado pela neurocientista Tania Singer.[38] Os sujeitos primeiro participaram de um jogo econômico com dois estranhos, um jogou de maneira gentil e o outro de maneira egoísta. Na parte seguinte do estudo, os cérebros dos sujeitos foram examinados enquanto choques elétricos leves eram administrados aleatoriamente na mão do sujeito de pesquisa, na do jogador gentil ou na do jogador egoísta. (As mãos dos outros jogadores ficavam visíveis para o sujeito, perto de sua própria mão enquanto ele estava no escâner.) Os resultados mostraram que os cérebros dos sujeitos reagiram da mesma maneira quando o jogador "gentil" e eles próprios receberam o choque. Os sujeitos usavam seus neurônios-espelho, tinham empatia e sentiam a dor do outro. Mas, quando o jogador egoísta recebia o choque, as pessoas mostraram menos empatia e algumas até evidências neurais de prazer.[39] Em outras palavras, as pessoas não sentem empatia pelas outras cegamente; elas não sintonizam com todos que veem. Nós somos criaturas de colmeia *condicionais*. É mais provável que espelhemos e depois sintamos empatia pelos outros quando eles se encaixam em nossa matriz moral do que quando a violam.[40]

COLMEIAS NO TRABALHO

Do berço ao túmulo, estamos cercados por corporações e coisas feitas por corporações. O que exatamente são as corporações e como elas se disseminaram pela Terra? A palavra em si vem de *corpus*, Latim para "corpo". Uma corporação é, literalmente, um superorganismo. Veja uma definição inicial, na obra de 1794 de Stewart Kyd, *A Treatise on the Law of Corporations* [sem publicação no Brasil]:

> [Uma corporação é] uma coleção de muitos indivíduos *unidos em um corpo*, sob uma denominação especial, tendo sucessão perpétua sob uma forma artificial e investida, pela política da lei, com a capacidade de agir, em vários aspectos, *como um indivíduo*.[41]

Essa ficção jurídica, reconhecendo "uma coleção de muitos indivíduos" como um novo tipo de indivíduo, acabou sendo uma fórmula vencedora. Ela permitiu que as pessoas se colocassem em um novo tipo de *veículo*, no qual pudessem dividir o trabalho, suprimir o parasitismo social e assumir tarefas gigantescas com o potencial de recompensas gigantescas.

As corporações e o direito societário ajudaram a Inglaterra a sair à frente do resto do mundo nos primeiros dias da Revolução Industrial. Assim como ocorreu com a transição para colmeias e cidades-Estados, os novos superorganismos levaram algum tempo para resolver os problemas, aperfeiçoar a forma e desenvolver defesas efetivas contra ataques externos e subversão interna. Mas, uma vez resolvidos esses problemas, houve um crescimento explosivo. Durante o século XX, as pequenas empresas foram empurradas para as margens ou para a extinção, à medida que as corporações dominavam os mercados mais lucrativos. Elas agora são tão poderosas que apenas os governos nacionais podem restringir as gigantes (e mesmo assim são apenas alguns governos e nem sempre).

É possível construir uma corporação composta inteiramente de *Homo economicus*. Os ganhos com a cooperação e a divisão do trabalho são tão vastos que as grandes empresas conseguem pagar mais do que pequenas empresas, e então usar uma série de incentivos e atrativos institucionalizados — incluindo caros mecanismos de monitoramento e fiscalização — para motivar os funcionários que atuam em benefício próprio a agir da maneira que a empresa deseja. Mas essa abordagem (às vezes chamada de liderança transacional)[42] tem seus limites. Funcionários movidos pelo interesse próprio são glauconianos, muito mais interessados em parecer bons e serem promovidos do que em ajudar a empresa.[43]

Por outro lado, uma organização que tira proveito de nossa natureza de colmeia pode instigar orgulho, lealdade e entusiasmo entre seus funcionários e depois monitorá-los de longe. Essa abordagem da liderança (às vezes chamada liderança transformacional)[44] gera mais capital social — os vínculos de confiança que ajudam os funcionários a realizar mais trabalho a um custo menor do que os funcionários de outras empresas. Funcionários de colmeia trabalham mais, se divertem mais e são menos propensos a abandonar ou processar a empresa. Ao contrário do *Homo economicus*, eles são realmente jogadores de equipe.

O que os líderes podem fazer para criar organizações mais influentes? O primeiro passo é parar de pensar tanto em liderança. Um grupo de estudiosos usou a seleção multinível para pensar sobre o que realmente é a liderança. Robert Hogan, Robert Kaiser e Mark van Vugt argumentam que a liderança só pode ser entendida como o complemento da disposição de cooperar.[45] Focar apenas a liderança é como tentar entender como bater palmas estudando apenas a mão esquerda. Eles apontam que a liderança não é nem mesmo a "mão" mais interessante a se estudar na equação; não é difícil entender por que as pessoas querem liderar. O verdadeiro enigma é por que as pessoas estão dispostas a obedecer.

Esses estudiosos afirmam que as pessoas evoluíram para viver em grupos de até 150 membros de forma relativamente igualitária e sempre cautelosa em relação aos machos alfa (como afirmou Chris Boehm).[46] Mas também desenvolvemos a capacidade de nos unir aos líderes quando nosso grupo está sob ameaça ou competindo com outros. Lembra-se de como os Rattlers e os Eagles instantaneamente se tornaram mais tribais e hierárquicos no instante em que descobriram a presença do outro grupo?[47] Pesquisas também mostram que estranhos se organizarão espontaneamente em líderes e seguidores diante de desastres naturais.[48] As pessoas ficam felizes em seguir um líder quando veem que seu grupo precisa agir e quando a pessoa que surge como líder não aciona seus detectores hipersensíveis de opressão. Um líder deve construir uma matriz moral baseada de alguma forma nos alicerces da Autoridade (para legitimar a autoridade do líder), da Liberdade (para garantir que os subordinados não se sintam oprimidos e não queiram se unir para se opor a um macho alfa intimidador) e, acima de tudo, o alicerce da Lealdade (que defini no Capítulo 7 como uma resposta ao desafio de formar coalizões coesas).

Usando essa estrutura evolutiva, podemos extrair algumas lições diretas para quem quer tornar uma equipe, empresa, escola ou outra organização mais feliz, produtiva e com senso de colmeia. Não é preciso colocar ecstasy no bebedouro e depois fazer uma festa rave na cafeteria. O interruptor de colmeia pode ser mais um botão seletor do que um comutador liga-desliga e, com algumas mudanças institucionais, podemos criar ambientes que deslocarão os seletores de todos um pouco mais perto da posição da colmeia. Por exemplo:

- *Reforce a semelhança, não a diversidade.* Para criar uma colmeia humana, você precisa fazer com que todos se sintam como uma família. Portanto, não chame atenção para diferenças raciais e étnicas; torne-as menos relevantes, reforçando a semelhança e celebrando os valores compartilhados e a identidade comum do grupo.[49] Muitas pesquisas em psicologia social demonstram que as pessoas são mais calorosas e mais confiantes em relação a indivíduos que se parecem, se vestem, falam como elas ou até mesmo que compartilham de seu primeiro nome ou data de aniversário.[50] Não há nada de especial na raça. Você pode fazer com que as pessoas se importem menos com a raça, diluindo as diferenças raciais em um mar de semelhanças, objetivos compartilhados e interdependências mútuas.[51]

- *Explore a sincronia.* Pessoas que se movem juntas sinalizam: "Somos um, somos uma equipe; veja como somos perfeitamente capazes de empregar a intenção compartilhada de Tomasello." Corporações japonesas como a Toyota começam seus dias com exercícios sincronizados em toda a empresa. Grupos se preparam para a batalha — na guerra e nos esportes — com hinos e movimentos ritualizados. (Se quiser ver um exemplo impressionante no rugby, procure "All Blacks Haka" na internet.) Se pedir às pessoas que cantem uma música juntas, ou que marchem, ou simplesmente batam na mesa em sincronia, isso fará com que elas confiem mais umas nas outras e estejam mais dispostas a se ajudar, em parte porque se sentem mais parecidas entre si.[52] Se achar muito esquisito pedir a seus funcionários ou colegas de grupo que façam ginástica sincronizada, talvez você possa apenas tentar fazer mais festas que envolvam dança ou karaokê. A sincronia gera confiança.

- *Crie concorrência saudável entre equipes, não indivíduos.* Como afirmou McNeill, os soldados não arriscam suas vidas pelo país ou pelo exército; eles fazem isso por seus companheiros no mesmo esquadrão ou pelotão. Estudos mostram que a competição intergrupos aumenta muito mais o amor pelo grupo interno do que a aversão ao grupo externo.[53] As competições intergrupos, como rivalidades amigáveis entre divisões corporativas ou competições esportivas internas, devem ter um efeito positivo real sobre a sobrevivência e o capital social. Mas colocar indivíduos uns contra os outros em uma competição por recursos escassos (como bônus) destruirá o senso de colmeia, a confiança e o moral.

Muito mais poderia ser dito sobre a liderança de uma organização com senso de colmeia.[54] Kaiser e Hogan oferecem este resumo da literatura de pesquisa:

> A liderança transacional apela ao interesse próprio do seguidor, mas a liderança transformacional muda a maneira como os seguidores se veem — *de indivíduos isolados a membros de um grupo maior.* Os líderes transformacionais fazem isso modelando o compromisso coletivo (por exemplo, por meio do autossacrifício e do uso de "nós" em vez de "eu"), enfatizando a semelhança dos membros do grupo e reforçando objetivos coletivos, valores compartilhados e interesses comuns.[55]

Em outras palavras, os líderes transformacionais entendem (pelo menos implicitamente) que os seres humanos têm uma natureza dupla. Estabelecem organizações que envolvem, até certo ponto, o nível mais alto dessa natureza. Bons líderes criam bons seguidores, mas a disposição em cooperar em uma organização com senso de colmeia é mais bem descrita como afiliação.

COLMEIAS POLÍTICAS

Os grandes líderes entendem Durkheim, mesmo que nunca tenham lido seu trabalho. Para os norte-americanos nascidos antes de 1950, é possível ativar sua natureza superior durkheimiana dizendo apenas duas palavras: "Não pergunte." A frase completa que eles ouvirão em sua mente vem do discurso inaugural de John F. Kennedy em 1961. Depois de exortar todos os norte-americanos a "arcar com o fardo de um longo embate com as sombras" — isto é, a pagar os custos e correr os riscos do combate da Guerra Fria contra a União Soviética —, Kennedy apresentou uma das frases mais famosas da história norte-americana: "E então, meus compatriotas, não perguntem o que seu país pode fazer por você; perguntem o que vocês podem fazer para seu país."

O desejo de servir algo maior que o eu tem sido a base de muitos movimentos políticos modernos. Eis outro apelo durkheimiano brilhante:

> [Nosso movimento rejeita a visão do homem] como um indivíduo, autônomo, autocentrado, sujeito à lei natural, que instintivamente o impele a uma vida de prazer momentâneo egoísta; ele vê não apenas o indivíduo, mas também a nação e a pátria; indivíduos e gerações unidos por uma lei moral, com tradições comuns e uma missão que, suprimindo o instinto de vida fechado em um breve ciclo de prazer, constrói uma vida superior, fundada no dever, uma vida livre das limitações de tempo e espaço e em que o indivíduo, por meio do autossacrifício, da renúncia ao interesse próprio... pode alcançar a existência puramente espiritual na qual consiste seu valor como homem.

Palavras inspiradoras, até descobrirmos que são de *A Doutrina do Fascismo*, de Benito Mussolini.[56] O fascismo é a psicologia das colmeias escalonada a níveis grotescos. É a doutrina da nação como um superorganismo, dentro do qual o indivíduo perde toda a importância. Então a psicologia da colmeia é uma coisa ruim, certo? Qualquer líder que tenta fazer com que as pessoas se esqueçam do eu e se juntem a uma equipe que busca um objetivo comum está flertando com o fascismo, não é? Pedir aos seus funcionários que se exercitem juntos — não é o tipo de coisa que Hitler fez em seus comícios em Nuremberg?

Ehrenreich dedica um capítulo de *Dançando nas Ruas* a refutar essa preocupação. Ela observa que a dança extasiante é uma biotecnologia evoluída para *dissolver* a hierarquia e conectar pessoas *umas às outras como uma comunidade*. A dança extasiante, festivais e carnavais invariavelmente apagam ou invertem as hierarquias da vida cotidiana. Os homens se vestem como mulheres, os camponeses fingem ser nobres e os líderes podem ser ridicularizados com segurança. Quando tudo acaba e as pessoas

O *Interruptor da Colmeia*

retornam a suas posições sociais normais, essas posições são um pouco menos rígidas e as conexões entre as pessoas em diferentes posições são um pouco mais calorosas.[57]

Comícios fascistas, observa Ehrenreich, não eram nada assim. Eram *espetáculos*, não festivais. Usavam a admiração para *fortalecer* a hierarquia e vincular as pessoas à *figura divina do líder*. As pessoas em comícios fascistas não dançavam e certamente não zombavam de seus líderes. Ficavam passivos por horas, aplaudindo quando grupos de soldados marchavam ou aclamando fervorosamente quando o querido líder chegava e discursava para eles.[58]

Os ditadores fascistas claramente exploraram muitos aspectos da psicologia de grupo da humanidade, mas essa é uma razão válida para evitarmos ou temermos o interruptor de colmeias? O senso de colmeia surge de maneira natural, fácil e alegre para nós. Sua função normal é unir dezenas ou no máximo centenas de pessoas em comunidades de confiança, cooperação e até amor. Esses grupos conectados podem até se importar menos com pessoas de fora do que com seus companheiros — a natureza da seleção de grupos é suprimir o egoísmo dentro dos grupos para torná-los mais eficazes na competição com outros grupos. Mas isso é realmente uma coisa tão ruim em geral, dado o quão superficial é o nosso cuidado com estranhos? Será que o mundo seria um lugar melhor se pudéssemos aumentar significativamente a atenção que as pessoas obtêm em seus grupos e nações existentes e, ao mesmo, tempo diminuir um pouco a atenção que recebem de estranhos em outros grupos e nações?

Vamos imaginar duas nações, uma cheia de colmeias de pequena escala, uma desprovida delas. Na nação de colmeias, vamos supor que a maioria das pessoas participe de várias colmeias transversais — talvez uma no trabalho, uma na igreja e outra em uma liga esportiva de fim de semana. Nas universidades, a maioria dos alunos ingressa em fraternidades e irmandades. No local de trabalho, a maioria dos líderes estrutura suas organizações para tirar proveito de nossa camada de senso de grupo. Ao longo de suas vidas, os cidadãos desfrutam regularmente de conexões musculares, formação de equipes e momentos de autotranscendência com grupos de concidadãos que podem ser diferentes deles racialmente, mas com quem têm profundo senso de semelhança e interdependência. Esse vínculo é frequentemente acompanhado pela empolgação da competição entre grupos (como nos esportes e nos negócios), mas às vezes não (como na igreja).

Na segunda nação, não há nenhuma colmeia. Todos valorizam sua autonomia e respeitam a de seus concidadãos. Os grupos se formam apenas na medida em que promovem os interesses de seus membros. Os negócios são administrados por líderes transacionais que alinham os interesses materiais dos funcionários o mais próximo possível dos interesses da empresa, de modo que, se todos buscarem seus próprios interesses, os negócios prosperarão. Nesta nação sem colmeia, encontraremos famílias e muitas amizades; encontramos altruísmo (entre parentes e recíproco). Encontraremos todos os aspectos descritos pelos psicólogos evolucionistas que duvidam que a seleção de grupo tenha ocorrido, mas não encontraremos evidências de adaptações relacionadas ao grupo, como o interruptor de colmeia. Não encontraremos maneiras culturalmente aprovadas ou institucionalizadas de nos integrar a um grupo maior.

Na sua opinião, qual nação teria melhor pontuação em medidas de capital social, saúde mental e felicidade? Qual nação produzirá negócios mais bem-sucedidos e um padrão de vida mais alto?[59]

Quando uma única colmeia é dimensionada para o tamanho de uma nação e é liderada por um ditador com um exército à sua disposição, os resultados são invariavelmente desastrosos. Mas isso não é argumento para remover ou suprimir colmeias em níveis mais baixos. Na verdade, uma nação cheia de colmeias é uma nação de pessoas felizes e satisfeitas. Esse não é um alvo muito promissor para a apropriação por um demagogo que oferece significado pessoal em troca de suas almas. A criação de uma nação de múltiplos grupos e partidos concorrentes foi, de fato, vista pelos Pais Fundadores dos EUA como uma maneira de impedir a tirania.[60] Mais recentemente, pesquisas sobre capital social demonstraram que ligas, igrejas e outros tipos de grupos, equipes e clubes são cruciais para a saúde de indivíduos e de uma nação. Como afirma o cientista político Robert Putnam, o capital social que é gerado por esses grupos locais "nos torna mais inteligentes, saudáveis, seguros, ricos e capazes de governar uma democracia justa e estável".[61]

Uma nação de indivíduos, em contrapartida, na qual os cidadãos passam todo o tempo no nível mais baixo de Durkheim, provavelmente está ansiosa por um sentido. Se as pessoas não puderem satisfazer sua necessidade de conexão profunda de outras maneiras, serão mais receptivas a um líder de fala mansa que os exorta a renunciar suas vidas de "prazer momentâneo egoísta" e segui-lo em busca da "existência puramente espiritual" em que consiste o seu valor como seres humanos.

EM SUMA

Quando comecei a escrever *The Happiness Hypothesis,* acreditava que a felicidade vinha de dentro, como Buda e os filósofos estoicos disseram milhares de anos atrás. Nunca faremos o mundo se adaptar aos nossos desejos, portanto devemos nos concentrar em mudar a nós mesmos e os nossos desejos. Mas, quando terminei de escrever, já havia mudado de ideia: a felicidade vem do meio. Ela resulta do relacionamento correto entre nós e os outros, nós e nosso trabalho, e nós e algo maior.

Depois de entender nossa natureza dual, incluindo nossa camada de senso de grupo, podemos ver por que a felicidade vem do meio. Nós evoluímos para viver em grupos. Nossas mentes foram projetadas não apenas para nos ajudar a vencer a competição dentro de nossos grupos, mas também para nos ajudar a nos unir às pessoas do nosso grupo para vencer as competições entre os grupos.

Neste capítulo, apresentei a hipótese da colmeia, que afirma que os seres humanos são criaturas de colmeia condicionais. Temos a capacidade (sob circunstâncias especiais) de transcender o interesse próprio e nos integrar (temporariamente e em êxtase) a algo maior do que nós. Chamei essa habilidade de interruptor de colmeia. Ele é outra maneira de afirmar a ideia de Durkheim de que somos *Homo duplex;* vivemos a maior parte de nossas vidas no mundo comum (profano), mas alcançamos nossas maiores alegrias naqueles breves momentos de transição para o mundo sagrado, nos quais nos tornamos "simplesmente parte de um todo".

Descrevi três maneiras comuns pelas quais as pessoas acionam o interruptor de colmeia: admiração pela natureza, drogas durkheimianas e raves. Apresentei descobertas recentes sobre a ocitocina e os neurônios-espelho, que sugerem que eles são os componentes do interruptor de colmeia. A ocitocina agrega as pessoas a seus grupos, não a toda a humanidade. Os neurônios-espelho ajudam as pessoas a sentirem empatia pelas outras, mas particularmente aquelas que compartilham de sua matriz moral.

Seria bom acreditar que nós humanos fomos criados para amar todos incondicionalmente. Bom, mas pouco provável do ponto de vista evolutivo. O amor paroquial — o amor dentro dos grupos — amplificado pela semelhança, por um senso de destino compartilhado e pela supressão do parasitismo social pode ser o máximo que conseguiremos realizar.

ONZE

Religião É um Esporte Coletivo

Durante o outono, todo sábado, nas faculdades dos Estados Unidos, milhões de pessoas lotam estádios para participar de um ritual que só pode ser descrito como tribal. Na Universidade da Virgínia, o ritual começa pela manhã, quando os alunos se vestem com roupas especiais. Os homens usam camisas sociais com gravatas da UVA e, se estiver calor, bermudas. As mulheres geralmente usam saias ou vestidos, às vezes com colares de pérolas. Alguns alunos pintam o logotipo de nossas equipes esportivas, o Cavaliers (um *V* cruzado por duas espadas), em seus rostos ou outras partes do corpo.

Os alunos participam de festas pré-jogo que servem brunch e bebidas alcoólicas. Em seguida, eles vão para o estádio, às vezes param para se encontrar com amigos, parentes ou ex-alunos desconhecidos que viajam por horas para chegar a Charlottesville a tempo de organizar festas de confraternização em todos os estacionamentos a menos de 800 metros do estádio. Mais comida, mais álcool, mais pintura de rosto.

Quando o jogo começa, muitos dos 50 mil fãs estão bêbados, o que facilita a superação da autoconsciência e a participação total nos cânticos, aplausos, zombarias e músicas síncronas que preencherão as próximas três horas. Toda vez que os Cavaliers marcam um ponto, os alunos cantam a mesma música que os alunos da UVA têm cantado juntos nessas ocasiões há mais de um século. O primeiro verso vem direto de Durkheim e Ehrenreich. Os alunos literalmente ficam de braços dados e balançam como uma única massa enquanto cantam louvores à sua comunidade (ao som de "Auld Lang Syne"):

Aquela boa e velha canção de Wah-hoo-wah — nós canta-
mos sem parar. Anima nossos corações e aquece nosso san-
gue ouvi-los gritar e rugir. Nós viemos da velha Virgi-ni-a,
onde tudo é brilhante e alegre. Vamos todos dar as mãos e
gritar pela velha e querida UVA.

Em seguida, os alunos ilustram a tese de McNeill de que a "conexão muscular" aquece as pessoas para uma ação militar coordenada.[1] Os alunos soltam os braços e fazem movimentos agressivos de socos no ar, em sincronia com um canto de batalha sem sentido:

Wah-hoo-wah! Wah-hoo-wah! Uni-v, Virgin-ia!
Hoo-rah-ray! Hoo-rah-ray! Ray, ray — UVA!

É um dia inteiro de emoções coletivas e de colmeia. A efervescência coletiva é garantida, assim como sentimentos de indignação coletiva por marcações questionáveis dos árbitros, triunfo coletivo se a equipe vence e tristeza coletiva se a equipe perde, seguidos por mais bebida coletiva nas festas pós-jogo.

Por que os alunos cantam, entoam, dançam, se agitam, pulam e batem os pés com tanto entusiasmo durante o jogo? Mostrar apoio ao time de futebol pode ajudar a motivar os jogadores, mas essa é a *função* desses comportamentos? Eles são executados *a fim de* alcançar a vitória? Não. De uma perspectiva durkheimiana, esses comportamentos têm uma função muito diferente, e é a mesma que Durkheim observou em ação na maioria dos rituais religiosos: *a criação de uma comunidade.*

Um jogo de futebol americano universitário é uma excelente analogia para a religião.[2] De uma perspectiva ingênua, concentrando-se apenas no que é mais visível (ou seja, o jogo em campo), o futebol americano universitário é uma instituição esdrúxula, dispendiosa e destrutiva, que prejudica a capacidade das pessoas de pensar racionalmente, deixando um longo rastro de vítimas (incluindo os próprios jogadores, além dos muitos torcedores que sofrem lesões relacionadas ao álcool). Mas, de uma perspectiva sociologicamente informada, é um rito religioso que faz exatamente o que deve fazer: eleva as pessoas do nível inferior (o profano) de Durkheim ao nível superior (o sagrado). Aciona o interruptor de colmeia e faz as pessoas sentirem, por algumas horas, que são "simplesmente uma parte de um todo". Aumenta o espírito acadêmico pelo qual a UVA é conhecida, que atrai os melhores alunos e mais doações de ex-alunos, o que, por sua vez, melhora a experiência de toda a comunidade, incluindo professores como eu, que não têm interesse em esportes.

Religiões são fatos sociais. A religião não pode ser estudada em indivíduos solitários, assim como o senso de colmeia não pode ser estudado em abelhas solitárias. A definição de religião de Durkheim deixa clara sua função de formar conexões:

> Uma religião é um sistema unificado de crenças e práticas relativas a coisas sagradas, isto é, coisas reservadas e proibidas — crenças e práticas que se unem em uma única comunidade moral chamada Igreja, todos aqueles que aderem a elas.[3]

Neste capítulo, continuo explorando o terceiro princípio da psicologia moral: *A moral agrega e cega*. Muitos cientistas não entendem a religião porque ignoram esse princípio e examinam apenas o que é mais visível. Eles se concentram nos indivíduos e em suas crenças sobrenaturais, em vez de em grupos e suas práticas vinculativas. Concluem que a religião é uma instituição esdrúxula, dispendiosa e destrutiva que prejudica a capacidade das pessoas de pensar racionalmente, deixando um longo rastro de vítimas. Não nego que as religiões, às vezes, se encaixem nessa descrição. Mas, se quisermos fazer um julgamento justo sobre a religião — e entender sua relação com a moral e a política — devemos primeiro descrevê-la com precisão.

O CRENTE SOLITÁRIO

Quando 19 muçulmanos sequestraram 4 aviões e os usaram para destruir o World Trade Center e uma seção do Pentágono, eles trouxeram à tona a crença que muitos ocidentais ocultavam desde a década de 1980: que existe uma conexão especial entre o islã e o terrorismo. Os comentaristas da direita foram rápidos em culpar o islã. Os da esquerda foram rápidos em dizer que o islã é uma religião de paz e que a culpa deve ser atribuída ao fundamentalismo.[4]

Mas um interessante conflito se instalou na esquerda. Alguns cientistas cuja política era bastante liberal começaram a atacar não apenas o islã, mas todas as religiões (exceto o budismo).[5] Após décadas de guerra cultural nos Estados Unidos em torno do ensino da evolução nas escolas públicas, alguns cientistas viam pouca distinção entre o islã e o cristianismo. Todas as religiões, disseram eles, são ilusões que impedem as pessoas de abraçar a ciência, o secularismo e a modernidade. O horror do 11 de Setembro motivou vários desses cientistas a escrever livros, e entre 2004 e 2007, tantos livros foram publicados que nasceu um movimento: o Novo Ateísmo.

Os títulos eram combativos. O primeiro a sair foi o de Sam Harris, *A Morte da Fé: Religião, terror e o futuro da razão;* seguido por Richard Dawkins em *Deus, um Delírio;* Daniel Dennett com *Quebrando o Encanto: A religião como fenômeno natural;* e pelo título mais explícito de todos *Deus Não É Grande: Como a religião envenena tudo,* de Christopher Hitchens. Esses quatro autores são conhecidos como os quatro cavaleiros do Novo Ateísmo, mas vou deixar Hitchens de lado porque ele é um jornalista cujo livro não pretendia outra coisa senão fazer uma crítica pungente e criar polêmica. Os outros três autores, no entanto, são homens da ciência: Harris era um estudante de pós-graduação em neurociência na época, Dawkins é biólogo, e Dennett é um filósofo que escreveu amplamente sobre evolução. Esses três autores alegaram falar pela ciência e ilustrar os valores da ciência — particularmente sua imparcialidade e sua insistência de que as reivindicações sejam fundamentadas em evidências reais e empíricas, não em fé e emoção.

Também agrupo esses três autores porque eles oferecem definições semelhantes de religião, todas focadas na crença em agentes sobrenaturais. Veja um trecho de Harris: "Ao longo deste livro, critico a fé em seu sentido comum das escrituras — como crença e orientação de vida em direção a certas proposições históricas e metafísicas."[6] A própria pesquisa de Harris examina o que acontece no cérebro quando as pessoas acreditam ou desacreditam em várias proposições, e ele justifica seu foco na crença religiosa com esta afirmação psicológica: "Uma crença é uma alavanca que, uma vez puxada, move quase tudo o que resta na vida de uma pessoa."[7] Para Harris, as crenças são a chave para entender a psicologia da religião, porque, na sua opinião, acreditar em uma falsidade (por exemplo, mártires serão recompensados com 72 virgens no céu) faz com que as pessoas religiosas façam coisas prejudiciais (por exemplo, atentados suicidas). Ilustrei o modelo psicológico de Harris na Figura 11.1.

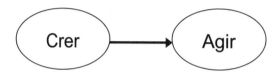

FIGURA 11.1. *O modelo do Novo Ateísmo de psicologia religiosa.*

Dawkins adota uma abordagem semelhante. Ele define a "Hipótese de que Deus Existe" como a proposição de que "existe uma inteligência super-humana e sobrenatural que deliberadamente projetou e criou o universo e tudo nele, inclusive nós".[8] O restante do livro é um argumento de que "Deus, no sentido definido, é um delírio; e, como os capítulos posteriores mostrarão, um delírio pernicioso".[9] Mais uma vez, a religião é estudada como um conjunto de crenças sobre agentes sobrenaturais, e essas crenças são consideradas a causa de uma ampla gama de ações prejudiciais. Dennett também adota essa abordagem.[10]

É claro que os agentes sobrenaturais desempenham um papel central na religião, assim como o próprio futebol está no centro do turbilhão de atividades nos dias de jogo na UVA. Mas tentar entender a persistência e a paixão da religião estudando crenças sobre Deus é como tentar entender a persistência e a paixão do futebol americano universitário estudando os movimentos da bola. É preciso ampliar a pesquisa. Observar como as crenças religiosas trabalham com práticas religiosas para criar uma comunidade religiosa.[11]

Crer, agir e pertencer são três aspectos complementares, ainda que distintos, da religiosidade, segundo muitos estudiosos.[12] Quando analisamos os três aspectos ao mesmo tempo, obtemos uma visão da psicologia da religião que é muito diferente da visão do Novo Ateísmo. Chamarei esse modelo concorrente de modelo durkheimiano, porque diz que a função dessas crenças e práticas é, em última análise, criar uma comunidade. Muitas vezes, nossas crenças são construções *post hoc* projetadas para justificar o que acabamos de fazer ou para apoiar os grupos aos quais pertencemos.

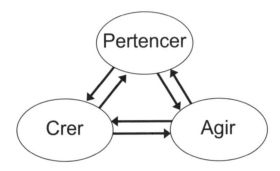

FIGURA 11.2. *O modelo durkheimiano da psicologia religiosa.*

O modelo do Novo Ateísmo se baseia na visão racionalista platônica da mente, que apresentei no Capítulo 2: a razão é (ou pelo menos poderia ser) o cocheiro que guia as paixões (os cavalos). Enquanto a razão tiver as crenças factuais apropriadas (e controlar as paixões indisciplinadas), a carruagem seguirá na direção certa. Nos Capítulos 2, 3 e 4, no entanto, analisei muitas evidências contra a visão platônica e a favor de uma visão humeana, na qual a razão (o ginete) é um servo das intuições (o elefante).

Vamos continuar o debate entre racionalismo e intuicionismo social enquanto examinamos a religião. Para entender a psicologia da religião, devemos nos concentrar nas crenças falsas e no raciocínio defeituoso de cada crente? Ou devemos nos concentrar nos processos automáticos (intuitivos) de pessoas inseridas em grupos sociais que estão se esforçando para criar uma comunidade moral? Isso depende do que pensamos ser a religião e de onde achamos que ela veio.

A HISTÓRIA DO NOVO ATEÍSMO: SÃO SUBPRODUTOS E MEMES PARASITÁRIOS

Para um evolucionista, os comportamentos religiosos "se destacam como pavões numa clareira ensolarada", como escreve Dennett.[13] A evolução elimina impiedosamente comportamentos dispendiosos e destrutivos do repertório de um animal (por muitas gerações), ainda assim, para citar Dawkins, "nenhuma cultura conhecida deixa de ter alguma versão dos rituais que consomem tempo e recursos e que provocam hostilidade, das fantasias antifactuais e contraproducentes da religião".[14] Para resolver esse enigma, você deve admitir que a religiosidade é (ou pelo menos costumava ser) benéfica ou deve criar uma complexa explicação de várias etapas de como os seres humanos em todas as culturas conhecidas passaram a nadar contra a maré da adaptação e executar tantas práticas religiosas autodestrutivas. Os novos ateus escolhem o último curso. Todos os seus relatos começam com uma discussão de múltiplos "subprodutos" evolutivos que explicam a origem acidental das crenças em Deus, e alguns continuam com uma descrição de como essas crenças evoluíram como conjuntos de memes* parasitários.[15]

O primeiro passo na história do Novo Ateísmo — um que não contestarei — é o dispositivo hiperativo de detecção de agente.[16] A ideia faz muito sentido: vemos rostos nas nuvens, mas nunca nuvens nos rostos, porque temos módulos cognitivos especiais para a detecção de rostos.[17] O detector de rostos é acionado por um gatilho hipersensível e comete quase todos os seus erros em uma só direção — falsos positivos (ver um rosto quando não há rosto real presente, por exemplo, ☺), em vez de falsos negativos (não ver um rosto que está realmente presente). Da mesma forma, a maioria dos animais enfrenta o desafio de distinguir eventos causados pela presença de

---

* N.T.: Meme é um termo cunhado por Richard Dawkins no livro "O Gene Egoísta" com o significado de uma prática social, ação ou conceito que se torna norma e é conscientemente repetido em uma sociedade.

outro animal (um agente que pode se mover sob seu próprio poder) daqueles causados pelo vento, por uma pinha caindo ou por qualquer outra coisa que não tenha agente.

A solução para esse desafio é um módulo de detecção de agente e, como o detector de rostos, é acionado por um gatilho hipersensível. Comete quase todos os seus erros em uma direção — falsos positivos (detectar um agente quando nenhum está presente), em vez de falsos negativos (falhar em detectar a presença de um agente real). Se você quiser ver o detector hiperativo de agente em ação, basta deslizar a mão embaixo de um cobertor perto de um filhote de gato ou cachorro. Se quiser saber por que é acionado por um gatilho hipersensível, pense em que tipo de erro seria mais caro na próxima vez que estiver andando sozinho à noite no meio da floresta ou em um beco escuro. O dispositivo hiperativo de detecção de agente é modulado para maximizar a sobrevivência, não a precisão.

Mas agora suponha que os humanos primitivos — equipados com um detector hiperativo de agente, uma nova capacidade de se envolver em intencionalidade compartilhada e um amor por histórias — comecem a comentar sobre suas muitas percepções errôneas. Suponha que comecem a atribuir agentes ao clima. (Trovões e raios certamente fazem *parecer* que alguém no céu está zangado conosco.) Suponha que um grupo de humanos comece a criar conjuntamente um panteão de agentes invisíveis que causam o clima e outros casos variados de boa ou má sorte. *Voilà* — nasceram os agentes sobrenaturais, não como uma adaptação, mas como um subproduto de um módulo cognitivo que, de outra forma, é altamente adaptativo. (Para um exemplo mais mundano de subproduto, pense na ponte do nariz como um recurso anatômico útil para apoiar os óculos. Ele evoluiu por outros motivos, mas nós, humanos, o reutilizamos para um propósito totalmente novo.)

Agora repita esse tipo de análise com mais cinco ou dez características. Dawkins propõe um módulo de "aprendizado crédulo": "Haverá uma vantagem seletiva para os cérebros de crianças dotados da seguinte regra geral: acredite, sem questionamentos, no que seus adultos lhe dizem."[18] Dennett sugere que o mecanismo para se apaixonar foi usurpado por algumas religiões para fazer as pessoas se apaixonarem por Deus.[19] O psicólogo do desenvolvimento Paul Bloom mostrou que nossas mentes foram projetadas para o dualismo — achamos que mentes e corpos são coisas distintas, mas igualmente reais — e, portanto, acreditamos prontamente que temos almas imortais alojadas em nossos corpos temporários.[20] Em todos os casos, a lógica é a mesma: uma parte da maquinaria mental evoluiu porque conferia um benefício real, mas ela às vezes falha, produzindo efeitos cognitivos acidentais que tornam as pessoas propensas a acreditar em deuses. *Em nenhum momento* a religião foi por si só benéfica para indivíduos ou grupos. *Em nenhum momento* os genes foram selecionados porque indivíduos ou grupos que eram melhores em "adoração divina" superavam os que não conseguiam criar, temer ou amar seus deuses. Segundo esses teóricos, os genes para a construção desses vários módulos já estavam em ação quando os humanos modernos deixaram a África, e *os genes não mudaram em resposta às pressões de seleção* a favor ou contra a religiosidade durante os 50 mil anos desde então.

Entretanto, os deuses mudaram e isso nos leva ao segundo passo da história do Novo Ateísmo: a evolução cultural. Uma vez que as pessoas começaram a acreditar em agentes sobrenaturais, a falar sobre eles e a transmitir essa noção para os filhos, a corrida começou. Mas a corrida não foi conduzida por pessoas ou genes; foi uma corrida entre os vários *conceitos* sobrenaturais que as pessoas criaram. Segundo Dennett:

> As memoráveis ninfas, fadas, duendes e demônios que povoam as mitologias de todos os povos são filhos da imaginação de um hábito hiperativo de atribuir agentes sempre que alguma coisa nos intriga ou amedronta. Isso gera, inadvertidamente, uma vasta superpopulação de ideias de agentes, a maioria das quais é tola demais para prender nossa atenção por mais do que um instante; apenas algumas, mais bem elaboradas, conseguem superar o torneio do ensaio, modificando-se e aprimorando-se à medida que avançam. As que conseguem ser compartilhadas e lembradas são as vencedoras "aperfeiçoadas" dentre bilhões de competições por tempo de ensaio no cérebro de nossos ancestrais.[21]

Para Dennett e Dawkins, as religiões são conjuntos de memes que foram submetidos à seleção darwiniana.[22] Assim como os traços biológicos, elas são hereditárias, sofrem mutações e há seleção entre essas mutações. A seleção não ocorre com base nos benefícios que as religiões conferem aos indivíduos ou grupos, mas em sua capacidade de sobreviver e se reproduzir. Algumas religiões são melhores do que outras em dominar a mente humana, implantando-se profundamente e depois sendo transmitidas para a próxima geração de mentes hospedeiras. Dennett abre *Quebrando o Encanto* com a história de um pequeno parasita que comanda o cérebro das formigas, fazendo com que subam ao topo das folhas de capim, onde podem ser mais facilmente comidos por animais que pastam. O comportamento é suicida para a formiga, mas é adaptativo para o parasita, que requer o sistema digestivo de um ruminante para se reproduzir. Dennett propõe que as religiões sobrevivam porque, como esses parasitas, incitam seus hospedeiros a fazerem coisas prejudiciais a si mesmos (por exemplo, ataques suicidas), mas boas para o parasita (por exemplo, o islã). Dawkins também descreve as religiões como vírus. Assim como um vírus de resfriado faz seu hospedeiro espirrar para se espalhar, as religiões bem-sucedidas fazem com que seus hospedeiros gastem recursos preciosos para espalhar a "infecção".[23]

Essas analogias têm implicações claras para a mudança social. Se a religião é um vírus ou um parasita que explora um conjunto de subprodutos cognitivos para benefício próprio, não para o nosso, então devemos nos livrar dela. Cientistas, humanistas e o pequeno número de pessoas que escaparam da infecção e ainda são capazes de raciocinar devem trabalhar juntos para quebrar o encanto, desfazer a ilusão e provocar a morte da fé.

UMA HISTÓRIA MELHOR: SÃO SUBPRODUTOS E SELEÇÃO CULTURAL DE GRUPO

Os cientistas que não fazem parte da equipe do Novo Ateísmo estão mais dispostos a dizer que a religião pode ser uma adaptação (ou seja, que pode ter evoluído porque confere benefícios a indivíduos ou grupos). Os antropólogos Scott Atran e Joe Henrich publicaram recentemente um artigo que conta uma história mais intrincada sobre a evolução da religiosidade, consistente com um conjunto mais amplo de descobertas empíricas.[24]

Assim como a dos novos ateus, sua história tem dois passos, e o primeiro é o mesmo: um conjunto diversificado de módulos e habilidades cognitivas (incluindo o detector hiperativo de agente) evoluiu como adaptações para resolver uma variedade de problemas, mas muitas vezes falham, produzindo crenças (por exemplo, em agentes sobrenaturais) que depois contribuíram (como subprodutos) para os primeiros comportamentos supostamente religiosos. Esses módulos já estavam em ação quando os humanos começaram a deixar a África há mais de 50 mil anos. Como na história dos novos ateus, o primeiro passo foi seguido de um segundo que envolveu a evolução cultural (não genética). Mas, em vez de falar sobre as religiões como memes parasitários que evoluem para seu próprio benefício, Atran e Henrich sugerem que as religiões são conjuntos de inovações culturais que se espalham na medida em que tornam os grupos mais coesos e cooperativos. Atran e Henrich argumentam que a evolução cultural da religião foi impulsionada em grande parte pela competição entre grupos. Os que foram capazes de usar seu subproduto divino tiveram uma vantagem sobre os grupos que falharam em fazê-lo e, assim, suas ideias (não seus genes) se espalharam. Grupos com religiões menos eficazes não foram necessariamente eliminados; muitas vezes, apenas adotaram variações mais eficazes. Então, de fato foram as *religiões* que evoluíram, não as pessoas ou seus genes.[25]

Uma das melhores coisas a fazer com o subproduto divino, segundo Atran e Henrich, é criar uma comunidade moral. Os deuses dos caçadores-coletores são frequentemente caprichosos e malévolos. Às vezes punem o mau comportamento, mas também trazem sofrimento aos virtuosos. À medida que os grupos adotaram a agricultura e cresceram, seus deuses se tornam muito mais moralistas.[26] Os deuses das sociedades maiores geralmente se preocupam com ações que fomentam conflitos e cisões dentro do grupo, como assassinato, adultério, falso testemunho e quebra de juramentos.

Se os deuses evoluem (culturalmente) para condenar comportamentos egoístas e segregadores, podem ser usados para promover a cooperação e a confiança dentro do grupo. Não precisamos de um cientista social para nos dizer que as pessoas se comportam de forma menos ética quando acham que ninguém pode vê-las. Esse foi o argumento de Glauco sobre o anel de Giges, e muitos cientistas sociais provaram que ele estava certo. Por exemplo, as pessoas trapaceiam mais em um teste quando a iluminação é mais fraca.[27] Elas trapaceiam menos quando há um desenho de um olho por perto,[28] ou quando o conceito de Deus é ativado na memória pela simples solicitação de que as pessoas ordenem frases que incluem palavras relacionadas a Deus.[29] Criar deuses capazes de ver tudo, e que odeiam trapaceiros e quebradores de juramentos, acaba sendo uma boa maneira de reduzir a trapaça e a quebra de juramentos.

Outra inovação cultural útil, de acordo com Atran e Henrich, são os deuses que administram o castigo coletivo. Quando as pessoas acreditam que os deuses podem trazer seca ou pestilência para toda a vila por causa do adultério de duas pessoas, pode apostar que os aldeões estarão muito mais vigilantes — e fofoqueiros — a qualquer indício de relação extraconjugal. Deuses raivosos tornam a vergonha mais eficaz como um meio de controle social.

Atran e Henrich começam com a mesma alegação de subprodutos que os novos ateus. Mas, como esses antropólogos veem os grupos como entidades reais que há muito competem entre si, eles são capazes de perceber o papel da religião em ajudar alguns grupos a vencer. Atualmente, existem muitas evidências de que as religiões de fato ajudam os grupos a se unirem, resolverem os problemas do parasitismo social e vencerem a competição pela sobrevivência em nível de grupo.

A evidência mais clara vem do antropólogo Richard Sosis, que examinou a história de 200 comunas fundadas nos Estados Unidos no século XIX.[30] As comunas são experimentos naturais sobre a cooperação sem parentesco. Elas podem sobreviver apenas na medida em que possam unir o grupo, suprimir o interesse próprio e resolver o problema do parasitismo social. Geralmente são fundadas por um grupo de crentes comprometidos que rejeitam a matriz moral da sociedade em geral e desejam se organizar de acordo com princípios diferentes. Para muitas comunas do século XIX, os princípios eram religiosos; para outras, eram seculares, principalmente socialistas. Que tipo de comuna sobreviveu por mais tempo? Sosis descobriu que a diferença era acentuada: apenas

6% das comunas seculares ainda estavam ativas 20 anos após sua fundação, em comparação com 39% das comunas religiosas.

Qual foi o ingrediente secreto que deu às comunas religiosas uma vida útil mais longa? Sosis quantificou tudo o que conseguiu encontrar sobre a vida em cada comuna. Então usou esses números para ver se conseguia explicar por que algumas resistiram ao teste do tempo, enquanto outras desmoronaram. Ele encontrou uma variável principal: o número de sacrifícios dispendiosos que cada comuna exigia de seus membros. Coisas como abrir mão do álcool e do tabaco, jejuar por dias seguidos, obedecer a um código de vestimenta ou penteado comunitário ou cortar laços com pessoas de fora. Para comunas religiosas, o efeito era perfeitamente linear: quanto mais sacrifícios uma comuna exigia, mais durava. Mas Sosis ficou surpreso ao descobrir que demandas por sacrifício não ajudavam comunidades seculares. A maioria delas fracassou dentro de oito anos, e não houve correlação entre sacrifício e longevidade.[31]

Por que o sacrifício não fortalece as comunidades seculares? Sosis argumenta que rituais, leis e outras restrições funcionam melhor quando são sacralizados. Ele cita o antropólogo Roy Rappaport: "Atribuir santidade às convenções sociais é esconder sua arbitrariedade sob uma capa de aparente necessidade."[32] Mas quando as organizações seculares exigem sacrifício, todo membro tem o direito de exigir uma análise de custo-benefício e muitos se recusam a fazer coisas que não fazem sentido lógico. Em outras palavras, *as próprias práticas rituais que os novos ateus consideram dispendiosas, ineficientes e irracionais acabam sendo uma solução para um dos problemas mais difíceis enfrentados pela humanidade: a cooperação sem parentesco*. As crenças irracionais às vezes podem ajudar o grupo a funcionar de maneira mais racional, principalmente quando essas crenças se apoiam no alicerce da Pureza.[33] O sacrifício agrega as pessoas e as cega à arbitrariedade da prática.

As descobertas de Sosis corroboram as de Atran e Henrich. Os deuses realmente ajudam os grupos a coexistir, ter sucesso e superar os outros. Essa é uma forma de seleção de grupo, mas Atran e Henrich dizem que é puramente uma seleção *cultural* de grupo. As religiões mais eficientes no trabalho de unir as pessoas e suprimir o egoísmo se espalham à custa de outras religiões, mas não necessariamente matando os perdedores. As religiões podem se espalhar muito mais rápido que os genes, como no caso do islã nos séculos VII e VIII, ou do mormonismo no século XIX. Uma religião de sucesso pode ser adotada por povos vizinhos ou por populações subjugadas.

Atran e Henrich, portanto, duvidam que tenha havido uma evolução *genética* para a religiosidade. Os deuses moralistas supremos são recentes demais, dizem eles, tendo surgido junto com a agricultura nos últimos 10 mil anos.[34] Atran e Henrich acreditam que a coevolução gene-cultura aconteceu lentamente durante o Pleistoceno (quando foram criados os módulos que mais tarde produziram deuses como subprodutos). Quando os humanos deixaram a África, os genes já estavam definidos e o resto é tudo cultura. Atran e Henrich se juntam ao Novo Ateísmo, alegando que nossas mentes não foram moldadas, ajustadas ou adaptadas para a religião.

Mas, agora que sabemos com que rapidez a evolução genética pode ocorrer, acho difícil imaginar que os genes tenham permanecido inalterados por mais de 50 mil anos.[35] Como poderia o parceiro genético na "valsa rodopiante"[36] da coevolução gene-cultura não dar um único passo quando o parceiro cultural começou a dançar música religiosa? Cinquenta mil anos podem não ser tempo suficiente para desenvolver um novo módulo complexo (como o detector hiperativo de agente ou o interruptor de colmeia) do zero. Mas como não poderia haver otimização, nem ajuste fino dos módulos para tornar as pessoas mais propensas a formas adaptativas de colmeia, sacralização ou adoração e menos propensas a formas que destroem o eu ou o grupo?

A HISTÓRIA DURKHEMINIANA: SÃO SUBPRODUTOS E MASTROS DE DANÇA DA FITA

David Sloan Wilson, biólogo da Universidade de Binghamton, foi o mais vigoroso opositor no julgamento, condenação e banimento da seleção de grupos na década de 1970. Ele passou 30 anos tentando provar que a seleção de grupos era inocente. Produziu demonstrações matemáticas de que a seleção genética de grupo poderia realmente ocorrer, sob condições especiais que poderiam muito bem ter sido as experimentadas pelas sociedades humanas ancestrais.[37] E então ele fez o difícil trabalho interdisciplinar de explorar a história de muitas religiões, para ver se elas realmente proporcionavam essas condições especiais.[38]

A grande conquista de Wilson foi mesclar as ideias dos dois pensadores mais importantes da história das ciências sociais: Darwin e Durkheim. Wilson mostrou como eles se completam. Ele começa com a hipótese de Darwin sobre a evolução da moralidade por seleção de grupo e observa a preocupação de Darwin com o problema do parasitismo social. Então, fornece a definição de religião de Durkheim como um "sistema unificado de crenças e práticas" que une os membros em "uma única comunidade moral". Se Durkheim está certo de que as religiões criam grupos coesos que podem funcionar como organismos, isso corrobora a hipótese de Darwin: a moralidade tribal pode emergir pela seleção de grupo. E se Darwin está certo de que somos produtos da seleção multinível, incluindo a seleção de grupo, isso corrobora a hipótese de Durkheim: somos *Homo duplex*, projetados (pela seleção natural) para alternar entre os níveis de existência mais baixo (individual) e mais alto (coletivo).

Em seu livro *Darwin's Cathedral* [sem publicação no Brasil], Wilson enumera as maneiras pelas quais as religiões ajudaram os grupos a cooperar, dividir as tarefas, trabalhar juntos e prosperar.[39] Ele mostra como João Calvino desenvolveu uma forma estrita e exigente de cristianismo que suprimiu o parasitismo social e promoveu a confiança e o comércio na Genebra do século XVI. Ele mostra como o judaísmo medieval criou "fortalezas culturais que mantinham os forasteiros do lado de fora e os integrantes do lado de dentro".[40] Mas seu exemplo mais revelador (baseado na pesquisa do antropólogo Stephen Lansing)[41] é o caso dos templos da água entre os produtores de arroz balineses nos séculos anteriores à colonização holandesa.

O cultivo de arroz é diferente de qualquer outro tipo de agricultura. Os produtores precisam construir grandes arrozais irrigados que possam drenar e encher em momentos precisos durante o ciclo de plantio. Requer centenas de pessoas. Em uma região de Bali, a água da chuva flui ao lado de um vulcão alto por riachos e rios através da rocha vulcânica porosa. Ao longo de vários séculos, os balineses cavaram centenas de piscinas em terraços na encosta da montanha e as irrigaram com uma série elaborada de aquedutos e túneis, alguns correndo no subsolo por mais de um quilômetro. No topo de todo o sistema, perto da crista do vulcão, eles construíram um imenso templo para a adoração da Deusa das Águas. Criaram para o templo uma equipe em tempo integral de 24 sacerdotes selecionados na infância e um sumo sacerdote, que era considerado o representante terreno da própria deusa.

FIGURA 11.3. *Dança da fita*. Da revista *The Illustrated London News,* 14 de agosto de 1858, p. 150.

O nível mais baixo de organização social era o *subak,* um grupo de várias famílias extensas que tomavam decisões democraticamente. Cada *subak* tinha seu próprio templo pequeno, com suas próprias divindades, e cada um executava o árduo trabalho de cultivar arroz mais ou menos coletivamente. Mas como é que os *subaks* trabalharam juntos para construir o sistema? E como eles mantiveram e compartilharam suas águas de maneira justa e sustentável? Esses tipos de dilemas comuns (em que as pessoas precisam compartilhar um recurso comum sem esgotá-lo) são notoriamente difíceis de resolver.[42]

A engenhosa solução religiosa para esse problema de engenharia social foi colocar um pequeno templo em cada bifurcação do sistema de irrigação. O deus em cada um desses templos unia todos os *subaks* a jusante em uma comunidade que adorava aquele deus e, assim, ajudava os *subaks* a resolver suas disputas de maneira mais amigável. Esse arranjo minimizou a trapaça e a fraude que, de outra forma, floresceriam em uma divisão de soma zero da água. O sistema possibilitou a cooperação de milhares de agricultores, espalhados por centenas de quilômetros quadrados, sem a necessidade de um governo central, inspetores e tribunais. O sistema funcionou com tanta eficiência que os holandeses — que eram especialistas em hidrologia — encontraram pouco a ser aprimorado.

O que devemos pensar das centenas de deuses e templos entrelaçados nesse sistema? Eles são apenas subprodutos de sistemas mentais que foram projetados para outros fins? São exemplos do que Dawkins afirmou ser "rituais que consomem tempo e recursos... das fantasias antifactuais e contraproducentes da religião"? Não. Acho que a melhor maneira de entender esses deuses é como os mastros na dança da fita.

Suponha que você observe uma jovem mulher com flores no cabelo, dançando em um círculo no sentido horário enquanto segura a ponta de uma fita. A outra extremidade está presa ao topo de um mastro alto. Ela circula o mastro repetidamente, mas não em um círculo claro. Em vez disso, ela trança e se movimenta mais perto ou mais longe do mastro enquanto o circula. Visto isoladamente, seu comportamento parece inútil, lembrando a insana Ofélia a caminho do suicídio. Mas agora adicione cinco outras jovens fazendo o mesmo e seis homens jovens fazendo a mesma coisa no sentido anti-horário, e temos uma dança da fita. À medida que homens e mulheres passam uns pelos outros e se movimentam para dentro e para fora, suas fitas tecem uma espécie de tecido tubular ao redor do mastro. A dança representa simbolicamente o milagre central da vida social: *e pluribus unum.*

A dança da fita parece ter se originado em algum lugar do norte da Europa pré-cristã, e ainda é praticada regularmente na Alemanha, no Reino Unido e na Escandinávia, muitas vezes como parte das festividades de 1º de maio. Quaisquer que sejam suas origens, é uma grande metáfora para o papel que os deuses desempenham no relato de Wilson sobre religião. Os deuses (mastros) são ferramentas que permitem que as pessoas se unam como uma comunidade em torno deles. Unidas pela "dança", essas comunidades podem funcionar com mais eficiência. Como afirma Wilson: "As religiões existem principalmente para as pessoas alcançarem juntas o que não podem alcançar sozinhas."[43]

Segundo Wilson, esse tipo de atividade vinculativa existe há mais de 10 mil anos. Não precisamos de deuses supremos e moralistas trovejando contra o adultério para unir as pessoas; até mesmo os deuses moralmente imprevisíveis dos caçadores-coletores podem ser usados para criar confiança e coesão. Um grupo de !Kung, por exemplo, acredita em um deus onipotente do céu chamado //Gauwa, e nos espíritos dos mortos, chamados //gauwasi (! e // indicam sons de clique). Esses seres sobrenaturais não oferecem orientação moral, recompensas pelo bom comportamento e punições pelos pecados; eles simplesmente fazem as coisas acontecerem. Um dia sua caçada vai bem porque os espíritos o ajudaram, e no dia seguinte uma cobra o pica porque os espíritos se voltaram contra você. Esses seres são exemplos perfeitos do detector hiperativo de agente em ação: as pessoas percebem agentes onde não há nenhum.

No entanto, mesmo esses espíritos às vezes cruéis desempenham um papel crucial nas "danças de cura" que estão entre os ritos religiosos centrais dos !Kung. A antropóloga Lorna Marshall os descreve assim:

> As pessoas se unem subjetivamente contra forças externas do mal... A dança aproxima todos... Qualquer que seja o relacionamento, quaisquer que sejam os seus sentimentos, se gostam uns dos outros ou não, se têm uma relação boa ou

ruim, tornam-se uma unidade, cantando, batendo palmas, movendo-se juntos em um extraordinário uníssono de bater os pés e palmas, tomados pela música. Nenhuma palavra é capaz de dividi-los; eles agem em conjunto para seu bem espiritual e físico, e fazem algo juntos que os anima e lhes dá prazer.[44]

Acho que os !Kung se divertiriam muito em um jogo de futebol da UVA.

Se grupos humanos praticam esses rituais desde antes do êxodo da África, e se de alguma maneira melhoram a sobrevivência do grupo, é difícil acreditar que não houve coevolução gene-cultura, nem adaptação recíproca de módulos mentais às práticas sociais, durante os últimos 50 mil anos. É especialmente difícil de acreditar que os genes para todos esses módulos de subprodutos permaneceram imutáveis, mesmo quando os genes para todo o resto de nós começaram a mudar mais rapidamente, atingindo um crescente da mudança genética durante a era do Holoceno,[45] que é precisamente a época em que os deuses estavam ficando maiores e mais moralistas. Se o comportamento religioso teve consequências, para indivíduos e grupos, de uma maneira estável durante alguns milênios, então quase certamente havia algum grau de coevolução gene-cultura para mentes moralistas que acreditavam em deuses e então usavam os deuses para criar comunidades morais.

Em *The Faith Instinct [“Instinto da Fé”, em tradução livre]* o escritor de ciência Nicholas Wade revisa o que se sabe sobre práticas religiosas pré-históricas e endossa fortemente a teoria da religião de Wilson. Ele observa que é difícil contar uma história evolutiva na qual essas práticas antigas conferiram uma vantagem aos indivíduos, pois competiam com seus companheiros menos religiosos no mesmo grupo, mas é óbvio que essas práticas ajudaram os grupos a competir com outros grupos. Ele resume de maneira clara a lógica da seleção de grupo:

As pessoas que pertencem a uma sociedade [religiosamente coesa] têm mais probabilidade de sobreviver e se reproduzir do que as de grupos menos coesos, que podem ser vencidos por seus inimigos ou se dissolver por discórdias. Na população como um todo, *genes que promovem o comportamento religioso provavelmente tornam-se mais comuns* a cada geração, à medida que as sociedades menos coesas perecem e as mais unidas prosperam.[46]

Deuses e religiões, em suma, são adaptações em nível de grupo para produzir coesão e confiança. Como mastros e colmeias, eles são criados pelos membros do grupo e depois organizam a atividade do grupo. As adaptações no nível do grupo, como observou Williams, implicam um processo de seleção operando no nível do grupo.[47] E a seleção de grupo pode funcionar muito rapidamente (como no caso das galinhas selecionadas pelo grupo que se tornaram mais pacíficas em apenas algumas gerações).[48] Dez mil anos são tempo de sobra para a coevolução gene-cultura ter ocorrido, incluindo algumas mudanças genéticas.[49] E 50 mil anos são mais do que o suficiente para que genes, cérebros, grupos e religiões tenham evoluído em harmonia.

O relato de Wilson tem implicações profundamente diferentes das teorias puras de subproduto que consideramos anteriormente. Em seu relato, as mentes e religiões humanas têm coevoluído (assim como as abelhas e suas colmeias) há dezenas ou centenas de milhares de anos. E, se isso for verdade, não podemos esperar que as pessoas abandonem a religião tão facilmente. Claro que as pessoas podem e renunciam às religiões *organizadas*, que são inovações culturais extremamente recentes. Mas mesmo aqueles que rejeitam todas as religiões não são capazes de abalar a psicologia religiosa básica da Figura 11.2: a ação ligada à crença ligada ao pertencimento. Pedir às pessoas que abandonem todas as formas de pertencimento sacralizado e vivam em um mundo de crenças puramente "racionais" pode ser o mesmo que pedir às pessoas que abandonem a Terra e vivam em colônias orbitando a Lua. É possível, mas seria preciso uma cuidadosa e intensa engenharia e, mesmo depois de dez gerações, os descendentes desses colonos podem acabar sentindo uma falta inexplicável da gravidade e da vegetação.

DEUS É UMA FORÇA PARA O BEM OU PARA O MAL?

A religião torna as pessoas boas ou más? Os adeptos do Novo Ateísmo afirmam que a religião é a raiz da maioria dos males. Eles dizem que é a principal causa de guerra, genocídio, terrorismo e opressão das mulheres.[50] Os crentes religiosos, por sua vez, costumam dizer que os ateus são imorais e não confiáveis. Até John Locke, uma das principais vozes do Iluminismo, escreveu que "as promessas, os pactos e os juramentos, que são os vínculos da sociedade humana, para um ateu não podem ter segurança ou santidade, pois a supressão de Deus, ainda que apenas em pensamento, dissolve tudo". Afinal, quem é que tem razão?

Por várias décadas, a disputa parecia empatada. Nas pesquisas, os religiosos alegavam rotineiramente dar mais dinheiro à caridade e expressavam valores mais altruístas. Mas, quando os psicólogos sociais trouxeram pessoas para o laboratório e lhes deram a chance de realmente ajudar estranhos, os crentes religiosos raramente agiam melhor do que os não crentes.[51]

Mas devemos realmente esperar que a religião transforme as pessoas em altruístas *incondicionais*, prontas para ajudar estranhos sob quaisquer circunstâncias? Não importa o que Cristo disse sobre o bom samaritano que ajudou um judeu ferido, se a religião é uma adaptação em nível de grupo, deveria produzir altruísmo *paroquial*. Deveria tornar as pessoas extremamente generosas e prestativas em relação aos membros de suas próprias comunidades morais, particularmente quando suas reputações serão aprimoradas. E, de fato, a religião faz exatamente isso. Estudos sobre doações de caridade nos Estados Unidos mostram que as pessoas nos 20% menos religiosos da população doam apenas 1,5% de seu dinheiro para caridade. As pessoas nos 20% mais religiosos (com base na participação na igreja, não na crença) doam impressionantes 7% de sua renda à caridade, e a maior parte dessa doação é para organizações religiosas.[52] O mesmo acontece no trabalho voluntário: as pessoas religiosas fazem muito mais do que as seculares, e a maior parte desse trabalho é feita para, ou pelo menos por meio de, suas organizações religiosas.

Há também algumas evidências de que as pessoas religiosas se comportam melhor em experimentos de laboratório — especialmente quando trabalham umas com as outras. Uma equipe de economistas alemães solicitou aos participantes que integrassem um jogo em que uma pessoa é o "administrador", que recebe dinheiro a cada rodada.[53] Então ele precisa decidir quanto dinheiro, se quiser, repassará para um "receptor" anônimo. Qualquer dinheiro repassado é triplicado pelo pesquisador; nesse momento, o "receptor" pode escolher quanto, se quiser, devolverá para o administrador. Cada pessoa joga muitas rodadas, com pessoas diferentes a cada vez, às vezes como o administrador, outras como receptor.

Os economistas comportamentais costumam usar esse jogo, mas o nosso toque pessoal foi revelar uma informação pessoal real e verdadeira sobre os receptores aos administradores, antes que os administradores tomassem sua decisão inicial de confiar ou não no receptor. (As informações foram extraídas de questionários que todos os participantes haviam preenchido semanas antes.) Em alguns casos, o administrador ficou sabendo o nível de religiosidade do receptor, em uma escala de 1 a 5. Quando os administradores souberam que o receptor era religioso, transferiram mais dinheiro, o que mostra que esses alemães mantinham a mesma crença que Locke (sobre os crentes religiosos serem mais confiáveis). Mais importante, os receptores religiosos de fato devolveram mais dinheiro do que os não religiosos, embora nunca soubessem nada sobre os administradores. Os níveis mais altos de riqueza, portanto, seriam criados quando as pessoas religiosas pudessem jogar um jogo de confiança com outras pessoas religiosas. (Richard Sosis também obteve o mesmo resultado, em um experimento de campo realizado em vários kibutzim israelenses.)[54]

Muitos estudiosos falaram sobre essa interação entre Deus, confiança e comércio. No mundo antigo, os templos costumavam ter uma importante função comercial: juramentos eram feitos e contratos, assinados, perante a divindade, com ameaças explícitas de punição sobrenatural pela violação.[55] No mundo medieval, judeus e muçulmanos se destacaram no comércio de longa distância, em parte porque suas religiões os ajudaram a criar relacionamentos confiáveis e contratos exequíveis.[56] Ainda hoje, mercados que exigem confiança muito alta para funcionar com eficiência (como o de diamantes) são frequentemente dominados por grupos étnicos ligados à religião (como judeus ultraortodoxos), que têm custos de transação e monitoramento mais baixos do que seus concorrentes seculares.[57]

Então as religiões cumprem o seu papel. Como afirmou Wilson, elas ajudam as pessoas a "alcançarem, juntas, o que não conseguem alcançar sozinhas". Mas essa descrição se aplica igualmente bem à máfia. Será que as religiões ajudam seus praticantes unindo-os em superorganismos que podem atacar — ou pelo menos dar as costas — todos os outros? O altruísmo religioso é uma benção ou uma maldição para quem está de fora?

Em *American Grace: How religion divides e unites us* [sem publicação no Brasil], os cientistas políticos Robert Putnam e David Campbell analisaram uma variedade de fontes de dados para descrever as diferenças entre os norte-americanos religiosos e não religiosos. O senso comum diria que, quanto mais tempo e dinheiro as pessoas dedicam a seus grupos religiosos, menos sobra para todo o resto. Mas o senso comum acaba por estar errado. Putnam e Campbell descobriram que quanto mais as pessoas assistem a cultos religiosos, mais generosas e caridosas se tornam.[58] É claro que as pessoas religiosas doam muito a instituições de caridade religiosas, mas também doam tanto ou mais do que as seculares a instituições de caridade seculares, como a American Cancer Society.[59] Elas dedicam muito tempo a serviço de suas igrejas e sinagogas, mas também passam mais tempo do que as seculares servindo em associações cívicas e de bairro de todos os tipos. Putnam e Campbell expõem suas descobertas sem rodeios:

> Por muitas medidas diferentes, os norte-americanos religiosos praticantes são melhores vizinhos e melhores cidadãos do que os norte-americanos seculares — eles são mais generosos com seu tempo e dinheiro, especialmente em ajudar os necessitados, e são mais ativos na vida da comunidade.[60]

Por que as pessoas religiosas são vizinhos e cidadãos melhores? Para descobrir, Putnam e Campbell incluíram em uma de suas pesquisas uma longa lista de perguntas sobre crenças religiosas (por exemplo, "Você acredita no inferno? Você concorda que todos seremos chamados diante de Deus para responder por nossos pecados?"), bem como perguntas sobre práticas religiosas (por exemplo, "Com que frequência você lê escrituras sagradas? Com que frequência reza?"). Essas crenças e práticas acabaram importando muito pouco. Se você acredita no inferno, se ora diariamente, se é católico, protestante, judeu ou mórmon... nada disso se correlacionou com a generosidade. A única coisa que se mostrou confiável e poderosamente associada aos benefícios morais da religião foi *quão envolvidas as pessoas estavam em sua relação com seus companheiros de fé.* São as amizades e as atividades em grupo, realizadas dentro de uma matriz moral, que reforçam o altruísmo. É isso que traz à tona o melhor nas pessoas.

Putnam e Campbell rejeitam a ênfase do Novo Ateísmo na crença e chegam a uma conclusão diretamente de Durkheim: "É o senso de pertencimento religioso que importa para a boa vizinhança, não a crença religiosa."[61]

CHIPANZÉS, ABELHAS E DEUSES

O trabalho de Putnam e Campbell demonstra que a religião nos Estados Unidos hoje em dia gera tantos excedentes de capital social que, grande parte, se espalha e beneficia pessoas de fora. Mas não há razão para pensar que a religião, ao longo do tempo e do espaço, tenha, na maioria das vezes, proporcionado tantos benefícios além de suas fronteiras. Afirmo que as religiões são conjuntos de práticas culturais que evoluíram com nossas mentes religiosas por um processo de seleção multinível. Na medida em que alguma seleção em nível de grupo ocorreu, podemos esperar que as religiões e mentes religiosas sejam paroquiais — focadas em ajudar o grupo — mesmo quando uma religião prega amor e benevolência universais. A religiosidade evoluiu porque as religiões bem-sucedidas tornaram os grupos mais eficientes em "transformar recursos em prole", como afirmou Lesley Newson (no Capítulo 9).

A religião é, portanto, bem adequada para ser a serva do senso de grupo, do tribalismo e do nacionalismo. Para dar um exemplo, a religião não parece ser a *causa* dos atentados suicidas. Segundo Robert Pape, que criou um banco de dados de todos os ataques terroristas suicidas nos últimos 100 anos, o atentado suicida é uma resposta nacionalista à ocupação militar por um poder democrático culturalmente estranho.[62] É uma resposta a botas e tanques no solo — nunca a bombas lançadas do ar. É uma resposta

Religião É um Esporte Coletivo

à contaminação da pátria sagrada. (Imagine um punho inserido dentro de uma colmeia e deixado por um longo tempo.)

A maioria das ocupações militares não leva a atentados suicidas. É preciso haver uma ideologia que possa reunir os jovens para que se martirizem por uma causa maior. A ideologia pode ser secular (como foi o caso do grupo marxista-leninista Tigres do Tâmil, do Sri Lanka) ou pode ser religiosa (como foi o caso dos muçulmanos xiitas que demonstraram, pela primeira vez, que o ataque suicida funciona, expulsando os Estados Unidos do Líbano em 1983). Tudo o que agrega as pessoas em torno de uma matriz moral que glorifica os membros do grupo e, *ao mesmo tempo, demoniza outro grupo* pode levar a assassinatos moralistas; e muitas religiões são adequadas para essa tarefa. A religião é, portanto, muitas vezes uma *cúmplice* da atrocidade, e não sua força motriz.

Mas, se analisarmos a longa história da humanidade e enxergarmos nossas mentes moralistas como aberrações quase milagrosas da evolução que clamam por uma explicação, talvez sintamos algum apreço pelo papel que a religião desempenhou para nos trazer até aqui. Somos *Homo duplex;* somos 90% chimpanzé e 10% abelha. As religiões bem-sucedidas trabalham em ambos os níveis de nossa natureza para suprimir o egoísmo, ou pelo menos canalizá-lo de maneiras que geralmente recompensam o grupo. Os deuses foram úteis na criação de matrizes morais dentro das quais as criaturas glauconianas têm fortes incentivos para se enquadrar. E os deuses foram uma parte essencial da evolução de nossa camada de senso de grupo; às vezes, realmente transcendemos o interesse próprio e nos dedicamos a ajudar os outros ou nossos grupos.

As religiões são exoesqueletos morais. Se você mora em uma comunidade religiosa, está envolvido em um conjunto de normas, relacionamentos e instituições que trabalham principalmente no elefante para influenciar seu comportamento. Mas se é ateu e vive em uma comunidade mais livre, com uma matriz moral menos vinculativa, pode ter que confiar um pouco mais em uma bússola moral interna, interpretada pelo ginete. Isso pode parecer atraente para os racionalistas, mas também é uma receita para anomia — termo usado por Durkheim para o que acontece a uma sociedade que não tem mais uma ordem moral compartilhada.[63] (Significa, literalmente, "falta de norma".) Evoluímos para viver, comercializar e confiar dentro de matrizes morais compartilhadas. Quando as sociedades perdem o controle sobre os indivíduos, permitindo que todos façam o que bem entendem, o resultado geralmente é uma diminuição na felicidade e um aumento no suicídio, como mostrou Durkheim mais de 100 anos atrás.[64]

As sociedades que abandonam o exoesqueleto da religião devem refletir cuidadosamente sobre o que lhes acontecerá ao longo de várias gerações. Realmente não sabemos, porque as primeiras sociedades ateístas só surgiram na Europa nas últimas décadas. São as sociedades menos eficientes já conhecidas em transformar recursos (dos quais têm muito) em prole (dos quais têm poucos).

A DEFINIÇÃO DE MORALIDADE (FINALMENTE)

Você está quase terminando de ler um livro sobre moralidade, e eu ainda não lhe dei uma definição de moralidade. Há uma razão para isso. A definição que estou prestes a lhe dar faria pouco sentido no Capítulo 1. Não teria coadunado com suas intuições sobre moralidade, então achei melhor esperar. Agora, depois de 11 capítulos, nos quais desafiei o racionalismo (na Parte I), ampliei o domínio moral (na Parte II) e disse que o grupo era uma inovação essencial que nos levou além do egoísmo e da civilização (Parte III), acho que estamos prontos.

Não é de surpreender que minha abordagem tenha começado com Durkheim, que afirmou: "Moral é tudo o que é fonte de solidariedade, tudo o que força o homem a... regular suas ações por algo diferente de... seu próprio egoísmo."[65] Como sociólogo, Durkheim concentrou-se em fatos sociais — coisas que existem fora de qualquer mente individual — que restringem o egoísmo dos indivíduos. Exemplos desses fatos sociais incluem religiões, famílias, leis e as redes compartilhadas de significado que chamei de matrizes morais. Por ser psicólogo, insistirei em incluir também "fatores internos da mente", como emoções morais, o advogado interno (ou assessor de imprensa), os seis alicerces morais, o interruptor de colmeia e todos os outros mecanismos psicológicos evoluídos que descrevi neste livro.

Minha definição reúne esses dois conjuntos de peças do quebra-cabeça para definir *sistemas* morais:

> Os sistemas morais são conjuntos interligados de valores, virtudes, normas, práticas, identidades, instituições, tecnologias e mecanismos psicológicos evoluídos que trabalham juntos para suprimir ou regular o interesse próprio e possibilitar sociedades cooperativas.[66]

Farei agora apenas duas considerações sobre essa definição e depois a usaremos no capítulo final para examinar algumas das principais ideologias políticas da sociedade ocidental.

Primeiro, esta é uma definição funcionalista. Eu defino a moralidade pelo que ela *faz*, em vez de especificar que conteúdo deve ser considerado moral. Turiel, por outro lado, definiu moralidade como "justiça, direitos e bem-estar".[67] Mas qualquer esforço para definir a moralidade, designando algumas questões como verdadeiramente morais e descartando o restante como "convenção social", será paroquial. É uma comunidade moral dizendo: "Aqui estão nossos valores centrais e definimos a moralidade com base neles; para o inferno com o resto de vocês." Como mostrei nos Capítulos 1 e 7, a definição de Turiel nem se aplica a todos os norte-americanos; é uma definição feita por e para ocidentais educados e politicamente liberais.

Claro, é possível que uma comunidade moral de fato esteja, de alguma forma, *certa* ao fazer essa definição, e o resto do mundo esteja errado, o que nos leva à segunda consideração. Os filósofos normalmente distinguem entre definições *descritivas* de moralidade (que simplesmente descrevem o que as pessoas acham que é moral) e *normativas* (que especificam o que é real e verdadeiramente certo, independentemente do que se pense). Até agora neste livro, tenho sido totalmente descritivo. Eu lhe disse que algumas pessoas (especialmente liberais seculares como Turiel, Kohlberg e os novos ateus) pensam que a moralidade se refere a questões de dano e justiça. Outras pessoas (especialmente conservadores religiosos e pessoas de culturas não WEIRD) acham que o domínio moral é muito mais amplo e usam todos ou a maioria dos seis alicerces morais para construir suas matrizes morais. Essas são proposições empíricas, factuais e verificáveis, e eu apresentei evidências para elas nos Capítulos 1, 7 e 8.

Mas os filósofos raramente se interessam pelo que as pessoas pensam. O campo da ética normativa se preocupa em descobrir quais ações são *verdadeiramente* certas ou erradas. Os sistemas mais conhecidos de ética normativa são os sistemas de um receptor que descrevi no Capítulo 6: o utilitarismo (que nos diz para maximizar o bem-estar geral) e a deontologia (que em sua forma kantiana nos diz para priorizar os direitos e a autonomia dos outros). Quando temos um único princípio claro, podemos começar a fazer julgamentos entre culturas. Algumas culturas obtêm uma pontuação mais alta que outras, o que significa que são moralmente superiores.

Minha definição de moralidade foi projetada para ser uma definição descritiva; não se sustenta sozinha como uma definição normativa. (Em uma definição normativa, ela atribuiria notas altas às sociedades fascistas e comunistas, bem como às seitas, desde que atingissem altos níveis de cooperação, criando uma ordem moral compartilhada.) Mas acho que minha definição funciona bem como um complemento de outras teorias normativas, em particular aquelas que frequentemente têm dificuldade em observar grupos e fatos sociais. Os utilitaristas desde Jeremy Bentham se concentraram com intensidade nos indivíduos. Tentam melhorar o bem-estar da sociedade, dando às pessoas o que elas querem. Mas uma versão durkheimiana do utilitarismo reconheceria que o florescimento humano requer ordem social e integração. Começaria com a premissa de que a ordem social é extraordinariamente preciosa e difícil de alcançar. Um utilitarismo durkheimiano estaria aberto à possibilidade de que os alicerces vinculativos — Lealdade, Autoridade e Pureza — tenham um papel crucial a desempenhar em uma boa sociedade.

Não sei qual é a melhor teoria ética normativa para os indivíduos em suas vidas particulares.[68] Mas, quando falamos em criar leis e implementar políticas públicas nas democracias ocidentais que contenham algum grau de diversidade étnica e moral, acho que não há alternativa convincente ao utilitarismo.[69] Acho que Jeremy Bentham estava certo ao afirmar que as leis e políticas públicas deveriam ter como primeira aproximação produzir o maior bem total.[70] Só gostaria que Bentham lesse Durkheim e reconhecesse que somos *Homo duplex*, antes que ele diga a qualquer um de nós, ou a nossos legisladores, como maximizar o bem total.[71]

EM SUMA

Se pensar na religião como um conjunto de crenças sobre agentes sobrenaturais, está fadado a não compreendê-la. Você verá essas crenças como ilusões tolas, talvez até como parasitas que exploram nosso cérebro para seu próprio benefício. Mas, se adotar uma abordagem durkheimiana da religião (com foco no pertencimento) e uma abordagem darwiniana da moral (envolvendo seleção multinível), obterá uma imagem muito diferente. Perceberá que as práticas religiosas têm agregado nossos ancestrais em grupos por dezenas de milhares de anos. Essa conexão geralmente envolve alguma cegueira — uma vez que qualquer pessoa, livro ou princípio é declarado sagrado, os devotos não podem mais questioná-lo ou pensar com clareza.

Nossa capacidade de acreditar em agentes sobrenaturais pode muito bem ter começado como um subproduto acidental de um dispositivo hiperativo de detecção de agente, mas, assim que os primeiros seres humanos começaram a acreditar nesses agentes, os grupos que os usaram para construir comunidades morais foram os que perduraram e prosperaram. Como aquelas comunas religiosas do século XIX, eles usaram seus deuses para instigar sacrifícios e comprometimentos dos membros. Como aqueles sujeitos nos estudos sobre trapaça e nos jogos de confiança, seus deuses os ajudaram a reprimir a trapaça e aumentar a confiabilidade. Somente os grupos que obtêm comprometimento e suprimem o parasitismo social conseguem crescer.

É por isso que a civilização humana cresceu com tanta rapidez depois que as primeiras plantas e animais foram domesticados. As religiões e as mentes moralistas têm coevoluído, cultural e geneticamente, há dezenas de milhares de anos antes da era do Holoceno, e ambos os tipos de evolução surgiram quando a agricultura apresentou novos desafios e oportunidades. Somente grupos cujos deuses promoveram a cooperação e cujas mentes individuais responderam a esses deuses estavam prontos para enfrentar esses desafios e colher os frutos.

Nós, seres humanos, temos uma capacidade extraordinária de nos preocupar com coisas além de nós mesmos, de contornar problemas juntos e, no processo, nos conectar a equipes que podem buscar projetos maiores. É disso que se trata a religião. E, com alguns ajustes, também é disso que se trata a política. No capítulo final, daremos uma última olhada na psicologia política. Tentaremos descobrir por que as pessoas optam por se vincular a uma ou outra equipe política. E veremos especialmente como a participação em equipes cega as pessoas para os motivos e argumentos de seus oponentes — e para a sabedoria que pode ser encontrada entre as diversas ideologias políticas.

DOZE

Não Podemos Discordar de Maneira Mais Construtiva?

"A política não é brinquedo", disse um humorista de Chicago em 1895;[1] não é um jogo para crianças. Desde então, o ditado tem sido usado para justificar a crueldade da política norte-americana. Os racionalistas podem sonhar com um Estado utópico em que a política é feita por painéis de especialistas imparciais, mas no mundo real parece não haver alternativa a um processo político no qual os partidos competem para ganhar votos e dinheiro. Essa competição sempre envolve truques e demagogia, pois os políticos jogam de maneira astuta e ardilosa com a verdade, usando seus assessores de imprensa internos para se apresentarem da melhor forma possível e seus oponentes como tolos que levariam o país à ruína.

E, no entanto, tem que ser assim *tão* sórdido? Muitos norte-americanos notaram que as coisas estão piorando. O país agora parece polarizado e apático ao ponto de disfunção. Eles estão certos. Até alguns anos atrás, alguns cientistas políticos afirmavam que a chamada guerra cultural era limitada a Washington e que os norte-americanos não haviam se tornado mais polarizados em suas atitudes em relação à maioria das questões políticas.[2] Mas, nos últimos 12 anos, os norte-americanos começaram a se segregar. Houve um declínio no número de pessoas que se autodenomi-

FIGURA 12.1. O movimento *Civility now*. Esses cartazes foram criados por Jeff Gates, designer gráfico do Chamomile Tea Party [Partido do Chá de Camomila], a partir de cartazes norte-americanos da era da Segunda Guerra Mundial nos EUA. Trad.: Esquerda: Parem com essa briga. O partidarismo está nos prejudicando! Direita: Estamos Perdendo nossa Vantagem Competitiva [conservadores – desunião – liberais]. (Veja www.chamomileteaparty.com. Reproduzidas com permissão.)

nam centristas ou moderados (de 40% em 2000 para 36% em 2011), um aumento no número de conservadores (de 38% para 41%) e um aumento no número liberais (de 19% para 21%).[3]

Mas essa ligeira difusão do eleitorado não se compara ao que aconteceu em Washington, na mídia e na classe política de maneira mais ampla. As coisas mudaram nos anos 1990, começando com novas regras e novos comportamentos no Congresso.[4] Amizades e contatos sociais fora do partido foram desencorajados. Uma vez que as conexões humanas se enfraqueceram, é muito mais fácil tratar os membros de outro partido como inimigo permanente do que como companheiros de um clube de elite. Os candidatos começaram a gastar mais tempo e dinheiro em "oppo" (pesquisa de oposição), na qual membros da equipe ou consultores pagos desenterram "podres" dos oponentes (às vezes ilegalmente) e depois os jogam na mídia. Como declarou um congressista mais velho recentemente: "Esta não é mais uma instituição amistosa. Parece mais um comportamento de gangue. Os membros entram na câmara cheios de ódio."[5]

Essa mudança para uma mentalidade mais moralista e tribal já era ruim o suficiente nos anos 1990, uma época de paz, prosperidade e orçamentos equilibrados. Mas hoje em dia, quando as situações fiscais e políticas estão muito piores, muitos norte-americanos sentem que estão em um navio naufragando, e a tripulação está muito ocupada lutando entre si para se preocupar em tapar os vazamentos.

No verão de 2011, as apostas foram aumentadas. O fracasso dos dois partidos em chegar a um acordo em um projeto de lei rotineiro para elevar o teto da dívida e em concordar com o "ótimo negócio" para reduzir o deficit de longo prazo levaram uma agência de classificação de títulos a rebaixar a avaliação de crédito dos Estados Unidos. O rebaixamento fez com que as bolsas de valores despencassem em todo o mundo e aumentou as perspectivas de uma recessão em "duplo mergulho" em casa — o que seria um desastre para muitos países em desenvolvimento que exportam para os Estados Unidos. O hiperpartidarismo dos EUA agora é uma ameaça para o mundo.

O que está acontecendo? No Capítulo 8, descrevi a guerra cultural norte-americana como uma batalha entre uma moral de três alicerces e uma de seis. Mas o que leva as pessoas a adotar uma dessas moralidades, para começar? Os psicólogos descobriram muito sobre as origens psicológicas do partidarismo. A moralidade agrega e cega, e para entender a confusão em que nos metemos, precisamos entender por que algumas pessoas se ligam à vertente liberal, outras à conservadora e algumas a outras vertentes ou a nenhuma.

UMA OBSERVAÇÃO SOBRE A DIVERSIDADE POLÍTICA

Vou me concentrar no que se sabe sobre a psicologia de liberais e conservadores — os dois extremos de uma escala unidimensional. Muitas pessoas resistem e se ressentem das tentativas de reduzir a ideologia a uma única dimensão. Na verdade, um dos grandes pontos fortes da teoria dos alicerces morais é que ela fornece seis dimensões, permitindo milhões de combinações possíveis de cenários. Não há apenas dois tipos de pessoas. Infelizmente, a maioria das pesquisas em psicologia política usou a dimensão esquerda-direita com amostras norte-americanas; portanto, em muitos casos, é tudo o que temos como ponto de partida. Mas também devo observar que essa dimensão ainda é bastante útil. A maioria das pessoas nos Estados Unidos e na Europa pode ser enquadrada em algum lugar nesse espectro (embora a maioria esteja perto do centro).[6] E é o principal eixo da guerra cultural norte-americana e das votações no Congresso,[7] portanto, mesmo que relativamente poucas pessoas se encaixem com perfeição nos tipos extremos que descreverei, entender a psicologia do liberalismo e do conservadorismo é vital para entender um problema que ameaça o mundo inteiro.

DOS GENES ÀS MATRIZES MORAIS

Eis uma definição simples de ideologia: "Um conjunto de crenças sobre a ordem adequada da sociedade e como ela pode ser alcançada."[8] E esta é a mais básica de todas as questões ideológicas: preservar a ordem atual ou alterá-la? Na Revolução Francesa de 1789, os delegados que defendiam a preservação do *status quo* sentaram-se no lado direito da câmara, enquanto os que defendiam a mudança sentaram-se no lado esquerdo. Desde então os termos *direita* e *esquerda* passaram a representar o conservadorismo e o liberalismo.

Os teóricos políticos desde Marx há muito tempo alegaram que as pessoas escolhem ideologias para promover o interesse próprio. Os ricos e poderosos querem preservar e conservar; os camponeses e trabalhadores querem mudar as coisas (ou pelo menos o fariam se sua consciência pudesse ser ampliada e eles conseguissem enxergar seu interesse próprio de maneira adequada, disseram os marxistas). Mas, embora a classe social possa ter sido um bom preditor de ideologia, esse elo foi quebrado em grande parte nos tempos modernos, quando os ricos podem seguir por ambas as vertentes (industriais em geral à direita; bilionários da tecnologia, à esquerda), assim como os pobres (residentes de áreas rurais em geral à direita; e das áreas urbanas, à esquerda). E quando os cientistas políticos analisaram o assunto, descobriram que o interesse próprio faz um trabalho notavelmente ruim de prever atitudes políticas.[9]

Assim, durante a maior parte do final do século XX, os cientistas políticos adotaram teorias de tábula rasa nas quais as pessoas absorviam a ideologia de seus pais ou dos programas de TV a que assistiam.[10] Alguns cientistas políticos chegaram a dizer que a maioria das pessoas estava tão confusa sobre questões políticas que não tinha ideologia alguma.[11]

Mas então vieram os estudos de gêmeos. Na década de 1980, quando os cientistas começaram a analisar grandes bancos de dados que permitiram comparar gêmeos idênticos (que compartilham *todos* os seus genes, além de, normalmente, seus ambientes pré-natal e infantil) a gêmeos fraternos do mesmo sexo (que compartilham *metade* de seus genes, além de os ambientes pré-natal e infantil), descobriram que os gêmeos idênticos eram mais parecidos em quase tudo.[12] E, além do mais, gêmeos idênticos criados em famílias separadas (por causa da adoção) geralmente acabam sendo muito semelhantes, enquanto crianças não relacionadas criadas juntas (por causa da adoção) raramente se parecem entre si ou com seus pais adotivos; eles tendem a ser mais parecidos com seus pais genéticos. Os genes contribuem, de alguma forma, com praticamente todos os aspectos de nossa personalidade.[13]

Não estamos falando apenas de QI, doenças mentais e características básicas de personalidade, como timidez. Estamos falando do grau em que você gosta de jazz, comidas apimentadas e arte abstrata; a probabilidade de se divorciar ou morrer em um acidente de carro; seu grau de religiosidade e sua orientação política quando adulto. Seguir à direita ou à esquerda do espectro político acaba sendo tão herdável quanto a maioria das outras características: a genética explica entre um terço e metade da variabilidade entre as pessoas em suas atitudes políticas.[14] Ser criado em uma família liberal ou conservadora é responsável por muito menos.

Como pode isso ser possível? Como pode haver uma base genética para atitudes sobre energia nuclear, tributação progressiva e ajuda externa quando essas questões surgiram apenas nos últimos dois séculos? E como pode haver uma base genética para a ideologia quando as pessoas às vezes mudam de partidos políticos quando adultos?

Para responder a essas perguntas, é útil retomarmos à definição de *inato* fornecida no Capítulo 7. Inato não significa imutável; significa estruturado antes da experiência. Os genes orientam a construção do cérebro no útero, mas esse é apenas o primeiro rascunho, por assim dizer. O rascunho é revisado pelas experiências da infância. Para entender os princípios da ideologia, é necessário adotar uma perspectiva de desenvolvimento, começando pelos genes e terminando com um adulto votando em um candidato em particular ou ingressando em um protesto político. Existem três etapas principais no processo.

Etapa 1: Os Genes Constroem Cérebros

Depois de analisar o DNA de 13 mil australianos, os cientistas descobriram recentemente vários genes que diferiam entre liberais e conservadores.[15] A maioria deles estava relacionada ao funcionamento dos neurotransmissores, particularmente glutamato e serotonina, ambos envolvidos na resposta do cérebro à ameaça e ao medo. Essa descoberta se encaixa bem em muitos estudos que mostram que os conservadores reagem mais fortemente que os liberais a sinais de perigo, incluindo ameaças de germes e contaminação, e até ameaças de baixo nível, como súbitos barulhos de fundo.[16] Outros estudos implicaram genes relacionados a receptores para o neurotransmissor dopamina, que é associada à busca de sensações e à abertura à experiência, que estão entre os correlatos mais bem definidos do liberalismo.[17] Segundo o escritor renascentista Michel de Montaigne: "As únicas coisas que acho gratificantes… são a variedade e o prazer da diversidade."[18]

Embora os efeitos de um único gene sejam pequenos, essas descobertas são importantes porque ilustram uma *ordem* do trajeto dos genes até a política: os genes (coletivamente) fornecem cérebros para as pessoas que são mais (ou menos) reativos a ameaças e que produzem menos (ou mais) prazer quando expostos a novidades, mudanças e novas experiências.[19] Esses são dois dos principais fatores de personalidade que sempre foram encontrados para distinguir os liberais e os conservadores. Um importante artigo de revisão do psicólogo político John Jost encontrou algumas outras características, mas quase todas estão relacionadas de forma conceitual à sensibilidade à ameaça (por exemplo, os conservadores reagem mais com mais intensidade a lembretes da morte) ou à abertura à experiência (por exemplo, os liberais têm menos necessidade de ordem, estrutura e desfecho).[20]

Etapa 2: Os Traços Guiam as Crianças por Diferentes Caminhos

De onde vêm nossas personalidades? Para responder a essa pergunta, precisamos distinguir entre três níveis diferentes de personalidade, de acordo com uma conveniente teoria do psicólogo Dan McAdams.[21] O nível mais baixo de nossas personalidades, que ele chama de "traços disposicionais", são os tipos de dimensões amplas da personalidade que se mostram em muitas situações diferentes e são razoavelmente consistentes desde a infância até a velhice. São características como a sensibilidade a ameaças, busca por novidades, extroversão e consciência. Essas características não são módulos mentais que algumas pessoas têm e outras não; são mais como ajustes nos mostradores dos sistemas cerebrais que todo mundo tem.

Vamos imaginar um par de gêmeos fraternos, um irmão e uma irmã criados juntos no mesmo lar. Durante os nove meses juntos no útero da mãe, os genes do irmão estavam ocupados construindo um cérebro que era um pouco acima da média em sua sensibilidade a ameaças e um pouco abaixo da média em sua tendência a sentir prazer quando exposto a experiências radicalmente novas. Os genes da irmã estavam ocupados criando um cérebro com as configurações opostas.

Os dois irmãos crescem na mesma casa e frequentam as mesmas escolas, mas gradualmente criam mundos diferentes para si. Mesmo na creche, seu comportamento faz com que os adultos os tratem de maneira diferente. Um estudo constatou que as mulheres que se autodenominavam liberais quando adultas haviam sido classificadas por seus professores de creche como apresentando traços consistentes com insensibilidade à ameaça e busca por novidades.[22] Os futuros liberais foram descritos como sendo mais curiosos, comunicativos e autossuficientes, mas também mais assertivos e agressivos, menos obedientes e organizados. Portanto, se pudéssemos observar os gêmeos fraternos nos primeiros anos de escolaridade, teríamos professores reagindo de maneira diferente em relação a eles. Alguns professores podem ser atraídos pela garotinha criativa, mas rebelde; outros a reprimiriam como uma pirralha indisciplinada, enquanto elogiariam seu irmão como aluno modelo.

Mas os traços disposicionais estão no nível mais baixos dos três, de acordo com McAdams. O segundo nível são nossas "adaptações características". Essas são características que emergem à medida que crescemos. São chamadas de adaptações porque as pessoas as desenvolvem em resposta aos ambientes e desafios específicos que enfrentam. Por exemplo, vamos acompanhar os gêmeos até a adolescência e supor que frequentem uma escola bastante rígida e bem organizada. O irmão se encaixa bem, mas a irmã enfrenta constantes conflitos com os professores. Ela se torna revoltada e socialmente desvinculada. Esses traços agora fazem parte de sua personalidade — suas adaptações características —, mas não teriam se desenvolvido se ela tivesse estudado em uma escola mais progressista e menos estruturada.

Quando chegam ao ensino médio e começam a se interessar por política, os dois irmãos escolhem atividades diferentes (a irmã se junta à equipe de debate em parte pela oportunidade de viajar; o irmão se envolve mais com a igreja de sua família) e agregam amigos diferentes (a irmã se junta aos góticos; o irmão se junta aos atletas). A irmã escolhe ir para a faculdade na cidade de Nova York, onde ingressa no curso de Estudos da América Latina e encontra sua vocação como defensora dos filhos de imigrantes ilegais. Como seu círculo social é inteiramente composto de liberais, ela é envolvida em uma matriz moral baseada principalmente no alicerce de Cuidado/dano. Em 2008, ela fica eufórica pela preocupação de Barack Obama com os pobres e sua promessa de mudança.

O irmão, por outro lado, não tem interesse em se mudar para uma cidade grande, suja e ameaçadora. Ele escolhe ficar perto da família e dos amigos, frequentando a filial local da universidade estadual. Ele se forma em administração e depois trabalha para um banco local, subindo gradualmente para um alto posto. Ele se torna um pilar de sua igreja e comunidade, o tipo de pessoa que Putnam e Campbell elogiaram por gerar grandes quantidades de capital social.[23] As matrizes morais que o cercam são baseadas nos seis alicerces. Ocasionalmente, o tema dos sermões de sua igreja é a necessidade de ajudar as vítimas de opressão, mas os temas morais mais comuns em sua vida são responsabilidade pessoal (baseada no alicerce de Justiça — não ser um parasita social ou um fardo para os outros) e lealdade aos muitos grupos e equipes aos quais pertence. Ele se identifica com o slogan da campanha de John McCain: "O País Primeiro."

As coisas não precisavam acontecer dessa maneira. No dia em que nasceram, a irmã não estava predestinada a votar em Obama; não estava determinado que o irmão se tornaria republicano. Mas seus diferentes conjuntos de genes lhes deram distintos esboços iniciais de suas mentes, que os levaram a caminhos diferenciados, por meio de experiências de vida variadas, e a diversas subculturas morais. Quando atingem a idade adulta, tornaram-se pessoas muito distintas, cujo único ponto de concordância política é que não devem mencioná-la quando a irmã passa as férias em casa.

Etapa 3: As Pessoas Constroem Narrativas de Vida

A mente humana é um processador de histórias, não de lógica. Todos gostam de uma boa história; toda cultura inunda seus filhos com histórias.

Entre as histórias mais importantes que conhecemos, estão as sobre nós mesmos, e essas "narrativas de vida" são o terceiro nível de personalidade de McAdams. A maior contribuição de McAdams à psicologia tem sido sua insistência em que os psicólogos conectem seus dados quantitativos (sobre os dois níveis inferiores, que avaliamos com questionários e medidas de tempo de reação) a uma compreensão mais qualitativa das narrativas que as pessoas criam para dar sentido às suas vidas. Essas narrativas não são necessariamente histórias *verídicas* — são reconstruções simplificadas e seletivas do passado, com frequência conectadas a uma visão idealizada do futuro. Mas, embora as narrativas da vida sejam, de certa forma, *post hoc*, elas ainda influenciam o comportamento, o relacionamento e a saúde mental das pessoas.[24]

As narrativas de vida estão saturadas de moralidade. Em um estudo, McAdams usou a teoria dos alicerces morais para analisar narrativas que coletou de cristãos liberais e conservadores. Ele encontrou os mesmos padrões nessas histórias que meus colaboradores e eu descobrimos usando questionários no YourMorals.org:

> Quando solicitados a explicar o desenvolvimento de sua própria fé religiosa e crenças morais, os conservadores enfatizaram sentimentos profundos de respeito à autoridade, aliança ao próprio grupo e pureza do eu, enquanto os liberais enfatizaram seus sentimentos profundos em relação ao sofrimento humano e à justiça social.[25]

As narrativas de vida fornecem uma ponte entre um eu adolescente em desenvolvimento e uma identidade política adulta. Veja, por exemplo, como Keith Richards descreve um momento decisivo em sua vida em sua recente autobiografia. Richards, o famoso guitarrista "buscador de sensações" e subversivo dos Rolling Stones, era um membro relativamente bem-comportado do coral de sua escola. O coral vencia competições com outras escolas; portanto, o mestre do coral conseguiu que Richards e seus amigos fossem dispensados de muitas aulas para que pudessem viajar para apresentações cada vez maiores. Mas, quando os meninos atingiram a puberdade e suas vozes mudaram, o mestre do coral os dispensou. Então foram informados de que teriam que repetir um ano inteiro na escola para compensar as aulas perdidas, e o mestre do coral não levantou um dedo para ajudá-los.

Foi um "soco no estômago", diz Richards. Esse fato o transformou de maneiras com óbvias ramificações políticas:

> No momento em que isso aconteceu, Spike, Terry e eu nos tornamos terroristas. Eu estava tão furioso que tinha um desejo ardente de vingança. Tinha motivos para derrubar esse país e tudo o que ele representava. Passei os próximos três anos tentando foder tudo. Se você quer criar um rebelde, é assim que se faz... E esse fogo ainda não se apagou. Foi

quando comecei a olhar o mundo de uma maneira diferente, e não mais do jeito deles. Foi quando percebi que existem valentões piores do que os meros valentões do dia a dia. Existem as autoridades. E um estopim de combustão lenta se acendeu.[26]

Richards pode ter sido predisposto por sua personalidade a se tornar um liberal, mas sua posição política não foi predestinada. Se seus professores o tivessem tratado de maneira diferente — ou se ele tivesse simplesmente interpretado os eventos de maneira diferente ao criar rascunhos iniciais de sua narrativa —, poderia ter acabado em um trabalho mais convencional, cercado por colegas conservadores e compartilhado de sua matriz moral. Mas quando Richards passou a se entender como um militante contra a autoridade abusiva, não havia como votar no Partido Conservador Britânico. A narrativa de sua própria vida se encaixa muito bem nas histórias que todos os partidos de esquerda contam de uma forma ou de outra.

AS GRANDES NARRATIVAS DO LIBERALISMO E DO CONSERVADORISMO

No livro *Moral, Believing Animals* [sem publicação no Brasil], o sociólogo Christian Smith escreve sobre as matrizes morais nas quais a vida humana acontece.[27] Ele concorda com Durkheim que toda ordem social tem em seu núcleo algo sagrado e mostra como as histórias, particularmente as "grandes narrativas", identificam e reforçam o núcleo sagrado de cada matriz. Smith é um mestre em extrair essas grandes narrativas e condensá-las em parágrafos únicos. Cada narrativa, diz ele, identifica um começo ("era uma vez"), um meio (no qual uma ameaça ou desafio surge) e um fim (no qual uma resolução é alcançada). Toda narrativa é projetada para orientar os ouvintes moralmente — para chamar sua atenção para um conjunto de virtudes e vícios, ou forças do bem e do mal — e para transmitir lições sobre o que deve ser feito agora para proteger, recuperar ou atingir o núcleo sagrado da visão.

Uma delas, que Smith chama de "narrativa liberal do progresso", organiza grande parte da matriz moral da esquerda acadêmica norte-americana. É assim que isso funciona:

> Era uma vez, um tempo em que a grande maioria das pessoas sofria em sociedades e instituições sociais injustas, perniciosas, repressivas e opressivas. Essas sociedades tradicionais eram repreensíveis por causa de sua desigualdade profundamente enraizada, exploração e tradicionalismo irracional... Mas a nobre aspiração humana por autonomia, igualdade e prosperidade lutou poderosamente contra as forças da miséria e da opressão, e finalmente conseguiu estabelecer sociedades modernas, liberais, democráticas, capitalistas e de bem-estar social. Embora as condições sociais modernas possuam o potencial de maximizar a liberdade e o prazer individual de todos, há muito trabalho a ser feito para desmantelar os poderosos vestígios de desigualdade, exploração e repressão. Essa luta pela boa sociedade na qual os indivíduos são iguais e livres para alcançar sua felicidade autodefinida é a única missão que realmente vale a pena dedicar a vida a realizar.[28]

Essa narrativa pode não se encaixar perfeitamente nas matrizes morais da esquerda nos países europeus (onde, por exemplo, há mais desconfiança no capitalismo). No entanto, sua trama geral deve ser reconhecida pelos adeptos da esquerda em todos os lugares. É uma narrativa heroica de libertação. Autoridade, hierarquia, poder e tradição são as correntes que devem ser quebradas para libertar as "nobres aspirações" das vítimas.

Smith escreveu essa narrativa antes da existência da teoria dos alicerces morais, mas podemos ver que ela deriva sua força moral principalmente do alicerce Cuidado/dano (preocupação com o sofrimento das vítimas) e do alicerce Liberdade/opressão (uma celebração da liberdade como libertação *da* opressão, bem como liberdade *para* buscar a felicidade autodefinida). Nessa narrativa, a Justiça é igualdade política (que faz parte da opressão oposta); existem apenas sugestões indiretas de justiça como proporcionalidade.[29] A autoridade é mencionada apenas como um mal, e não há menção à lealdade ou pureza.

Compare essa narrativa com uma do conservadorismo moderno. O psicólogo clínico Drew Westen é outro mestre da análise narrativa e, em seu livro *O Cérebro Político,* extrai a narrativa principal ora implícita e, outras, explícita, nos principais discursos de Ronald Reagan.

Reagan derrotou o democrata Jimmy Carter em 1980, em uma época em que norte-americanos eram mantidos reféns no Irã, a taxa de inflação era superior a 10% e as cidades, indústrias e autoconfiança dos Estados Unidos estavam em declínio. A narrativa de Reagan é a seguinte:

> Era uma vez, uma época em que os EUA eram um farol brilhante. Então os liberais apareceram e instalaram uma enorme burocracia federal que algemou a mão invisível do livre mercado. Eles subverteram os valores norte-americanos tradicionais e se opuseram a Deus e à fé a cada passo do caminho... Em vez de exigir que as pessoas trabalhassem para se sustentar, tomaram dinheiro de trabalhadores norte-americanos e o deram a viciados em drogas e "rainhas da assistência social"* que dirigem Cadillacs. Em vez de punir criminosos, tentaram "entendê-los". Em vez de se preocupar com as vítimas do crime, preocupavam-se com os direitos dos criminosos... Em vez de aderir aos valores norte-americanos tradicionais de família, fidelidade e responsabilidade pessoal, pregavam a promiscuidade, o sexo antes do casamento e o estilo de vida gay... e estimularam uma pauta feminista que enfraqueceu os papéis familiares tradicionais. Em vez de projetar força contra aqueles que fariam o mal em todo o mundo, cortaram os orçamentos militares, desrespeitaram nossos soldados de uniforme, queimaram nossa bandeira e escolheram a negociação e o multilateralismo...

---

*N.T.: No original "welfare queens", um termo pejorativo para designar mulheres que obtêm os benefícios da assistência social de forma fraudulenta e abusiva.

Então, os norte-americanos decidiram recuperar seu país daqueles que tentavam miná-lo.[30]

Essa narrativa teria que ser modificada para uso em outros países e épocas, onde o que está sendo "conservado" difere do caso dos EUA. No entanto, seu enredo geral e amplitude moral devem ser reconhecidos pelos conservadores em toda parte. Isso também é uma narrativa heroica, mas é um heroísmo de *defesa*. É menos adequado para ser transformado em um grande filme. Em vez da imagem visualmente impressionante de multidões invadindo a Bastilha e libertando os prisioneiros, essa narrativa parece mais uma família tentando recuperar sua casa após uma invasão de cupins e reparando as vigas.

A narrativa de Reagan também é visivelmente conservadora, na medida em que baseia sua força moral em pelo menos cinco dos seis alicerces morais. Existe apenas uma mera insinuação ao Cuidado (para as vítimas de crime), mas há referências muito claras à Liberdade (enquanto liberdade *da* restrição do governo), Justiça (como proporcionalidade: receber dinheiro dos que trabalham arduamente e doá-lo a "rainhas da assistência social"), Lealdade (soldados e bandeira), Autoridade (subversão da família e das tradições) e Pureza (substituir Deus pela celebração da promiscuidade).

As duas narrativas são tão opostas quanto poderiam ser. Será que os partidários conseguem sequer *compreender* a história contada pelo outro lado? Os obstáculos à empatia não são simétricos. Se a esquerda constrói suas matrizes morais em um número menor de alicerces morais, então não há alicerce usado pela esquerda que também não seja usado pela direita. Embora os conservadores tenham pontuações um pouco mais baixas em medidas de empatia[31] e, portanto, possam se comover menos com uma história sobre sofrimento e opressão, eles ainda são capazes de reconhecer que é horrível ficar acorrentado. E, apesar de muitos conservadores se oporem a algumas das grandes libertações do século XX — de mulheres, trabalhadores explorados, afro-americanos e gays —, aplaudem outras, como a libertação da Europa Oriental da opressão comunista.

Mas quando os liberais tentam entender a narrativa de Reagan, têm mais dificuldade. Quando falo ao público liberal sobre os três alicerces "agregadores" — Lealdade, Autoridade e Pureza —, percebo que muitas

Em um estudo que fiz com Jesse Graham e Brian Nosek, testamos até que ponto liberais e conservadores conseguiriam se entender. Pedimos a mais de 2 mil visitantes norte-americanos que preenchessem o MFQ [Questionário de Alicerces Morais]. Um terço das vezes, eles eram solicitados a preenchê-lo normalmente, respondendo como eles mesmos. Um terço das vezes, foram solicitados a preenchê-lo como achavam que um "liberal típico" responderia. E, no último terço das vezes, foram solicitados a preenchê-lo como um "conservador típico" responderia. Esse desenho de pesquisa nos permitiu examinar os estereótipos que cada lado criara em relação ao outro. O mais importante, permitiu-nos avaliar o quão precisos eles eram, comparando as expectativas das pessoas sobre os partidários "típicos" com as respostas reais dos partidários de esquerda e de direita.[32] Quem foi capaz de fingir melhor que o outro?

Os resultados foram claros e consistentes. Moderados e conservadores foram mais precisos em suas previsões, quer estivessem fingindo ser liberais ou conservadores. Os liberais foram os menos precisos, especialmente aqueles que se descreviam como "muito liberais". Os maiores erros de todo o estudo ocorreram quando os liberais responderam às perguntas sobre Cuidado e Justiça enquanto fingiam ser conservadores. Quando confrontados com afirmações como "Uma das piores coisas que uma pessoa pode fazer é ferir um animal indefeso" ou "Justiça é o requisito mais importante para uma sociedade", os liberais supuseram que os conservadores discordariam. Se você tem uma matriz moral construída principalmente a partir de intuições sobre cuidado e justiça (como igualdade), e ouve a narrativa de Reagan, o que mais poderia pensar? Reagan parece completamente despreocupado com o bem-estar de viciados em drogas, pobres e gays. Ele está mais interessado em travar guerras e em dizer às pessoas como conduzir suas vidas sexuais.

Se você não consegue perceber que Reagan está buscando valores positivos de Lealdade, Autoridade e Pureza, é quase obrigado a concluir que os republicanos não veem valor positivo em Cuidado e Justiça. Pode até chegar à mesma conclusão de Michael Feingold, crítico de teatro do jornal liberal *Village Voice,* quando escreveu:

> Os republicanos não acreditam na imaginação, em parte porque poucos deles a têm, mas principalmente porque isso atrapalha seu trabalho preferido, que é destruir a raça humana e o planeta. Os seres humanos, que têm imaginação, conseguem ver uma receita para o desastre em formação; os republicanos, cujo objetivo na vida é lucrar com o desastre e que não dão a mínima para os seres humanos, não conseguem ou não querem ver. É por isso que eu pessoalmente acho que eles devem ser exterminados antes que causem mais danos.[33]

Uma das muitas ironias dessa citação é que ela mostra a incapacidade de um crítico de teatro — que habilmente entra em mundos imaginários fantásticos como meio de vida — de imaginar que os republicanos agem dentro de uma matriz moral diferente da sua. A moralidade agrega e cega.

O PONTO CEGO DA ESQUERDA: CAPITAL MORAL

Minha própria narrativa de vida intelectual teve dois momentos decisivos. No Capítulo 5, contei o primeiro, na Índia, no qual minha mente se abriu para a existência das moralidades mais amplas descritas por Richard Shweder (isto é, a ética da comunidade e da divindade). Mas, desde aquele momento decisivo em 1993 até a eleição de Barack Obama em 2008, eu ainda era um partidário liberal. Queria que meu time (os democratas) vencesse o outro time (os republicanos). Na verdade, comecei a estudar política exatamente porque estava muito frustrado com a campanha ineficaz de John Kerry para a presidência. Estava convencido de que os liberais norte-americanos simplesmente não "entendiam" a moral e os motivos de seus compatriotas conservadores, e eu queria usar minha pesquisa em psicologia moral para ajudar os liberais a vencer.

Para aprender sobre psicologia política, decidi ministrar um seminário de pós-graduação sobre o tema no segundo trimestre de 2005. Sabendo que ministraria esse novo curso, estava a procura de boas leituras. Então, ao visitar amigos em Nova York, um mês após a derrota de Kerry, fui a uma loja de livros usados para explorar sua seção de ciência política. Enquanto examinava as prateleiras, um livro saltou aos meus olhos — um livro grosso e marrom com uma palavra na lombada: *Conservatism* ["Conservadorismo", em tradução livre]. Era um volume de leituras editado pelo historiador Jerry Muller. Comecei a ler a introdução de Muller em pé no corredor, mas na terceira página tive que me sentar no chão. Só percebi anos depois que o ensaio de Muller foi meu segundo momento decisivo.

Muller começou distinguindo conservadorismo de ortodoxia. Ortodoxia é a visão de que existe uma "ordem moral transcendente, à qual devemos tentar conformar os modos da sociedade".[34] Cristãos que encaram a Bíblia como um guia para as leis, assim como muçulmanos que querem viver sob a sharia, são exemplos de ortodoxia. Eles querem que sua sociedade corresponda a uma ordem moral ordenada externamente, por isso defendem mudanças, às vezes mudanças radicais. Isso pode colocá-los em desacordo com os verdadeiros conservadores, que veem mudanças radicais como perigosas.

Em seguida, Muller distinguiu o conservadorismo do contra-Iluminismo. É verdade que grande parte da resistência ao Iluminismo pode ser considerada conservadora, por definição (ou seja, clérigos e aristocratas estavam tentando preservar a antiga ordem). Mas o conservadorismo moderno, afirma Muller, encontra suas origens *dentro* das principais correntes do pensamento iluminista, quando homens como David Hume e Edmund Burke tentaram desenvolver uma crítica racional, pragmática e essencialmente utilitarista do projeto iluminista. Eis o parágrafo que, literalmente, me deixou no chão:

> O que torna os argumentos sociais e políticos *conservadores* em oposição a *ortodoxos* é que a crítica dos argumentos liberais ou progressistas ocorre com base nos fundamentos iluministas da busca da felicidade humana embasada no uso da razão.[35]

Como liberal ao longo de toda a vida, presumi que conservadorismo = ortodoxia = religião = fé = rejeição da ciência. Portanto, como ateu e cientista, eu era obrigado a ser liberal. Mas Muller afirmou que o conservadorismo moderno na verdade envolve criar a melhor sociedade possível, aquela que gera a maior felicidade, dadas as circunstâncias locais. Será? Havia algum tipo de conservadorismo capaz de competir com o liberalismo na seara das ciências sociais? Os conservadores podem ter uma fórmula melhor de como criar uma sociedade saudável e feliz?

Continuei lendo. Muller passou por uma série de alegações sobre a natureza e as instituições humanas, que, segundo ele, são as crenças centrais do conservadorismo. Os conservadores acreditam que as pessoas são inerentemente imperfeitas e tendem a agir mal quando todas as restrições e responsabilidades são removidas (sim, pensei; veja Glaucon, Tetlock e Ariely no Capítulo 4). Nosso raciocínio é falho e propenso ao excesso de confiança; portanto, é perigoso construir teorias baseadas na razão pura, sem restrições pela intuição e pela experiência histórica (sim; veja Hume no Capítulo 2 e Baron-Cohen sobre sistematização no Capítulo 6). As instituições emergem gradualmente como fatos sociais, que respeitamos e até sacralizamos, mas, se despojarmos essas instituições de autoridade e as tratarmos como artifícios arbitrários que existem apenas para nosso benefício, nós as tornamos menos eficazes. Em seguida, nos expomos ao aumento da anomia e da desordem social (sim; veja Durkheim nos Capítulos 8 e 11).

Com base em minha própria pesquisa, não tive opção além de concordar com essas afirmações conservadoras. Enquanto continuava a ler os escritos de intelectuais conservadores, de Edmund Burke, no século XVIII, a Friedrich Hayek e Thomas Sowell, no século XX, comecei a ver que eles haviam alcançado uma visão crucial da sociologia da moralidade que eu nunca vira. Eles entenderam a importância do que chamarei *capital moral*. (Por favor, perceba que estou elogiando os intelectuais conservadores, não o Partido Republicano.)[36]

O termo *capital social* varreu as ciências sociais nos anos 1990, inserindo-se no vocabulário público mais amplo após o livro de Robert Putnam, *Bowling Alone* [sem publicação no Brasil], em 2000.[37] Capital, em economia, refere-se aos recursos que permitem que uma pessoa ou empresa produza bens ou serviços. Há capital financeiro (dinheiro no banco), capital físico (como uma chave inglesa ou uma fábrica) e capital humano (como uma equipe de vendas bem treinada). Quando todo o resto é igual, uma empresa com mais de qualquer tipo de capital superará outra com menos.

Capital social refere-se a um tipo de capital que os economistas haviam ignorado amplamente: os laços sociais entre os indivíduos e as normas de reciprocidade e confiabilidade que surgem desses laços.[38] Quando todo o resto é igual, uma empresa com mais capital social superará seus concorrentes menos coesos e menos confiantes internamente (o que faz sentido, dado que os seres humanos foram moldados pela seleção multinível para serem cooperadores condicionais). De fato, as discussões sobre capital social às vezes usam o exemplo de comerciantes judeus ultraortodoxos de diamantes, que mencionei no capítulo anterior.[39] Esse grupo étnico extremamente coeso conseguiu criar o mercado mais eficiente porque seus custos de transação e monitoramento são muito baixos — há menos despesas gerais em cada negócio. E seus custos são tão baixos porque eles confiam uns nos outros. Um mercado rival composto de comerciantes de diversas etnias e religiões teria que gastar muito mais com advogados e seguranças, dada a facilidade de cometer fraude ou roubo ao enviar diamantes para inspeção por outros comerciantes. Como a comunidade não religiosa estudada por Richard Sosis, eles teriam muito mais dificuldade em seguir as normas morais da comunidade.[40]

Todo mundo adora capital social. Seja do espectro esquerdo, direito ou de centro, quem seria capaz negar o valor de poder contar e confiar nos outros? Mas agora vamos ampliar nosso foco para além das empresas que tentam produzir mercadorias e pensar em uma escola, uma comunidade, uma corporação ou até uma nação inteira que queira melhorar o comportamento moral. Vamos deixar de lado problemas de diversidade moral e apenas especificar o objetivo como sendo aumentar a "produção" de comportamentos pró-sociais e diminuir a "produção" de comportamentos antissociais, independentemente de como o grupo define esses termos. Para alcançar quase qualquer visão moral, provavelmente seriam necessários altos níveis de capital social. (É difícil imaginar como anomia e desconfiança poderiam ser benéficas.) Mas agregar pessoas em relacionamentos saudáveis e confiáveis será o suficiente para melhorar o perfil ético do grupo?

Se você acredita que as pessoas são inerentemente boas e prosperam quando as restrições e segregações são removidas, sim, isso pode ser suficiente. Mas os conservadores em geral adotam uma visão muito diferente da natureza humana. Eles acreditam que as pessoas precisam de estruturas ou restrições externas para se comportar bem, cooperar e prosperar. Essas restrições externas incluem leis, instituições, costumes, tradições, nações e religiões. Pessoas que detêm essa visão de "restrição"[41] são, portanto, muito preocupadas com a higidez e a integridade desses dispositivos de coordenação "externos". Acreditam que, sem eles, as pessoas começarão a trapacear e se comportar de maneira egoísta. Sem eles, o capital social decairá rapidamente.

Se você é membro de uma sociedade WEIRD, tende a se concentrar em objetos individuais, como as pessoas, e não consegue perceber automaticamente os relacionamentos entre eles. Ter um conceito como capital social é útil porque o obriga a enxergar os relacionamentos nos quais essas pessoas estão inseridas e que as tornam mais produtivas. Proponho que levemos essa abordagem um passo adiante. Para entender o milagre das comunidades morais que crescem além dos limites do parentesco, devemos olhar não apenas para as pessoas, e não apenas para as relações entre as pessoas, mas para o *ambiente completo* dentro do qual essas relações estão inseridas e o que as torna mais virtuosas (seja como for que elas definam esse termo). É preciso haver muitos fatores externos para dar suporte a uma comunidade moral. Por exemplo, em uma ilha pequena ou em uma cidade pequena, normalmente não precisamos colocar cadeado na bicicleta, mas em uma cidade grande no mesmo país, se prendermos apenas o quadro da bicicleta, as rodas podem ser roubadas. Ser pequeno, isolado ou moralmente homogêneo são exemplos de condições ambientais que aumentam o capital moral de uma comunidade. Isso não significa que ilhas e cidades pequenas são lugares melhores para se viver em geral — a diversidade e a aglomeração das cidades grandes as tornam lugares mais criativos e interessantes para muitas pessoas —, mas esse é o dilema. (A disposição para trocar um pouco de capital moral para obter um pouco de diversidade e criatividade dependerá em parte da sua configuração cerebral em traços como abertura à experiência e sensibilidade à ameaça, e isso é parte da razão pela qual as cidades geralmente são tão mais liberais que as áreas mais rurais.)

Observar esse monte de fatores externos e quão bem eles se encaixam na psicologia moral interna nos traz de volta à definição de sistemas morais trazida no último capítulo. Na verdade, podemos definir capital moral como *os recursos que sustentam uma comunidade moral*.[42] Mais especificamente, capital moral refere-se ao

> grau em que uma comunidade possui conjuntos interligados de valores, virtudes, normas, práticas, identidades, instituições e tecnologias que se combinam bem com os mecanismos psicológicos evoluídos e, assim, permitem à comunidade suprimir ou regular o egoísmo e possibilitar a cooperação.

Para ver o capital moral em ação, vamos fazer um experimento mental usando as comunidades do século XIX estudadas por Richard Sosis. Vamos supor que toda comuna teve origem a partir de um grupo de 25 adultos que se conheciam, gostavam e confiavam uns nos outros. Em outras palavras, vamos supor que toda comuna tenha começado com uma quantidade alta e igual de capital social no primeiro dia. Que fatores permitiram a algumas comunidades manter seu capital social e gerar altos níveis de comportamento pró-social por décadas, enquanto outras degeneraram em discórdia e desconfiança no primeiro ano?

No último capítulo, eu disse que a crença nos deuses e nos rituais religiosos dispendiosos acabou por ser um ingrediente crucial para o sucesso. Mas deixemos a religião de lado e observemos outros tipos de fatores externos. Vamos supor que cada comuna tenha começado com uma lista clara de valores e virtudes impressos em cartazes e exibidos em toda a comuna. Uma comunidade que valorizava a autoexpressão acima da conformidade e a virtude da tolerância acima da lealdade poderia ser mais atraente para pessoas de fora, e isso poderia ser uma vantagem no recrutamento de novos membros, mas ela teria um capital moral menor do que uma comuna que valoriza a conformidade e lealdade. A comunidade mais rigorosa seria mais capaz de suprimir ou regular o egoísmo e, portanto, teria mais probabilidade de perdurar.

Comunidades morais são frágeis, difíceis de construir e fáceis de destruir. Quando pensamos em comunidades muito grandes, como nações, o desafio é extraordinário e a ameaça de entropia moral é intensa. Não há grandes margens para erro; muitas nações são fracassos como comunidades morais, particularmente nações corruptas em que ditadores e elites dirigem o país para seu próprio benefício. Se você não valoriza o capital moral, não promove valores, virtudes, normas, práticas, identidades, instituições e tecnologias que o aumentam.

Devo afirmar claramente que o capital moral nem sempre é um bem perfeito. Ele leva automaticamente à supressão do parasitismo social, mas não a outras formas de justiça, como a igualdade de oportunidades. E embora o alto capital moral ajude a comunidade a funcionar com eficiência, a comunidade pode usá-la para infligir danos a outras comunidades. Alto capital moral pode ser obtido dentro de um culto ou nação fascista, desde que a maioria das pessoas realmente aceite a matriz moral predominante.

No entanto, se estiver tentando mudar uma organização ou uma sociedade e não considerar os efeitos de suas mudanças no capital moral, está procurando encrenca. Acredito que esse seja *o ponto cego fundamental da esquerda*. Ele explica por que as reformas liberais com frequência saem pela culatra,[43] e por que as revoluções comunistas geralmente acabam em despotismo. É a razão pela qual acredito que o liberalismo — que fez muito para trazer liberdade e igualdade de oportunidades — não é suficiente como filosofia de governo. Tende a exagerar, mudar coisas demais com rapidez excessiva e reduzir inadvertidamente o estoque de capital moral. Por outro lado, embora os conservadores façam um trabalho melhor em preservar o capital moral, geralmente deixam de perceber certas classes de vítimas, não limitam as predações de certos interesses poderosos e não veem a necessidade de mudar ou atualizar as instituições com o passar do tempo.

UM YIN E DOIS YANGS

Na filosofia chinesa, yin e yang se referem a qualquer par de forças contrastantes ou aparentemente opostas que são, de fato, complementares e interdependentes. Noite e dia não são inimigos, nem quente e frio, verão e inverno, homens e mulheres. Precisamos de ambos, muitas vezes em equilíbrio alternado ou mutável. John Stuart Mill afirmou que liberais e conservadores são: "Um partido de ordem ou estabilidade, e um partido de progresso ou reforma, são ambos elementos necessários de uma vida política saudável."[44]

O filósofo Bertrand Russell percebeu essa mesma dinâmica em ação ao longo da história intelectual ocidental: "Desde 600 a.C. até os dias atuais, os filósofos foram divididos entre aqueles que desejavam estreitar os laços sociais e aqueles que queriam afrouxá-los."[45] Russell então explicou por que os dois lados estão parcialmente certos, usando termos que são o mais próximo possível de *capital moral* que eu poderia encontrar:

> É claro que cada lado dessa disputa — como todas as que persistem por longos períodos — está parcialmente certo e parcialmente errado. A coesão social é uma necessidade, e a humanidade ainda não conseguiu impor a coesão por meio de argumentos meramente racionais. Toda comunidade é exposta a dois perigos opostos: de um lado, a petrificação por meio de muita disciplina e reverência pela tradição; de outro, a dissolução ou sujeição à conquista estrangeira, por meio do crescimento de um individualismo e independência pessoal que impossibilita a cooperação.[46]

Vou me arriscar e aplicar as ideias de Mill e Russell a alguns debates atuais na sociedade norte-americana. É um risco, porque os leitores partidários podem aceitar minhas afirmações sobre yin e yang de forma abstrata, mas não quando começo a dizer que o "outro lado" tem algo útil a dizer sobre questões controversas específicas. No entanto, estou disposto a correr esse risco, porque quero mostrar que a política pública pode realmente ser melhorada com base em ideias de todos os lados. Usarei a estrutura do utilitarismo durkheimiano que desenvolvi no final do Capítulo 11. Ou seja, avaliarei cada questão com base em quão bem a ideologia em questão pode promover o bem geral de uma sociedade (essa é a parte utilitária), mas vou adotar uma visão da humanidade como sendo *Homo duplex* (ou 90% chimpanzé, 10% abelha), o que significa que nós, humanos, precisamos ter acesso a colmeias saudáveis para florescer (essa é a parte durkheimiana).

Em vez de apenas contrastar a esquerda e a direita, vou dividir os oponentes da esquerda em dois grupos — os conservadores sociais (como a direita religiosa) e os libertários (às vezes chamados de "liberais clássicos" por causa de seu amor pelos livres mercados). Esses são dois grupos que estudamos muito em YourMorals.org e descobrimos que eles têm personalidades e moralidades muito diferentes. A seguir, explicarei brevemente por que acho que os liberais têm razão em dois pontos principais. Depois, direi onde acho que libertários e conservadores sociais têm razão, em dois contrapontos.

YIN: SABEDORIA LIBERAL

A esquerda constrói sua matriz moral sobre três dos seis alicerces, mas repousa de maneira mais firme e consistente sobre o alicerce do Cuidado.[47] Podemos ilustrá-la como na Figura 12.2, em que a espessura de cada linha corresponde à importância de cada alicerce.

Os liberais costumam desconfiar de apelos à lealdade, autoridade e pureza, embora não rejeitem essas intuições em todos os casos (pense na pureza da natureza), então desenhei essas linhas finas, mas ainda existentes. Os liberais têm muitos valores específicos, mas acho que é útil, para cada grupo, identificar seu valor mais sagrado — o "terceiro trilho" que o eletrocutará se você tocá-lo. Para os liberais norte-americanos, desde os anos 1960, acredito que o valor mais sagrado é cuidar das vítimas da opressão. Qualquer um que culpe tais vítimas por seus próprios problemas ou que demonstre ou apenas releve preconceito contra grupos de vítimas sacralizados pode esperar uma resposta tribal veemente.[48]

Nossas descobertas em YourMorals.org corroboram as definições filosóficas e populares de liberalismo que enfatizam o cuidado com os vulneráveis, a oposição à hierarquia e à opressão, e um interesse por mudar as leis, tradições e instituições para resolver problemas sociais.[49] O apresen-

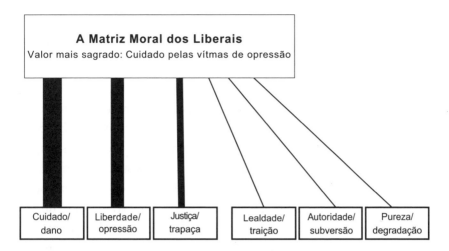

FIGURA 12.2. *A matriz moral dos liberais norte-americanos.*

tador de rádio liberal Garrison Keillor capturou o espírito e a autoimagem da esquerda norte-americana moderna quando escreveu:

> Sou liberal e o liberalismo é a política da bondade. Os liberais defendem a tolerância, a magnanimidade, o espírito comunitário, a defesa dos fracos contra os poderosos, o amor ao aprendizado, a liberdade de crença, a arte e a poesia, a vida na cidade, as mesmas coisas pelas quais vale a pena morrer pelos EUA.[50]

Não sei ao certo quantos norte-americanos sacrificaram suas vidas por bondade e poesia, mas acredito que essa matriz moral leva os liberais a defender dois pontos de maneira coerente — pontos que acredito serem essenciais para a saúde de uma sociedade.

Ponto nº 1: Os Governos Podem e Devem Restringir os Superorganismos Corporativos

Adorei o filme *Avatar*, mas ele contém o pensamento evolucionário mais tolo que já vi. Achei mais fácil acreditar que as ilhas podiam flutuar no céu do que acreditar que todas as criaturas podiam viver em harmonia, dispostas a sacrificar a vida umas pelas outras. No entanto, havia um elemento futurista que achei bastante crível. O filme retrata a Terra daqui a alguns séculos como um planeta dirigido por empresas que transformaram os governos nacionais em seus lacaios.

No Capítulo 9, falei sobre grandes transições na evolução da vida. Descrevi o processo pelo qual os superorganismos emergem, dominam seus nichos preferidos, alteram seus ecossistemas e empurram seus concorrentes para as margens da extinção. No Capítulo 10, mostrei que as empresas são superorganismos. Elas não são *parecidas* com superorganismos; são superorganismos reais. Portanto, se o passado servir de guia, as empresas se tornarão cada vez mais poderosas à medida que evoluírem e mudarem a legislação e os sistemas políticos de seus países anfitriões para que se tornem cada vez mais hospitaleiros. A única força restante na Terra capaz de enfrentar as grandes corporações são os governos nacionais, alguns dos quais ainda mantêm o poder de tributar, regular e dividir as corporações em pedaços menores quando ficam muito poderosas.

Os economistas falam de "externalidades" — os custos (ou benefícios) incorridos por terceiros que não concordaram com a transação que causou o custo (ou benefício). Por exemplo, se um agricultor começa a usar um novo tipo de fertilizante que aumenta sua produção, mas causa escoamentos mais nocivos para os rios próximos, ele mantém o lucro, mas os custos de sua decisão são suportados por outros. Se uma fazenda industrial encontra uma maneira mais rápida de engordar o gado, mas com isso faz com que os animais sofram mais problemas digestivos e ossos quebrados, a empresa fica com o lucro e os animais pagam o custo. As empresas são obrigadas a maximizar os lucros para os acionistas, e isso significa procurar toda e qualquer oportunidade para reduzir os custos, incluindo repassá-los a terceiros (quando legais) na forma de externalidades.

Não sou anticorporação, sou simplesmente glauconiano. Quando as empresas operam à plena vista do público, com uma imprensa livre disposta e capaz de relatar as externalidades impostas ao público, é provável que elas se comportem bem, como a maioria das empresas. Mas muitas empresas operam com um alto grau de sigilo e invisibilidade pública (por exemplo, os gigantes processadores de alimentos dos EUA e as fazendas industriais).[51] E muitas empresas têm a capacidade de "mobilizar" ou outra forma influenciar os políticos e agências federais cujo trabalho é regu-

Não Podemos Discordar de Maneira Mais Construtiva?

lá-las (especialmente agora que a Suprema Corte dos EUA deu às empresas e sindicatos o "direito" de fazer doações ilimitadas a causas políticas).[52] Quando as empresas recebem o anel de Giges, podemos esperar resultados catastróficos (para o ecossistema, o sistema bancário, a saúde pública etc.).

Penso que os liberais estão certos quando afirmam que uma das principais funções do governo é defender o interesse público contra as corporações e sua tendência a distorcer os mercados e impor externalidades a outras pessoas, principalmente aos menos capazes de se defender judicialmente (como pobres, imigrantes ou animais de fazenda). Mercados eficientes exigem regulamentação governamental. Mas, às vezes, os liberais vão longe demais — na verdade, em geral são automaticamente antinegócios,[53] o que é um grande erro do ponto de vista utilitarista. Mas é saudável para uma nação estar em um constante cabo de guerra, um debate contínuo entre yin e yang sobre como e quando limitar e regular o comportamento corporativo.

Ponto n° 2: Alguns Problemas Realmente Podem Ser Resolvidos pela Regulamentação

À medida que a propriedade de automóveis disparou nas décadas de 1950 e 1960, também aumentou a tonelagem de chumbo emitido de escapamentos para a atmosfera nos EUA — que atingiu *200 mil toneladas* de chumbo por ano em 1973.[54] (As refinarias de gasolina adicionavam chumbo desde a década de 1930 para aumentar a eficiência do processo de refino.) Apesar das evidências de que a tonelagem crescente de chumbo estava chegando aos pulmões, às correntes sanguíneas e aos cérebros dos norte-americanos e retardando o desenvolvimento neural de milhões de crianças, a indústria química conseguiu bloquear todos os esforços para proibir os aditivos de chumbo na gasolina por décadas. Foi um caso clássico de superorganismos corporativos usando todos os métodos de influência para preservar sua capacidade de transmitir uma externalidade mortal para o público.

O governo Carter iniciou uma eliminação gradual da gasolina com chumbo, que foi quase revertida quando Ronald Reagan enfraqueceu a capacidade da Agência de Proteção Ambiental de elaborar novos regulamentos ou fazer cumprir os antigos. Um grupo bipartidário de congressistas se posicionou em defesa das crianças e contra a indústria química e, na década de 1990, o chumbo havia sido completamente removido da gasolina.[55] Essa simples intervenção de saúde pública produziu milagres: os níveis de chumbo no sangue das crianças caíram em sincronia com os níveis decrescentes dos aditivos de chumbo, e parte do aumento do QI medido nas últimas décadas foi atribuído a esse declínio.[56]

Ainda mais surpreendente, vários estudos demonstraram que a eliminação gradual, iniciada no final da década de 1970, pode ter sido responsável por até *metade* da queda extraordinária e inexplicável nas taxas de criminalidade ocorrida nos anos 1990.[57] Dezenas de milhões de crianças, principalmente pobres nas grandes cidades, cresceram com altos níveis de chumbo, o que interferiu no desenvolvimento neurológico nos anos 1950 até o final dos anos 1970. Os garotos desse grupo causaram a gigantesca onda de criminalidade que aterrorizou os EUA — e provocou sua inclinação à direita do espectro — dos anos 1960 até o início dos anos 1990. Esses jovens foram substituídos por uma nova geração de jovens com cérebros livres de chumbo (e, portanto, melhor controle de impulsos), o que parece ser parte do motivo da queda da taxa de criminalidade.

De uma perspectiva utilitarista de Durkheim, é difícil imaginar um argumento melhor para o governo para resolver um problema nacional de saúde. Essa regulamentação preservou grandes quantidades de vidas, pontos de QI, dinheiro e capital moral, tudo ao mesmo tempo.[58] E o chumbo está longe de ser o único risco ambiental que atrapalha o desenvolvimento neural. Quando crianças pequenas são expostas a PCBs (sigla em inglês dos bifenilos policlorados), organofosfatos (usados em alguns pesticidas) e metil mercúrio (subproduto da queima de carvão), seus QIs diminuem e o risco de desenvolverem TDAH (transtorno do deficit de atenção e hiperatividade) aumenta.[59] Dadas essas perturbações cerebrais, é provável que estudos futuros também encontrem um elo com a violência e o crime. Em vez de construir mais prisões, a maneira mais barata (e mais humana) de combater o crime pode ser dar mais dinheiro e autoridade à Agência de Proteção Ambiental.

Quando os conservadores alegam que os esforços liberais para intervir nos mercados ou se engajar em "engenharia social" sempre têm con-

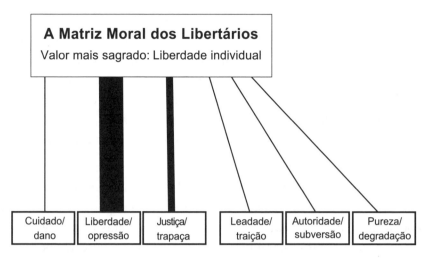

FIGURA 12.3. *A matriz moral dos libertários norte-americanos.*

sequências não intencionais, deveriam observar que algumas vezes essas consequências são positivas. Quando os conservadores disserem que os mercados oferecem soluções melhores do que as regulamentações, peça que expliquem seus planos para eliminar as externalidades perigosas e injustas geradas por muitos mercados.[60]

YANG Nº 1: SABEDORIA LIBERTÁRIA

Dizem que os libertários são socialmente liberais (favorecendo a liberdade individual em questões particulares como sexo e uso de drogas) e economicamente conservadores (favorecendo o livre mercado), mas esses rótulos revelam o quão confusos esses termos se tornaram nos Estados Unidos.

Os libertários são descendentes diretos dos reformadores do Iluminismo dos séculos XVIII e XIX que lutaram para libertar pessoas e mercados do controle de reis e clérigos. Os libertários amam a liberdade; esse é o seu valor sagrado. Muitos deles desejam ser conhecidos apenas como liberais,[61] mas eles perderam essa denominação nos Estados Unidos (embora não na Europa) quando o liberalismo se dividiu em dois campos no final do século XIX. Alguns liberais começaram a ver corporações poderosas e industriais ricas como as principais ameaças à liberdade. Esses "novos liberais" (também conhecidos como "liberais de esquerda" ou "progressistas") consideravam o governo como a única força capaz de proteger o público e resgatar as muitas vítimas das práticas brutais do capitalismo industrial inicial. Os liberais que continuaram a temer o governo como a principal ameaça à liberdade ficaram conhecidos como "liberais clássicos", "liberais de direita" (em alguns países) ou libertários (nos Estados Unidos).

Aqueles que seguiram o caminho progressista começaram a usar o governo não apenas para salvaguardar a liberdade, mas para promover o bem-estar geral do povo, particularmente aqueles que não podiam se defender. Republicanos (como Theodore Roosevelt) e democratas (como Woodrow Wilson) progressistas tomaram medidas para limitar o crescente poder das corporações, como quebrar monopólios e criar novas agências governamentais para regular as práticas trabalhistas e garantir a qualidade de alimentos e medicamentos. Algumas reformas progressivas invadiram muito mais profundamente a vida privada e a liberdade pessoal, como a obrigação de pais enviarem seus filhos para a escola e a proibição da venda de álcool.

Você pode ver essa bifurcação na estrada olhando para a matriz moral liberal (Figura 12.2). Ela se baseia principalmente em dois alicerces: Cuidado e Liberdade (e um pouco de Justiça, porque todos valorizam a proporcionalidade em alguma medida). Os liberais de 1900 que mais dependiam do alicerce Cuidado — aqueles que sentiam a dor de outras pessoas mais profundamente — foram mais predispostos a pegar o caminho da esquerda (progressista). Porém os liberais de 1900 que confiavam com mais intensidade no alicerce Liberdade — aqueles que sentiram mais profundamente a mordida das restrições à liberdade — recusaram-se a segui-lo (veja a Figura 12.3). De fato, o escritor libertário Will Wilkinson sugeriu recentemente que os libertários são liberais que amam os mercados e têm coração de pedra.[62]

No YourMorals.org, descobrimos que Wilkinson tem razão. Em um projeto liderado por Ravi Iyer e Sena Koleva, analisamos dezenas de questionários preenchidos por 12 mil libertários e comparamos suas respostas às de dezenas de milhares de liberais e conservadores. Descobrimos que os libertários se parecem mais com liberais do que com conservadores na maioria das medidas de personalidade (por exemplo, ambos os grupos têm uma pontuação mais alta do que os conservadores na abertura à experiência e mais baixas que os conservadores na sensibilidade à repulsa e conscienciosidade). No MFQ, os libertários se juntam aos liberais na pontuação muito baixa nos alicerces de Lealdade, Autoridade e Pureza. Eles divergem mais fortemente dos liberais em duas medidas: o alicerce do Cuidado, cuja pontuação é muito baixa (ainda mais baixa que a dos conservadores) e em algumas novas perguntas que adicionamos sobre liberdade *econômica*, nas quais obtêm uma pontuação extremamente alta (um pouco mais alta que os conservadores, muito mais alta que os liberais).

Por exemplo, você concorda que "o governo deveria fazer mais para promover o bem comum, mesmo que isso signifique limitar a liberdade e as escolhas dos indivíduos"? Se sim, então você provavelmente é liberal. Caso contrário, pode ser libertário ou conservador. A divisão entre liberais (progressistas) e libertários (liberais clássicos) ocorreu exatamente sobre essa questão há mais de 100 anos, e aparece claramente em nossos dados hoje. Pessoas com ideais libertários em geral apoiam o Partido Republicano desde os anos 1930, porque libertários e republicanos têm um inimigo em comum: a sociedade de bem-estar social que eles acreditam estar destruindo a liberdade dos EUA (para os libertários) e a fibra moral (para conservadores sociais).

Acredito que os libertários estejam certos em muitos pontos,[63] mas vou me concentrar em apenas um ponto contrário ao liberalismo.

Contraponto nº 1: Os Mercados São Milagrosos

Em 2007, o pai de David Goldhill morreu devido a uma infecção contraída enquanto estava no hospital. Ao tentar entender essa morte desnecessária, Goldhill começou a ler sobre o sistema de saúde norte-americano, que mata cerca de 100 mil pessoas anualmente em decorrência dessas infecções acidentais. Ele descobriu que a taxa de mortalidade pode ser reduzida em dois terços se os hospitais seguissem uma lista simples de procedimentos sanitários, mas a maioria dos hospitais não adota o protocolo.

Goldhill, um empresário (e democrata), imaginou como seria possível para qualquer organização aprovar uma medida simples que produzisse benefícios tão grandes. No mundo dos negócios, esse grau de ineficiência logo levaria à falência. À medida que aprendia cada vez mais sobre o sistema de saúde, descobriu o quanto degringolam quando os bens e serviços são fornecidos sem um mercado que funcione adequadamente.

Em 2009, Goldhill publicou um ensaio polêmico na revista *The Atlantic* intitulado "How American Health Care Killed My Father"[64] [Como o Sistema de Saúde Pública Matou Meu Pai, em tradução livre]: um de seus principais argumentos foi o absurdo de usar o seguro saúde para pagar procedimentos rotineiros. Normalmente adquirimos um seguro para cobrir o risco de uma perda catastrófica. Ingressamos em um grupo de segurados para diluir o risco, e esperamos nunca precisar receber um centavo. Arcamos nós mesmo com as despesas de rotina, buscando a melhor qualidade pelo menor preço. Nunca abriríamos um sinistro em nossa seguradora de carro para pagar por uma troca de óleo.

Da próxima vez que for ao supermercado, analise atentamente uma lata de ervilhas. Pense em todo o trabalho realizado — agricultores, caminhoneiros e funcionários de supermercados, mineiros e metalúrgicos que fabricaram a lata — e pense no milagre que é comprar uma lata por alguns trocados. A cada passo da jornada, a concorrência entre os fornecedores recompensou aqueles cujas inovações economizavam um centavo no custo de fazer essa lata chegar até você. Se Deus geralmente é considerado o criador do mundo que organizou tudo para nosso benefício, então o livre mercado (e sua mão invisível) é um bom candidato a deus. Podemos começar a entender por que os libertários às vezes têm uma fé quase religiosa nos livres mercados.

Agora vamos fazer o papel do diabo e espalhar o caos pelo mercado. Suponha que um dia todos os preços sejam removidos de todos os produtos no supermercado. Todos os rótulos fossem agora resumidos a uma descrição simples do conteúdo, para que não seja possível comparar produtos de diferentes empresas. Basta pegar o que quiser, o quanto quiser, e levar ao caixa. O atendente do caixa verifica o seu cartão de seguro alimentar e ajuda a preencher sua solicitação detalhada. Você paga uma taxa fixa de R$10 e vai para casa com suas compras. Um mês depois, recebe uma fatura informando que sua companhia de seguros de alimentos pagará ao supermercado a maior parte do valor remanescente, mas será necessário

Não Podemos Discordar de Maneira Mais Construtiva?   325

pagar mais R$15. Pode parecer uma pechincha adquirir um carrinho inteiro de compras por apenas R$25, mas na verdade é você que paga a conta do supermercado todo mês quando paga mais de R$2.000 pelo seu prêmio de seguro alimentar.

Sob esse sistema, há pouco incentivo para que alguém encontre maneiras inovadoras de reduzir o custo dos alimentos ou aumentar sua qualidade. Os supermercados são pagos pelas seguradoras e as seguradoras recebem seus prêmios de você. O custo do seguro de alimentos começa a aumentar, pois os mercados começam a estocar apenas os alimentos que lhes proporcionam os pagamentos mais altos do seguro, não os alimentos que agregam valor a você.

À medida que o custo do seguro alimentar aumenta, muitas pessoas não conseguem mais pagá-lo. Os liberais (motivados pelo Cuidado) pressionam por um novo programa de governo para comprar seguro alimentar para os pobres e idosos. Porém, uma vez que o governo se torna o maior comprador de alimentos, o sucesso nos setores de supermercados e seguros alimentares dependerá principalmente da maximização do rendimento dos pagamentos do governo. Antes que consigamos perceber, essa lata de ervilhas custa ao governo R$30, e todos estamos pagando 25% de nossos rendimentos em impostos apenas para cobrir o custo de comprar mantimentos uns para os outros a custos imensamente inflacionados.

Isso, diz Goldhill, é o que fizemos a nós mesmos. Enquanto os consumidores forem poupados de levar em consideração o preço — ou seja, enquanto alguém estiver sempre pagando por suas escolhas — as coisas irão de mal a pior. Não podemos resolver o problema convocando painéis de especialistas para definir o preço máximo permitido para uma lata de ervilhas. Apenas um mercado operante[65] pode reunir oferta, demanda e engenhosidade para fornecer assistência médica ao menor preço possível. Por exemplo, existe um mercado aberto para a cirurgia LASIK (um tipo de cirurgia ocular a laser que elimina a necessidade de usar lentes de contato). Os médicos competem entre si para atrair clientes e, como o procedimento raramente é coberto pelo seguro, os pacientes levam em consideração o preço. A competição e a inovação reduziram o preço da cirurgia em quase 80% desde que foi lançada. (Outras nações desenvolvidas tiveram mais sucesso no controle de custos, mas também enfrentam custos crescentes que

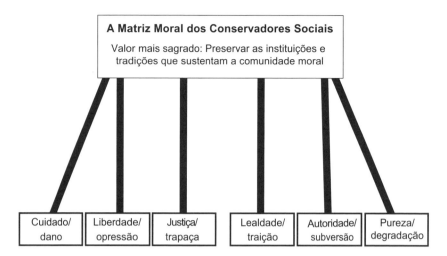

FIGURA 12.4. *A matriz moral dos conservadores sociais norte-americanos.*

podem se tornar devastadores em termos tributários.[66] Como os Estados Unidos, eles geralmente não têm vontade política de aumentar impostos ou cortar serviços.)

Quando libertários falam sobre o milagre da "ordem espontânea" que surge quando as pessoas podem fazer suas próprias escolhas (e assumir os custos e benefícios dessas escolhas), o resto de nós deveria ouvir.[67] Cuidado e compaixão às vezes motivam os liberais a interferir no funcionamento dos mercados, mas o resultado pode ser um dano extraordinário em grande escala. (É claro que, como eu disse anteriormente, os governos em geral precisam intervir para corrigir *distorções* do mercado, fazendo com que voltem a funcionar adequadamente.) Os liberais querem usar o governo para muitos propósitos, mas as despesas com saúde estão sobrepujando todas as outras possibilidades. Se você acha que os governos municipal, estadual e federal nos EUA estão falidos agora, aguarde até que a geração do baby boom esteja totalmente aposentada.

Acho irônico que os liberais geralmente adotem Darwin e rejeitem o "design inteligente" como a explicação para o design e a adaptação no mundo natural, mas não adotam Adam Smith como a explicação para o design e a adaptação no mundo econômico. Algumas vezes preferem o "design inteligente" das economias socialistas, que muitas vezes termina em desastre do ponto de vista utilitarista.[68]

YANG Nº 2: SABEDORIA DO CONSERVADORISMO SOCIAL

Os conservadores são o "partido da ordem e da estabilidade", nas palavras de Mill. Eles geralmente resistem às mudanças implementadas pelo "partido do progresso ou da reforma". Mas colocar as coisas nesses termos faz com que os conservadores pareçam obstrucionistas terríveis, tentando conter as mãos do tempo e as "nobres aspirações humanas" da narrativa progressista liberal.

Uma maneira mais positiva de descrever os conservadores é dizer que sua matriz moral mais ampla lhes permite detectar ameaças ao capital moral que os liberais não conseguem perceber. Eles não se opõem a todos os tipos de mudanças (como a internet), mas revidam ferozmente quando acreditam que a mudança prejudicará as instituições e tradições que fornecem nossos exoesqueletos morais (como a família). Preservar essas instituições e tradições é o seu valor mais sagrado.

Por exemplo, o historiador Samuel Huntington observou que o conservadorismo não pode ser definido pelas instituições específicas que sacraliza (que poderia ser a monarquia na França do século XVIII ou a Constituição nos EUA do século XXI). Em vez disso, afirmou, "quando as fundações da sociedade são ameaçadas, a ideologia conservadora lembra os homens da necessidade de algumas instituições e das vantagens das já existentes".[69]

Em YourMorals.org, descobrimos que os conservadores sociais têm o conjunto mais amplo de preocupações morais, valorizando todos os seis alicerces de forma mais ou menos igual (Figura 12.4). Essa amplitude — e em particular suas configurações relativamente altas nos alicerces de Lealdade, Autoridade e Pureza — lhes proporciona ideias que considero valiosas, de uma perspectiva utilitarista de Durkheim.

Contraponto nº 2: Você Não Consegue Ajudar a Abelha Destruindo a Colmeia

Os liberais odeiam a ideia de exclusão. Em uma palestra de que participei há alguns anos, um professor de filosofia criticou a legitimidade dos Estados-nação. "São apenas linhas arbitrárias no mapa", disse ele. "Algumas pessoas traçam uma linha e dizem: 'Tudo deste lado é nosso. O resto de vocês fica de fora.'" Outros na sala riram junto com ele. Em uma palestra que ministrei recentemente, descobri a mesma aversão à exclusão aplicada às religiões. Uma estudante de pós-graduação ficou surpresa com minha afirmação de que as religiões costumam ser boas para o resto da sociedade e disse: "Mas as religiões são todas exclusivas!" Perguntei o que ela queria dizer e ela respondeu: "Bem, a Igreja Católica não aceita ninguém que não acredite em seus ensinamentos." Eu não conseguia acreditar que ela estava falando sério. Salientei que nosso programa de pós-graduação na UVA era mais exclusivo que a igreja — rejeitamos quase todos os candidatos. No decorrer de nossa discussão, ficou claro que sua principal preocupação era com as vítimas de discriminação, particularmente os gays que são excluídos por muitas comunidades religiosas.

Comentários como esses me convencem de que John Lennon capturou um sonho liberal comum em sua música inesquecível "Imagine". Imagine se não houvesse países e nem religiões. Se pudéssemos apagar as fronteiras que nos dividem, então o mundo "seria um só". É uma visão do paraíso para os liberais, mas os conservadores acreditam que rapidamente se transformaria em um inferno. Acho que os conservadores têm um pouco de razão.

Ao longo deste livro, argumentei que as sociedades humanas em larga escala são conquistas quase milagrosas. Tentei mostrar como nossa complicada psicologia moral coevoluiu com nossas religiões e outras invenções culturais (como tribos e agricultura) para nos levar aonde estamos hoje. Argumentei que somos produtos da seleção multinível, incluindo a seleção de grupo, e que nosso "altruísmo paroquial" faz parte do que nos torna grandes jogadores de equipe. Precisamos de grupos, amamos grupos e desenvolvemos nossas virtudes em grupos, mesmo que eles necessariamente excluam os não membros. Se eliminarmos todos os grupos e dissolvermos toda a estrutura interna, destruímos seu capital moral.

Os conservadores entendem esse ponto. Edmund Burke declarou em 1790:

Apegar-se à subdivisão, amar o pelotão a que pertencemos na sociedade, é o primeiro princípio (o embrião) dos afetos públicos. É o primeiro elo da série pela qual avançamos em direção ao amor ao nosso país e à humanidade.[70]

Adam Smith argumentou da mesma forma que o patriotismo e o paroquialismo são coisas boas porque levam as pessoas a se esforçarem para aprimorar as coisas que podem ser melhoradas:

A sabedoria que inventou o sistema de afetos humanos... parece ter julgado que o interesse da grande sociedade da humanidade seria melhor promovido se direcionássemos a atenção principal de cada indivíduo para essa parte específica, a mais profunda dentro da esfera tanto de suas habilidades quanto de seu entendimento.[71]

Esse é o utilitarismo durkheimiano. O utilitarismo feito por alguém que entende o senso de grupo humano.

Robert Putnam forneceu muitas evidências de que Burke e Smith estavam certos. No capítulo anterior, falei sobre sua descoberta de que as religiões transformam os norte-americanos em "vizinhos e cidadãos melhores". Afirmei que sua conclusão de que o ingrediente ativo que tornava as pessoas mais virtuosas era seu envolvimento em relações mais próximas com seus companheiros de fé. Tudo o que une as pessoas em densas redes de confiança as torna menos egoístas.

Em um estudo anterior, Putnam descobriu que a diversidade étnica teve o efeito oposto. Em um artigo reveladoramente intitulado "E Pluribus Unum", Putnam examinou o nível de capital social em centenas de comunidades norte-americanas e descobriu que altos níveis de imigração e diversidade étnica parecem causar uma redução no capital social. Isso pode não surpreendê-lo; as pessoas são racistas, você pode pensar, e por isso não confiam em pessoas com quem não se parecem com elas. Mas não é bem isso. A pesquisa de Putnam conseguiu distinguir dois tipos diferentes de capital social: o *de ponte* se refere à confiança entre grupos, entre pessoas que têm valores e identidades diferentes, enquanto o *de ligação* se refere à confiança dentro dos grupos. Putnam descobriu que a diversidade reduziu *ambos* os tipos de capital social. Veja sua conclusão:

> A diversidade parece desencadear não somente a divisão extragrupo/intragrupo, mas também a anomia ou o isolamento social. Em linguagem coloquial, as pessoas que vivem em ambientes etnicamente diversos parecem "se isolar" — isto é, fechar-se como uma tartaruga.

Putnam usa as ideias de Durkheim (como a anomia) para explicar por que a diversidade faz com que as pessoas se "recolham" e se tornem mais egoístas, menos interessadas em contribuir para suas comunidades. O que Putnam chama de fechar-se como tartaruga é exatamente o oposto do que chamei de colmeia.

Os liberais defendem as vítimas da opressão e exclusão. Lutam para quebrar barreiras arbitrárias (como as baseadas na raça e, mais recentemente, na orientação sexual). Mas seu fervor em ajudar as vítimas, combinado às baixas pontuações nos alicerces de Lealdade, Autoridade e Pureza, muitas vezes os leva a pressionar por mudanças que enfraquecem grupos, tradições, instituições e capital moral. Por exemplo, o desejo de ajudar os pobres em áreas de miséria levou a programas de assistência social na década de 1960 que reduziram o valor do casamento, aumentaram os nascimentos fora do casamento e enfraqueceram as famílias afro-americanas.[72] O desejo de aumentar o poder dos estudantes, dando-lhes o direito de processar seus professores e escolas nos anos 1970, corroeu a autoridade e o capital moral das escolas, criando ambientes desordenados que prejudicam os pobres acima de tudo.[73] O desejo de ajudar os imigrantes hispânicos na década de 1980 levou a programas de educação multicultural que enfatizavam as diferenças entre os norte-americanos, e não seus valores e identidade compartilhados. Enfatizar as diferenças torna muitas pessoas mais racistas, não menos.[74]

Não Podemos Discordar de Maneira Mais Construtiva?

Questão após questão, é como se os liberais estivessem tentando ajudar um subconjunto de abelhas (que realmente precisa de ajuda), mesmo que isso danifique a colmeia. Tais "reformas" podem prejudicar o bem-estar geral de uma sociedade e, às vezes, até as próprias vítimas que os liberais tentavam ajudar.

EM BUSCA DE UMA POLÍTICA MAIS CIVILIZADA

A ideia de opostos como yin e yang vem da China Antiga, uma cultura que valorizava a harmonia do grupo. Mas no antigo Oriente Médio, onde o monoteísmo se estabeleceu, a metáfora da guerra era mais comum que a metáfora do equilíbrio. O profeta persa do século III, Mani, pregou que o mundo visível é o campo de batalha entre as forças da luz (bondade absoluta) e as forças das trevas (maldade absoluta). Os seres humanos são a linha de frente da batalha; todos nós contemos o bem e o mal, e cada um de nós deve escolher um lado e lutar por ele.

A pregação de Mani evoluiu para o maniqueísmo, uma religião que se espalhou pelo Oriente Médio e influenciou o pensamento ocidental. Se você pensa em política de uma maneira maniqueísta, as concessões são um pecado. Deus e o diabo não emitem muitas declarações bipartidárias, e você também não deveria.

A classe política norte-americana se tornou muito mais maniqueísta desde o início dos anos 1990, primeiro em Washington e depois em muitas capitais. O resultado é um aumento do ressentimento e do impasse, uma diminuição na capacidade de encontrar soluções bipartidárias. O que podemos fazer? Muitos grupos e organizações impeliram legisladores e cidadãos a adotar "promessas de civilidade", jurando ser "mais civilizados" e "enxergar a todos em termos positivos". Não acredito que tais promessas funcionem. Os ginetes podem assinar quantas promessas quiserem, mas elas não são vinculativas para os elefantes.

Para escapar dessa confusão, acredito que os psicólogos devem trabalhar com cientistas políticos para identificar mudanças que minam indiretamente o maniqueísmo. Dirigi uma conferência que tentou fazer isso em 2007, na

Universidade de Princeton. Aprendemos que grande parte do aumento da polarização era inevitável. Foi o resultado natural do realinhamento político ocorrido depois que o presidente Lyndon Johnson assinou a Lei dos Direitos Civis em 1964. Os estados conservadores do sul, que eram solidamente democratas desde a Guerra Civil (porque Lincoln era republicano) começaram a deixar o Partido Democrata e, nos anos 1990, o Sul era solidamente republicano. Antes desse realinhamento, havia liberais e conservadores em ambos os partidos, o que facilitava a formação de equipes bipartidárias capazes de trabalhar juntas em projetos legislativos. Mas, após o realinhamento, não havia mais sobreposição, nem no Senado nem na Câmara dos Representantes dos EUA. Atualmente, o republicano mais liberal é tipicamente mais conservador do que o democrata mais conservador. E uma vez que os dois partidos se tornaram ideologicamente puros — um partido liberal e um partido conservador —, o aumento do maniqueísmo era certo.[75]

Mas também aprendemos sobre fatores que podem ser revertidos. O momento mais pungente da conferência ocorreu quando Jim Leach, ex-congressista republicano de Iowa, descreveu as mudanças que começaram em 1995. Newt Gingrich, o novo presidente da Câmara dos Representantes, incentivou um grande grupo de congressistas republicanos a deixar suas famílias em seus distritos de origem, em vez de mudar seus cônjuges e filhos para Washington. Antes de 1995, congressistas de ambos os partidos participavam de muitos dos mesmos eventos sociais nos finais de semana; seus cônjuges tornaram-se amigos; seus filhos jogavam nos mesmos times esportivos. Hoje em dia, porém, a maioria dos congressistas voa para Washington na segunda-feira à noite, se reúne com seus colegas, batalha por três dias e então voa para casa na quinta-feira à noite. Amizades entre partido estão desaparecendo; o maniqueísmo e a política de terra arrasada estão aumentando.

Não sei como os norte-americanos podem convencer seus legisladores a mudar com suas famílias para Washington, e nem sei se essa mudança revitalizaria as amizades entre os partidos no ambiente envenenado de hoje, mas esse é um exemplo do tipo de mudança capaz de transformar os elefantes.[76] As intuições vêm primeiro; assim, qualquer coisa que possamos fazer para cultivar conexões sociais mais positivas alterará as intuições e, portanto, o raciocínio e o comportamento a jusante. Outras mudanças

Não Podemos Discordar de Maneira Mais Construtiva? 333

estruturais capazes de reduzir o maniqueísmo incluem mudar a maneira como as eleições primárias são conduzidas, a maneira como os distritos eleitorais são desenhados e a maneira como os candidatos arrecadam dinheiro para suas campanhas. (Veja uma lista completa das possíveis soluções em www.CivilPolitics.org [conteúdo em inglês].)

O problema não se limita apenas aos políticos. A tecnologia e a mudança dos padrões residenciais permitiram que cada um de nós se isolasse dentro de casulos de indivíduos com a mesma opinião. Em 1976, apenas 27% dos norte-americanos vivem em áreas condados chamada "landslide county" — condados que votam majoritariamente em democratas ou republicanos com uma margem de 20% ou mais. Mas o número tem aumentado constantemente; em 2008, 48% dos norte-americanos viviam em um "landslide county".[77] Condados e cidades norte-americanos estão se tornando cada vez mais segregados em "enclaves de estilo de vida", nos quais as formas de votar, comer, trabalhar e adorar estão cada vez mais alinhadas. Se entrar em uma loja da Whole Foods, há 89% de chance de o município em torno de você ter votado em Barack Obama. Se quiser encontrar republicanos, vá a um condado que tenha um restaurante Cracker Barrel (62% desses condados votaram em McCain).[78]

A moralidade agrega e cega. Isso não é apenas algo que acontece com as pessoas do outro lado. Todos somos sugados para comunidades morais tribais. Nós nos agrupamos em torno de valores sagrados e, em seguida, compartilhamos argumentos *post hoc* sobre por que estamos tão certos e "eles" estão tão errados. Achamos que o outro lado é cego à verdade, à razão, à ciência e ao senso comum, mas na verdade todo mundo fica cego ao falar sobre seus objetos sagrados.

Se quiser entender outro grupo, *siga o sagrado*. Como primeiro passo, pense nos seis alicerces morais e tente descobrir qual deles tem mais peso em uma controvérsia específica. E se realmente deseja abrir sua mente, abra seu coração primeiro. Se puder ter pelo menos uma interação amigável com um membro do "outro" grupo, será muito mais fácil ouvir o que ele tem a dizer e talvez até consiga ver uma questão controversa sob uma nova luz. Você pode até não concordar, mas provavelmente abandonará o desacordo maniqueísta e adotará um desacordo mais respeitoso e construtivo com o yin-yang.

EM SUMA

As pessoas não adotam suas ideologias aleatoriamente ou absorvendo todas as ideias que as rodeiam. Pessoas cujos genes lhes deram cérebros que obtêm um prazer especial da novidade, variedade e diversidade, e simultaneamente são menos sensíveis aos sinais de ameaça, são predispostas (mas não predestinadas) a se tornar liberais. Elas tendem a desenvolver certas "adaptações características" e "narrativas de vida" que as fazem se identificar — de maneira inconsciente e intuitiva — com as grandes narrativas contadas pelos movimentos políticos da esquerda (como a narrativa liberal do progresso). As pessoas cujos genes lhes dão cérebros com configurações opostas são predispostas, pelas mesmas razões, a se identificar com as grandes narrativas da direita (como a de Reagan).

Uma vez que as pessoas se juntam a uma equipe política, elas se entrelaçam em sua matriz moral. Veem a confirmação de sua grande narrativa em todos os lugares, e é difícil — talvez impossível — convencê-las de que estão erradas se argumentamos com elas a partir de uma matriz diferente. Sugeri que os liberais podem ter ainda mais dificuldade em entender os conservadores do que o contrário, porque os liberais geralmente têm dificuldade em entender como os alicerces de Lealdade, Autoridade e Pureza têm algo a ver com a moralidade. Em particular, os liberais geralmente têm dificuldade em enxergar o capital moral, que defini como sendo os recursos que sustentam uma comunidade moral.

Sugeri que liberais e conservadores são como yin e yang — ambos são "elementos necessários de uma vida política saudável", como afirmou John Stuart Mill. Os liberais são especialistas em assistência; eles são mais capazes de ver as vítimas de acordos sociais existentes e continuamente nos pressionam a atualizar esses acordos e inventar novos. Como disse Robert F. Kennedy: "Existem aqueles que olham as coisas do jeito que são e perguntam por quê? Eu sonho com coisas que nunca existiram e pergunto por que não?" Eu mostrei como essa matriz moral leva os liberais a argumentarem dois pontos que são (na minha opinião) profundamente importantes para a saúde de uma sociedade: (1) os governos podem e devem restringir os superorganismos corporativos e (2) alguns grandes problemas realmente podem ser resolvidos por regulamentação.

Expliquei como os libertários (que sacralizam a liberdade) e os conservadores (que sacralizam certas instituições e tradições) fornecem um contraponto crucial aos movimentos de reforma liberal que têm sido tão influentes nos EUA e na Europa desde o início do século XX. Afirmei que os libertários estão certos quando dizem que os mercados são milagrosos (pelo menos quando suas externalidades e outras falhas podem ser resolvidas), e que os conservadores sociais estão certos ao afirmar que não é possível ajudar as abelhas destruindo a colmeia.

Por fim, identifico que o crescente maniqueísmo da vida política norte-americana não é algo com que possamos lidar apenas firmando promessas e resolvendo ser mais gentis. Nossa política se tornará mais civilizada quando encontrarmos maneiras de mudar os procedimentos para eleger políticos e as instituições e ambientes em que eles interagem.

A moralidade agrega e cega. Ela nos une a equipes ideológicas que lutam entre si como se o destino do mundo dependesse do nosso lado vencer cada batalha. Isso nos cega ao fato de que cada equipe é composta de pessoas boas que têm algo importante a dizer.

Conclusão

Neste livro, levei você em uma jornada pela natureza e história humanas. Tentei mostrar que meu amado tópico de investigação — a psicologia moral — é a chave para entender política, religião e nossa ascensão espetacular ao domínio planetário. Receio que tenha apresentado muitos "panoramas" nesse passeio, então agora destacarei os mais importantes.

Na Parte I, apresentei o primeiro princípio da psicologia moral: *intuições vêm primeiro, depois vem o raciocínio estratégico*. Expliquei como desenvolvi o modelo intuicionista social e usei o modelo para desafiar a "ilusão racionalista". Os heróis desta parte foram David Hume (por nos ajudar a fugir do racional e entrar no intuicionismo) e Glauco (por nos mostrar a importância primordial da reputação e outras restrições externas para criar ordem moral).

Se levar uma recordação desta jornada, sugiro que seja a imagem de você mesmo — e de todos ao seu redor — como sendo um pequeno ginete em um imenso elefante. Pensar dessa maneira pode torná-lo mais paciente com outras pessoas. Quando você se vê criando ridículos argumentos *post hoc,* pode desconsiderar as outras pessoas mais lentamente só porque consegue facilmente refutar seus argumentos. A ação na psicologia moral não está de fato nos pronunciamentos do ginete.

A segunda parte de nossa jornada explorou o segundo princípio da psicologia moral: *A moralidade envolve mais do que dano e justiça*. Relatei o tempo que passei na Índia e como isso me ajudou a sair da minha matriz moral e perceber outras preocupações morais. Apresentei a metáfora de que a mente moralista é como uma língua com seis receptores de sabor. Apresentei a teoria dos alicerces morais e a pesquisa que eu e meus colegas realizamos no YourMorals.org sobre a psicologia de liberais e conservadores. Os heróis desta parte foram Richard Shweder (por ampliar nossa compreensão do domínio moral) e Emile Durkheim (por nos mostrar por que muitas pessoas, particularmente os conservadores sociais, valorizam os alicerces agregadores da lealdade, autoridade e santidade).

Se quiser uma lembrança dessa parte da viagem, sugiro que seja a desconfiança do monismo moral. Cuidado com qualquer pessoa que insista na existência de uma verdadeira moralidade para todas as pessoas, épocas e lugares — principalmente se essa moralidade for fundamentada em um único alicerce moral. As sociedades humanas são complexas; suas necessidades e desafios são variáveis. Nossas mentes contêm uma caixa de ferramentas de sistemas psicológicos, incluindo os seis alicerces morais, que podem ser usados para enfrentar esses desafios e construir comunidades morais eficazes. Você não precisa usar todos os seis e pode haver certas organizações ou subculturas que podem prosperar com apenas um. Mas qualquer um que lhe disser que todas as sociedades, em todas as épocas, deveriam usar uma matriz moral específica, apoiada em uma configuração particular de alicerces morais, é um fundamentalista de um tipo ou de outro.

O filósofo Isaiah Berlin lutou ao longo de sua carreira com o problema da diversidade moral do mundo e o que fazer com ela. Ele rejeitou com firmeza o relativismo moral:

> Não sou um relativista; não digo "gosto do meu café com leite e você gosta sem; sou a favor da bondade e você prefere os campos de concentração" — cada um de nós com nossos próprios valores, que não podem ser superados ou integrados. Acredito que isso seja falso.[1]

Ele endossou o pluralismo e justificou-o desta maneira:

> Cheguei à conclusão de que há uma pluralidade de ideais, assim como uma pluralidade de culturas e de temperamentos... Não existe uma infinidade de [valores]: o número de valores humanos, de valores que posso buscar, mantendo

minha aparência humana, meu caráter humano, é finito — digamos 74, ou talvez 122 ou 27, mas finito, seja ele qual for. E a diferença é que, se um homem busca um desses valores, *eu, que não os busco, sou capaz de entender por que ele o busca* ou como seria, em suas circunstâncias, ser induzido a buscá-lo. Daí a possibilidade de entendimento humano.[2]

Na terceira parte de nossa turnê, apresentei o princípio de que *a moral agrega e cega*. Somos produtos da seleção multinível, que nos transformou em *Homo duplex*. Somos egoístas e tendemos a formar grupos. Somos 90% chimpanzé e 10% abelha. Sugeri que a religião desempenhou um papel crucial em nossa história evolutiva — nossas mentes religiosas coevoluíram com nossas práticas religiosas para criar comunidades morais cada vez maiores, principalmente após o advento da agricultura. Descrevi como os grupos políticos se formam e por que algumas pessoas são atraídas para a esquerda e outras para a direita. Os heróis desta parte foram Charles Darwin (por sua teoria da evolução, incluindo seleção multinível) e Emile Durkheim (por nos mostrar que somos *Homo duplex,* com parte de nossa natureza forjada, talvez, pela seleção em nível de grupo).

Se quiser levar uma lembrança dessa última parte da viagem, posso sugerir que seja a imagem de um pequeno calombo na parte de trás de nossas cabeças — o interruptor de colmeia, logo abaixo da pele, esperando para ser acionado. Já nos disseram há 50 anos que os seres humanos são fundamentalmente egoístas. Somos inundados por reality shows mostrando as pessoas nos seus piores momentos. Algumas pessoas realmente acreditam que uma mulher deve gritar "fogo" se for estuprada, alegando que todo mundo é tão egoísta que nem sai para investigar, a menos que tema por sua própria vida.[3]

Não é verdade. Podemos passar a maior parte de nossas horas de vigília promovendo nossos próprios interesses, mas todos temos a capacidade de transcender o interesse próprio e nos tornar simplesmente uma parte de um todo. Não é apenas uma capacidade; é o portal para muitas das experiências mais valiosas da vida.

FIGURA 13.1. *Por que os maniqueístas acham que são segregados pela política.*

Este livro explicou por que as pessoas se segregam por causa de política e religião. A resposta não é, como diriam os maniqueístas, porque algumas pessoas são boas e outras são más. Em vez disso, a explicação é que nossas mentes foram projetadas para a justiça de grupo. Somos criaturas profundamente intuitivas, cujos sentimentos instigam nosso raciocínio estratégico. Isso dificulta — mas não impossibilita — a conexão com aqueles que vivem em outras matrizes, que muitas vezes são construídas em diferentes configurações dos alicerces morais disponíveis.

Portanto, da próxima vez que você estiver ao lado de alguém de outra matriz, experimente. Não se precipite. Não vá direto à moralidade até encontrar alguns pontos em comum ou de alguma outra maneira estabelecer um pouco de confiança. E, quando abordar questões de moralidade, tente começar com alguns elogios ou com uma expressão sincera de interesse.

Somos obrigados a conviver aqui por um tempo. Vamos tentar encontrar um jeito.

Notas

INTRODUÇÃO

1. Uma prova de que o apelo de King se tornou um clichê é o fato de ter sido alterado. Uma busca no Google resulta em três vezes mais ocorrências de "can't we all get along" (que King nunca disse) do que "can we all get along".

2. Veja Pinker, 2011, para uma explicação de como a civilização produziu uma queda espetacular na violência e crueldade, mesmo incluindo as guerras e os genocídios do século XX. Veja também Keeley, 1996, sobre a alta prevalência de violência intergrupo antes da civilização.

3. *Oxford English Dictionary.*

4. *Webster's Third New International Dictionary.* Esta é a definição nº 3 de *righteous;* a primeira é "fazer o que é certo: agir de maneria correta ou justa: em conformidade com os padrões das leis divinas ou morais".

5. *Webster's Third New International Dictionary.*

6. A evolução *é* um processo de design; só não é um processo de design inteligente. Veja Tooby e Cosmides, 1992.

7. Em meus trabalhos acadêmicos, descrevo *quatro* princípios de psicologia moral, não três. Para fins de simplicidade e facilidade de memorização, uni os dois primeiros neste livro porque ambos são aspectos do modelo intuicionista social (Haidt 2001). Quando separados, os dois princípios são: *primazia, mas não ditadura, do instinto* e *raciocínio moral é para os feitos sociais.* Veja a extensa discussão de todos os quatro princípios em Haidt e Kesebir, 2010.

8. Veja T. D. Wilson, 2002, sobre o "inconsciente adaptativo".

9. Para citar o título do recente e excelente livro de Rob Kurzban's (2010).

10. Segundo Nick Clegg, líder do Partido Democrata Liberal do Reino Unido: "Mas não somos de esquerda nem de direita. Temos um rótulo próprio: liberais" (discurso na Conferência Democrata Liberal da Primavera em Sheffield, Reino Unido, 13 de março de 2011). Os liberais europeus raramente vão tão longe quanto os libertários norte-americanos em sua devoção ao livre mercado e governo reduzido. Veja Iyer, Koleva, Graham, Ditto e Haidt, 2011, para análises críticas e novas descobertas sobre os libertários.

11. Sengcan, *Hsin hsin ming.* Em Conze, 1954.

Notas

1. De Onde Vem a Moralidade?

1. Minha conclusão na graduação foi que a psicologia e a literatura teriam sido áreas melhores para ajudar um jovem em sua jornada existencial. Mas a filosofia se aprimorou desde então — veja Wolf, 2010.

2. Veja, por exemplo, Jeremias 31:33–34: "Porei a minha lei no seu interior, e a escreverei no seu coração." Veja também Darwin, 1998/1871.

3. *Empirismo* tem dois significados diferentes. Estou usando o termo aqui como os psicólogos normalmente fazem, significando a crença, em oposição ao nativismo, de que a mente é mais ou menos uma "tábula rasa" ao nascer, e que praticamente todo seu conteúdo é aprendido a partir da experiência. Acredito que essa visão esteja errada. Empirismo é também usado por filósofos da ciência para se referir à devoção aos métodos empíricos — métodos de observação, mensuração e manipulação do mundo a fim de deduzir conclusões confiáveis sobre ele. Como cientista, endosso totalmente o empirismo neste sentido.

4. Locke, 1979/1690.

5. Piaget, 1932/1965.

6. Embora agora saibamos que o conhecimento da física é, em alguma medida, inato (Baillargeon, 2008); e assim também é muito do conhecimento moral (Hamlin, Wynn e Bloom, 2007). Mais sobre isso no Capítulo 3.

7. Piaget parece ter errado sobre isso. Agora parece que quando se usam medidas mais sensíveis que não exigem que as crianças respondam verbalmente, elas começam a reagir a violações de justiça aos 3 anos de idade (LoBue et al., 2011), e talvez até aos 15 meses (Schmidt e Sommerville, 2011). Em outras palavras, há um apoio crescente às teorias nativistas, tais como a teoria dos alicerces morais (veja o Capítulo 6).

8. Minha definição de racionalismo não está muito distante das definições filosóficas; por exemplo, os racionalistas acreditam no "poder de uma razão *a priori* para compreender verdades essenciais sobre o mundo" (B. Williams, 1967, p. 69). Mas minha abordagem evita os debates do século XVIII sobre ideias inatas e se conecta às preocupações do século XX sobre raciocínio, especialmente o raciocínio de um indivíduo independente, é uma maneira confiável (versus perigosa) de escolher leis e políticas públicas. Veja Oakeshott, 1997/1947. Hayek, 1988, defende que o "construtivismo" era o termo mais preciso para o tipo de racionalismo que acredita que a ordem social ou moral pode ser construída com base na reflexão racional. Observo que Kohlberg não chama a si mesmo de racionalista; ele se chamava de construtivista. Mas eu me referirei a Kohlberg, Piaget e Turiel como racionalistas para destacar seu contraste com o intuicionismo, enquanto o desenvolvo no restante deste livro.

9. Kohlberg, 1969, 1971.

10. Kohlberg, 1968.

11. Veja, por exemplo, Killen e Smetana, 2006.

12. Turiel, 1983, p. 3, definiu as convenções sociais como "uniformidades comportamentais que servem para coordenar as interações sociais e estão ligadas aos contextos de sistemas sociais específicos".

Notas

13. Turiel, 1983, p. 3.

14. Hollos, Leis e Turiel, 1986; Nucci, Turiel e Encarnacion-Gawrych, 1983.

15. A maior parte do trabalho experimental foi motivada por Kohlberg e Turiel, mas também devo mencionar duas outras figuras muito influentes: Carol Gilligan (1982) argumentou que Kohlberg havia negligenciado a "ética do cuidado", que ela diz ser mais comum em mulheres do que em homens. Além disso, Martin Hoffman (1982) fez um trabalho importante no desenvolvimento da empatia, destacando uma emoção moral no momento em que a maior parte da pesquisa era sobre o raciocínio moral. Tragicamente, Kohlberg cometeu suicídio em janeiro de 1987. Ele sofria de depressão e dor crônica devido a uma infecção parasitária.

16. A. P. Fiske, 1991.

17. Evans-Pritchard, 1976.

18. Desenvolverei essa ideia no Capítulo 11, recorrendo às ideias de Emile Durkheim.

19. Rosaldo, 1980.

20. Meigs, 1984.

21. Veja Levítico 11.

22. Veja Deuteronômio 22:9–11. Mary Douglas (1966) argumenta que a necessidade de manter as categorias puras é o princípio mais importante por trás das leis kosher. Eu discordo e acho que a repulsa desempenha um papel muito mais poderoso; veja Rozin, Haidt e McCauley, 2008.

23. O registro mais antigo dessa frase é um sermão de John Wesley em 1778, mas claramente se refere ao livro de Levítico.

24. Shweder, Mahapatra e Miller, 1987.

25. Geertz, 1984, p. 126.

26. Shweder e Bourne 1984. Shweder usou a palavra *egocêntrico* em vez de *individualista*, mas receio que *egocêntrico* tenha muitas conotações negativas e esteja intimamente relacionado ao egoísmo.

27. Shweder, Mahapatra e Miller, 1987. Cada pessoa respondeu a 13 dos 39 casos.

28. Turiel, Killen e Helwig, 1987.

29. Agradeço a Dan Wegner, meu colega e mentor da UVA, por cunhar o termo *estupefação moral*.

30. Hume, 1969/1739–40, p. 462. Hume quis dizer que a razão encontra os meios para alcançar quaisquer fins escolhidos pelas paixões. Ele não se concentrou na justificação *post hòc* como função do raciocínio. Mas, como mostrarei nos próximos capítulos, justificar as ações e julgamentos do eu é um dos principais fins pelos quais todos somos apaixonados.

31. Haidt, Koller e Dias, 1993.

2. O Cachorro Intuitivo e Sua Cauda Racional

1. Essa é a verdade fundamental da *Hipótese da Felicidade*, descrita no Capítulo 1 do livro *The Happiness Hypothesis*.

2. Medeia em *Metamorfoses* (Ovídio, 2004), Livro VII.

3. Platão, 1997. Citação de *Timeu* 69d. Observe que Timeu parece estar falando por Platão. Ele não é usado como um contraponto, prestes a ser refutado por Sócrates.

4. Salomão 1993.

5. Hume usava a palavra *escravo*, mas eu a substituirei por *servo*, termo menos ofensivo e mais preciso. Hume desenvolvia as ideias de outros sentimentalistas ingleses e escoceses, como Francis Hutcheson e o Conde de Shaftesbury. Outros notáveis sentimentalistas, ou antirracionalistas, incluem Rousseu, Nietzsche e Freud.

6. Ellis, 1996.

7. Jefferson, 1975/1786, p. 406.

8. Ibid., pp. 408–9.

9. O modelo de Platão em *Timeu*, como em *Fedro*, na verdade era de uma alma com três partes: razão (na cabeça), espírito (incluindo o desejo pela honra, no peito) e apetite (o amor pelo prazer e pelo dinheiro, na barriga). Mas neste capítulo o simplificarei como um modelo de processo dual, contrapondo a razão (acima do pescoço) e os dois conjuntos de paixões (abaixo).

10. Essa famosa frase foi cunhada por Herbert Spencer, mas Darwin também a usou.

11. Darwin, 1998/1871, parte I, capítulo 5. Mais sobre o assunto no Capítulo 9.

12. A ideia foi desenvolvida por Herbert Spencer no fim do século XIX, mas remonta a Thomas Malthus no século XVIII. Darwin acreditava que tribos competiam com tribos (veja o Capítulo 9), mas ele não era um darwinista social, de acordo com Desmond e Moore, 2009.

13. Hitler também era vegetariano, mas ninguém argumentaria que adotar o vegetarismo faz de alguém um nazista.

14. Pinker, 2002, p. 106.

15. Rawls permanece um dos filósofos políticos mais citados. Ele é famoso por seu experimento mental em Rawls, 1971, que pedia às pessoas para imaginar a sociedade que criariam se precisassem fazê-lo atrás do "véu da ignorância", de modo que não soubessem que posição ocupariam nessa sociedade. Os racionalistas normalmente adoram Rawls.

16. As exatas palavras de Wilson merecem ser repetidas, pois foram proféticas: "Filósofos éticos intuem as regras deontológicas da moralidade consultando os centros emocionais de seu sistema límbico-hipotálamo. Isso também é verdade para os desenvolvimentistas [como Kohlberg], mesmo quando estão sendo o mais severamente objetivos. Apenas pela interpretação da atividade dos centros emocionais como uma adaptação biológica pode-se decifrar o significado das regras." E. O. Wilson, 1975, p. 563.

Notas

17. E. O. Wilson, 1998.

18. Biólogos pioneiros como Stephen Jay Gould e Richard Lewontin escreveram críticas pungentes contra a sociobiologia que explicitamente ligava a ciência aos interesses políticos da justiça social. Veja, por exemplo, Allen et al., 1975.

19. Veja Pinker 2002, Capítulo 6.

20. A exceção a essa declaração foi o trabalho sobre empatia de Martin Hoffman, por exemplo, Hoffman, 1982.

21. De Waal, 1996. Li esse artigo depois da pós-graduação, mas comecei a me interessar pelo trabalho de Waal durante a pós-graduação.

22. Damasio, 1994.

23. Três trabalhos muito influentes que trouxeram as emoções para a moralidade foram *Passions Within Reason,* do economista Robert Frank; *Wise Choices, Apt Feelings,* do filósofo Allan Gibbard; e *Varieties of Moral Personality,* do filósofo Owen Flanagan. Além disso, o trabalho do psicólogo social John Bargh foi um elemento crucial do renascimento dos processos automáticos — ou seja, intuição, e o flash de afeto que será tratado com destaque no Capítulo 3. Veja Bargh e Chartrand, 1999.

24. Considero o renascimento no ano de 1992 porque foi quando surgiu uma obra influente com o provocante título *The Adapted Mind: Evolutionary psychology and the generation of culture.* O livro foi editado por Jerome Barkow, Leda Cosmides e John Tooby. Outros personagens de destaque no campo foram David Buss, Doug Kenrick e Steven Pinker. A moralidade (especialmente a cooperação e a trapaça) tem sido uma importante área de pesquisa em psicologia evolucionista desde o início.

25. Chamo esse modelo de "jeffersoniano" pois ele concebe que a "cabeça" e o "coração" cheguem a dois julgamentos morais independentes e conflitantes, como aconteceu em sua carta para Cosway. Mas observo que Jefferson acreditava que a cabeça não era muito adequada para fazer julgamentos morais, e que deveria se restringir a questões que possam ser determinadas por meio de cálculo. O próprio Jefferson era um sentimentalista no que diz respeito à moralidade.

26. Conduzi esses estudos com Stephen Stose e Fredrik Bjorklund. Nunca transformei esses dados em manuscrito porque na época pensei que esses resultados nulos fossem impublicáveis.

27. A ideia para essa tarefa veio de Dan Wegner, que a tirou de um episódio de *Os Simpsons* em que Bart vende sua alma para o amigo Milhouse.

28. Não deixamos que ninguém bebesse o suco; Scott os impediu antes que seus lábios tocassem o copo.

29. A transcrição é palavra por palavra e não foi editada, exceto por alguns apartes do sujeito que foram removidos. Essa é a primeira metade da transcrição para esse sujeito nessa história. Usamos uma câmera escondida para gravar todas as entrevistas, e depois obtivemos permissão de todos, com exceção de um sujeito, para analisar os vídeos.

30. Por exemplo, nas entrevista de tabus inofensivos, as pessoas foram duas vezes mais propensas a dizer "Eu não sei" em comparação à entrevista de Heinz.

Elas foram mais de duas vezes propensas a simplesmente declarar algo sem qualquer justificativa ("Está errado e pronto!" ou "Isso não se faz!"); foram dez vezes mais propensas a dizer que não eram capazes de dar uma justificativa (como na última rodada da transcrição mostrada anteriormente); e foram 70% mais propensas a se justificar até alcançarem o que chamamos de beco sem saída — um argumento que o sujeito começa a criar, mas desiste depois de perceber que não vai funcionar. Isso é o que aconteceu quando a pessoa descrita anteriormente começou a argumentar que os irmãos eram jovens demais para fazer sexo com qualquer pessoa. Alguns desses becos sem saída foram acompanhados pelo que chamamos de cara de insegurança, em que as pessoas franzem a testa e fazem caretas enquanto falam, assim como quando ouvimos *outra pessoa* criando um argumento ridículo. Nunca publiquei esse estudo, mas você pode ler o relatório em meu site www.jonathanhaidt.com [conteúdo em inglês], em Publications, depois Working Papers, depois veja Haidt e Murphy.

31. Wason, 1969.

32. Johnson-Laird e Wason, 1977, p. 155.

33. Margolis, 1987, p. 21. Veja Gazzaniga, 1985, para uma discussão semelhante.

34. Margolis, 1987, p. 76. Algumas formas de raciocínio podem ser realizadas por criaturas sem linguagem, mas elas não são capazes de "raciocinar por que" pois esse tipo de raciocínio é feito especificamente para convencer os outros.

35. Em um de seus principais trabalhos, Kohlberg declarou que um dos pilares de sua abordagem foi a presunção de que "o raciocínio moral é o processo de utilizar linguagem moral comum" (Kohlberg, Levine e Hewer, 1983, p. 69). Ele não se interessava por inferências inconscientes e não verbais (ou seja, intuição).

36. Diversos filósofos desenvolveram a ideia de que o raciocínio moral deve ser entendido como algo que desempenha funções sociais e justificadoras. Veja Gibbard, 1990 e Stevenson, 1960; em psicologia, veja Mercier e Sperber, 2011.

37. Veja Neisser, 1967. Greene (2008) é cuidadoso ao definir cognição em uma maneira mais restrita que pode ser contrastada com a emoção, mas ele é uma rara exceção.

38. Ekman, 1992; Ellsworth e Smith, 1985; Scherer, 1984.

39. Lazarus, 1991.

40. Emoções não são inteiramente subcategorias de intuição: emoções costumam ser definidas de modo a incluir todas as mudanças corporais que preparam a pessoa para um comportamento adaptativo, incluindo alterações hormonais no resto do corpo. Reações hormonais não são intuições. Mas os elementos cognitivos das emoções — tais como avaliações de acontecimentos e alterações de atenção e vigília — são subtipos de intuição. Eles acontecem automaticamente e com percepção consciente dos resultados, mas não dos processos.

41. Daniel Kahneman há muito chama esses dois tipos de cognição de "sistema 1" (o elefante) e "sistema 2" (o ginete). Veja Kahneman, 2011, para um ex-

Notas 347

celente relato do pensamento e da tomada de decisão de uma perspectiva de dois sistemas.

42. O neurocientista Michael Gazzaniga chama isso de "o módulo do intérprete".

43. Isso é chamado de viés de confirmação; veja uma revisão desta literatura no Capítulo 4.

44. Uma das críticas mais comuns ao modelo intuicionista social de parte dos filósofos é que as ligações 5 e 6, que mostro como linhas pontilhadas, podem de fato ser muito mais frequentes na vida diária do que afirmo. Veja, por exemplo, Greene, artigo ainda a ser publicado. Esses críticos não apresentam evidências, mas, para ser justo, não tenho evidências da frequência real na vida cotidiana com a qual as pessoas raciocinam e chegam a conclusões contraintuitivas (ligação 5) ou mudam de ideia durante uma reflexão particular sobre questões morais (ligação 6). É claro que as pessoas mudam de ideia sobre questões morais, mas suspeito que, na maioria dos casos, a causa da mudança seja uma nova experiência intuitivamente atraente (ligação 1), como ver um ultrassom de um feto ou um argumento intuitivamente convincente feito por outra pessoa (ligação 3). Eu também suspeito que os filósofos são capazes de substituir suas intuições iniciais com mais facilidade do que as pessoas comuns, com base nas descobertas de Kuhn (1991).

45. Zimbardo, 2007.

46. Latane e Darley, 1970.

47. Haidt, 2001.

48. Veja especialmente Hauser, 2006; Huebner, Dwyer e Hauser, 2009; Saltzstein e Kasachkoff, 2004.

49. Hume, 1960/1777, Parte I, parágrafo de abertura.

50. Carnegie, 1981/1936, p. 37.

3. Os Elefantes Mandam

1. O artigo que eu estava escrevendo é o Haidt, 2007. Nele, e em todos os meus escritos acadêmicos, descrevo *quatro* princípios da psicologia moral, os dois primeiros são *A intuição tem primazia, mas não é uma ditadura* e *O pensamento moral é para ação social*. Neste livro, estou combinando esses dois princípios em um único princípio — *Intuições vêm primeiro, depois vem o raciocínio estratégico* — porque acho que será mais fácil de lembrar e aplicar.

2. É um resumo de seis palavras do que acontece nos primeiros segundos do julgamento, de acordo com o modelo intuicionista social. Ele não captura a influência mútua que acontece ao longo do tempo, pois duas pessoas oferecem razões e às vezes mudam o julgamento uma da outra.

3. Wheatley e Haidt, 2005.

4. Usamos apenas sujeitos altamente hipnotizáveis, selecionados na minha aula de psicologia no dia em que lecionei sobre hipnose. Houve um período na década de 1980 em que os cientistas achavam que a hipnose não era um fenômeno real, eram apenas indivíduos adotando um papel ou encenando. Mas uma série de estudos demonstrou efeitos que não podem ser fingidos; por

exemplo, se você der às pessoas a sugestão pós-hipnótica de que só podem ver em preto e branco e submetê-las à ressonância magnética, encontrará uma atividade muito reduzida nos circuitos de visão colorida do cérebro quando os indivíduos estiverem visualizando imagens em cores (Kosslyn et al., 2000).

5. *Darmapada* verso 252 (Mascaro, 1973). Veja o Capítulo 4 de *The Happiness Hypothesis* para saber mais sobre a psicologia dessa grande verdade.

6. Essa frase é uma aproximação razoável da afirmação central do behaviorismo; veja Pavlov, 1927, sobre os dois reflexos básicos de orientação. Com uma ligeira mudança, isso também se aplica a Freud — as várias partes do inconsciente estão constantemente examinando o ambiente e desencadeando reações automáticas rápidas, embora às vezes em desacordo. Veja também Osgood, 1962, sobre as três dimensões fundamentais da categorização, a primeira das quais é valência boa versus ruim.

7. Wundt, 1907/1896.

8. Veja LeDoux, 1996, sobre como a amígdala pode desencadear uma reação emocional a algo bem antes que o córtex cerebral tenha a chance de processar o evento.

9. O efeito não dependia de as pessoas se lembrarem de terem visto um estímulo específico. Em um estudo, Zajonc exibiu imagens em uma tela por apenas um milésimo de segundo, rápido demais para que alguém pudesse identificar conscientemente; no entanto, quando testadas mais tarde, as pessoas preferiram as imagens que haviam "visto" cinco vezes às imagens que haviam sido expostas apenas uma vez, ou nenhuma (Zajonc, 1968).

10. Zajonc, 1980. Eu me inspirei muito em Zajonc quando formulei a metáfora do elefante e do ginete.

11. Ibid., p. 171.

12. Fazio et al., 1986; Greenwald, McGhee e Schwartz, 1998.

13. Morris et al., 2003.

14. Greenwald, Nosek e Banaji, 2003.

15. Morris et al., 2003. A diferença foi encontrada no componente N400, que é maior quando o cérebro encontra uma incongruência, ou seja, quando Morris emparelhava palavras que tinham significados emocionais diferentes. Um estudo holandês mais recente (Van Berkum et al., 2009) pediu aos partidários que lessem declarações endossando ou opondo-se a questões como a eutanásia. Eles descobriram o mesmo efeito N400, bem como um efeito potencial positivo tardio (LPP, da sigla em inglês) maior e mais lento, ligado à reação emocional em geral, indicando que os partidários começaram a sentir coisas diferentes no primeiro meio segundo de leitura das palavras-chave.

16. Dion, Berscheid e Walster, 1972.

17. Para um experimento com jurados simulados, veja Efran, 1974; para um estudo de campo que mostra que réus atraentes se safam mais, veja Stewart, 1980. Para uma metanálise, veja Mazzella e Feingold, 1994. Ser atraente é uma vantagem para os réus na maioria dos crimes, mas não para aqueles em que a atratividade ajudou o criminoso a praticar o crime, como a fraude (Sigall e Ostrove, 1975).

Notas

349

18. Todorov et al., 2005. Ele descartou os poucos casos em que os participantes podiam identificar qualquer um dos candidatos.

19. O estudo original não demonstrou declínio na precisão com uma exposição de um segundo. A descoberta de décimo de um segundo é de um estudo de acompanhamento, Ballew e Todorov, 2007. Esse estudo também abordou a possibilidade de a detenção do cargo ser uma terceira variável que faz os políticos parecerem competentes e também, coincidentemente, vencerem. Não é. A predição de competência pela análise facial foi tão precisa nas eleições sem candidato detentor de cargo — ou em que o detentor de cargo perdeu — quanto nas que o detentor de cargo venceu.

20. Para outras análises críticas sobre o papel da intuição e das "heurísticas morais" automáticas, veja Gigerenzer, 2007, e Sunstein, 2005.

21. Veja análises críticas em Damasio, 2003; Greene, 2009a. Para saber mais sobre justiça e ínsula, veja Hsu, Anen e Quartz, 2008; Rilling et al., 2008; Sanfey et al., 2003.

22. Schnall et al., 2008, Estudo 1. Todos os quatro julgamentos foram na direção prevista, embora nem todas as comparações tenham sido estatisticamente significativas. Quando as quatro histórias foram combinadas, que é a maneira normal de analisar esses dados, o efeito do spray de pum foi altamente significativo, $p < 0,001$. Havia também uma terceira condição experimental, na qual apenas uma borrifada de spray de pum era aplicada, mas essa condição não diferia da condição de duas borrifadas.

23. Eskine, Kacinic e Prinz, 2011. Veja também Liljenquist, Zhong e Galinsky, 2010, sobre como bons odores promovem um bom comportamento.

24. Clore, Schwarz e Conway, 1994. Quando as pessoas são conscientizadas de que algum fator externo causou sentimentos desagradáveis, o efeito geralmente diminui ou desaparece. Nossas reações afetivas em geral são bons guias para se gostamos ou não de algo, mas quando os psicólogos "enganam" os sujeitos ao desencadear emoções estranhas, a heurística "afeto como informação" comete erros.

25. Zhong, Strejcek e Sivanathan, 2010.

26. Zhong e Liljenquist, 2006.

27. Helzer e Pizarro, 2011. O primeiro estudo desse trabalho, usando o desinfetante para as mãos, apenas solicitou descrições gerais dos sujeitos e descobriu que eles se consideravam mais conservadores quando estavam perto do desinfetante. No segundo estudo, os autores reproduziram o efeito e mostraram que lembretes de limpeza e lavagem das mãos tornaram as pessoas mais criteriosas principalmente em questões relacionadas à pureza sexual.

28. Hare, 1993.

29. Ibid., p. 54.

30. Ibid., p. 91.

31. Beaver et al., 2011; Blonigen et al., 2005; Viding et al., 2005.

32. Os estudos com ressonância magnética cerebral confirmam que muitas áreas emocionais, incluindo a amígdala e o CPFVM, são muito menos reativas

em psicopatas do que em pessoas normais; veja Blair, 2007; Kiehl, 2006. Se conectados a um medidor de condutividade da pele, como em um teste de detector de mentiras, os psicopatas mostram uma resposta normal a uma fotografia de um tubarão com a mandíbula aberta. Mas mostre a eles uma imagem de corpos mutilados ou crianças sofrendo, e o medidor não se move (Blair, 1999). Para os melhores retratos clínicos de psicopatas e sua indiferença aos outros, incluindo seus pais, veja Cleckley, 1955.

33. James, 1950/1890, I:488.

34. Baillargeon, 1987.

35. O primeiro trabalho demonstrando que os bebês têm habilidades inatas para entender o mundo social, incluindo habilidades para inferir intenções e reagir a danos, foi realizado por David e Ann Premack; veja Premack e Premack, 1994, para uma revisão resumindo as origens da cognição moral.

36. Hamlin, Wynn e Bloom, 2007. Essa diferença entre o tempo do olhar foi encontrada apenas nas crianças de dez meses, não nas de seis meses. Mas a diferença entre os itens que quiseram pegar depois foi encontrada em ambos os grupos etários. Os fantoches não eram tradicionais; eram blocos de madeira de formas e cores diferentes. Você pode visualizar os shows de marionetes a partir de links em www.yale.edu/infantlab/In_the_Media.html. Essa técnica de medir as atribuições dos bebês foi desenvolvida por Kuhlmeier, Wynn e Bloom, 2003.

37. Hamlin, Wynn e Bloom, 2007, p. 559.

38. Para os primeiros escritos sobre essa ideia, veja Hoffman, 1982; Kagan, 1984.

39. O dilema do bonde foi discutido pela primeira vez pelas filósofas Philippa Foot e Judith Jarvis Thompson.

40. Alguns filósofos observam a diferença que, na história da ponte, usamos a vítima como um meio para atingir um fim, enquanto na história do interruptor a vítima não é um meio para atingir um fim; sua morte é apenas um efeito colateral infeliz. Greene e outros, portanto, testaram versões alternativas, como o caso em que o interruptor apenas salva vidas porque desvia o bonde para uma alça lateral onde há um homem parado. Nesse caso, a vítima ainda está sendo usada como um meio para atingir um fim; se ele saísse da pista, o bonde continuaria nos trilhos, retornaria ao trilho principal e mataria as cinco pessoas. Nesses casos, os sujeitos tendem a dar respostas entre a versão original do interruptor e da passarela.

41. Greene et al., 2001. Esse estudo também relatou que demorou mais tempo para os sujeitos que fizeram a escolha utilitarista darem sua resposta, como se o raciocínio estivesse lutando para vencer a emoção, embora essa descoberta tenha se mostrado mais tarde um artefato das histórias particulares escolhidas, não um princípio geral (McGuire et al., 2009). Veja Greene, 2009b, para uma resposta.

42. Rilling et al., 2008; Sanfey et al., 2003.

43. Para revisões, veja Greene, 2009a, e Greene, a ser publicado. As áreas relatadas com mais frequência incluem o CPFVM, a ínsula e a amígdala. Para uma exceção, consulte Knoch, Pascual-Leone, Meyer, Treyer e Fehr, 2006.

Notas

44. Greene, 2008; a citação está na p. 63. Perguntei a Greene se ele sabia sobre a citação de Wilson na p. 563 de *Sociobiology*, e ele disse que não.

45. Veja minha análise desses trabalhos em Haidt e Kesebir, 2010.

46. Veja Sinnott-Armstrong, 2008, para um conjunto de três volumes de artigos de autoria dessa comunidade interdisciplinar.

47. Paxton, Ungar e Greene, no prelo.

48. Devo observar que as pessoas variam no grau em que sentem fortes intuições, na capacidade de construir razões e na sua abertura às razões dos outros. Veja Bartels, 2008, para uma discussão sobre essas diferenças individuais.

4. VOTE EM MIM (EIS O MOTIVO)

1. *Republic*, 360c., trad. de G. M. A. Grube e C. D. C. Reeve. Em Platão, 1997. Publicado no Brasil com o título *A República*.

2. É o irmão de Glauco, Adimanto, que declara o desafio dessa maneira, em 360e–361d, mas ele está apenas elaborando o argumento de Glauco. Glauco e Adimanto querem que Sócrates tenha sucesso e refute seus argumentos. No entanto, usarei Glauco no restante deste livro como porta-voz da opinião de que a reputação importa mais do que a realidade.

3. *Republic*, 443–45.

4. Ibid., 473ff.

5. Pelo menos, Platão declarou suas suposições sobre a natureza humana longamente. Muitos outros filósofos morais, como Kant e Rawls, simplesmente fazem afirmações sobre como as mentes funcionam, o que as pessoas querem ou o que parece "razoável". Essas afirmações parecem se basear em pouco mais que introspecção sobre suas próprias personalidades ou sistemas de valores bastante incomuns. Por exemplo, quando algumas das suposições de Rawls (1971) foram testadas — como a de que a maioria das pessoas se preocuparia mais em melhorar as piores situações do que a média se tivessem que projetar uma sociedade por trás de um "véu de ignorância", de modo que não saibam que posição ocupariam na sociedade —, elas se demonstraram falsas (Frohlich, Oppenheimer e Eavey 1987).

6. Suas palavras exatas foram: "Meu pensamento é primeiro, por último e sempre pelo bem do meu fazer" (James, 1950/1890, p. 333). Susan Fiske (1993) aplicou o funcionalismo de James à cognição social, abreviando seu ditado como "pensar é fazer". Para mais informações sobre o funcionalismo nas ciências sociais, veja Merton, 1968.

7. Um racionalista ainda pode acreditar que o raciocínio é facilmente corrompido ou que a maioria das pessoas não raciocina adequadamente. Mas dever implica poder, e os racionalistas estão comprometidos com a crença de que a razão *pode* trabalhar assim, talvez (como no caso de Platão) porque a racionalidade perfeita é a verdadeira natureza da alma.

8. Lerner e Tetlock, 2003, p. 434.

9. Gopnik, Meltzoff e Kuhl, 2000.

Notas

10. Eu poderia usar o termo *maquiavélico* em vez de *glauconiano* ao longo deste livro. Mas a palavra *maquiavélico* é muito pesada, muito sugestiva em relação a líderes enganando as pessoas para dominá-las. Eu acho que a vida moral é realmente sobre cooperação e aliança, e não sobre poder e dominação. A desonestidade e a hipocrisia de nosso raciocínio moral fazem com que as pessoas gostem de nós e cooperem conosco, então prefiro o termo *glauconiano*.

11. Veja uma análise crítica em Lerner e Tetlock, 2003. Tetlock, 2002, apresenta três metáforas: políticos intuitivos, promotores intuitivos e teólogos intuitivos. Foco o político intuitivo aqui e apresento o promotor intuitivo a seguir, como relacionado às necessidades do político intuitivo. Abordo o assunto do teólogo intuitivo quando discuto a religião e a necessidade de unir as pessoas com crenças compartilhadas sobre o sagrado, no Capítulo 11.

12. Para revisões críticas veja Ariely, 2008; Baron, 2007.

13. Lerner e Tetlock, 2003, p. 438.

14. Ibid., p. 433; grifo meu.

15. Leary, 2004.

16. Leary, 2005, p. 85. Certamente existem diferenças entre as pessoas no modo como elas são obcecadas pelas opiniões dos outros. Mas as descobertas de Leary indicam que não somos particularmente precisos na avaliação de nossos próprios níveis de obsessão.

17. Millon et al. 1998., Os psicopatas geralmente se importam com o que os outros pensam, mas apenas como parte de um plano para manipular ou explorar os outros. Eles não sentem emoções como vergonha e culpa, o que tornaria doloroso quando as outras pessoas conseguissem enxergar suas mentiras e passassem a odiá-los. Eles não têm um sociômetro inconsciente automático.

18. Wason, 1960.

19. Shaw, 1996. O viés de confirmação é encontrado amplamente na psicologia social, clínica e cognitiva. Aparece cedo na infância e dura a vida toda. Veja críticas em Kunda 1990; Mercier & Sperber 2010; Nickerson 1998; Pyszczynski e Greenberg, 1987.

20. Kuhn, 1989, p. 681.

21. Perkins, Farady e Bushey, 1991.

22. Ibid., p. 95. Eles descobriram um pouco de melhoria geral entre o primeiro e o quarto ano do ensino médio, mas isso pode ter sido um amadurecimento simples, e não um efeito da educação. Eles não o encontraram na faculdade.

23. O *Daily Telegraph* obteve uma cópia vazada do relatório de despesas completo, que havia sido preparado pela Câmara dos Comuns em resposta a um pedido de liberdade de informação que resistiu por anos.

24. Bersoff, 1999. Veja também a pesquisa de Dan Batson sobre "hipocrisia moral", por exemplo, em Batson et al., 1999.

25. Perugini e Leone, 2009.

26. Ariely, 2008, p. 201; grifo meu.

27. Esse é o termo que usei em *The Happiness Hypothesis*.

Notas

28. Gilovich, 1991, p. 84.

29. Ditto, Pizarro e Tannenbaum, 2009; Kunda, 1990.

30. Frey e Stahlberg, 1986.

31. Kunda, 1987.

32. Ditto e Lopez, 1992. Veja também Ditto et al., 2003, que descobre que, quando queremos acreditar em algo, geralmente nem nos preocupamos em procurar uma única evidência de apoio. Apenas aceitamos as coisas sem crítica.

33. Balcetis e Dunning, 2006.

34. Veja Brockman, 2009.

35. Veja uma análise crítica em Kinder, 1998. A exceção a essa regra é que, quando os benefícios materiais de uma política são "substanciais, iminentes e bem propagandeados", aqueles que se beneficiariam são mais propensos a apoiá-la do que aqueles que seriam prejudicados. Veja também D. T. Miller, 1999, sobre a "norma de interesse próprio".

36. Kinder, 1998, p. 808.

37. O termo é de Smith, Bruner e White, conforme citado por Kinder, 1998.

38. Veja o clássico estudo de Hastorf e Cantril (1954), no qual estudantes de Dartmouth e Princeton chegaram a conclusões muito diferentes sobre o que havia acontecido no campo de futebol depois de assistir ao mesmo filme mostrando várias alegações de faltas.

39. Lord, Ross e Lepper, 1979; Munro et al., 2002; Taber e Lodge, 2006. Os efeitos da polarização não são encontrados em todos os estudos, mas, como argumentam Taber e Lodge, os estudos que não conseguiram encontrar o efeito usavam geralmente estímulos mais frios e menos emocionais que não envolviam totalmente as motivações partidárias.

40. Westen et al., 2006.

41. As áreas ativadas incluíram ínsula, CPF medial, CCA ventral, CPF ventromedial e córtex cingulado posterior. As áreas associadas à emoção negativa são particularmente a ínsula esquerda, o córtex frontal orbital lateral e o CPF ventromedial. A amígdala, intimamente relacionada ao medo e à ameaça, demonstrou maior atividade nos primeiros testes, mas havia se "habituado" nos testes posteriores. Observe que todas essas descobertas vêm da subtração de reações à hipocrisia pelo alvo neutro (por exemplo, Tom Hanks) de reações à hipocrisia pelo próprio candidato.

42. Greene (2008) refere-se a essa área como "Engenho" no cérebro, porque tende a ser mais ativa quando os indivíduos fazem a escolha fria e utilitária, em vez da escolha deontológica mais baseada na emoção.

43. O CPFDL não mostrou um aumento na atividade até *depois que* a justificativa foi dada e o partidário foi libertado das algemas. Era como se o raciocínio confirmatório não pudesse sequer começar até que os sujeitos tivessem uma explicação clara e emocionalmente aceitável para confirmar.

44. Olds e Milner, 1954.

354   *Notas*

45. *Webster's Third New International Dictionary*. Definições relacionadas incluem "crença falsa ou um erro persistente de percepção ocasionado por uma crença falsa ou perturbação mental".

46. Dawkins, 2006; Dennett, 2006; Harris, 2006. Discutirei seus argumentos em detalhes no Capítulo 11.

47. Platão dá seu conselho de criação de filhos no Livro 3 de *A República*; Dawkins explica no Capítulo 9 de *Deus, um Delírio*.

48. Schwitzgebel e Rust, 2009, 2011; Schwitzgebel et al., 2011.

49. Schwitzgebel, 2009.

50. Mercier e Sperber, 2011, p. 57.

51. Veja Lilienfeld, Ammirati e Landfield, 2009 para obter um relatório sobre o quanto tem sido difícil desenvolver métodos de "remover o viés" do pensamento humano. É tão pouco o sucesso do "pensamento crítico" na literatura que a maioria não encontra (ou sequer tenta) a transferência de habilidades além da sala de aula.

52. Wilson, 2002; Wilson e Schooler, 1991.

53. Baron, 1998.

54. Heath e Heath, 2010.

55. Veja www.EthicalSystems.org [conteúdo em inglês] para ver minha tentativa de reunir pesquisas sobre essas "mudanças de caminho", muitas das quais são simples de fazer. Um bom exemplo é a conclusão de Dan Ariely de que, se pedirmos às pessoas para assinarem um relatório de despesas no início, prometendo ser honestas, e não no final, afirmando que foram honestas, teremos uma grande queda no superfaturamento das despesas. Veja Ariely, 2008.

5. Além da Moralidade WEIRD

1. Mill, 2003/1859, p. 80.

2. Henrich, Heine e Norenzayan, 2010.

3. Markus e Kitayama, 1991.

4. Para uma revisão desses tipos de diferenças culturais, consulte Kitayama et al., 2009.

5. Nisbett et al., 2001.

6. Em Analectos 15:24, Confúcio é questionado se existe uma única palavra que possa guiar a vida de alguém. Ele responde: "Não deveria ser reciprocidade? O que você não deseja para si mesmo, não faça para os outros" (Lays, 1997). Mas não há como reduzir os ensinamentos morais dos Analectos à regra de ouro. Em minha leitura, os Analectos apresentaram todos os seis fundamentos morais que apresentarei nos Capítulos 7 e 8.

7. Veja, por exemplo, os livros de Sam Harris, como *O Fim da Fé* e *A Paisagem Moral*.

8. Não é totalmente novo. Como explica Shweder, 1990a, surgiu várias vezes na psicologia. Mas, se hoje alguém se autointitula psicólogo cultural, pro-

Notas

vavelmente se orienta para o campo que renasceu nos dez anos depois da publicação de Shweder e LeVine, 1984.

9. Shweder, 1990a.

10. A primeira menção publicada das três éticas foi em Shweder, 1990b. A principal afirmação da teoria é de Shweder et al., 1997.

11. Peter Singer é o filósofo utilitarista mais importante do nosso tempo. Veja P. Singer, 1979.

12. Não precisa ser uma alma em nada parecido com o sentido cristão. Como Paul Bloom (2004) mostrou, somos "naturalmente nascidos dualistas". Apesar das amplas variações religiosas, a maioria das pessoas (incluindo muitos ateus) acredita que a mente, o espírito ou a alma são algo separável do corpo, algo que habita o corpo.

13. Essa, por exemplo, foi a conclusão de Sayyid Qutb, um egípcio que passou dois anos estudando nos EUA na década de 1940. Ele sentiu repulsa, e essa repulsa moral influenciou seu trabalho posterior como filósofo e teórico islâmico, uma das principais inspirações de Osama bin Laden e da Al-Qaeda.

14. Essas análises de texto são relatadas em Haidt et al., 1993. Veja também o trabalho de Lene Arnett Jensen (1997, 1998), que relatou resultados semelhantes, aplicando as três éticas de Shweder às diferenças entre participantes progressistas e ortodoxos, na Índia e nos Estados Unidos.

15. Sou eternamente grato ao falecido Sukumar Sen e seu filho Surojit Sen, de Cuttack e Bhubaneswar, por sua generosidade e bondade.

16. No Alcorão, veja 2:222, 4:43, 24:30. Na Bíblia Hebraica, veja o livro de Levítico em particular. Para o cristianismo, veja Thomas, 1983, Capítulo 1. Veja também passagens do Novo Testamento sobre a purificação de Jesus e seus seguidores, por exemplo, João 3:25, 11:55; Atos 15:9, 20:26, 21:26, 24:18.

17. Também queríamos explicar por que tantas línguas estendem sua palavra para "repulsa" para se aplicar não apenas a coisas fisicamente repulsivas como excrementos, mas também a algumas violações morais — mas nem para todas as violações, e nem sempre as mesmas em todas as culturas (Haidt et al., 1997).

18. As pessoas associam intuitivamente o superior ao bem e o inferior ao mal, mesmo quando o superior e o inferior são apenas posições relativas em um monitor de computador (Meier e Robinson, 2004). Para uma visão geral das pesquisas sobre essa dimensão psicológica, consulte Brandt e Reyna 2011; Rozin, Haidt e McCauley, 2008; e o Capítulo 9 de *The Happiness Hypothesis*.

19. Descrevo minha pesquisa sobre elevação moral e repulsa em detalhes no Capítulo 9 de *The Happiness Hypothesis*. Veja também www.ElevationResearch.org [conteúdo em inglês].

20. As violações morais muitas vezes demonstraram ativar a ínsula frontal, uma área cerebral importante para a repulsa (Rilling et al., 2008; Sanfey et al., 2003), embora até agora as violações morais usadas tenham envolvido principalmente trapaça, não o que Rozin, McCauley e eu chamaríamos de repulsa moral. Veja Rozin, Haidt e Fincher, 2009.

21. A obra *Piss Christ* de Andres Serrano é um caso em particular difícil, porque a imagem resultante é visualmente impressionante. A luz forte que brilha na urina amarela dá à foto um brilho quase divino. Veja também a pintura de Chris Ofili, *The Holy Virgin Mary,* e a controvérsia sobre sua exposição na cidade de Nova York em 1999. A pintura mostrava a Virgem Maria como uma mulher negra cercada por imagens de vulvas cortadas de revistas pornográficas e manchadas com esterco de elefante.

22. Depois que escrevi esse exemplo hipotético, Bruce Buchanan me mostrou que algo muito parecido aconteceu em Chicago em 1988. Veja a entrada da Wikipedia para *Mirth & Girth,* uma pintura que satirizou o reverenciado e recentemente falecido prefeito afro-americano de Chicago, Harold Washington.

23. Martha Nussbaum (2004) apresentou este caso de forma poderosa, em uma prolongada discussão com Leon Kass, começando em Kass, 1997.

24. Os papas Bento XVI e João Paulo II foram particularmente eloquentes sobre esses pontos. Veja também Bellah et al., 1985.

25. Por exemplo, o véu hindu de Maya; o mundo platônico das Formas e a fuga da caverna de Platão.

26. De acordo com dados da Pesquisa Nacional Eleitoral Norte-americana. Os judeus só ficam atrás de afro-americanos em seu apoio ao Partido Democrata. Entre 1992 e 2008, 82% dos judeus se identificaram ou se inclinaram para o Partido Democrata.

27. Como direi no Capítulo 8, só recentemente percebi que os conservadores se preocupam tanto com a justiça quanto os liberais; eles apenas se importam mais com proporcionalidade do que com igualdade.

28. Não estou dizendo que todas as visões e ideologias morais sejam igualmente boas ou igualmente eficazes na criação de sociedades humanas e ordenadas no viés moral. Não sou um relativista. Abordarei a questão de quão bem as ideologias se encaixam na natureza humana no Capítulo 12. Mas, por enquanto, quero insistir no argumento de que as lutas ideológicas de longa data quase sempre envolvem pessoas que buscam uma visão moral na qual acreditam apaixonada e sinceramente. Muitas vezes temos o desejo de atribuir motivos ocultos a nossos oponentes, como ganho monetário. Isso geralmente é um erro.

29. Shweder, 1991, p. 5.

30. Estive envolvido em uma disputa sobre essa alegação. Coletei materiais relevantes para a controvérsia em www.JonathanHaidt.com/postpartisan.html [conteúdo em inglês].

6. Os Botões Gustativos da Mente Moralista

1. Exemplos em filosofia incluem Jeremy Bentham, R. M. Hare e Peter Singer. Na psicologia, a moralidade é com frequência operacionalizada como altruísmo ou "comportamento pró-social". É sobre fazer com que mais pessoas ajudem mais pessoas, idealmente estranhos. Até Dalai Lama define um ato ético

Notas

como "aquele em que evitamos causar danos à experiência ou expectativa de felicidade dos outros" (Dalai Lama XIV, 1999, p. 49).

2. Exemplos em filosofia incluem Immanuel Kant e John Rawls; em psicologia, Lawrence Kohlberg. Elliot Turiel permite que o bem-estar e a justiça sejam preocupações concorrentes.

3. Veja Berlin, 2001, sobre os perigos do monismo.

4. Chan, 1963, p. 54.

5. Além de agradar os narizes com um sistema olfativo muito mais complexo, que ignorarei para manter a analogia simples.

6. A palavra que eu quero usar aqui é *empirismo*, mas essa palavra tem dois significados, e eu já a usei no Capítulo 1 como um contraste com o inatismo. Rejeito o empirismo nesse sentido, que sugere uma tábula rasa, mas o aceito em outro sentido, como o método pelo qual os cientistas adquirem conhecimento por meio de métodos empíricos (observacionais, baseados na experiência).

7. E. O. Wilson apontou isso no Capítulo 11 de *Consilience*. Como Hume, ele abraçou o naturalismo/empirismo, em vez de transcendentalismo. Eu também.

8. Hume observou que algumas paixões e sentimentos são tão calmos que às vezes são confundidos com a razão (*Tratado da Natureza Humana*, Livro 2). É por isso que acho que a palavra *intuição* é a melhor tradução moderna da palavra *sentimentos* usada por Hume.

9. Hume está aqui construindo um argumento de um teórico anterior do "senso moral", Frances Hutcheson. Esse texto estava nas duas primeiras edições de *Enquiry Concerning Human Understanding*. Foi extraído da última edição, mas não encontrei nenhuma indicação de que Hume tenha mudado de ideia sobre a analogia do sabor. Por exemplo, na edição final de *Enquiry*, seção xii, pt. 3, ele diz: "A moral e a crítica não são tão apropriadamente objetos do entendimento quanto do gosto e do sentimento. A beleza, moral ou natural, é sentida, mais apropriadamente do que percebida."

10. Especialmente Adam Smith e Edmund Burke. Veja Frazier, 2010.

11. O Capítulo 3 é minha revisão dessa pesquisa. Veja também meu artigo de revisão mais acadêmica, Haidt e Kesebir, 2010.

12. Baron-Cohen, 1995.

13. Baron-Cohen, 2002, p. 248.

14. Ibid.

15. Baron-Cohen, 2009. Um fator pré-natal parece ser a testosterona, que tem muitos efeitos no cérebro de um feto em desenvolvimento. Todos nós começamos como meninas nos primeiros dois meses após a concepção. Se o cromossomo Y estiver presente, ele desencadeia a produção de testosterona a partir da oitava semana; isso converte o cérebro e o corpo para o padrão masculino. O autismo é muito mais comum em meninos do que em meninas.

16. Bentham, 1996/1789, Capítulo I, seção 2.

17. Lucas e Sheeran, 2006.

18. Ibid., p. 5, citando William Hazlitt.

19. Ibid., citando Mill.

20. Lucas e Sheeran, 2006, p. 1. Obviamente, o diagnóstico psiquiátrico pós--morte é difícil. Independentemente de Bentham ter ou não síndrome de Asperger, meu ponto principal aqui é que seu pensamento era incomum e sua compreensão da natureza humana era pobre.

21. Denis, 2008.

22. Kant, 1993/1785, p. 30.

23. Fitzgerald, 2005. Outra possibilidade é que Kant tenha desenvolvido um tumor cerebral aos 47 anos. Ele começou a reclamar de dores de cabeça e logo depois perdeu a visão no olho esquerdo. Seu estilo de escrita e sua filosofia também mudaram depois disso, e alguns especularam que ele desenvolveu um tumor que interferia no processamento emocional no córtex pré-frontal esquerdo, deixando sua alta sistematização sem o controle da empatia normal. Veja Gazzaniga, 1998, p. 121

24. Scruton, 1982.

25. Não pretendo que essa afirmação se aplique a toda investigação científica. Os químicos não precisam de empatia. Mas observar a vida interior das pessoas ajuda a ter empatia, como fazem grandes romancistas e dramaturgos.

26. Os autores do artigo das pessoas WEIRD (Henrich et al., 2010; veja o Capítulo 5) não comentam quando o pensamento ocidental se tornou WEIRD. Mas sua tese implica diretamente que, durante o século XIX, à medida que a Revolução Industrial progredia e os níveis de riqueza, educação e individualismo aumentavam (pelo menos para a classe de elite), o pensamento WEIRD se tornou cada vez mais comum.

27. A filosofia moral melhorou nos últimos 20 anos, na minha opinião, porque voltou um pouco ao seu interesse antigo no mundo natural, incluindo a psicologia. Hoje em dia, muitos filósofos são muito bem versados em neurociência, psicologia social e evolução. Existe um interesse crescente no "realismo psicológico" desde os anos 1990, por exemplo, Flanagan, 1991 e Gibbard, 1990. Para os mais modernos, veja Appiah, 2008 e o conjunto de três volumes de ensaios editado por Walter Sinnott-Armstrong, 2008.

28. Somente Buda, por exemplo, pregou compaixão por todos os seres sencientes, incluindo os animais. Para uma revisão da teoria da cultura e da virtude, veja Haidt e Joseph, 2007.

29. É verdade que também existem receptores olfativos em ação aqui, mas estou ignorando-os por uma questão de simplicidade. E, certamente, muitas bebidas de frutas também acionam o receptor azedo, mas isso funciona muito bem com esta analogia: muitas violações morais desencadeiam principalmente uma base e uma ou mais outras bases de maneira secundária.

30. Sperber e Hirschfeld, 2004. Módulos geralmente não são pontos específicos no cérebro; ao contrário, são definidos pelo que eles *fazem*. Craig e eu rejeitamos a muito exigente lista de requisitos de modularidade proposta por Fodor, 1983. Em vez disso, adotamos a "modularidade maciça" de Sperber, 2005, que inclui "módulos de aprendizado" inatos que geram muitos dilemas

Notas

de humor mais específicos durante o curso do desenvolvimento infantil. Veja Haidt e Joseph, 2007, 2011.

31. Nos primatas, é um pouco mais complicado. Eles nascem não tanto com um medo inato de cobras quanto com um "preparo" inato para *aprender* a temer cobras, depois de apenas uma experiência ruim com uma cobra, ou simplesmente ao observar um outro membro de sua espécie reagir com medo a uma cobra (Mineka e Cook, 2008). Eles não aprendem a temer flores, ou outros objetos aos quais outro animal reage com medo. O módulo de aprendizado é específico para cobras.

32. Sperber e Hirchfeld usaram os termos *domínio adequado* e *domínio real*, mas muitas pessoas (inclusive eu) acham difícil lembrar-se desses termos, então troquei para *gatilhos originais* e *gatilhos atuais*. O termo *gatilho original* não pretende sugerir que já houve uma época, há muito tempo, em que o módulo não cometia erros. Eu usaria o termo *gatilho pretendido,* mas o design evolucionário não tem intenções.

33. A seleção natural é um processo de design; é a causa do design abundante no mundo biológico. Não é apenas um designer inteligente ou consciente. Veja Tooby e Cosmides 1992.

34. Para mais informações sobre as origens e detalhes da teoria, consulte Haidt e Graham, 2007; Haidt e Joseph, 2004, 2007. A teoria foi fortemente influenciada pelo trabalho de Richard Shweder e Alan Fiske. Nossa escolha das cinco fundações está próxima das três éticas de Shweder. Nossa abordagem geral de identificação de módulos cognitivos evoluídos que são preenchidos de formas culturalmente variáveis foi inspirada na teoria dos modelos relacionais de Alan Fiske. Veja Rai e Fiske, 2011, para a aplicação dessa teoria à psicologia moral.

35. Para uma lista recente, consulte Neuberg, Kenrick e Schaller, 2010.

36. Em nosso artigo original (Haidt e Joseph, 2004), descrevemos apenas quatro alicerces, que rotulamos de Sofrimento, Hierarquia, Reciprocidade e Pureza. Observamos que provavelmente havia muito mais e notamos em específico "lealdade ao grupo" em uma nota de rodapé como um bom candidato para um quinto. Sou grato a Jennifer Wright, que discutiu comigo por e-mail enquanto eu trabalhava nesse documento, que a lealdade do grupo é distinta da hierarquia, que é onde Craig e eu a tínhamos colocado de início. A partir de 2005, mudamos os nomes dos cinco alicerces para usar duas palavras relacionadas a cada uma, a fim de reduzir os mal-entendidos que estávamos enfrentando. Utilizamos estes nomes de 2005 a 2009: dano/cuidado, justiça/reciprocidade, grupo/lealdade, autoridade/respeito e pureza/santidade. Em 2010, reformulamos a teoria para expandi-la e corrigir deficiências que descreverei no Capítulo 8. Para evitar a confusão de falar sobre vários nomes para os mesmos fundamentos, adoto os nomes de 2010 aqui, quando descrevo as origens da teoria. Para a Autoridade, concentrei-me aqui na psicologia do subordinado — a psicologia do respeito pela autoridade. No próximo capítulo, explorarei também a psicologia do líder superior.

37. Veja, por exemplo, o "conjunto" de emoções morais que Trivers, 1971, propôs como o mecanismo por trás do altruísmo recíproco (por exemplo, gratidão pelo favor recebido, indignação por favores não retribuídos pela outra

pessoa, culpa por favores não retribuídos pelo eu). Para o alicerce do Cuidado, por exemplo, pode haver um módulo que detecta sofrimento, outro para infligir intencionalmente danos, um terceiro que detecta parentesco e um quarto que detecta esforços para cuidar ou confortar. O ponto importante é que existe um conjunto de programas "condicionais" inatos que trabalham juntos para ajudar as pessoas a enfrentar o desafio adaptativo. Alguns desses módulos inatos podem ser inatos como "módulos de aprendizado", que geram módulos mais específicos durante o desenvolvimento infantil, conforme descrito por Sperber. Veja Haidt e Joseph, 2007 para uma discussão detalhada da modularidade moral.

7. Os Alicerces Morais da Política

1. Por exemplo, Luce e Raiffa, 1957.

2. Marcus, 2004, p. 12.

3. Marcus, 2004. Eu juntei essa definição de duas páginas. A primeira frase está na p. 34, a segunda está na p. 40. Mas tudo faz parte de uma discussão unificada no Capítulo 3.

4. Recentemente, foi descoberto que o parentesco genético em grupos de caçadores-coletores não é tão alto quanto os antropólogos supuseram há muito tempo (Hill et al., 2011). Suponho, no entanto, que essa queda de parentesco tenha ocorrido nos últimos 100 mil anos, à medida que nossa complexidade cultural aumentou. Acredito que o alicerce Cuidado já tenha sido modificado e intensificado nos poucos milhões de anos anteriores, à medida que o tamanho do cérebro e a duração da infância aumentavam.

5. Por exemplo, para rastrear o grau de parentesco ou para distinguir danos intencionais de acidentais, para que você saiba quando ficar com raiva de alguém que fez seu filho chorar. Repito minha nota do último capítulo de que esses não são módulos como Fodor, 1983, os definiu originalmente. Os critérios de Fodor eram tão rigorosos que praticamente nada na cognição superior poderia se qualificar. Para uma discussão sobre como a cognição superior pode ser parcialmente modularizada, veja Haidt e Joseph, 2007, e Barrett e Kurzban, 2006, sobre módulos como sistemas funcionais, e não como áreas do cérebro.

6. Bowlby, 1969.

7. Veja Sherman e Haidt, 2011, para uma análise.

8. Para um relato recente da evolução e neurologia da empatia, veja Decety, 2011.

9. Veja Pinker, 2011, sobre o aumento longo e constante da repugnância em relação à violência. Por exemplo, piadas sobre espancamentos de mulheres eram comuns e aceitáveis em filmes e programas de televisão norte-americanos até a década de 1960.

10. Às vezes, um adesivo político apela ao medo ou ao interesse próprio monetário (por exemplo, "Perfure aqui, perfure agora, pague menos" dos Republicanos em 2008), mas isso é raro se comparado aos apelos moralistas.

Notas

11. Para leitores não norte-americanos, repito que, por *liberal* quero dizer a esquerda política. Os dados que mostrarei no próximo capítulo indicam que as pessoas de vertente esquerda, em todos os países que examinamos, têm uma pontuação mais alta no alicerce Cuidado/dano do que as pessoas da vertente direita da política.

12. Os cristãos conservadores enviam uma grande quantia de dinheiro ao exterior e fornecem uma grande ajuda e alívio aos pobres, mas isso geralmente é feito por meio de grupos missionários que se esforçam para adicionar convertidos ao grupo. Ainda é uma forma de cuidado paroquial, não universalista.

13. Foi uma grande preocupação para Darwin, em *Origem das especies* e em *A Origem do homem*. Voltarei à perplexidade de Darwin e suas soluções no Capítulo 9.

14. Trivers, 1971.

15. Esse ponto foi demonstrado com elegância no famoso torneio de Robert Axelrod, em 1984, no qual as estratégias competiam em uma simulação evolutiva em um computador. Nenhuma estratégia foi capaz de vencer o "toma lá, da cá". (Mas veja Nowak, 2010, para uma discussão sobre sua estratégia "A Vitória Sedimenta, a Derrota muda", que é superior quando levamos em conta erros e percepções errôneas.)

16. Rozin et al., 1999; Sanfey et al., 2003.

17. Visitei exatamente quando este livro estava sendo publicado. Publiquei um ensaio fotográfico no qual apliquei a teoria dos alicerces morais aos cartazes do movimento Occupy Wall Street em http://reason.com/archives/2011/10/20/the-moral-foundations-of-occup [conteúdo em inglês.]

18. Argumentei que o motivo moral dos adeptos do movimento Tea Party [Republicano] é principalmente a justiça como proporcionalidade e carma. Não acredito que seja liberdade, como alguns grupos libertários alegaram. Veja Haidt, 2010.

19. Sherif et al., 1961/1954, p. 94.

20. Por exemplo, os meninos se organizam espontaneamente para competições em equipe com muito mais frequência do que as meninas (Maccoby, 1998), e os estudantes universitários do sexo masculino ficam mais cooperativos quando uma tarefa é estruturada como uma competição intergrupos; as alunas não são afetadas pela manipulação (Van Vugt, De Cremer e Janssen, 2007).

21. Baumeister e Sommer ,1997; Maccoby, 1998.

22. Boehm, 2012; Goodall, 1986.

23. Keeley, 1996.

24. Glover, 2000.

25. Esse versículo é do Alcorão 4:56, traduzido por Arberry, 1955. Para mais informações sobre como matar apóstatas, veja o Alcorão 4:89, bem como muitos versículos do Hadith, por exemplo, Bukhari 52: 260, Bukhari 84:58.

Notas

26. Os estudiosos do liberalismo frequentemente apontam isso (por exemplo, Gray, 1995), e encontramos muitos estudos em www.YourMorals.org; veja Iyer et al., 2011.

27. Coulter, 2003.

28. Um argumento enfatizado pelo sociólogo Robert Nisbet, 1993/1966, em seus Capítulos 1 e 4.

29. Boehm, 1999; de Waal, 1996.

30. De Waal, 1996, p. 92.

31. De uma tradução de L. W. King, recuperada de www.holyebooks.org/babylonia/the_code_of_hammurabi/ham04.hml [conteúdo em inglês].

32. Essa citação é de uma análise geral da teoria no site de Fiske: www.sscnet. ucla.edu/anthro/faculty/fiske/relmodov.htm [conteúdo em inglês]. Para a apresentação completa da teoria, veja Fiske, 1991.

33. A história evolucionária é realmente mais complicada, e abordarei o fato importante de que os humanos passaram por um longo período de igualitarismo no próximo capítulo. Por enquanto, espero que você simplesmente considere a possibilidade de termos alguns módulos cognitivos que tornam a maioria das pessoas boas em detectar e se preocupar com a hierarquia e o respeito.

34. De Waal, 1996; Fiske, 1991.

35. Esta é a minha explicação de por que as pessoas de baixo nível hierárquico geralmente apoiam a hierarquia. Para mais detalhes, veja Haidt e Graham, 2009. Para uma visão alternativa, veja o trabalho sobre a "teoria da justificação do sistema", por exemplo, Jost e Hunyady, 2002.

36. Devido à indignação do público com a sentença de homicídio culposo, o Ministério Público recorreu da sentença, ganhou um novo julgamento e, finalmente, obteve a condenação por assassinato e uma sentença de prisão perpétua. Para uma descrição completa desse caso, veja Stampf, 2008.

37. Rozin, 1976, introduziu esse termo; Michael Pollan então o emprestou como título de seu livro mais vendido.

38. McCrae, 1996.

39. Rozin e Fallon, 1987. Não sabemos quando surgiu a repulsa, mas sabemos que ela não existe em nenhum outro animal. Outros mamíferos rejeitam alimentos com base em seu gosto ou cheiro, mas somente os humanos os rejeitam com base no que tocaram ou em quem os manipulou.

40. Schaller e Park, 2011.

41. Thornhill, Fincher e Aran, 2009. A equipe de Schaller chegou a demonstrar que eles podem aumentar o medo dos estudantes canadenses de imigrantes desconhecidos apenas mostrando-lhes imagens de doenças e infecções; estudantes que viram imagens de outras ameaças, como eletrocussão, tiveram menos medo (Faulkner et al., 2004).

42. Abordarei as origens evolucionárias da sacralização e da religião nos Capítulos 9 e 11.

43. Pode-se objetar que suas ações com certeza aborrecerão e ofenderão as pessoas que aprenderam sobre elas. Mas esse argumento o obrigaria a proibir o

Notas

sexo gay ou inter-racial, ou a comer alimentos como pés de galinha e olhos de peixe, na privacidade de sua casa, em comunidades que ficariam enojadas com essas ações.

44. Os libertários, em média, experimentam menos empatia e repulsa (Iyer et al., 2011), e estão mais dispostos a permitir que as pessoas violem tabus (Tetlock et al., 2000).

45. Pelo pintor alemão Hans Memling, 1475. No Museu Jacquemart-André, Paris. Para informações sobre esse quadro veja http://www.ghc.edu/faculty/sandgren/sample2.pdf [conteúdo em inglês].

46. NRSV.

47. Veja D. Jensen, 2008, como um exemplo.

48. Kass, 1997.

8. A Vantagem Conservadora

1. Veja Lakoff, 2008, e Westen, 2007, para um argumento similar.

2. Eu equiparo o democrata ao liberal e à esquerda; e republicano ao conservador e à direita. Essa equiparação não era verdadeira antes de 1970, quando ambos os partidos eram coalizões amplas, mas desde a década de 1980, quando o Sul mudou sua lealdade partidária de democrata para republicana, os dois partidos foram enquadrados quase perfeitamente no eixo esquerda--direita. Os dados da Pesquisa Nacional de Eleições nos EUA mostram esse realinhamento claramente; a correlação da autoidentificação liberal-conservadora com a identificação do Partido Democrata-Republicano aumentou de forma constante desde 1972, acelerando acentuadamente na década de 1990 (Abramowitz e Saunders, 2008). É claro que nem todos se encaixam de forma perfeita nesse espectro unidimensional, e, dentre os que o fazem, a maioria está em algum ponto no meio, não perto dos extremos. Mas políticos e política são dirigidos principalmente por aqueles que têm fortes identidades partidárias, e eu me concentro neste capítulo e no Capítulo 12 em entender esse tipo de mente moralista.

3. Os sujeitos deste estudo se colocaram em uma escala de "fortemente liberal" para "fortemente conservador", mas mudei "fortemente" para "muito" para corresponder à redação usada na Figura 8.2.

4. A explicação mais longa e precisa é a seguinte: todos podem usar qualquer um dos cinco alicerces em algumas circunstâncias, mas os liberais gostam mais dos de Cuidado e Justiça e constroem suas matrizes morais principalmente sobre esses dois alicerces.

5. Veja o relatório em Graham et al., 2011, Tabela 11, para dados dos Estados Unidos, Reino Unido, Canadá e Austrália, além do resto do mundo agrupado por regiões: Europa Ocidental, Europa Oriental, América Latina, África, Oriente Médio, Sul da Ásia, Leste da Ásia e Sudeste Asiático. O padrão básico que relatei aqui é válido em todos esses países e regiões.

6. Quatro anos depois, em janeiro de 2011, dei uma palestra nesta conferência pedindo ao campo que reconhecesse os efeitos agregadores e cegantes da ideolo-

gia compartilhada. A palestra, e as reações, foram reunidas em www.Jonathan Haidt.com/postpartisan.html [conteúdo em inglês].

7. Wade, 2007.

8. Para as pessoas que dizem que são "muito conservadoras", as linhas realmente se cruzam, significando que valorizam Lealdade, Autoridade e Pureza um pouco mais do que Cuidado e Justiça, pelo menos se utilizarmos as perguntas no MFQ. As perguntas nesta versão do MFQ são bem diferentes das da versão original, mostradas na Figura 8.1, portanto é difícil comparar as médias exatas entre os dois formulários. O que importa é que as inclinações das linhas são semelhantes nas várias versões do questionário e, nesta, com um número muito maior de assuntos, as linhas se tornam bastante retas, indicando um simples efeito linear da ideologia política em cada um dos cinco alicerces.

9. Linguistic Inquiry Word Count; Pennebaker, Francis e Booth, 2003.

10. Graham, Haidt e Nosek, 2009. Observo que a primeira passagem da simples contagem de palavras mostra os resultados previstos para todos os alicerces, exceto Lealdade. Quando fizemos uma segunda passagem, em que nossos assistentes de pesquisa leram as palavras em contexto e depois codificaram se um alicerce moral estava sendo apoiado ou rejeitado, as diferenças entre as duas denominações aumentaram e as diferenças previstas foram encontradas para todos os cinco alicerces, incluindo Lealdade.

11. Examinamos os componentes N400 e LPP. Veja Graham, 2010.

12. Discurso de 15 de junho de 2008, proferido na Igreja Apostólica de Deus, Chicago, Illinois.

13. Discurso de 30 de junho de 2008, em Independence, Missouri.

14. Discurso de 14 de julho de 2008 à NAACP, Cincinnati, Ohio.

15. Discurso de 24 de julho de 2008. Ele se apresentou como "um cidadão orgulhoso dos Estados Unidos e um concidadão do mundo". Porém publicações conservadoras nos Estados Unidos se apegaram à parte "cidadão do mundo" e não citaram a parte "cidadão orgulhoso".

16. O artigo pode ser encontrado aqui: www.edge.org/3rd_culture/haidt08/haidt08_index.html [conteúdo em inglês]. Brockman havia se tornado meu agente literário recentemente.

17. Veja, por exemplo, Adorno et al., 1950, e Jost et al., 2003, Lakoff, 1996, oferece uma análise compatível, embora não apresente a moralidade conservadora do "pai severo" como patologia.

18. Aprendi a entender a visão durkheimiana não apenas lendo Durkheim, mas trabalhando com Richard Shweder e vivendo na Índia, como descrevi no Capítulo 5. Mais tarde, descobri que grande parte da visão durkheimiana poderia ser creditada também ao filósofo irlandês Edmund Burke.

19. Quero enfatizar que essa análise se aplica apenas aos conservadores *sociais*. Não se aplica a libertários ou a conservadores "*laissez-faire*", também conhecidos como liberais clássicos. Veja o Capítulo 12.

20. É claro que é muito mais fácil em nações etnicamente homogêneas com histórias longas e um idioma, como os países nórdicos. Essa pode ser uma das

Notas

razões pelas quais as nações são muito mais liberais e seculares do que os Estados Unidos. Veja mais discussões no Capítulo 12.

21. É interessante notar que os democratas têm se saído muito melhor no Congresso dos EUA. Senadores e deputados não são sacerdotes. Legislar é um negócio sujo e corrupto, em que a capacidade de levar mais dinheiro e empregos para o seu distrito pode contar muito mais do que a capacidade de respeitar símbolos sagrados.

22. Bellah, 1967.

23. Westen, 2007, Capítulo 15, ofereceu conselhos semelhantes, também com base na distinção de Durkheim entre sagrado e profano. Eu aproveitei as análises dele.

24. Apresento essa e as mensagens de e-mail subsequentes, textualmente, editadas apenas no tamanho e para proteger o anonimato do autor.

25. Recebemos muitas reclamações de libertários dizendo que os cinco primeiros alicerces não correspondem à sua moralidade. Depois que finalizarmos um grande estudo comparando libertários a liberais e conservadores, concluímos que eles estavam certos (Iyer et al., 2011). Nossa decisão de modificar a lista de alicerces morais também foi influenciada por um "desafio" que postamos em www.MoralFoundations.org, pedindo às pessoas que avaliassem a teoria dos alicerces morais e propusessem novos alicerces. Recebemos fortes argumentos para a liberdade. Outros candidatos que ainda estamos investigando incluem honestidade, Bens/propriedade e Desperdício/ineficiência. O sexto alicerce, Liberdade/opressão, é provisório, pois agora estamos desenvolvendo várias maneiras de medir preocupações sobre a liberdade e, portanto, ainda não realizamos os testes rigorosos que foram realizados em nossa pesquisa sobre os cinco alicerces e o MFQ original. Descrevo aqui o alicerce Liberdade/opressão porque acredito que a lógica teórica é forte e porque já descobrimos que as preocupações com a liberdade são, de fato, as preocupações centrais dos libertários (Iyer et al., 2011), um grupo substancial que é amplamente ignorado pelos psicólogos políticos. Mas os fatos empíricos podem provar o contrário. Veja www.MoralFoundations.org para atualizações de nossa pesquisa por psicólogos políticos.

26. Boehm, 1999.

27. Ibid. Mas veja também o trabalho do arqueólogo Brian Hayden (2001), que revela que evidências de hierarquia e desigualdade geralmente *precedem* a transição para a agricultura por vários milhares de anos, à medida que outras inovações tecnológicas possibilitam que os "aprimoradores" dominem a produção e também possibilitam que os grupos comecem a empreender a agricultura.

28. De Waal, 1996.

29. Como descrito em de Waal, 1982. Boehm, 2012, tenta reconstruir um retrato do último ancestral comum de humanos, chimpanzés e bonobos. Ele conclui que o último ancestral comum era mais como o chimpanzé agressivo e territorial do que como o bonobo mais pacífico. Wrangham, 2001 (e Wrangham e Pilbeam, 2001) concorda e sugere que os bonobos e os seres humanos com-

partilham muitas características, porque ambos podem ter passado por um processo semelhante de "autodomesticação", que tornou ambas as espécies mais pacíficas e brincalhonas, fazendo com que ambas mantivessem características mais infantis na idade adulta. Mas ninguém sabe ao certo, e de Waal e Lanting, 1997, sugerem que o último ancestral comum pode ter sido mais parecido com o bonobo do que com o chimpanzé, embora este artigo também observe que os bonobos são mais neóticos (infantis) que os chimpanzés.

30. No Capítulo 9 explicarei por que o melhor candidato para essa mudança é o *Homo heidelbergensis,* que surgiu por volta de 700 ou 800 mil anos atrás e depois começou a dominar novas tecnologias importantes, como o fogo e a fabricação de lanças.

31. Dunbar, 1996.

32. De Waal, 1996, argumenta que os chimpanzés têm uma capacidade rudimentar de aprender normas comportamentais e depois reagir aos infratores das normas. Como acontece com muitas outras comparações entre humanos e chimpanzés, há indícios de muitas habilidades humanas avançadas, mas as normas não parecem crescer e se desenvolver umas sobre as outras e envolver todos. De Waal diz claramente que não acredita que os chimpanzés tenham moralidade. Eu acho que não podemos realmente falar sobre verdadeiras "comunidades morais" até depois do *Homo heidelbergensis*, como explicarei no próximo capítulo.

33. Lee, 1979, citado em Boehm, 1999, p. 180.

34. O termo pode ter sido usado pela primeira vez em 1852 no artigo do *New York Times* sobre Marx, mas Marx e os marxistas logo adotaram o termo, e ele aparece no artigo de Marx de 1875, *Crítica do Programa de Gotha.*

35. Brehm e Brehm, 1981.

36. A questão do parasitismo social surge naturalmente; veja Dawkins, 1976. A melhor estratégia não seria recuar e deixar que outras pessoas arriscassem suas vidas enfrentando agressores perigosos? O problema do parasitismo social é bastante premente para espécies que carecem de linguagem, normas e punição moralista. Mas, como mostrarei no próximo capítulo, sua importância tem sido muito exagerada para os seres humanos. *A moralidade é, em grande parte, uma solução evoluída para o problema do parasitismo social.* Grupos de caçadores-coletores e também tribos maiores podem obrigar os membros a trabalhar e se sacrificar pelo grupo, punindo os parasitas sociais; veja Mathew e Boyd, 2011.

37. Os líderes geralmente emergem na luta contra a tirania apenas para se tornarem tiranos. Como a banda de rock The Who disse: "Conheça o novo chefe. Igual ao antigo chefe."

38. Agradeço a Melody Dickson pela permissão para reproduzir seu e-mail. Todas as outras citações com mais de uma frase de e-mails e postagens de blog neste capítulo são usadas com permissão dos autores, que optaram por permanecer anônimos.

39. Essa foi uma referência ao Boston Tea Party de 1773, um dos primeiros grandes atos de rebelião dos colonos norte-americanos contra a Grã-Bretanha.

Notas

40. Hammerstein, 2003.

41. Sou o culpado por espalhar esse mito, em *The Happiness Hypothesis*. Eu estava me referindo ao trabalho de Wilkinson, 1984. Mas acontece que os morcegos de Wilkinson provavelmente eram parentes próximos. Veja Hammerstein, 2003.

42. Veja uma resenha no S. F. Brosnan, 2006. No principal estudo experimental documentando preocupações com justiça entre macacos-prego (S. F. Brosnan e de Waal, 2003), os macacos falharam na principal condição de controle: eles se irritavam sempre que viam uma uva que não tinham, independentemente se a uva fosse dada a outro macaco ou não. Minha opinião é que Brosnan e De Waal provavelmente estão certos; chimpanzés e macacos-prego mantêm registro de favores e negligência, e têm um senso primitivo de justiça. Mas eles não vivem em matrizes morais. Na ausência de normas claras e de fofoca, eles não demonstram esse senso de justiça de maneira consistente em situações de laboratório.

43. Trivers discutiu "reciprocidade moralista", mas esse é um processo muito diferente do altruísmo recíproco. Veja Richerson e Boyd, 2005, Capítulo 6.

44. Mathew e Boyd, 2011.

45. Fehr e Gächter, 2002.

46. Fehr e Gächter também executaram uma versão deste estudo que era idêntica, exceto pela punição, disponibilizada nas primeiras seis rodadas e removida na sétima. Os resultados foram os mesmos: níveis altos e crescentes de cooperação nas primeiras seis rodadas, que despencaram na sétima rodada e declinaram a partir de então.

47. Um estudo PET de Quervain et al., 2004, descobriu que as áreas de recompensa do cérebro eram mais ativas quando as pessoas tinham a chance de infligir punições altruístas. Devo observar que Carlsmith, Wilson e Gilbert, 2008, descobriram que o prazer da vingança às vezes é um erro de "previsão afetiva"; a vingança geralmente não é tão doce quanto esperamos. Mas, independentemente de eles se sentirem melhor ou não depois, o ponto importante é que as pessoas *querem* punir quando são enganadas.

48. Essa é a tese de Boehm, e vejo confirmação disso no fato de que a esquerda não foi capaz de indignar o resto do país pelo aumento extraordinário da desigualdade norte-americana desde 1980. Finalmente, em 2011, os testes para o Occupy Wall Street começaram a ir além de simplesmente apontar para a desigualdade e começaram a fazer reivindicações baseadas no alicerce Justiça/trapaça (sobre como o "1%" trapaceou para chegar ao topo, e sobre como eles "nos devem" pelos resgates financeiros), e também no alicerce Liberdade/opressão (sobre como o 1% assumiu o controle do governo e abusa de seu poder para prejudicar ou escravizar os 99%). Mas simplesmente apontar para a desigualdade, sem também mostrar trapaça ou opressão, não parece provocar muita indignação.

49. Na análise fatorial e de agrupamento de nossos dados no YourMorals.org, constatamos repetidamente que as questões sobre igualdade estão relacionadas a cuidado, danos e compaixão (o alicerce Cuidado), e não às questões sobre proporcionalidade.

50. Veja o grande corpo de pesquisa em psicologia social chamado "teoria da equidade", cujo axioma central é que a relação entre ganhos líquidos (resultado menos insumos) e insumos deve ser igual para todos os participantes (Walster, Walster e Berscheid, 1978). Essa é uma definição de proporcionalidade.

51. As crianças geralmente gostam da igualdade, até chegarem à puberdade, mas, à medida que a inteligência social amadurece, deixam de ser igualitários rígidos e começam a se tornar proporcionalistas; veja Almas et al., 2010.

52. Cosmides e Tooby, 2005.

53. Nosso objetivo com a teoria dos alicerces morais e o YourMorals.org tem sido descobrir as *melhores* pontes entre a antropologia e a psicologia evolutiva, não todas as pontes. Acreditamos que as seis que identificamos são as mais importantes, e descobrimos que conseguimos explicar grande parte das controvérsias morais e políticas usando essas seis. Mas certamente existem outros módulos inatos que dão origem a novas intuições morais. Outros candidatos que estamos investigando incluem intuições sobre honestidade, propriedade, autocontrole e desperdício. Veja MoralFoundations.org para saber mais de nossa pesquisa sobre alicerces morais.

54. Se vemos uma criança com dor, sentimos compaixão. É como uma gota de suco de limão na língua. Estou argumentando que testemunhar a desigualdade não é assim. Ela nos perturba apenas quando percebemos que a pessoa está sofrendo (Cuidado/dano), sendo oprimida por um valentão (Liberdade/opressão) ou sendo enganada (Justiça/trapaça). Para um argumento contra mim e a favor da igualdade como alicerce básico, veja Rai e Fiske, 2011.

55. Você pode ver essa descoberta em várias pesquisas em Iyer et al., 2011.

56. Berlin, 1997/1958, se referia a esse tipo de liberdade como "liberdade negativa" — o direito de ser deixado em paz. Ele ressaltou que a esquerda havia desenvolvido um novo conceito de "liberdade positiva" durante o século XX — uma concepção dos direitos e recursos que as pessoas precisavam para gozar da liberdade.

57. Em uma pesquisa divulgada em 26 de outubro de 2004, o Pew Research Center descobriu que os proprietários de pequenas empresas apoiavam Bush (56%) em vez de Kerry (37%). Uma ligeira mudança para a esquerda em 2008 que terminou em 2010. Veja o resumo no HuffingtonPost.com pesquisando "Small business polls: Dems get pummeled".

58. Esse foi o nosso achado empírico em Iyer et al., 2011, que pode ser impresso de www.MoralFoundations.org.

59. Dados não publicados, YourMorals.org. Você pode participar dessa pesquisa acessando YourMorals.org e, em seguida, realizando o MFQ versão B. Além disso, leia nossas discussões de dados sobre justiça no blog YourMorals.

60. Bar e Zussman, 2011.

61. Frank, 2004.

9. Por que Tendemos a Formar Grupos?

1. Nas ciências sociais e humanas, os conservadores passaram de meramente sub-representados nas décadas após a Segunda Guerra Mundial a quase extintos na década de 1990, exceto na economia. Uma das principais causas dessa mudança foi que professores da "geração grandiosa", que lutaram na Segunda Guerra Mundial e não eram tão polarizados, foram gradativamente substituídos por baby boomers mais polarizados politicamente a partir da década de 1980 (Rothman, Lichter e Nevitte, 2005).

2. Essa é uma referência a Glauco no livro *A República* de Platão, que pergunta se um homem se comportaria bem se fosse o dono do anel de Giges, que torna seu usuário invisível e, portanto, livre de preocupações com a reputação. Veja o Capítulo 4.

3. Como Dawkins, 1976, afirma de maneira tão memorável. Os genes podem apenas codificar características que acabam fazendo mais cópias desses genes. Dawkins não quis dizer que genes egoístas tornam pessoas totalmente egoístas.

4. É claro que temos senso de grupo no sentido restrito de gostarmos de grupos, somos atraídos para grupos. Todo animal que vive em rebanho, bando ou cardumes têm senso de grupo nesse sentido. Eu quis dizer muito mais do que isso. Nós nos preocupamos com nossos grupos e queremos promover seus interesses, mesmo a um custo pessoal. Isso geralmente não é verdade em animais que vivem em rebanhos e bandos (Williams, 1966).

5. Não duvido que exista bastante glauconismo quando as pessoas exibem patriotismo e outras formas de lealdade de grupo. Estou simplesmente afirmando que nosso espírito de equipe não é puramente glauconiano. Às vezes, tratamos nossos grupos como sagrados e não os traímos, mesmo que pudéssemos ter certeza de uma grande recompensa material e de perfeito sigilo por nossa traição.

6. Veja Dawkins, 1999/1982, e também o uso de Dawkins da palavra *heresia* em Dicks, 2000.

7. Isso é chamado *mutualismo* — quando dois ou mais animais cooperam e todos se beneficiam com a interação. Não é uma forma de altruísmo; não é um desafio à teoria da evolução. O mutualismo pode ter sido extremamente importante nas fases iniciais de evolução da ultrassocialidade da humanidade; veja Baumard, André e Sperber, não publicado; Tomasello et al., a ser publicado.

8. Vou me concentrar na cooperação neste capítulo, e não no altruísmo. Mas estou mais interessado na cooperação nesses tipos de casos, nos quais um verdadeiro egoísta glauconiano não cooperaria. Podemos, portanto, chamar esses casos focais de "cooperação altruísta" para distingui-los do tipo de cooperação estratégica que é tão fácil de explicar pela seleção natural, que atua no nível individual.

9. *Descent of Man*, Parte 1, Capítulo 4, p. 134; grifo meu. Dawkins, 2006, não considera esse um caso real de seleção de grupo pois Darwin não imagina a tribo crescendo e depois de dividindo em "tribos-filhas" da mesma maneira que colmeias se dividem. Mas, se acrescentarmos esse detalhe (que é normal-

mente verdade em sociedades caçadoras-coletoras que tendem a se dividir quando atingem mais de 150 adultos), então este poderia, sem dúvida, ser um exemplo de seleção de grupo. Okasha, 2005, chama esse tipo de MLS-2, em contraste com a menos exigente MLS-1, que ele acredita ser mais comum inicialmente no processo de uma grande transição. Mais sobre isso adiante. Publicado no Brasil com o título *A Origem do Homem*.

10. *Descent of Man*, Capítulo 5, p. 135; grifo meu. O problema do parasitismo social é a única objeção que Dawkins apresenta contra a seleção de grupo em *Deus, um Delírio*, Capítulo 5.

11. Price, 1972.

12. A velha ideia de que existem genes "para" características foi refutada na era genômica. Não existem genes únicos, ou mesmo grupos de dezenas de genes, que possam explicar a variância em qualquer traço psicológico. Ainda assim, de alguma maneira, praticamente todos os traços psicológicos são hereditários. Às vezes, mencionarei um gene "para" um traço, mas isso é mera conveniência. O que de fato quero dizer é que o genoma funciona como um código completo para certos traços, e a seleção natural o altera para que codifique para diferentes características.

13. Enfatizo que a seleção de grupo ou a seleção em nível de colônia, como a que descrevi aqui, é perfeitamente compatível com a teoria da aptidão inclusiva (Hamilton, 1964) e com a perspectiva do "gene egoísta" de Dawkins. Mas as pessoas que trabalham com abelhas, formigas e outras criaturas altamente sociais às vezes dizem que a seleção multinível as ajuda a perceber fenômenos menos visíveis quando adotam a visão do gene; veja Seeley, 1997.

14. Estou simplificando demais aqui; espécies como abelhas, formigas, vespas e cupins variam no grau em que atingiram o status de superorganismos. O interesse próprio raramente é reduzido ao zero absoluto, especialmente em abelhas e vespas, que retém a capacidade de procriar sob determinadas circunstâncias. Veja Hölldobler e Wilson, 2009.

15. Agradeço a Steven Pinker por apontar isso em uma crítica de uma versão inicial deste capítulo. Pinker observou que a guerra nas sociedades pré-estatais não se parece com a nossa imagem moderna de homens marchando para morrer por uma causa. Há muita postura, muito comportamento glauconiano acontecendo enquanto os guerreiros se esforçam para aprimorar suas reputações. O terrorismo suicida ocorre apenas raramente na história humana; veja Pape, 2005, que observa que esses incidentes ocorrem quase de forma exclusiva em situações em que um grupo está defendendo sua terra natal de invasores alienígenas no aspecto cultural. Veja também Atran, 2010, sobre o papel dos valores sagrados no terrorismo suicida.

16. *Descent of Man*, Capítulo 5, p. 135.

17. Veja, em particular, Miller, 2007, sobre como a seleção sexual contribuiu para a evolução da moralidade. As pessoas fazem todo o possível para propagandear suas virtudes a companheiros em potencial.

18. *Descent of Man*, Parte I, Capítulo 5, p. 137. Veja Richerson e Boyd, 2004, que defendem que Darwin basicamente acertou.

19. Wynne-Edwards, 1962.

Notas

20. Williams, 1966, p. 4.

21. Williams (ibid., pp. 8–9) definiu uma adaptação como um mecanismo biológico que produz pelo menos um efeito que pode ser chamado adequadamente de objetivo.

22. Williams escreveu sobre "rebanho ligeiro de cervos", mas eu substituí a palavra ligeiro por veloz.

23. Williams, 1966, pp. 92–93.

24. Ibid., p. 93.

25. Walster, Walster e Berscheid, 1978, p. 6.

26. Concordo que os genes são sempre "egoístas", e ambos os lados desse debate concordam que genes egoístas podem gerar pessoas generosas estrategicamente. O debate está encerrado em relação à possibilidade de a natureza humana incluir *quaisquer* mecanismos mentais que façam as pessoas colocarem o bem do grupo à frente de seus próprios interesses, e, em caso positivo, se esses mecanismos podem ser considerados adaptações em nível de grupo.

27. Isso acabou se revelando falso. Em uma pesquisa com 32 sociedades de caçadores-coletores, Hill et al., 2011 constataram que, para qualquer indivíduo-alvo, apenas 10% dos colegas de grupo eram parentes próximos. A maioria não tinha relação sanguínea. O coeficiente de Hamilton de relação genética entre os Ache foi de apenas 0,054. Esse é um problema para as teorias que tentam explicar a cooperação humana a partir da seleção de parentesco.

28. Williams, 1988, p. 438.

29. Dawkins, 1976, p. 3. Em sua introdução à edição do trigésimo aniversário, Dawkins lamenta sua escolha de palavras, porque genes egoístas podem e de fato cooperam entre si, e podem e criam veículos como pessoas que podem cooperar entre si. Mas suas visões atuais ainda parecem incompatíveis com o tipo de espírito de grupo e espírito de equipe, que descrevo neste capítulo e no próximo.

30. Os primatólogos há muito relatam atos que parecem altruístas durante suas observações de interações irrestritas em várias espécies de primatas, mas até recentemente ninguém era capaz de mostrar altruísmo em chimpanzés em um laboratório controlado. Agora existe um estudo (Horner et al., 2011) mostrando que os chimpanzés escolherão a opção que trará maior benefício a um parceiro, sem nenhum custo para si. Os chimpanzés sabem que podem produzir um benefício e optam por fazê-lo. Mas, como essa escolha não impõe nenhum custo ao que escolhe, falha em atender a muitas definições de altruísmo. Acredito nos relatos sobre o altruísmo do chimpanzé, mas mantenho minha afirmação de que os humanos são as "girafas" do altruísmo. Mesmo que os chimpanzés e outros primatas sejam capazes de praticá-lo um pouco, nós praticamos muito mais.

31. Eu não gostei de George W. Bush em nenhum momento durante sua presidência, mas acreditei que sua resposta vigorosa aos ataques, incluindo a invasão dos EUA no Afeganistão, foi a certa. É claro que os líderes podem explorar facilmente o reflexo de proteger a pátria para seus próprios fins, como muitos

acreditam que aconteceu com a subsequente invasão do Iraque. Veja Clarke, 2004.

32. O reflexo não requer uma pátria; refere-se ao reflexo de se unir e demonstrar sinais de solidariedade de grupo em resposta a uma ameça externa. Para revisões de literatura sobre esse efeito, veja Dion, 1979; Kesebir, a ser publicado.

33. Os principais porta-vozes dessa visão são David Sloan Wilson, Elliot Sober, Edward O. Wilson e Michael Wade. Para análises técnicas, veja Sober e D. S. Wilson, 1998; D. S. Wilson e E. O. Wilson, 2007. Para uma introdução acessível, veja D. S. Wilson e E. O. Wilson, 2008.

34. Racismo, genocídio e atentados suicidas são manifestações de grupo. Não são coisas que as pessoas fazem para superar seus pares locais; são coisas que fazem para ajudar seus grupos a superar outros grupos. Para evidências de que as taxas de violência são muito mais baixas nas sociedades civilizadas do que entre os caçadores-coletores, veja Pinker, 2011. Pinker explica como Estados cada vez mais fortes e a expansão do capitalismo levaram a níveis cada vez menores de violência, mesmo quando incluímos as guerras e genocídios do século XX. (A tendência não é perfeitamente linear — nações individuais podem experimentar algumas regressões. Mas a tendência geral de violência é cada vez menor.)

35. Margulis, 1970. Nas células vegetais, os cloroplastos também têm seu próprio DNA.

36. Maynard Smith e Szathmary, 1997; Bourke, 2011.

37. Há uma falha importante na minha analogia da "regata": os novos veículos, na verdade, não "vencem" a regata. Os procariontes ainda são bem-sucedidos; eles ainda representam a maior parte da vida na Terra em peso e número. Mas, ainda assim, novos veículos parecem surgir do nada e reivindicar uma parcela substancial da bioenergia disponível na Terra.

38. Maynard Smith e Szathmáry atribuem a transição humana à linguagem e sugerem que a transição ocorreu cerca de 40 mil anos atrás. Bourke, 2011, oferece uma discussão atualizada. Ele identifica seis grandes *tipos* de transições, e observa que vários deles ocorreram dezenas de vezes independentemente, por exemplo, a transição para a eussocialidade.

39. Hölldobler e Wilson, 2009. Muitos teóricos preferem outros termos que não *superorganismo*. Bourke, 2011, por exemplo, os chama simplesmente de "indivíduos".

40. Okasha, 2006 chama isso de MLS-2. Chamarei de *seleção entre grupos estáveis*, em contraste com o MLS-1, que chamarei de *seleção entre grupos instáveis*. Essa distinção sutil é crucial nas discussões entre especialistas que debatem se a seleção de grupos realmente ocorreu. É muito intrincada para explicar no texto principal, mas a ideia geral é a seguinte: para seleção entre grupos estáveis, focamos o grupo como uma entidade e acompanhamos sua aptidão à medida que compete com outros grupos. Para que esse tipo de seleção seja importante, os grupos devem manter limites fortes com um alto grau de relação genética dentro de cada grupo ao longo de muitas gerações. Grupos de caçadores-coletores como os conhecemos hoje não fazem isso; os indivíduos vão e vêm, pelo casamento ou por outros motivos. (Embora,

como aponto abaixo, os modos dos atuais caçadores-coletores não possam ser considerados como os que nossos ancestrais viveram 100 mil anos atrás, ou mesmo 30 mil anos atrás.) Por outro lado, para que a seleção entre grupos instáveis afete as frequências gênicas, basta que o ambiente social seja composto de vários tipos de grupos que competem entre si, talvez apenas por alguns dias ou meses. Não nos concentramos na adequação dos grupos, mas na adequação dos indivíduos que têm, ou não têm, adaptações relacionadas ao grupo. Indivíduos cujas mentes contêm adaptações efetivas relacionadas ao grupo acabam jogando com mais frequência no time vencedor — pelo menos se a estrutura da população for um tanto irregular ou desigual, de tal forma que os indivíduos do grupo tenham uma probabilidade maior do que o acaso de estarem no mesmo time. Alguns críticos dizem que essa não é uma seleção de grupo "real" ou que acaba sendo a mesma coisa que a seleção em nível individual, mas Okasha discorda. Ele ressalta que a seleção entre grupos instáveis acontece no início do processo de uma grande transição, e leva a adaptações que aumentam a coesão e suprimem o parasitismo social, o que abre o caminho para a seleção entre grupos estáveis para operar nas fases posteriores do processo de uma grande transição. Alguns argumentaram que os seres humanos estão "paralisados" no meio do grande processo de transição (Stearns, 2007). Eu acho que é outra maneira de dizer que somos 90% chimpanzés e 10% abelhas. Para uma explicação completa do MLS-1 e MLS-2, veja Okasha, 2006, Capítulos 2 e 6.

41. Não pretendo sugerir que haja uma progressão geral ou inevitável da vida em direção a uma complexidade e cooperação cada vez maiores. A seleção multinível significa que sempre há forças antagônicas de seleção operando em diferentes níveis. Às vezes, as espécies revertem de superorganismos para formas mais solitárias. Mas um mundo com abelhas, formigas, vespas, cupins e humanos possui muito mais toneladas de indivíduos cooperativos do que o mundo de 200 milhões de anos atrás.

42. Bourke, 2011; Hölldobler e Wilson, 2009.

43. Hölldobler e Wilson 2009; E. O. Wilson, 1990. Observo que os novos superorganismos não atingem o domínio imediatamente após o problema do parasitismo social ser abordado. Os superorganismos passam por um período de refinamento até começarem a tirar o máximo proveito de sua nova cooperação, que é aprimorada pela seleção em nível de grupo à medida que competem com outros superorganismos. Os himenópteros eussociais surgiram pela primeira vez há mais de 100 milhões de anos, mas não alcançaram um estado de dominação mundial até mais de 50 milhões de anos atrás. O mesmo talvez aconteça com os humanos, que provavelmente desenvolveram mentes totalmente "grupistas" no final do Pleistoceno, mas não alcançaram o domínio mundial até o final do Holoceno.

44. Richerson e Boyd, 1998.

45. O termo *eussocialidade* surgiu do trabalho com insetos e é definido de uma maneira que não pode ser aplicada aos seres humanos — isto é, exige que os membros dividam a reprodução para que quase todos os membros do grupo sejam efetivamente estéreis. Eu, portanto, uso o termo mais geral *ultrassocial,* que abrange o comportamento dos insetos eussociais e dos seres humanos.

46. Hölldobler e Wilson, 2009, p. 30; grifo meu. O texto que substitui pelo texto entre colchetes era "clados em cujas espécies existentes".

47. Wilson e Hölldobler, 2005, p. 13370.

48. Os seres humanos estão tão intimamente relacionados com o bonobo mais pacífico quanto com o chimpanzé mais violento. Mas sigo Boehm (2012) e Wrangham (2001; Wrangham e Pilbeam, 2001) ao assumir que o último ancestral comum das três espécies era mais semelhante ao chimpanzé, e que as características que os seres humanos compartilham com os bonobos, como maior cuidado e disposição para brincadeira nos adultos são o resultado de uma evolução convergente — ambas as espécies mudaram em uma direção semelhante muito tempo depois da divisão com o ancestral comum. Ambos mudaram para se tornarem mais infantis quando adultos. Veja Wobber, Wrangham e Hare, 2010.

49. Não estou dizendo que cérebros ou genes humanos mudaram radicalmente neste momento. Sigo Richerson e Boyd, 2005, e Tooby e Cosmides, 1992, assumindo que a maioria dos genes que possibilitaram a vida nas cidades--Estado foi modelada durante centenas de milhares de anos de vida de caçadores-coletores. Mas, como direi mais adiante, acho provável que houvesse *alguma* evolução genética adicional durante o Holoceno.

50. Não somos literalmente a maioria do peso de mamíferos do mundo, mas isso apenas porque criamos muitas vacas, porcos, ovelhas e cães. Se você nos incluir junto com nossos servos domesticados, nossas civilizações agora representam 98% de toda a vida dos mamíferos, em peso, de acordo com uma declaração de Donald Johanson, feita em uma conferência sobre "Origens" na Arizona State University, em abril de 2009.

51. Os críticos da seleção de grupo acrescentam o critério de que os grupos devem se reproduzir, incluindo "gemulação" para formar vários novos grupos que se assemelham ao grupo original. Isso é verdade para a MLS-2 (seleção entre grupos estáveis), mas não é necessário para a MLS-1 (seleção entre grupos instáveis); veja Okasha, 2006, e veja a nota 40 anterior.

52. Tomasello deu três grandes palestras na UVA em outubro de 2010. Seu argumento básico, incluindo uma citação como essa, pode ser encontrado em Tomasello et al., 2005. Os chimpanzés podem recrutar um colaborador para ajudá-lo a conseguir comida em uma tarefa que exige dois chimpanzés para conseguir o alimento (Melis, Hare e Tomasello, 2006), mas eles não parecem compartilhar intenções ou realmente se coordenar com esse colaborador.

53. Herrmann et al., 2007. As descrições completas das tarefas, incluindo vídeos, podem ser baixadas em http://www.sciencemag.org/content/317/5843/1360/suppl/DC1 [conteúdo em inglês], mas observe que os vídeos sempre mostram chimpanzés resolvendo a tarefa, mesmo que raramente o fizessem nas tarefas sociais. Observe também que o experimento incluiu um terceiro grupo — orangotangos, que se saíram pior do que os chimpanzés em ambos os tipos de tarefas.

54. Tomasello et al., 2005. Tomasello cita trabalhos anteriores do pesquisador de autismo Simon Baron-Cohen (1995), que descreveu um "mecanismo de

Notas   375

atenção compartilhada" que se desenvolve em crianças normais, mas não em crianças com autismo, o que as deixa com "cegueira mental".

55. Boesch, 1994.

56. Tomasello et al., a ser publicado. É claro que os chimpanzés formam coalizões políticas — dois machos se unirão para se opor ao atual macho alfa, conforme documentado por de Waal, 1982. Mas a *coordenação* aqui é fraca, na melhor das hipóteses.

57. De Waal, 1996, argumenta que as comunidades de chimpanzés desenvolvem normas e administram punições aos infratores. No entanto, exemplos de tais normas entre os chimpanzés são raros, e certamente os chimpanzés não constroem redes de normas cada vez mais elaboradas ao longo do tempo. Assim como acontece com muitos outros fatores sobre chimpanzés, como suas habilidades culturais, eles parecem ter muitos dos "elementos básicos" da moralidade humana, mas não parecem reuni-los para construir sistemas morais.

58. Um tópico importante de debate nos círculos evolucionários é o porquê de um indivíduo pagar os custos de punir outro, o que pode incluir uma reação violenta do indivíduo que está sendo punido. Mas se a punição for de custo muito baixo — por exemplo, fofocar ou simplesmente não escolher o transgressor para empreendimentos conjuntos (Baumard, André e Sperber, não publicado) —, então o custo se torna muito pequeno e os modelos de computador mostram várias maneiras pelas quais uma tendência a punir poderia emergir; veja anchanathan e Boyd, 2004. À medida que o custo do parasitismo social aumenta e ele se torna cada vez mais raro, a seleção em nível de grupo em muitas outras características se torna cada vez mais poderosa, em comparação com a seleção em nível individual.

59. Para saber mais sobre a cultura cumulativa e a coevolução gene-cultura, consulte a obra-prima de Richerson e Boyd, *Not by Genes Alone*. Sou muito grato a eles por muitas das ideias neste capítulo.

60. É provável que essas criaturas tenham criado algumas ferramentas. Até os chimpanzés as fazem. Mas não há muita evidência do uso de ferramentas no registro fóssil até o final deste período, próximo ao surgimento do gênero *Homo*.

61. Lepre et al., 2011.

62. Richerson e Boyd, 2005, defendem esse ponto. Os artefatos culturais quase nunca mostram essa estabilidade no tempo e no espaço. Pense, por exemplo, em espadas e bules, que enchem expositores de museus porque as culturas são tão inventivas no modo como criam objetos que cumprem as mesmas funções básicas.

63. Meus relatos sobre os *Homo heidelbergensis* foram extraídos de Potts e Sloan, 2010, e de Richerson e Boyd, 2005, Capítulo 4.

64. Meus cálculos são especulativos; é sempre perigoso adivinhar quando um evento específico ocorreu ou uma habilidade específica surgiu. Tomasello, que é mais cauteloso do que eu, nunca identificou um tempo ou uma espécie em que a intencionalidade compartilhada surgiu pela primeira vez. Mas quando perguntei se o *Homo heidelbergensis* era o melhor candidato, ele disse que sim.

65. Há duas grandes diferenças: (1) as inovações culturais se espalham lateralmente, à medida que as pessoas veem e copiam uma inovação, as inovações genéticas só podem se espalhar verticalmente, de pai para filho; e (2) inovações culturais podem ser impulsionadas por designers inteligentes — pessoas que estão tentando resolver um problema —, a inovação genética acontece apenas por mutação aleatória. Veja Richerson e Boyd, 2005. Dawkins, 1976 popularizou pela primeira vez a noção de evolução cultural sendo semelhante à evolução genética com sua noção de "memes", mas Richerson e Boyd desenvolveram as implicações coevolutivas mais plenamente.

66. Tishkoff et al., 2007. Curiosamente, é um gene diferente nas populações africanas e nos europeus. O genoma é tão flexível e adaptável que muitas vezes encontra várias maneiras de responder a uma única pressão adaptativa.

67. Alguém poderia argumentar que as sociedades industriais modernas são cosmopolitas e não tribais. Mas nossa tendência a formar grupos dentro de tais sociedades tem sido associada à natureza social básica do tribalismo; veja Dunbar, 1996. No outro extremo, caçadores-coletores não são apenas pequenos grupos de parentes próximos, como muitas pessoas supõem. As pessoas entram e saem de grupos corresidentes para o casamento e por outras razões. Os bandos mantêm laços estreitos de comércio e troca com outros bandos que não se baseiam diretamente no parentesco, embora possam ser facilitados pelo fato de os filhos de um bando se casarem com muita frequência em outros bandos, juntando-se aos vizinhos, mantendo os laços com os pais e irmãos. As trocas conjugais unem os *grupos*, muito além das famílias individuais envolvidas no casamento. Veja Hill et al., 2011.

68. Pós e pigmentos coloridos foram encontrados em acampamentos humanos que datam de 160 mil anos atrás, e acredita-se que foram usados para fins simbólicos e cerimoniais; veja Marean et al., 2007.

69. Kinzler, Dupoux e Spelke, 2007; veja Kesebir, a ser publicado, para uma revisão.

70. Richerson e Boyd, 2005, p. 214. Veja também Fessler, 2007 sobre como a vergonha evoluiu de uma emoção de submissão à autoridade para uma emoção de conformidade com as normas.

71. Hare, Wobber e Wrangham, não publicados; Wrangham, 2001. A autodomesticação é uma forma do processo mais geral conhecido como seleção social, na qual a seleção resulta das escolhas feitas pelos membros da própria espécie.

72. Hare, Wobber e Wrangham, não publicado.

73. Ao dizer que nossa natureza primata mais antiga é mais egoísta, não pretendo contradizer o trabalho de Frans de Waal mostrando a presença de empatia e outros elementos básicos do senso moral humano nos chimpanzés e bonobos. Quero dizer apenas que esses componentes são facilmente explicados como mecanismos que ajudaram as pessoas a prosperar dentro de grupos. Não acho que a seleção de grupo seja necessária para explicar a natureza dos chimpanzés, mas acho que é necessária para explicar a natureza humana. De Waal (2006) critica os "teóricos do verniz" que acham que a moralidade é um fino verniz que cobre nossa verdadeira natureza, que é egoísta. Eu não

Notas

sou um teórico do verniz nesse sentido. No entanto, sou um teórico do verniz ao sugerir que nós, humanos, temos algumas adaptações recentes, moldadas pela seleção em nível de grupo, que evoluíram de nossa natureza primata mais antiga, mas que nos tornam muito diferentes dos outros primatas.

74. Veja Bourke, 2011, pp. 3–4.

75. Além de duas espécies de ratos-toupeira africanos, que são os únicos mamíferos que se qualificam como eussociais. Os ratos-toupeira alcançam sua eussocialidade da mesma maneira que as abelhas e formigas — suprimindo a reprodução em todos, exceto em um único casal reprodutor, de modo que todos os membros da colônia sejam parentes muito próximos. Além disso, como cavam túneis subterrâneos extensos, eles têm um ninho defensável compartilhado.

76. Alguns *Homo sapiens* haviam deixado a África há 70 mil anos e viviam em Israel e nos arredores. Durante esse período, parece ter havido alguns cruzamentos com os neandertais (Green et al., 2010). Alguns seres humanos podem ter deixado a África entre 70 mil e 60 mil anos atrás e viajado pelo Iêmen e sul da Ásia para se tornar os ancestrais das pessoas na Nova Guiné e na Austrália. Mas o grupo que deixou a África e Israel cerca de 50 mil anos atrás é o grupo que se acredita ter povoado a Eurásia e as Américas. Por isso, uso 50 mil anos atrás como a data da grande dispersão, mesmo que alguns indivíduos já tivessem saído nos 20 mil anos anteriores. Veja Potts e Sloan, 2010.

77. Gould em uma entrevista em *Leader to Leader Journal 15* (inverno de 2000). Disponível em http://www.pfdf.org/knowledgecenter/journal.aspx?ArticleID=64 [conteúdo em inglês]. Grifo meu.

78. Isso é conhecido como lamarckismo. Darwin também acreditava nisso, erroneamente. O lamarckismo foi útil a uma ditadura empenhada em produzir uma nova raça humana, o homem soviético. Trofim Lysenko foi o biólogo preferido, em vez de Mendel.

79. Trut, 1999.

80. Muir, 1996.

81. Veja Hawks et al., 2007; Williamson et al., 2007. A breve explicação é que você examina o grau em que cada gene tende a puxar o DNA vizinho junto com ele, à medida que passa pelo embaralhamento cromossômico da meiose. Se é apenas uma deriva aleatória, os nucleotídeos vizinhos não são arrastados.

82. Richerson e Boyd, 2005, observam que, quando os ambientes mudam rapidamente, por exemplo a cada milênio, os genes não respondem; toda a adaptação é feita pela inovação cultural. Mas eles formularam sua teoria quando todos achavam que a evolução genética exigia dezenas ou centenas de milhares de anos. Agora que sabemos que os genes podem responder dentro de um único milênio, acho que minha afirmação aqui é precisa.

83. Yi et al., 2010.

84. Pickrell et al. 2009.

85. Veja, por exemplo, Clark, 2007.

86. Alguns leitores podem temer, como talvez Gould, que se a evolução genética continuasse durante os últimos 50 mil anos, então poderia haver diferenças genéticas entre as raças. Eu acho que essas preocupações são válidas, mas exageradas. Houve poucas pressões de seleção que foram aplicadas a todos os europeus, todos os africanos ou todos os asiáticos. As raças em todo o continente não são as unidades relevantes de análise para a evolução da moralidade. Em vez disso, havia muitas pressões de seleção enfrentadas por cada grupo que se mudaram para um novo nicho ecológico, ou que adotaram uma nova maneira de ganhar a vida, ou que desenvolveram uma maneira específica de regular os casamentos. Além disso, quando a coevolução gene-cultura favorecia certas características, elas eram geralmente adaptações a algum desafio ou outro, de modo que as diferenças entre os grupos não implicam defeitos. E, finalmente, mesmo se houver diferenças étnicas no comportamento moral relacionadas a diferenças genéticas, a contribuição genética para essas diferenças comportamentais provavelmente seria pequena se comparada aos efeitos da cultura. Qualquer um poderia ter inventado uma história em 1945 para explicar como os alemães evoluíram para serem tão aptos à conquista militarista, enquanto os judeus asquenazes evoluíram para ser mansos e pacifistas. Mas 50 anos depois, comparando Israel à Alemanha, eles teriam que explicar o padrão de comportamento oposto. (Agradeço a Steven Pinker por esse exemplo.)

87. Potts e Sloan, 2010. Veja também Richerson e Boyd, 2005, para uma teoria sobre como um período anterior de instabilidade climática pode ter impulsionado o primeiro salto na transformação da humanidade em criaturas culturais, cerca de 500 mil anos atrás.

88. Ambrose, 1998. Quer essa erupção vulcânica específica tenha ou não alterado o curso da evolução humana, estou tentando enfatizar que a evolução não é um processo suave e gradual, como se supõe na maioria das simulações de computador. Provavelmente houve muitos eventos de "cisne negro", os eventos altamente improváveis descritos por Taleb (2007) que interrompem nossos esforços para modelar processos com apenas algumas variáveis e algumas suposições baseadas em condições "normais".

89. Potts e Sloan, 2010.

90. A última parte desse período é quando o registro arqueológico começa a mostrar sinais claros de objetos decorados, miçangas, atividades simbólicas e quase religiosas e comportamento tribal em geral. Veja Henshilwood et al., 2004, sobre as descobertas da caverna Blombos na África do Sul, cerca de 75 mil anos atrás. Veja também Kelly, 1995; Tomasello et al., a ser publicado; Wade, 2009. Algo realmente interessante acontecia na África entre 70 mil e 80 mil anos atrás.

91. Para uma tentativa de explicar o grupo humano sem invocar a seleção de grupo, veja Tooby e Cosmides, 2010. Veja também Henrich e Henrich 2007; eles permitem a seleção cultural de grupo, mas sem efeitos genéticos. Acho que essas abordagens podem explicar grande parte de nosso senso de grupo, mas não acho que possam explicar coisas como o interruptor de colmeias, descrito no próximo capítulo.

Notas

92. Essas questões são todas complicadas, e, como psicólogo social, não sou especialista em nenhuma das quatro áreas que revi. Portanto, pode ser mais preciso descrever minha apresentação não como uma defesa em um julgamento legal, mas como um sumário de apelação para o tribunal superior da ciência, explicando por que acho que o caso deve ser reaberto e tentado novamente pelos especialistas, à luz das novas evidências.

93. Os números 90% e 10% não devem ser considerados literalmente. Estou apenas tentando dizer que a maior parte da natureza humana foi forjada pelos mesmos tipos de processos em nível individual que forjaram a natureza dos chimpanzés, enquanto uma porção substancialmente menor da natureza humana foi forjada pela seleção em nível de grupo, que é um processo mais comumente associado a abelhas, formigas e outras criaturas eussociais. É claro que a psicologia das abelhas não tem nada em comum com a psicologia humana — elas alcançam sua cooperação extraordinária sem nada como a moralidade ou as emoções morais. Estou apenas usando abelhas como ilustração de como a seleção em nível de grupo cria jogadores de equipe.

10. O Interruptor da Colmeia

1. McNeill, 1995, p. 2.

2. J. G. Gray, 1970/1959, pp. 44–47. As citações são do próprio Gray, falando como veterano em várias páginas. As citações foram reunidas dessa maneira por McNeill, 1995, p. 10.

3. Veja o Capítulo 4. Repito que o próprio Glauco não era glauconiano; ele era irmão de Platão, e em *A República* ele quer que Sócrates tenha sucesso. Mas formulou o argumento com tanta clareza — que as pessoas livres de todas as consequências da reputação tendem a se comportar de maneira abominável — que eu o uso como porta-voz dessa visão, que acredito estar correta.

4. G. C. Williams, 1966, pp. 92–93; veja a discussão de Williams no Capítulo 9.

5. Desenvolvi esse argumento pela primeira vez em Haidt, Seder e Kesebir, 2008, em que explorei as implicações da psicologia da colmeia para a psicologia positiva e a política pública.

6. Meu uso da palavra *devemos* nesta frase é puramente pragmático, não normativo. Estou dizendo que, se você deseja alcançar X, deve saber esses aspectos da colmeia ao fazer seu plano para alcançá-lo. Não estou tentando dizer às pessoas o que é o X.

7. Essa ideia foi desenvolvida anteriormente por Freeman, 1995, e por McNeill, 1995.

8. O acrônimo e o conceito vêm de Henrich, Heine e Norenzayan, 2010.

9. Ehrenreich, 2006, p. 14.

10. Durkheim, 1992/1887, p. 220.

11. Como descrito no Capítulo 9; sobre "seleção social", veja Boehm, 2012.

12. Durkheim, 1992/1887, pp. 219–20; grifo meu.

13. Durkheim, 1995/1915, p. 217.

14. Durkheim, 1995/1915, p. 424.

15. Emerson, 1960/1838, p. 24.

16. Da autobiografia de Darwin, citada em Wright, 1994, p. 364.

17. Keltner e Haidt, 2003.

18. Para uma revisão cautelosa e frequentemente crítica das alegações absurdas às vezes feitas sobre o uso de cogumelos ao longo da história humana, veja Lechter, 2007. Lechter diz que as evidências para o uso de cogumelos entre os astecas são extremamente fortes.

19. Veja a extensa biblioteca de experiências com drogas em www.Erowid.org [conteúdo em inglês]. Para cada um dos alucinógenos, existem muitos relatos de experiências místicas e muitas de viagens ruins ou terríveis.

20. Para um exemplo e análise de ritos de iniciação, veja Herdt, 1981.

21. Grob e de Rios, 1994.

22. Veja em particular o Apêndice B em Maslow, 1964. Maslow lista 25 características, incluindo: "O universo inteiro é percebido como um todo integrado e unificado"; "O mundo... é visto apenas como bonito"; "Aqueles que têm experiências de pico se tornam mais amorosos e mais receptivos".

23. Pahnke, 1966.

24. Doblin, 1991. Apenas um dos sujeitos do grupo de controle disse que o experimento resultou em crescimento benéfico, e que, ironicamente, o experimento o convenceu a experimentar drogas psicodélicas o mais rápido possível. O estudo de Doblin acrescenta uma nota importante que não foi relatada no estudo original de Pahnke: a maioria dos indivíduos que usou psilocibina experimentou algum medo e negatividade durante a experiência, embora todos dissessem que a experiência no geral foi altamente positiva.

25. Hsieh, 2010, p. 79; grifo meu.

26. Existem outros dois candidatos que não abordarei porque há muito menos pesquisas sobre eles. V. S. Ramachandran identificou um ponto no lobo temporal esquerdo que, quando estimulado eletricamente, às vezes proporciona às pessoas experiências religiosas; veja Ramachandran e Blakeslee, 1998. E Newberg, D'Aquili e Rause, 2001, estudaram o cérebro de pessoas que alcançam estados alterados de consciência por meio da meditação. Os pesquisadores descobriram uma redução na atividade em duas áreas do córtex parietal que o cérebro usa para manter um mapa mental do corpo no espaço. Quando essas áreas são mais silenciosas, a pessoa experimenta uma agradável perda do senso do eu.

27. Meu objetivo não é apresentar um relato completo da neurobiologia do interruptor de colmeia. É simplesmente salientar que há uma grande convergência entre minha descrição funcional do interruptor de colmeia e duas das áreas mais interessantes da neurociência social — ocitocina e neurônios-espelho. Espero que os especialistas em neurociência investiguem mais de perto como o cérebro e o corpo respondem ao tipo de atividades de grupo e síncronas que descrevo. Para mais informações sobre a neurobiologia do ritual e da sincronia, veja Thomson, 2011.

Notas

28. Carter, 1998.

29. Kosfeld et al., 2005.

30. Zak, 2011, descreve a biologia do sistema com alguns detalhes. É importante notar que a ocitocina causa conexão de grupo e altruísmo, em parte ao trabalhar com dois neurotransmissores adicionais: a dopamina, que motiva a ação e a torna recompensadora, e a serotonina, que reduz a ansiedade e torna as pessoas mais sociáveis — efeitos comuns de medicamentos semelhantes ao Prozac que aumentam os níveis de serotonina.

31. Morhenn et al., 2008, embora a massagem nas costas neste estudo só tenha aumentado os níveis de ocitocina quando foi combinada com um sinal de confiança. O toque físico tem uma variedade de efeitos de conexão; veja Keltner, 2009.

32. *Paroquial* significa local ou restrito, como se estivesse dentro das fronteiras de uma paróquia da igreja. O conceito de altruísmo paroquial foi desenvolvido por Sam Bowles e outros, por exemplo, Choi e Bowles, 2007.

33. De Dreu et al., 2010.

34. De Dreu et al., 2011; a citação é da p. 1264.

35. O relato inicial deste trabalho foi Iacoboni et al., 1999. Para uma visão geral recente, veja Iacoboni, 2008.

36. Tomasello et al., 2005; veja o Capítulo 9.

37. Iacoboni, 2008, p. 119.

38. T. Singer et al., 2006. O jogo era um dilema do prisioneiro repetido.

39. As descobertas foram que os homens mostraram uma grande queda na empatia e, em média, mostraram ativação nos circuitos neurais associados à recompensa. Eles gostaram de ver o jogador egoísta receber choques. As mulheres mostraram apenas uma pequena queda na resposta empática. Essa queda não foi estatisticamente significativa, mas acho que é muito provável que as mulheres consigam reduzir seu nível de empatia sob *algumas* circunstâncias. Com um tamanho de amostra maior ou uma ofensa mais séria, eu aposto que as mulheres também mostrariam uma queda estatisticamente significativa na empatia.

40. É claro que, neste caso, o jogador "mal" trapaceou o sujeito diretamente, então alguns sujeitos sentiram raiva. O teste principal, que ainda não foi realizado, será verificar se a resposta empática recai sobre um jogador "mal" que o sujeito apenas observou trapaceando outra pessoa, não a ele próprio. Prevejo que a empatia cairá lá também.

41. Kyd, 1794, p. 13; grifo meu.

42. Burns, 1978.

43. Kaiser, Hogan e Craig, 2008.

44. Burns, 1978.

45. Kaiser, Hogan e Craig, 2008; Van Vugt, Hogan e Kaiser, 2008.

46. O número 150 às vezes é chamado de "número de Dunbar", depois que Robin Dunbar observou que esse parece ser o limite superior do tamanho de

um grupo no qual todos podem se conhecer e conhecer as relações entre os outros; veja Dunbar, 1996.

47. Sherif et al., 1961/1954, conforme descrito no Capítulo 7.

48. Baumeister, Chesner, Senders e Tice, 1989; Hamblin, 1958.

49. Veja o trabalho sobre identidade comum intragrupo (Gaertner e Dovidio, 2000; Motyl et al., 2011) para uma demonstração de que o aumento da percepção de similaridade reduz o preconceito implícito e explícito. Veja Haidt, Rosenberg e Hom, 2003, sobre o problema da diversidade global.

50. Veja Batson, 1998, para uma revisão das maneiras pelas quais a similaridade aumenta o altruísmo.

51. Veja Kurzban, Tooby e Cosmides, 2001, para um experimento que mostra que podemos "apagar a raça" — ou seja, pode fazer com que as pessoas deixem de notar e se lembrar da raça de outras pessoas quando ela não é uma sugestão útil para "filiação coletiva".

52. Wiltermuth e Heath, 2008; Valdesolo, Ouyang e DeSteno, 2010. Veja também Cohen et al., 2009 para uma demonstração de que a remada sincronizada aumenta a tolerância à dor (em comparação apenas com o remar sozinho com o mesmo vigor) porque aumenta a liberação de endorfina.

53. Brewer e Campbell, 1976.

54. Falo mais em www.RighteousMind.com, e em www.EthicalSystems.org.

55. Kaiser, Hogan e Craig, 2008, p. 104; grifo nosso.

56. Mussolini, 1932. A frase removida da penúltima linha é "pela própria morte". Mussolini pode não ter escrito essas linhas; o ensaio foi escrito na maior parte ou inteiramente pelo filósofo Giovanni Gentile, mas foi publicado com o nome de Mussolini como autor.

57. Veja em especial V. Turner, 1969.

58. Compare os efeitos de comícios fascistas, em que as pessoas ficam impressionadas com demonstrações de sincronia militar e se dedicam ao líder, aos efeitos que McNeill relatou de marchar com um pequeno grupo de homens em formação. O treinamento básico une soldados entre si, não com o seu sargento.

59. Se você acha que essa afirmação se aproxima de um julgamento de valor, você está certo. Esse é um exemplo do utilitarismo durkheimiano, a teoria normativa que desenvolverei no próximo capítulo. Acredito que a colmeia contribui para o bem-estar e a decência de uma sociedade democrática moderna, que não corre o risco de vincular demais os indivíduos; veja Haidt, Seder e Kesebir, 2008. Para um suporte empírico recente, veja Putnam e Campbell, 2010.

60. Veja as anotações de James Madison para 6 de junho em *The Records of the Federal Convention of 1787*: "O único remédio [para o risco de opressão da maioria] é ampliar a esfera e, assim, dividir a comunidade em tantos interesses e partes que, em primeiro lugar, a maioria não será propensa, ao mesmo tempo, em ter um interesse comum separado daquele do todo ou da minoria; e em segundo lugar, que caso eles tenham tal interesse, possam não estar tão aptos a se unir em sua busca." Os pais fundadores falavam sobre

Notas

facções políticas que raramente chegam à coesão das colmeias. No entanto, eles imaginaram uma nação cuja força vinha do compromisso das pessoas com grupos e instituições locais, em consonância com a análise do capital social de Putnam (2000).

61. Putnam, 2000, p. 209.

11. Religião É um Esporte Coletivo

1. McNeill, 1995, veja o Capítulo 10. A ligação com a agressão é mais óbvia em algumas outras universidades em que o movimento usado durante os hinos é o mover das machadinhas (por exemplo, a Universidade do Estado da Flórida) ou o estalar das mandíbulas de um jacaré (Universidade da Flórida) em direção aos fãs da equipe adversária, do outro lado do estádio.

2. Desenvolvi essa analogia e muitas das ideias deste capítulo com Jesse Graham em Graham e Haidt, 2010.

3. Durkheim, 1965/1915, p. 62.

4. Ou, para alguns da extrema esquerda, a culpa foi atribuída aos próprios EUA. Veja, por exemplo, a afirmação de Ward Churchill em 2003 de que as pessoas nas Torres Gêmeas mereciam morrer. Observo que há uma longa história de hostilidade de esquerda à religião, que remonta a Marx e aos *filósofos* franceses no século XVIII. Acredito que a atual defesa de esquerda do islã nas nações ocidentais não é de modo algum uma defesa da religião; é o resultado da crescente tendência da esquerda de ver os muçulmanos como vítimas da opressão na Europa e na Palestina. Também observo que nos dias após os ataques de 11 de Setembro, o presidente Bush se colocou firmemente ao lado daqueles que disseram que o islã é uma religião de paz.

5. O budismo geralmente é poupado da crítica e, às vezes, até adotado — por exemplo, por Sam Harris —, talvez porque possa ser facilmente secularizado e tomado como um sistema filosófico e ético, apoiado com firmeza no alicerce Cuidado/dano. Dalai Lama faz exatamente isso em seu livro de 1999 *Uma Ética para o Novo Milênio*.

6. Harris, 2004, p. 65.

7. Ibid., p. 12. Harris eleva a crença como a quintessência da humanidade: "A própria humanidade de qualquer cérebro consiste amplamente em sua capacidade de avaliar novas declarações de verdade proposicional à luz de inúmeras outras que ele já aceita" (ibid., p. 51). Essa é uma boa definição para um racionalista, mas, como intuicionista social, acho que a humanidade de qualquer cérebro consiste em sua capacidade de compartilhar intenções e entrar em alucinações consensuais (isto é, matrizes morais) que criam comunidades morais cooperativas. Veja minha discussão sobre o trabalho de Tomasello no Capítulo 9. Veja também Harris et al., 2009.

8. Dawkins, 2006, p. 31.

9. Ibid.

10. Dennett, 2006, p. 9, diz que as religiões são "sistemas sociais cujos participantes admitem a crença em um agente sobrenatural ou agentes cuja apro-

vação deve ser buscada". Dennett pelo menos reconhece que as religiões são "sistemas sociais", mas a maior parte do restante de seu livro se concentra nas causas e consequências de falsas crenças mantidas por indivíduos, e, na nota de rodapé de sua definição, ele contrasta explicitamente sua definição com a de Durkheim.

11. Veja, por exemplo, Ault, 2005; Eliade, 1957/1959. Observo que o maior estudioso da religião em psicologia, William James (1961/1902), também adotou uma perspectiva de crente solitário. Ele definiu religião como "os sentimentos, atos e experiências de homens individuais em sua solidão, na medida em que eles se compreendem em relação a tudo o que consideram divino". O foco na crença não é exclusivo do Novo Ateísmo. É comum a psicólogos, biólogos e outros cientistas naturais, em contraste com sociólogos, antropólogos e estudiosos em departamentos de estudos religiosos, todos os quais são mais hábeis em pensar sobre o que Durkheim chamou de "fatos sociais".

12. Veja, por exemplo, Froese e Bader, 2007; Woodberry e Smith, 1998.

13. Dennet, 2006, p. 141.

14. Dawkins, 2006, p. 166.

15. Um meme é um informação cultural que pode evoluir da mesma maneira que um gene evolui. Veja Dawkins, 1976.

16. Barrett, 2000; Boyer, 2001.

17. Essa ideia foi popularizada por Guthrie, 1993.

18. Dawkins, 2006, p. 174. Mas o comprometimento religioso e as experiências de conversão religiosa começam a sério na adolescência, que são precisamente os anos em que as crianças apresentam *menos* probabilidade de acreditar no que os adultos lhes dizem.

19. Dennett, 2006, Capítulo 9. Acredito que Dennett está correto.

20. Bloom, 2004; 2012. Bloom não é um novo ateu. Acho que a sugestão dele aqui está correta — esse é um dos precursores psicológicos mais importantes de crenças sobrenaturais.

21. Dennett, 2006, p. 123.

22. Veja também Blackmore, 1999. Blackmore é uma teórica dos memes que originalmente compartilhou a visão de Dawkins de que as religiões eram memes que se espalham como vírus. Mas, depois das evidências de que as pessoas religiosas são mais felizes, mais generosas e férteis, ela se retratou. Veja Blackmore, 2010.

23. Dawkins, 2006, p. 188.

24. Atran e Henrich, 2010.

25. Para relatos detalhados de como os deuses e religiões evoluíram, veja Wade, 2009; Wright, 2009.

26. Roes e Raymond, 2003; Norenzayan e Shariff, 2008.

27. Zhong, Bohns e Gino, 2010.

28. Haley e Fessler, 2005.

29. Shariff e Norenzayan, 2007.

Notas

30. Sosis, 2000; Sosis e Alcorta, 2003.
31. Sosis e Bressler, 2003.
32. Rappaport, 1971, p. 36.
33. Por "racional", aqui, quero dizer que o grupo pode agir de maneira a promover seus interesses de longo prazo, em vez de se dissipar porque os indivíduos buscam seus interesses privados. Veja Frank, 1988, para uma análise semelhante de como as emoções morais podem tornar as pessoas "estrategicamente irracionais" de uma maneira que as ajude a resolver "problemas de comprometimento".
34. Ou talvez alguns milhares de anos antes da agricultura, se o local misterioso de Göbekli Tepe, na Turquia, fosse dedicado a deuses elevados ou moralistas. Veja Scham, 2008.
35. Veja Hawks et al., 2007 e o Capítulo 9, para revisões da velocidade da evolução genética. Veja Powell e Clark, a ser publicado, para uma crítica aos modelos de subprodutos que também enfatizam esse ponto — de que as teorias de subprodutos não impedem a adaptação biológica subsequente.
36. Richerson e Boyd 2005, p. 192, como descrevi no Capítulo 9.
37. Junto a Eliot Sober, por exemplo, Sober e Wilson, 1998.
38. Dawkins, 2006, p. 171, admite que a religião possa fornecer essas condições especiais. Ele então não oferece argumento contra a possibilidade de a religião promover a seleção de grupos, apesar de que, se essa possibilidade for verdadeira, refuta seu argumento de que a religião é um parasita, e não uma adaptação. Peço aos leitores que examinem as páginas 170–72 de *The God Delusion* cuidadosamente. Publicado no Brasil com o título *Deus, um Delírio*.
39. Se às vezes pareço estar entusiasmado demais com a seleção de grupo, é porque li *Darwin's Cathedral* em 2005, quando escrevia o último capítulo de *The Happiness Hypothesis*. Quando terminei o livro de Wilson, senti que havia encontrado o elo que faltava no meu entendimento, não apenas da felicidade e por que ela vem do "meio", mas também da moralidade e por que ela agrega e cega.
40. D. S. Wilson, 2002, p. 136.
41. Lansing, 1991.
42. Hardin, 1968.
43. D. S. Wilson, 2002, p. 159.
44. Marshall, 1999, citado em Wade, 2009, p. 106.
45. Hawks et al., 2007, descrito no Capítulo 9; Roes e Raymond, 2003.
46. Wade, 2009, p. 107; grifo meu.
47. G. C. Williams, 1966.
48. Muir, 1996; veja o Capítulo 9. Repito que as pressões de seleção em humanos provavelmente nunca foram tão fortes e consistentes quanto as aplicadas em experiências de reprodução, por isso não falaria de evolução genética que ocorre em 5 ou 10 gerações. Mas 30 ou 40 gerações seriam consistentes com

muitas das alterações genéticas encontradas nas populações humanas e descritas em Cochran e Harpending, 2009.

49. Veja Bowles, 2009.

50. Essa afirmação é mais verdadeira para Harris e Hitchens, menos verdadeira para Dennett.

51. Para uma revisão concisa dessas duas literaturas, consulte Norenzayan e Shariff, 2008.

52. Putnam e Campbell, 2010.

53. Tan e Vogel, 2008.

54. Ruffle e Sosis, 2006, fizeram com que membros de kibutzim seculares e religiosos em Israel participassem de um jogo de cooperação de uma rodada, em pares. Os homens religiosos que rezam juntos com frequência costumavam restringir seu próprio egoísmo e maximizar o montante de dinheiro que dividiam no final do jogo.

55. Larue, 1991.

56. Veja a discussão em Norenzayan e Shariff, 2008.

57. Coleman, 1988.

58. Putnam e Campbell são cuidadosos ao extrair inferências causais a partir de seus dados correlacionais. Mas, como eles têm dados coletados ao longo de vários anos, foram capazes de ver se o aumento ou a diminuição na participação religiosa previam mudanças de comportamento no ano seguinte em indivíduos. Eles concluem que os dados são mais consistentes com uma explicação causal, do que resultantes de uma terceira variável espúria.

59. Arthur Brooks chegou a essa mesma conclusão em seu livro de 2006 *Quem realmente se importa*.

60. Putnam e Campbell, 2010, p. 461.

61. Ibid., p. 473.

62. Pape, 2005. A razão pela qual são principalmente as democracias os alvos do terrorismo suicida é que as democracias são mais reativas à opinião pública. É improvável que campanhas de ataque suicida contra ditaduras provoquem uma retirada das forças militares do país dos terroristas.

63. Reconheço que essas sociedades mais livres são um benefício para aqueles que são excluídos de uma ordem moral religiosa, como pessoas gays que vivem em áreas dominadas por cristãos ou muçulmanos conservadores.

64. Durkheim 1951/1897. Para obter evidências de que as observações de Durkheim sobre as taxas de suicídio ainda são verdadeiras hoje em dia, veja Eckersley e Dear, 2002, e observe os picos nas taxas de suicídio entre jovens surgidos nos Estados Unidos na década de 1960, à medida que a anomia aumentava. (Veja www.suicide.org/suicide-statistics.html [conteúdo em inglês].)

65. Durkheim, 1984/1893, p. 331.

66. Dei e justifiquei essa definição em publicações anteriores, incluindo Haidt e Kesebir, 2010.

67. Turiel, 1983, p. 3, e veja o Capítulo 1.

Notas

68. Pessoalmente, acho que a ética da virtude é a estrutura normativa que mais se ajusta à natureza humana. Veja Haidt e Joseph, 2007 para uma revisão.

69. Concordo com Harris, 2010, em sua escolha de utilitarismo, mas com duas grandes diferenças: (1) eu o apoio apenas para políticas públicas, pois não acho que os indivíduos sejam obrigados a produzir o maior benefício total; e (2) Harris afirma ser monista. Ele diz que o que é certo é o que maximiza a felicidade das criaturas conscientes e acredita que a felicidade pode ser medida com técnicas objetivas, como um escâner de ressonância magnética funcional. Discordo. Sou pluralista, não monista. Sigo Shweder (1991; Shweder e Haidt, 1993) e Berlin, 2001, acreditando que existem múltiplos bens e valores, às vezes conflitantes, e que não existe uma maneira aritmética simples de classificar as sociedades em uma única dimensão. Não há como eliminar a necessidade de reflexão filosófica sobre o que faz uma boa sociedade.

70. Endosso aqui uma versão do utilitarismo conhecida como "utilitarismo de regras", que diz que devemos procurar criar o sistema e as regras que, em longo prazo, produzam o maior bem total. Isso contrasta com o "utilitarismo do ato", que diz que devemos procurar maximizar a utilidade em cada caso, com cada ato.

71. Concordo que o utilitarismo, definido abstratamente, já inclui Durkheim. Se pudesse ser provado que Durkheim estava correto sobre como fazer as pessoas florescerem, muitos utilitaristas concordariam que deveríamos implementar políticas durkheimianas. Mas, na prática, os utilitaristas tendem a ser grandes sistematizadores que se concentram em indivíduos e têm dificuldade em ver grupos. Eles também tendem a ser politicamente liberais e, portanto, provavelmente resistem a recorrer aos alicerces de Lealdade, Autoridade ou Pureza. Eu, portanto, acho que o termo *utilitarismo durkheimiano* é útil como um lembrete constante de que os humanos são *Homo duplex*, e que ambos os níveis da natureza humana devem ser incluídos no pensamento utilitarista.

12. Não Podemos Discordar de Maneira Mais Construtiva?

1. Finley Peter Dunne; publicado pela primeira vez no *Chicago Evening Post* em 1895. A citação completa, em uma versão de 1898 com um sotaque irlandês, é: "A política não é brinquedo. É um jogo de homem; e mulheres, crianças e proibicionistas fazem bem em ficar de fora."

2. Fiorina, Abrams e Papa, 2005.

3. Acesse Gallup.com e pesquise "U.S. Political Ideology" para as últimas descobertas. Os relatados aqui são da "Atualização Semestral de 2011".

4. As causas do declínio da civilidade são complexas, incluindo mudanças na mídia, a substituição da "geração grandiosa" pelos baby boomers e o crescente papel do dinheiro na política. Veja análises e referências em CivilPolitics.org. Vários ex-congressistas que conheci ou escutei em conferências, de ambos os partidos, apontam para mudanças processuais e culturais implementadas por Newt Gingrich quando ele se tornou membro da Câmara em 1995.

5. O congressista democrata Jim Cooper, do Tennessee, citado em Nocera, 2011.
6. Jost, 2006.
7. Poole e Rosenthal, 2000.
8. Erikson e Tedin, 2003, p. 64, citado em Jost, Federico e Napier, 2009, p. 309.
9. Kinder, 1998. Veja mais discussões no Capítulo 4.
10. Zaller, 1992, por exemplo, focou a exposição às opiniões das elites políticas.
11. Converse, 1964.
12. Bouchard, 1994.
13. Turkheimer, 2000, embora Turkheimer tenha mostrado que o ambiente também sempre contribui.
14. Alford, Funk e Hibbing, 2005, 2008.
15. Hatemi et al., 2011.
16. Helzer e Pizarro, 2011; Inbar, Pizarro e Bloom, 2009; Oxley et al., 2008; Thórisdóttir e Jost, 2011.
17. McCrae, 1996; Settle et al., 2010.
18. Montaigne, 1991/1588, Livro III, Seção 9, sobre vaidade.
19. Os efeitos desses genes *únicos* geralmente são pequenos, e alguns só aparecem quando certas condições ambientais também estão presentes. Um grande enigma da era genômica é que, embora os genes expliquem coletivamente mais de um terço da variabilidade na maioria das características, quase nunca existe um único gene, ou mesmo um punhado de genes, responsável por mais de alguns pontos percentuais de variação, mesmo para traços aparentemente simples, como altura. Veja, por exemplo, Weedon et al., 2008.
20. Jost et al., 2003.
21. McAdams e Pals, 2006.
22. Block e Block, 2006. Este estudo é amplamente descrito, de maneira equivocada, mostrando que os futuros conservadores tinham personalidades muito menos atraentes quando crianças. Isso parece ser verdade para os meninos, mas a lista de características para meninas futuras liberais é bastante mista.
23. Putnam e Campbell, 2010, conforme descrito no Capítulo 11.
24. As pessoas que são capazes de construir uma boa narrativa, particularmente aquela que conecta os primeiros contratempos e o sofrimento ao triunfo posterior, são mais felizes e produtivas do que aquelas que não possuem uma narrativa de "redenção"; veja McAdams, 2006; McAdams e Pals, 2006. Obviamente, a correlação simples não mostra que escrever uma boa narrativa *causa* bom resultado. Os experimentos realizados por Pennebaker mostram que dar às pessoas a oportunidade de entender um trauma escrevendo sobre ele causa uma melhor saúde mental e até física. Ver Pennebaker, 1997.
25. McAdams et al., 2008, p. 987.
26. Richards, 2010, p. 53.

Notas

27. C. Smith, 2003. Smith usa o termo "ordem moral", mas ele quer dizer o mesmo que eu com o termo "matriz moral".

28. Ibid., p. 82.

29. Não pretendo minimizar a importância da igualdade como um bem moral. Estou simplesmente argumentando, como fiz no Capítulo 8, que a igualdade política é uma paixão que nasce do alicerce Liberdade e sua reação emocional ao bullying e à opressão, junto com o alicerce Cuidado e sua preocupação com as vítimas. Não acho que o amor à igualdade política seja derivado do alicerce Justiça e de suas preocupações com a reciprocidade e proporcionalidade.

30. Westen, 2007, pp. 157–58.

31. Iyer et al., 2011.

32. Graham, Nosek e Haidt, 2011. Usamos várias linhas de base para medir a realidade. Uma delas foram nossos próprios dados coletados neste estudo, usando todos que se autodeclararam liberais e conservadores. Outro foi esse mesmo conjunto de dados, mas limitado àqueles que se autodenominavam "muito liberais" ou "muito conservadores". Uma terceira linha de base foi obtida de um conjunto de dados nacionalmente representativo usando o MFQ. Em todas as análises, os conservadores foram mais precisos que os liberais.

33. M. Feingold, "Foreman's Wake-Up Call", 2004, acessado em 28 de março de 2011, em http://www.villagevoice.com/2004–01–13/theater/foreman-s--wake-up-call/ [conteúdo em inglês]. Suponho que a última linha não seja séria, mas não consegui encontrar sinais no ensaio de que Feingold estivesse fazendo uma paródia ou falasse como outra pessoa.

34. Muller, 1997, p. 4, citando Russell Kirk. Veja também Hunter, 1991, para uma definição semelhante de ortodoxia, que ele contrasta com o progressivismo.

35. Muller, 1997, p. 5.

36. Os partidos políticos são coisas confusas que devem agradar a muitos eleitores e doadores e, portanto, nunca são exemplos perfeitos de uma ideologia. Ambos os principais partidos têm sérios problemas, na minha opinião. Gostaria que os democratas se tornassem mais durkheimianos e que os republicanos se tornassem mais utilitaristas. Mas, neste momento, tenho menos esperança de que os republicanos mudem, porque estão tão envolvidos nas paixões vinculantes (e ofuscantes) dos partidários do Tea Party. Desde 2009, e em particular em 2011, os republicanos mostraram-se menos dispostos a ceder do que os democratas. E a questão que eles sacralizaram é, infelizmente, os impostos. Sacralizar significa não fazer concessões, e eles estão dispostos a sacrificar todas as coisas boas que o governo pode fazer para preservar baixas taxas de impostos para os norte-americanos mais ricos. Esse comprometimento agrava a crescente desigualdade de renda que é nociva para a confiança social e, portanto, para o capital moral (Wilkinson e Pickett, 2009). Como utilitarista durkheiminiano, vejo muito do que gosto no conservadorismo, mas muito menos no Partido Republicano.

37. Putnam, 2000.

38. Essa é a definição de Putnam.

39. Coleman, 1988.

40. Sosis e Bressler, 2003; veja o Capítulo 11.

41. Sowell, 2002.

42. O termo *capital moral* já foi usado anteriormente, mas costuma-se dizer que é propriedade de um *indivíduo*, semelhante à integridade, que faz com que outras pessoas confiem e a respeitem. Veja Kane, 2001. Estou usando o termo de uma maneira diferente. Estou definindo-o como uma propriedade de uma *comunidade* ou sistema social. Rosenberg, 1990, o usou nesse sentido, atribuindo a ideia, mas não o termo, a Adam Smith.

43. McWhorter, 2005; Rieder, 1985; Voegeli, 2010.

44. Mill, 2003/1859, p. 113. A citação continua: "Cada um desses modos de pensar deriva sua utilidade das deficiências do outro; mas é em grande parte a oposição do outro que mantém cada um dentro dos limites da razão e da sanidade."

45. Russell, 2004/1946, p. 9.

46. Ibid.

47. Nos Estados Unidos e em todas as outras nações e regiões que examinamos em YourMorals.org. Veja Graham et al., 2011.

48. Veja, por exemplo, a resposta ao relatório de Daniel Patrick Moynihan de 1965 sobre a família negra e os ataques e o ostracismo que ele teve de suportar; Patterson, 2010.

49. As definições de moralidade dos filósofos liberais tendem a se concentrar em cuidados, danos ou redução de danos (Bar Utilitarista), ou em direitos e autonomia do indivíduo (Culinária Deontológica), como descrevi no Capítulo 6. Veja também as definições de moralidade em Gewirth, 1975; P. Singer, 1979.

50. Keillor, 2004, p. 20.

51. Veja Pollan, 2006, para uma descrição horrível do sistema da indústria alimentar norte-americano como um emaranhado de distorções do mercado, particularmente externalidades impostas aos animais, ecossistemas, contribuintes e tamanho das cinturas dos EUA.

52. *Citizens United v. Federal Election Commission*, 558 U.S. 08–205.

53. Kahan, 2010. Somente o capitalismo e um setor privado enérgico podem gerar a enorme riqueza que tira a grande maioria das pessoas da pobreza.

54. De acordo com um cálculo da EPA feito nessa época; veja Needleman, 2000.

55. Needleman, 2000.

56. Nevin, 2000.

57. Veja Carpenter e Nevin, 2010; Nevin, 2000; Reyes, 2007. A eliminação gradual ocorreu em diferentes estados e em diferentes momentos, o que permitiu que os pesquisadores observassem o retardo da queda na exposição ao chumbo e a criminalidade.

58. É verdade que a produção de gasolina sem chumbo aumenta seu custo. Mas Reyes, 2007, calculou que o custo da remoção de chumbo da gasolina é "aproximadamente 20 vezes menor que o valor total adquirido, incluindo

Notas

a qualidade de vida das reduções de crimes". Esse cálculo não inclui vidas salvas e outros benefícios diretos à saúde das reduções de chumbo.

59. Carpenter e Nevin, 2010.

60. Junto das outras principais causas de falhas e ineficiências do mercado, como o poder de monopólio e o exaurimento de bens públicos, todos os quais frequentemente requerem intervenção do governo para alcançar a eficiência do mercado.

61. Murray, 1997, p. xii, diz: "A palavra correta para minha visão de mundo é *'liberal'*."

62. Wilkinson, comunicação pessoal, 2010.

63. Minha pequena lista de pontos adicionais: (1) o poder corrompe; portanto, devemos ter cuidado em concentrar o poder em qualquer mão, incluindo as do governo; (2) liberdade ordenada é a melhor receita para florescer nas democracias ocidentais; (3) os Estados "babás" e cuidados "do berço ao túmulo" infantilizam as pessoas e as fazem se comportar com menos responsabilidade, exigindo ainda mais proteção do governo. Veja Boaz, 1997.

64. Goldhill, 2009.

65. Goldhill reconhece que o governo tem muitos papéis a desempenhar em um sistema de saúde baseado no mercado, pois há certas coisas que somente o governo pode fazer. Ele menciona especificamente a imposição de padrões de segurança, garantindo a concorrência entre os provedores, administrando um pool de seguros para casos verdadeiramente catastróficos e subsidiando os pobres, que não tinham dinheiro para comprar sua própria assistência à saúde, mesmo que os preços caíssem 50%.

66. Veja *The Future of Healthcare in Europe*, um relatório preparado pela revista *The Economist*. Disponível em http://www.businessresearch.eiu.com/future--healthcare-europe.html-0 [conteúdo em inglês].

67. Hayek, 1988, referiu-se a essa crença de que a ordem vem do planejamento racional como a "presunção fatal".

68. Veja Cosmides e Tooby, 2006, sobre como a organização do trabalho segundo princípios marxistas ou socialistas, que pressupõem que as pessoas cooperarão em grandes grupos, geralmente entra em conflito com a psicologia moral. As pessoas não cooperam bem em grandes grupos quando percebem que muitos outros são parasitas sociais. Portanto, nações comunistas ou fortemente socialistas frequentemente recorrem à crescente utilização de ameaças e força para obrigar a cooperação. Os planos de cinco anos raramente funcionam tão bem quanto a mão invisível.

69. De "Conservatism as an ideology", conforme citado por Muller, 1997, p.3.

70. Burke, 2003/1790, p. 40. Não acho que Burke estivesse certo ao dizer que o amor ao pelotão leva, em geral, ao amor à humanidade. Mas parece que aumentar o amor de alguém no grupo geralmente não leva ao aumento do ódio por grupos externos (veja Brewer e Campbell, 1976; de Dreu et al., 2011), então eu ficaria contente em viver em um mundo com muito mais amor paroquial e pouca ou nenhuma diminuição no amor à humanidade.

71. Smith, 1976/1759, Parte VI, Seção ii, Capítulo 2.

72. McWhorter, 2005; Rosenzweig, 2009.

73. Arum, 2003.

74. Stenner, 2005, p. 330, conclui de seus estudos de autoritários: "Em última análise, nada inspira maior tolerância ao intolerante do que uma abundância de crenças, práticas, rituais, instituições e processos comuns e unificadores. E, lamentavelmente, nada é mais certo para provocar uma expressão crescente de suas predisposições latentes do que a 'educação multicultural'."

75. Veja Pildes, 2011, para uma revisão atualizada dos muitos fatores que contribuíram para o nosso estado "hiperpolarizado". Pildes argumenta que o realinhamento político, junto a outras tendências históricas, explica completamente o aumento da polarização. Ele, portanto, afirma que nada pode ser feito para revertê-lo. Discordo. Mesmo que as mudanças históricas possam explicar 100% do aumento, isso não significa que as mudanças institucionais não teriam efeito. Prefiro seguir Herbst, 2010, que ressalta que civilidade e incivilidade são estratégias usadas quando atingem os resultados desejados. Há muitas coisas que podemos fazer para reduzir os resultados da incivilidade. Vejo www. CivilPolitics.org.

76. O trocadilho não foi intencional. O pensamento maniqueísta é um problema tanto para os burros (símbolo do Partido Democrata) quanto para os elefantes (símbolo do Partido Republicano).

77. Bishop, 2008.

78. Baseado na pesquisa de David Wasserman de *The Cook Political Report*, relatado por Stolberg, 2011.

CONCLUSÃO

1. Berlin, 2001, pp. 11–12.

2. Ibid., p. 12; grifo meu. Veja também Shweder, 1991; Shweder e Haidt, 1993.

3. Esse é um conselho incrivelmente ruim; apenas confunde as pessoas, e a ambiguidade leva à inação (Latane e Darley, 1970). Seria muito melhor definir a situação claramente e identificar o curso de ação correto. Por exemplo, grite: "Socorro, estou sendo estuprada. Chame a polícia, depois venha aqui."

Referências

Abramowitz, A. I. e K. L. Saunders. 2008. "Is Polarization a Myth?" *Journal of Politics* 70:542–55.

Adorno, T. W., E. Frenkel-Brunswik, D. J. Levinson e R. N. Sanford. 1950. *The Authoritarian Personality*. Nova York: Harper and Row.

Alford, J. R., C. L. Funk e J. R. Hibbing. 2005. "Are Political Orientations Genetically Transmitted?" *American Political Science Review* 99:15–67.

———. 2008."Beyond Liberals and Conservatives to Political Genotypes and Phenotypes". *Perspectives on Politics* 6:321–28.

Allen, E., et al. 1975. "Against 'Sociobiology'". *Nova York Review of Books* 22:43–44.

Almas, I., A. W. Cappelen, E. O. Sorensen e B. Tungodden. 2010. "Fairness and the Development of Inequality Acceptance". *Science* 328:1176–8.

Ambrose, S. H. 1998. "Late Pleistocene Human Population Bottlenecks, Volcanic-Winter, and the Differentiation of Modern Humans". *Journal of Human Evolution* 34:623–51.

Appiah, K. A. 2008. *Experiments in Ethics*. Cambridge, MA: Harvard University Press.

Arberry, A. J. 1955. *The Koran Interpreted*. Nova York: Simon and Schuster.

Ariely, D. 2008. *Predictably Irrational: The hidden forces that shape our decisions*. Nova York: HarperCollins.

Arum, R. 2003. *Judging School Discipline: The crisis of moral authority*. Cambridge, MA: Harvar University Press.

Atran, S. 2010. *Talking to the Enemy: Faith, brotherhood, and the (un)making of terrorists*. Nova York: HarperCollins.

Atran, S. e J. Henrich. 2010. "The Evolution of Religion: How cognitive byproducts, adaptive learning heuristics, ritual displays, and group competition generate deep commitments to prosocial religions". *Biological Theory* 5:18–30.

Ault, J. M. J. 2005. *Spirit and Flesh: Life in a fundamentalist baptist church*. Nova York: Knopf.

Axelrod, R. 1984. *The Evolution of Cooperation*. Nova York: Basic Books.

Baillargeon, R. 1987. "Object Permanence in 3 1/2- and 4 1/2-Month-Old Infants".*Developmental Psychology* 23:655–64.

———. 2008. "Innate Ideas Revisited: For a principle of persistence in infants' physical reasoning". *Perspectives on Psychological Science* 3:2–13.

Balcetis, E. e D. Dunning. 2006. "See What You Want to See: Motivational influences on visual perception". *Journal of Personality and Social Psychology* 91:612–25.

Ballew, C. C. e A. Todorov. 2007. "Predicting Political Elections from Rapid and Unreflective Face Judgments". *Proceedings of the National Academy of Sciences* 104:17948–53.

Bar, T. e A. Zussman. 2011. "Partisan Grading". *American Economic Journal: Applied economics*. A ser publicado.

Bargh, J. A. e T. L. Chartrand. 1999. "The Unbearable Automaticity of Being". *American Psychologist* 54:462–79.

Barkow, J. H., L. Cosmides e J. Tooby, eds. 1992. *The Adapted Mind: Evolutionary psychology and the generation of culture.* Nova York: Oxford University Press.

Baron, J. 1998. *Judgment Misguided: Intuition and error in public decision making.* Nova York: Oxford.

———. 2007. *Thinking and Deciding.* 4th University Press.

Baron-Cohen, S. 1995. *Mindblindness: An essay on autism and theory of mind.* Cambridge, MA: MIT Press.

———. 2002. "The Extreme Male Brain Theory of Autism". *Trends in Cognitive Sciences* 6:248–54.

———. 2009. "Autism: The empathizing-systemizing (E-S) theory." Em "The Year in Cognitive Neuroscience", edição especial em *Annals of the Nova York Academy of Science* 1156:68–80.

Barrett, H. C. e Kurzban, R. 2006. "Modularity in Cognition: Framing the debate". 113:628–47. *Psychological Review* 113:628-47

Barrett, J. L. 2000. "Exploring the Natural Foundations of Religion". *Trends in Cognitive* 4:29.

Bartels, D. M. 2008. "Principled Moral Sentiment and the Flexibility of Moral Judgment and Decision Making". *Cognition* 108:381–417.

Batson, C. D. 1991. *The Altruism Question: Toward a social-psychological answer.* Hillsdale, NJ: Lawrence Erlbaum.

———. 1998. "Altruism and Prosocial Behavior". Em *The Handbook of Social Psychology,* ed. D. T. Gilbert e S. T. Fiske, 4ª ed., 2:262–316. Boston: McGraw-Hill.

Batson, C. D., E. R. Thompson, G. Seuferling, H. Whitney e J. A. Strongman. 1999. "Moral Hypocrisy: Appearing moral to oneself without being so". *Journal of Personality and Social Psychology* 77:525–37.

Baumard, N., J.-B. André e D. Sperber. Não publicado. "A Mutualistic Approach to Morality". Institute of Cognitive and Evolutionary Anthropology, University of Oxford.

Baumeister, R. F., S. P. Chesner, P. S. Senders e D. M. Tice. 1989. "Who's in Charge Here? Group Leaders Do Lend Help in Emergencies". *Personality and Social Psychology Bulletin* 14:17–22.

Baumeister, R. F. e K. L. Sommer. 1997. "What Do Men Want? Gender Differences and Two Spheres of Belongingness: Comment on cross and madson (1997)". *Psychological Bulletin* 122:38–44.

Beaver, K. M., M. W. Rowland, J. A. Schwartz e J. L. Nedelec. 2011. "The Genetic Origins of Psychopathic Personality Traits in Adult Males and Females: Results from an adoption-based study". *Journal of Criminal Justice* 39:426–32.

Bellah, R. N. 1967. "Civil Religion in America". *Daedalus* 96:1–21.

Bellah, R. N., R. Madsen, W. M. Sullivan, A. Swidler e S. Tipton. 1985. *Habits of the Heart*. Nova York: Harper and Row.

Bentham, J. 1996/1789. *An Introduction to the Principles of Morals and Legislation*. Oxford: Clarendon.

Berlin, I. 1997/1958. "Two Concepts of Liberty". Em *The Proper Study of Mankind,* ed. H. Hardy e R. Hausheer, 191–242. Nova York: Farrar, Straus and Giroux.

———. 2001. "My Intellectual Path". Em Isaiah Berlin, *The Power of Ideas*, ed. H. Hardy, 1–23. Princeton, NJ: Princeton University Press.

Bersoff, D. 1999. "Why Good People Sometimes Do Bad Things: Motivated Reasoning and Unethical Behavior". *Personality and Social Psychology Bulletin* 25:28–39.

Bishop, B. 2008. *The Big Sort: Why the clustering of like-minded americans is tearing us apart*. Boston: Houghton Mifflin Harcourt.

Blackmore, S. 1999. *The Meme Machine*. Nova York: Oxford University Press.

Blackmore, S. 2010. "Why I No Longer Believe Religion Is a Virus of the Mind". *The Guardian* (Reino Unido), 16 de setembro; http://www.guardian.co.uk/commentisfree/belief/2010/sep/16/why-no-longer-believe-religion-virus-mind.

Blair, R. J. R. 1999. "Responsiveness to Distress Cues in the Child with Psychopathic Tendencies". *Personality and Individual Differences* 27:135–45.

———. 2007. "The Amygdala and Ventromedial Prefrontal Cortex in Morality and Psychopathy". *Trends in Cognitive Sciences* 11:387–92.

Block, J. e J. H. Block. 2006. "Nursery School Personality and Political Orientation Two Decades Later". *Journal of Research in Personality* 40:734–49.

Blonigen, D. M., B. M. Hicks, R. F. Krueger, W. G. Iacono e C. J. Patrick. 2005. "Psychopathic Personality Traits: Heritability and genetic overlap with internalizing and externalizing psychopathology". *Psychological Medicine* 35:637–48.

Bloom, P. 2004. *Descartes' Baby: How the Science of Child Development Explains What Makes Us Human*. Nova York: Basic Books.

_____. 2009. "Religious Belief as an Evolutionary Accident". Em *The Believing Primate: Scientific, philosophical, and theological reflections on the origin of religion,* ed. J. Schloss e M. J. Murray, 118–27. Oxford: Oxford University Press.

_____. 2012. "Religion, Morality, Evolution". *Annual Review of Psychology* 63.

Boaz, D. 1997. *Libertarianism: A primer*. Nova York: Free Press.

Boehm, C. 1999. *Hierarchy in the Forest: The evolution of egalitarian behavior*. Cambridge, MA: Harvard University Press.

_____. 2012. *Moral Origins: The evolution of virtue, altruism, and shame*. Nova York: Basic Books.

Boesch, C. 1994. "Cooperative Hunting in Wild Chimpanzees". *Animal Behavior* 48:653–67.

Bouchard, T. J. J. 1994. "Genes, Environment, and Personality". *Science* 264:1700–1701.

Bourke, A. F. G. 2011. *Principles of Social Evolution*. Nova York: Oxford University Press.

Bowlby, J. 1969. *Attachment and Loss*, vol. 1: *Attachment*. Nova York: Basic Books.

Bowles, S. 2009. "Did Warfare Among Ancestral Hunter-Gatherers Affect the Evolution of Human Social Behaviors?" *Science* 324:1293–98.

Boyer, P. 2001. *Religion Explained: The evolutionary origins of religious thought*. Nova York: Basic Books.

Brandt, M. J. e C. Reyna. 2011. "The Chain of Being". *Perspectives on Psychological Science* 6:428–46.

Brehm, S. S. e Brehm, J. W. 1981. *Psychological Reactance: A theory of freedom and control*. Nova York: Academic Press.

Brewer, M. B e D. T. Campbell. 1976. *Ethnocentrism and Intergroup Attitudes: East african evidence*. Beverly Hills, CA: Sage.

Brockman, J., ed. 2009. *What Have You Changed Your Mind About?* Nova York: HarperCollins.

Brooks, A. C. 2006. *Conservatism*. Nova York: Basic Books.

Brosnan, S. F. 2006. "Nonhuman Species' Reactions to Inequity and Their Implications for Fairness". *Social Justice Research* 19:153–85.

Brosnan, S. F. e F. de Waal. 2003. "Monkeys Reject Unequal Pay". *Nature* 425:99.

Buckholtz, J. W., C. L. Asplund, P. E. Dux, D. H. Zald, J. C. Gore, O. D. Jones, et al. 2008. "The Neural Correlates of Third-Party Punishment." *Neuron* 60:930–40.

Burke, E. 2003/1790. *Reflections on the Revolution in France*. New Haven, CT: Yale University Press.

Burns, J. M. 1978. *Leadership*. Nova York: Harper and Row.

Carlsmith, K. M., T. D. Wilson e D. T. Gilbert. 2008. "The Paradoxical Consequences of Revenge". *Journal of Personality and Social Psychology* 95:1316–24.

Carnegie, D. 1981/1936. *How to Win Friends and Infl uence People*. Rev. ed. Nova York: Pocket Books.

Referências

Carney, D. R., J. T. Jost, S. D. Gosling e K. Kiederhoffer. 2008. "The Secret Lives of Liberals and Conservatives: Personality profiles, interaction styles, and the things they leave behind". *Political Psychology* 29:807–40.

Carpenter, D. O. e R. Nevin. 2010. "Environmental Causes of Violence". *Physiology and Behavior* 99:260–68.

Carter, C. S. 1998. "Neuroendocrine Perspectives on Social Attachment and Love". *Psychoneuroendocrinology* 23:779–818.

Chan, W. T. 1963. *A Source Book in Chinese Philosophy.* Princeton, NJ: Princeton University Press.

Choi, J.-K. e S. Bowles. 2007. "The Coevolution of Parochial Altruism and War". *Science* 318:636–40.

Churchill, W. 2003. *On the Justice of Roosting Chickens: Reflections on the consequences of U.S. imperial arrogance and criminality.* Clark, G. 2007. Princeton University Press.

Clarke, R. A. 2004. *Against All Enemies: Inside America's war on terror.* Nova York: Free Press.

Cleckley, H. 1955. *The Mask of Sanity.* St. Louis, MO: Mosby.

Clore, G. L., N. Schwarz e M. Conway. 1994. "Affective Causes and Consequences of Social Information Processing". Em *Handbook of Social Cognition,* ed. R. S. Wyer e T. K. Srull, 1:323–417. Hillsdale, NJ: Lawrence Erlbaum.

Cochran, G. e H. Harpending. 2009. *The 10,000 Year Explosion: How civilization accelerated human evolution.* Nova York: Basic Books.

Cohen, E. E. A., R. Ejsmond-Frey, N. Knight e R. I. M. Dunbar. 2009. "Rowers' High: Behavioral synchrony is correlated with elevated pain thresholds." *Biology Letters* 6:106–8.

Coleman, J. S. 1988. "Social Capital in the Creation of Human Capital". *American Journal of Sociology* 94:S95–S120.

Converse, P. E. 1964. "The Nature of Belief Systems in Mass Publics". Em *Ideology and Discontent,* ed. D. E. Apter, 206–61. Nova York: Free Press.

Conze, E. 1954. *Buddhist Texts Through the Ages.* Nova York: Philosophical Library.

Cosmides, L. e J. Tooby. 2005. "Neurocognitive Adaptations Designed for Social Exchange." Em *The Handbook of Evolutionary Psychology,* ed. D. M. Buss, 584–627. Hoboken, NJ: John Wiley and Sons.

———. 2006. "Evolutionary Psychology, Moral Heuristics, and the Law". Em *Heuristics and the Law,* ed. G. Gigerenzer e C. Engel, 175–205. Cambridge, MA: MIT Press.

Coulter, A. 2003. *Treason: Liberal treachery from the Cold War to the war on terrorism.* Nova York: Crown.

Dalai Lama XIV. 1999. *Ethics for the New Millennium.* Nova York: Riverhead Books.

Damasio, A. 1994. *Descartes' Error: Emotion, reason, and the human brain.* Nova York: Putnam.

————. 2003. *Looking for Spinoza*. Orlando, FL: Harcourt.

Darwin, C. 1998/1871. *The Descent of Man and Selection in Relation to Sex*. Amherst, NY: Prometheus Books.

Dawkins, R. 1976. *The Selfish Gene*. Nova York: Oxford University Press.

————. 1999/1982. *The Extended Phenotype: The long reach of the gene*. Nova York: Oxford University Press.

————. 2006. *The God Delusion*. Boston: Houghton Mifflin. Publicado no Brasil com o título *Deus, um Delírio*.

Decety, J. 2011. "The Neuroevolution of Empathy". *Annals of the New York Academy of Sciences* 1231:35–45.

De Dreu, C. K., L. L. Greer, M. J. Handgraaf, S. Shalvi, G. A. Van Kleef, M. Baas, et al. 2010. "The Neuropeptide Oxytocin Regulates Parochial Altruism in Intergroup Conflict Among Humans". *Science* 328:1408–11.

De Dreu, C. K., L. L. Greer, G. A. Van Kleef, S. Shalvi e M. J. Handgraaf. 2011.

"Oxytocin Promotes Human Ethnocentrism". *Proceedings of the National Academy of Sciences of the United States of America* 108:1262–66.

Denis, L. 2008. "Kant and Hume on Morality". *Stanford Encyclopedia of Philosophy*. Dennett, D. C. 2006. *Phenomenon*. Nova York: Penguin.

de Quervain, D. J. F., U. Fischbacher, V. Treyer, M. Schellhammer, U. Schnyder, A. Buck, et al. 2004. "The Neural Basis of Altruistic Punishment." *Science* 305:1254–58.

Desmond, A. e J. Moore. 2009. *Darwin's Sacred Cause: How a hatred of slavery shaped Darwin's views on human evolution*. Boston: Houghton Mifflin.

de Waal, F. B. M. 1982. *Chimpanzee Politics*. Nova York: Harper and Row.

————. 1996. *Good Natured: The origins of right and wrong in humans and other animals*. Cambridge, MA: Harvard University Press.

————. 2006. *How Morality Evolved*. Princeton, NJ: Princeton University Press.

de Waal, F. B. M. e F. Lanting. 1997. *Bonobo: The forgotten ape*. Berkeley: University of California Press.

Dicks, L. 2000. "All for One!" *New Scientist* 167:30.

Dion, K. 1979. "Intergroup Conflict and Intragroup Cohesiveness". Em *The Social Psychology of Intergroup Relations*, ed. W. G. Austin e S. Worchel, 211–24. Monterey, CA: Brooks/Cole.

Dion, K., E. Berscheid e E. Walster. 1972. "What Is Beautiful Is Good". *Journal of Personality and Social Psychology* 24:285–90.

Ditto, P. H. e D. F. Lopez. 1992. "Motivated Skepticism: Use of differential decision criteria for preferred and nonpreferred conclusions". *Journal of Personality and Social Psychology* 63:568–84.

Ditto, P. H., G. D. Munro, A. M. Apanovitch, J. A. Scepansky e L. K. Lockhart. 2003. "Spontaneous Skepticism: The interplay of motivation and expectation in responses to favorable and unfavorable medical diagnoses". *Personality and Social Psychology Bulletin* 29:1120–32.

Referências

Ditto, P. H., D. A. Pizarro e D. Tannenbaum. 2009. "Motivated Moral Reasoning". Em *The Psychology of Learning and Motivation*, ed. D. M. Bartels, C. W. Bauman, L. J. Skitka e D. L. Medin, 50:307–38. Burlington, VT: Academic Press.

Doblin, R. 1991. "Pahnke's 'Good Friday Experiment': A long-term follow-up and methodological critique". *Journal of Transpersonal Psychology* 23:1–28.

Douglas, M. 1966. *Purity and Danger*. Londres: Routledge and Kegan Paul.

Dunbar, R. 1996. *Grooming, Gossip, and the Evolution of Language*. Cambridge, MA: Harvard University Press.

Durkheim, E. 1951/1897. *Suicide*. Trad. J. A. Spalding e G. Simpson. Nova York: Free Press.

——. 1984/1893. *The Division of Labor in Society*. Trad. W. D. Halls. Nova York: Free Press.

——. 1992/1887. "Review of Guyau's *L'irreligion de l'avenir*". Trad. A. Giddens. Em *Emile Durkheim: Selected writings*, ed. A. Giddens. Nova York: Cambridge University Press.

——. 1995/1915. *The Elementary Forms of Religious Life*. Trad. K. E. Fields. Nova York: Free Press.

Eckersley, R. e K. Dear. 2002. "Cultural Correlates of Youth Suicide". *Social Science and Medicine* 55:1891–904.

Efran, M. G. 1974. "The Effect of Physical Appearance on the Judgment of Guilt, Interpersonal Attraction, and Severity of Recommended Punishment in a Simulated Jury Task". *Journal of Research in Personality* 8:45–54.

Ehrenreich, B. 2006. *Dancing in the Streets: A history of collective joy*. Nova York: Metropolitan Books.

Ekman, P. 1992. "Are There Basic Emotions?" *Psychological Review* 99:550–53.

Elgar, F. J. e N. Aitken. 2010. "Income Inequality, Trust and Homicide in 33 Countries". *European Journal of Public Health* 21:241–46.

Eliade, M. 1957/1959. *The Sacred and the Profane: The nature of religion*. Trad. W. R. Task. San Diego, CA: Harcourt Brace.

Ellis, J. J. 1996. *American Sphinx: The character of Thomas Jefferson*. Nova York: Vintage.

Ellsworth, P. C. e C. A. Smith. 1985. "Patterns of Cognitive Appraisal in Emotion". *Journal of Personality and Social Psychology* 48:813–38.

Emerson, R. W. 1960/1838. "Nature". Em *Selections from Ralph Waldo Emerson*, ed. S. Whicher, 21–56. Boston: Houghton Mifflin.

Eskine, K. J., N. A. Kacinic e J. J. Prinz. 2011."A Bad Taste in the Mouth: Gusta- tory influences on moral judgment". *Psychological Science* 22:295–99.

Evans-Pritchard, E. E. 1976. *Witchcraft, Oracles, and Magic Among the Azande*. Oxford: Clarendon Press.

Faulkner, J., M. Schaller, J. H. Park e L. A. Duncan. 2004. "Evolved Disease-Avoidance Mechanisms and Contemporary Xenophobic Attitudes". *Group Processes and Intergroup Relations* 7:333–53.

Fazio, R. H., D. M. Sanbonmatsu, M. C. Powell e F. R. Kardes. 1986. "On the Automatic Evaluation of Attitudes". *Journal of Personality and Social Psychology* 50:229–38.

Fehr, E. e S. Gachter. 2002. "Altruistic Punishment in Humans". *Nature* 415:137–40.

Fessler, D. M. T. 2007. "From Appeasement to Conformity: Evolutionary and cultural perspectives on shame, competition, and cooperation". In *The Self-Conscious Emotions: Theory and research*, ed. J. L. Tracy, R. W. Robins e J. P. Tangney, 174–93. Nova York: Guilford.

Fiorina, M., S. J Abrams e J. C. Pope. 2005. *Culture War? The Mythof a Polarized America*. Nova York: Pearson Longman.

Fiske, A. P. 1991. *Structures of Social Life*. Nova York: Free Press.

Fiske, S. T. 1993. "Social Cognition and Social Perception." *Annual Review of Psy- chology* 44:155–94.

Fitzgerald, M. 2005. *The Genesis of Artistic Creativity*. London: Jessica Kingsley. Flanagan, O. 1991. *Varieties of Moral Personality: Ethics and psychological realism*. Cambridge, MA: Harvard University Press.

Fodor, J. 1983. *Modularity of Mind*. Cambridge, MA: MIT Press.

Frank, R. 1988. *Passions Within Reason: The strategic role of the emotions*. Nova York: Norton.

Frank, T. 2004. *What's the Matter with Kansas?* Nova York: Henry Holt.

Frazier, M. L. 2010. *The Enlightenment of Sympathy: Justice and the moral sentiments in the eighteenth century and today*. Nova York: Oxford University Press.

Freeman, W. J. 199. *Societies of Brains: A study in the neurobiology of love and hate*. Mahwah, NJ: Lawrence Erlbaum.

Frey, D. e D. Stahlberg. 1986."Selection of Information After Receiving More or Less Reliable Self-Threatening Information". *Personality and Social Psychology Bulletin* 12:434–41.

Froese, P. e C. D. Bader. 2007. "God in America: Why theology is not simply the concern of philosophers". *Journal for the Scientific Study of Religion* 46:465–81.

Frohlich, N., J. A. Oppenheimer e C. L. Eavey. 1987. "Choices of Principles of Distributive Justice in Experimental Groups." *American Journal of Political Science* 31:606–36.

Gaertner, S. L. e J. F. Dovidio. 2000. *Reducing Intergroup Bias: The common ingroup identity model*. Filadélfia: Psychology Press.

Gazzaniga, M. S. 1985. *The Social Brain*. Nova York: Basic Books.

———. 1998. *The Mind's Past*. Berkeley: University of California Press.

Geertz, C. 1984. "From the Native's Point of View: On the nature of anthropological understanding". Em *Culture Theory*, ed. R. Shweder e R. LeVine, 123–36. Cambridge, Reino Unido: Cambridge University Press.

Gewirth, A. 1975. "Ethics". Em *Encyclopaedia Britannica,* 15ª ed., 6:976–98. Chicago: Encyclopaedia Britannica.

Gibbard, A. 1990. *Wise Choices, Apt Feelings.* Cambridge, MA: Harvard University Press.

Gigerenzer, G. 2007. *Gut Feelings: The intelligence of the unconscious.* Nova York: Penguin.

Gilligan, C. 1982. *In a Different Voice: Psychological theory and women's development.* Cambridge, MA: Harvard University Press.

Gilovich, T. 1991. *How We Know What Isn't So.* Nova York: Free Press.

Glover, J. 2000. *Humanity: A moral history of the twentieth century.* New Haven: Yale University Press.

Goldhill, D. 2009. "How American Health Care Killed My Father". *The Atlantic,* setembro.

Goodall, J. 1986. *The Chimpanzees of Gombe: Patterns of behavior.* Cambridge, MA: Belknap Press.

Gopnik, A., A. M. Meltzoff e P. K. Kuhl. 2000. *The Scientist in the Crib: What early learning tells us about the mind.* Nova York: Harper.

Graham, J., 2010. "Left Gut, Right Gut". Tese de doutorado, Department of Psychology, Universidade da Virgínia.

Graham, J. e J. Haidt. 2010. "Beyond Beliefs: Religions bind individuals into moral communities". *Personality and Social Psychology Review* 14:140–50.

Graham, J., J. Haidt e B. Nosek. 2009. "Liberals and Conservatives Rely on Different Sets of Moral Foundations". *Journal of Personality and Social Psychology* 96:1029–46.

Graham, J., B. A. Nosek e J. Haidt. 2011. "The Moral Stereotypes of Liberals and Conservatives". Manuscrito não publicado, Department of Psychology, Universidade da Virgínia. Disponível em www.MoralFoundations.org.

Graham, J., B. A. Nosek, J. Haidt, R. Iyer, S. Koleva e P. H. Ditto. 2011. "Mapping the Moral Domain". *Journal of Personality and Social Psychology* 101:366–85.

Gray, J. 1995. *Liberalism.* 2ª ed. Minneapolis: University of Minnesota Press.

Gray, J. G. 1970/1959. *The Warriors: Reflections of men in battle.* Nova York: Harper and Row.

Green, R. E., J. Krause, A. W. Briggs, T. Maricic, U. Stenzel, M. Kircher, et al. 2010. "A Draft Sequence of the Neandertal Genome". *Science* 328:710–22.

Greene, J. D. 2008."The Secret Joke of Kant's Soul". Em *Moral Psychology,* vol. 3: *The Neuroscience of Morality,* ed. W. Sinnott-Armstrong, 35–79. Cambridge, MA: MIT Press.

———. 2009a. "The Cognitive Neuroscience of Moral Judgment". Em *The Cognitive Neurosciences,* ed. M. Gazzaniga, 4ª ed., 987–1002. Cambridge, MA: MIT Press.

Referências

———. 2009b. "Dual-Process Morality and the Personal/Impersonal Distinction: A reply to McGuire, Langdon, Coltheart, and Mackenzie". *Journal of Experimental Social Psychology* 45:581–84.

———. A ser publicado. *The Moral Brain, and How to Use It*. Nova York: Penguin.

Greene, J. D., R. B. Sommerville, L. E. Nystrom, J. M. Darley e J. D. Cohen. 2001."An fMRI Study of Emotional Engagement in Moral Judgment". *Science* 293:2105–8.

Greenwald, A. G., D. E. McGhee e J. L. Schwartz. 1998. "Measuring Individual Differences in Implicit Cognition: The implicit association test". *Journal of Personality and Social Psychology* 74:1464–80.

Greenwald, A. G., B. A. Nosek e M. R. Banaji. 2003. "Understanding and Using the Implicit Association Test". *Journal of Personality and Social Psychology* 85:197–216.

Grob, C. S. e M. D. de Rios. 1994. "Halucinogens, Managed States of Consciousness, and Adolescents: Cross-cultural perspectives". In *Psychological Anthropology,* ed. P. K. Bock, 315–29. Westport, CT: Praeger.

Guthrie, S. E. 1993. *Faces in the Clouds*. Nova York: Oxford University Press.

Haidt, J. 2001. "The Emotional Dog and Its Rational Tail: A social intuitionist approach to moral judgment". *Psychological Review* 108:814–34.

———. 2006. *The Happiness Hypothesis: Finding modern truth in ancient wisdom*.

Nova York: Basic Books.

———. 2007. "The New Synthesis in Moral Psychology". *Science* 316:998–1002.

———. 2010." What the Tea Partiers Really Want." *Wall Street Journal,* 16 de outubro. Haidt, J. e F. Bjorklund. 2008."Social Intuitionists Answer Six Questions About Morality". Em *Moral Psychology,* vol. 2: *The Cognitive Science of Morality,* ed. W. Sinnott-Armstrong, 181–217. Cambridge, MA: MIT Press.

Haidt, J. e J. Graham. 2007. "When Morality Opposes Justice: Conservatives have moral intuitions that liberals may not recognize". *Social Justice Research* 20:98–116.

———. 2009. "Planet of the Durkheimians, Where Community, Authority, and Sacredness Are Foundations of Morality". Em *Social and Psychological Bases of Ideology and System Justification,* ed. J. Jost, A. C. Kay e H. Thórisdóttir, 371–401. Nova York: Oxford University Press.

Haidt, J. e C. Joseph. 2004. "Intuitive Ethics: How innately prepared intuitions generate culturally variable virtues". *Daedalus,* outono, 55–66.

———. 2007."The Moral Mind: How 5 sets of innate intuitions guide the development of many culture-specific virtues, and perhaps even modules". Em *The Innate Mind,* ed. P. Carruthers, S. Laurence e S. Stich, 3:367–91. Nova York: Oxford University Press.

———. 2011. "How Moral Foundations Theory Succeeded in Building on Sand: A response to Suhler and Churchland". *Journal of Cognitive Neuroscience* 23:2117–22.

Haidt, J. e S. Kesebir. 2010. "Morality". Em *Handbook of Social Psychology,* ed. S. T. Fiske, D. Gilbert e G. Lindzey, 5ª ed., 797–832. Hoboken, NJ: Wiley.

Haidt, J., S. Koller e M. Dias. 1993. "Affect, Culture, and Morality, or Is It Wrong to Eat Your Dog?" *Journal of Personality and Social Psychology* 65:613–28.

Referências

Haidt, J., E. Rosenberg e H. Hom. 2003. "Differentiating Diversities: Moral diversity is not like other kinds". *Journal of Applied Social* Psychology 33:1–36.

Haidt, J., P. Rozin, C. R. McCauley e S. Imada. 1997. "Body, Psyche, and Culture: The relationship between disgust and morality". *Psychology and Developing Societies* 9:107–31.

Haidt, J., J. P. Seder e S. Kesebir. 2008. "Hive Psychology, Happiness, and Public Policy". *Journal of Legal Studies* 37:S133–S16.

Haley, K. J. e D. M. T. Fessler. 2005. "Nobody's Watching? Subtle Cues Affect Generosity in an Anonymous Economic Game". *Evolution and Human Behavior* 26:245–56.

Hamblin, R. L. 1958. "Leadership and Crises". *Sociometry* 21:322–35.

Hamilton, W. D. 1964. " The Genetical Evolution of Social Behavior, Parts 1 and 2". *Journal of Theoretical Biology* 7:1–52.

Hamlin, J. K., K. Wynn e P. Bloom. 2007. "Social Evaluation by Preverbal Infants". *Nature* 450:557–60.

Hammerstein, P. 2003. "Why Is Reciprocity So Rare in Social Animals?" Em *Genetic and Cultural Evolution of Cooperation*, ed. P. Hammerstein, 55–82. Cambridge, MA: MIT Press.

Hardin, G. 1968. "Tragedy of the Commons". *Science* 162:1243–8.

Hare, B., V. Wobber e R. Wrangham. Não publicado. "The Self-Domestication Hypothesis: Bonobo psychology evolved due to selection against male aggression". Manuscrito não publicado, Department of Evolutionary Anthropology, Duke University.

Hare, R. D. 1993. *Without Conscience*. Nova York: Pocket Books.

Harris, S. 2004. *The End of Faith: Religion, terror, and the future of reason*. Nova York: Norton.

———. 2006. *Letter to a Christian Nation*. Nova York: Knopf.

———. 2010. *The Moral Landscape: How science can determine human values*. Nova York: Free Press.

Harris, S., J. T. Kaplan, A. Curiel, S. Y. Bookheimer, M. Iacoboni e M. S. Cohen. 2009. "The Neural Correlates of Religious and Nonreligious Belief". *PLoS ONE* 4 (10); doi:10.1371/journal.pone.0007272.

Hastorf, A. H. e H. Cantril. 1954. "They Saw a Game: A case study". *Journal of Abnormal and Social Psychology* 49:129–34.

Hatemi, P. K., N. A. Gillespie, L. J. Eaves, B. S. Maher, B. T. Webb, A. C. Heath, et al. 2011. "A Genome-Wide Analysis of Liberal and Conservative Political Attitudes". *Journal of Politics* 73:271–85.

Hauser, M. 2006. *Moral Minds: How nature designed our universal sense of right and wrong*. Nova York: HarperCollins.

Hawks, J., E. T. Wang, G. M. Cochran, H. C. Harpending e R. K. Moyzis. 2007. "Recent Acceleration of Human Adaptive Evolution". *Proceedings of the National Academy of Sciences of the United States of America* 104:20753–58.

Hayden, B. 2001. "Richman, Poorman, Beggarman, Chief: The dynamics of social inequality". Em *Archaeology at the Millennium: A sourcebook*, ed. G. M. Feinman e T. D. Price, 23 1–72. Nova York: Kluwer/Plenum.

Hayek, F. 1988. *The Fatal Conceit: The errors of socialism*. Chicago: University of Chicago Press.

———. 1997/1970. "The Errors of Constructivism". Em *Conservatism*, ed. J. Z. Muller, 318–25. Princeton, NJ: Princeton University Press.

Heath, C. e D. Heath. 2010. *Switch: How to change things when change is hard*. Nova York: Broadway.

Helzer, E. G. e D. A. Pizarro. 2011."Dirty Liberals! Reminders of Physical Cleanliness Influence Moral and Political Attitudes". *Psychological Science* 22:517–22.

Henrich, J., S. Heine e A. Norenzayan. 2010. "The Weirdest People in the World?" *Behavioral and Brain Sciences* 33:61–83.

Henrich, N. e Henrich, J. 2007. *Why Humans Cooperate: A cultural and evolutionary explanation*. Nova York: Oxford University Press.

Henshilwood, C., F. d'Errico, M. Vanhaeren, K. van Niekerk e Z. Jacobs. 2004. "Middle Stone Age Shell Beads from South Africa". *Science* 304:404.

Herbst, S. 2010. *Rude Democracy: Civility and incivility in american politics*. Filadélfia: Temple University Press.

Herdt, G. H. 1981. *Guardians of the Flutes*. Nova York: Columbia University Press. Herrmann, E., J. Call, M. V. Hernandez-Lloreda, B. Hare e M. Tomasello. 2007. "Humans Have Evolved Specialized Skills of Social Cognition: The cultural intelligence hypothesis". *Science* 317:1360–66.

Hill, K. R., R. S. Walker, M. Bozicevic, J. Eder, T. Headland, B. Hewlett, et al. 2011. "Co-Residence Patterns in Hunter-Gatherer Societies Show Unique Human Social Structure". *Science* 331:1286–89.

Hoffman, M. L. 1982."Affect and Moral Development". Em *New Directions for Child Development*, vol. 16: *Emotional Development*, ed. D. Ciccetti e P. Hesse, 83–103. São Francisco: Jossey-Bass.

Hölldobler, B. e E. O. Wilson. 2009. *The Superorganism: The beauty, elegance, and strangeness of insect societies*. Nova York: Norton.

Hollos, M., P. Leis e E. Turiel. 1986. "Social Reasoning in Ijo Children and Adolescents in Nigerian Communities". *Journal of Cross-Cultural Psychology* 17:352–74.

Horner, V., J. D. Carter, M. Suchak e F. de Waal. 2011. "Spontaneous Prosocial Choice by Chimpanzees". *Procedings of the National Academy of Sciences*, pré-edição, doc: 10.1073/pnas.1111088108.

Hsieh, T. 2010. *Delivering Happiness: A path to profits, passion, and purpose*. Nova York: Grand Central.

Referências

Hsu, M., C. Anen e S. R. Quartz. 2008. "The Right and the Good: Distributive justice and neural encoding of equity and efficiency". *Science* 320:1092–95.

Huebner, B., S. Dwyer e Hauser, M. 2009. "The Role of Emotion in Moral Psychology". *Trends in Cognitive Sciences* 13:1–6.

Hume, D. 1960/1777. *An Enquiry Concerning the Principles of Morals*. La Salle, IL: Open Court.

———. 1969/1739–40. *A Treatise of Human Nature*. Londres: Penguin.

Hunter, J. D. 1991. *Culture Wars: The struggle to define America*. Nova York: Basic Books.

Iacoboni, M. 2008. *Mirroring People: The new science of how we connect with others*. Nova York: Farrar, Straus and Giroux.

Iacoboni, M., R. P. Woods, M. Brass, H. Bekkering, J. C. Mazziotta e G. Rizzolatti. 1999. "Cortical Mechanisms of Imitation". *Science* 286:2526–28.

Inbar, Y., D. A. Pizarro e P. Bloom. 2009. "Conservatives Are More Easily Disgusted than Liberals". *Cognition and Emotion* 23:714–25.

Iyer, R., S. P. Koleva, J. Graham, P. H. Ditto e J. Haidt. 2011. "Understanding Libertarian Morality: The psychological roots of an individualist ideology". Manuscrito não publicado, Department of Psychology, Universidade do Sul da Califórnia. Disponível em www.MoralFoundations.org.

James, W. 1950/1890. *The Principles of Psychology*. Nova York: Dover.

———. 1961/1902. *The Varieties of Religious Experience*. Nova York: Macmillan. Jefferson, T. 1975/1786. *Letter to Maria Cosway*. Nova York: Penguin.

Jensen, D. 2008. *How Shall I Live My Life? On Liberating the Earth from Civilization*. Oakland, CA: PM Press.

Jensen, L. A. 1997. "Culture Wars: American moral divisions across the adult lifespan". *Journal of Adult Development* 4:107–21.

———. 1998. "Moral Divisions Within Countries Between Orthodoxy and Progressivism: India and the United States". *Journal for the Scientific Study of Religion* 37:90–107.

Johnson-Laird, P. N. e P. C. Wason. 1977. *Thinking: Readings in cognitive science*. Cambridge, UK: Cambridge University Press.

Jost, J. T. 2006. "The End of the End of Ideology". *American Psychologist* 61:651–70. Jost, J. T., C. M. Federico e J. L. Napier. 2009. "Political Ideology: Its structure, functions, and elective affinities". *Annual Review of Psychology* 60:307–37.

Jost, J. T., J. Glaser, A. W. Kruglanski e F. J. Sulloway. 2003. "Political Conservativism as Motivated Social Cognition". *Psychological Bulletin* 129:339–75.

Jost, J. T. e O. Hunyady. 2002. "The Psychology of System Justification and the Palliative Function of Ideology". *European Review of Social Psychology* 13:111–53.

Kagan, J. 1984. *The Nature of the Child*. Nova York: Basic Books.

Kahan, A. S. 2010. *Mind vs. Money: The war between intellectuals and capitalism*. New Brunswick, NJ: Transaction.

Kahneman, D. 2011. *Thinking Fast and Slow*. Nova York: Farrar, Straus and Giroux. Kaiser, R. B., R. Hogan e S. B. Craig. 2008. "Leadership and the Fate of Organizations". *American Psychologist* 63:96–110.

Kane, J. 2001. *The Politics of Moral Capital*. Nova York: Cambridge University Press. Kant, I. 1993/1785. *Grounding for the Metaphysics of Morals*, 3ª ed. Trans. J. W. Ellington. Indianápolis: Hackett.

Kass, L. R. 1997. " The Wisdom of Repugnance". *New Republic*, 2 de junho, 17–26. Keeley, L. H. 1996. *War Before Civilization*. Nova York: Oxford University Press.

Keillor, G. 2004. *Homegrown Democrat: A few plain thoughts from the heart of America*. Nova York: Viking.

Kelly, R. L. 1995. *The Foraging Spectrum: Diversity in hunter-gatherer lifeways*. Washington, DC: Smithsonian Institution Press.

Keltner, D. 2009. *Born to Be Good: The science of a meaningful lsife*. Nova York: Norton.

Keltner, D. e J. Haidt. 2003. "Approaching Awe, a Moral, Spiritual, and Aesthetic Emotion". *Cognition and Emotion* 17:297–314.

Kesebir, S. Forthcoming. "The Superorganism Account of Human Sociality: How and when human groups are like beehives". *Personality and Social Psychology Review*.

Kiehl, K. A. 2006. "A Cognitive Neuroscience Perspective on Psychopathy: Evidence for paralimbic system dysfunction". *Psychiatry Research* 142:107–28.

Killen, M. e J. G. Smetana. 2006. *Handbook of Moral Development*. Mahwah, NJ: Lawrence Erlbaum.

Kinder, D. E. 1998. "Opinion and Action in the Realm of Politics". Em *Handbook of Social Psychology*, 4ª ed., ed. D. Gilbert, S. Fiske e G. Lindzey, 778–867. Nova York: McGraw-Hill.

Kinzler, K. D., E. Dupoux e E. S. Spelke. 2007. "The Native Language of Social Cognition". *Proceedings of the National Academy of Sciences of the United States of America* 104:12577–80.

Kitayama, S., H. Park, A. T. Sevincer, M. Karasawa e A. K. Uskul. 2009. "A Cultural Task Analysis of Implicit Independence: Comparing North America, Western Europe, and East Asia". *Journal of Personality and Social Psychology* 97:236–55.

Knoch, D., A. Pascual-Leone, K. Meyer, V. Treyer e E. Fehr. 2006. "Diminishing Reciprocal Fairness by Disrupting the Right Prefrontal Cortex". *Science* 314:829–32.

Kohlberg, L. 1968. "The Child as a Moral Philosopher". *Psychology Today*, setem- bro, 25–30.

———. 1969. "Stage and Sequence: The cognitive-developmental approach to socialization". Em *Handbook of Socialization Theory and Reseearch*, ed. D. A. Goslin, 347–480. Chicago: Rand McNally.

———. 1971. "From Is to Ought: How to commit the naturalistic fallacy and get away with it in the study of moral development". Em *Psychology and Genetic Epistemology*, ed. T. Mischel, 151–235. Nova York: Academic Press.

Referências

Kohlberg, L., C. Levine e A. Hewer. 1983. *Moral Stages: A current formulation and a response to critics*. Basel: Karger.

Kosfeld, M., M. Heinrichs, P. J. Zak, U. Fischbacher, and E. Fehr. 2005. "Oxytocin Increases Trust in Humans". *Nature* 435:673–76.

Kosslyn, S. M., W. L. Thompson, M. F. Costantini-Ferrando, N. M. Alpert e D. Spiegel. 2000. "Hypnotic Visual Illusion Alters Color Processing in the Brain". *American Journal of Psychiatry* 157:1279–84.

Kuhlmeier, V., K. Wynn e P. Bloom. 2003. "Attribution of Dispositional States by 12-Month-Olds". *Psychological Science* 14:402–8.

Kuhn, D. 1989. "Children and Adults as Intuitive Scientists". *Psychological Review* 96:674–89.

———. 1991. *The Skills of Argument*. Cambridge, UK: Cambridge University Press. Kunda, Z. 1987. "Motivated Inference: Self-serving generation and evaluation of causal theories". *Journal of Personality and Social Psychology* 53:636–47.

———. 1990."The Case for Motivated Reasoning". *Psychological Bulletin* 108:480–98. Kurzban, R. 2010. *Why Everyone (Else) Is a Hypocrite*. Princeton, NJ: Princeton University Press.

Kurzban, R., J. Tooby e L. Cosmides. 2001. "Can Race Be Erased? Coalitional Computation and Social Categorization". *Proceedings of the National Academy of Sciences* 98:15387–92.

Kyd, S. 1794. *A Treatise on the Law of Corporations*, vol. 1. Londres: J. Butterworth. Lakoff, G. 1996. *Moral Politics: What conservatives know that liberals don't*. Chicago: University of Chicago Press.

———. 2008. *The Political Mind: Why you can't understand 21st-century american politics with an 18th-century brain*. Nova York: Viking, 2008.

Lansing, J. S. 1991. *Priests and Programmers: Technologies of power in the engineered landscape of Bali*. Princeton, NJ: Princeton University Press.

Larue, G. A. 1991. "Ancient Ethics". In *A Companion to Ethics*, ed. P. Singer, 29–40. Malden, MA: Blackwell.

Latane, B. e J. M. Darley. 1970. *The Unresponsive Bystander*. Englewood Cliffs, NJ: Prentice Hall.

Lazarus, R. S. 1991. *Emotion and Adaptation*. Nova York: Oxford University Press. Leary, M. R. 2004. *The Curse of the Self: Self-awareness, egotism, and the quality of human life*. Oxford: Oxford University Press.

———. 2005. "Sociometer Theory and the Pursuit of Relational Value: Getting to the root of self-esteem". *European Review of Social Psychology* 16:75–111.

Lechter. A. 2007. *Shroom: A cultural history of the magic mushroom*. Harper Collins.

LeDoux, J. 1996. *The Emotional Brain*. Nova York: Simon and Schuster.

Lee, R. B. 1979. *The !Kung San: Men, women, and work in a foraging society*. Cambridge, UK: Cambridge University Press.

Lepre, C. J., H. Roche, D. V. Kent, S. Harmand, R. L. Quinn, J. P. Brugal, P. J. Texier, A. Lenoble e C. S. Feibel. 2011. "An Earlier Origin for the Acheulian". *Nature* 477:82–85.

Lerner, J. S. e P. E. Tetlock. 20 3. "Bridging Individual, Interpersonal, and Institutional Approaches to Judgment and Decision Making: The impact of accountability on cognitive bias". Em *Emerging Perspectives on Judgment and Decision Research,* ed. S. L. Schneider e J. Shanteau, 431–57. Nova York: Cambridge University Press.

Lilienfeld, S. O., R. Ammirati e K. Landfield. 2009. "Giving Debiasing Away: Can psychological research on correcting cognitive errors promote human welfare?" *Perspectives on Psychological Science* 4:390–98.

Liljenquist, K., C. B. Zhong e A. D. Galinsky. 2010."The Smell of Virtue: Clean scents promote reciprocity and charity". *Psychological Science,* 21:381–83.

LoBue, V., C. Chong, T. Nishida, J. DeLoache e J. Haidt. 2011. "When Getting Something Good Is Bad: Even three-year-olds react to inequality". *Social Development* 20:154–70.

Locke, J. 1979/1690. *An Essay Concerning Human Understanding.* Nova York: Oxford University Press.

Lord, C. G., L. Ross e M. R. Lepper. 1979. "Biased Assimilation and Attitude Polarization: The effects of prior theories on subsequently considered evidence". *Journal of Personality and Social Psychology* 37:2098–109.

Lucas, P. e A. Sheeran. 2006. "Asperger's Syndrome and the Eccentricity and Genius of Jeremy Bentham". *Journal of Bentham Studies* 8:1–20.

Luce, R. D. e H. Raiffa. 1957. *Games and Decisions: Introduction and critical survey.* Nova York: Wiley.

Luo, Q., M. Nakic, T. Wheatley, R. Richell, A. Martin, and R. J. R. Blair. 2006."The Neural Basis of Implicit Moral Attitude — An IAT Study Using Event-Related fMRI". *Neuroimage* 30:1449–57.

Maccoby, E. E. 1998. *The Two Sexes: Growing up apart, coming together.* Cambridge, MA: Harvard University Press.

Marcus, G. 2004. *The Birth of the Mind.* Nova York: Basic Books.

Marean, C. W., M. Bar-Matthews, J. Bernatchez, E. Fisher, P. Goldberg, A. I. R. Herries, et al. 2007. "Early Human Use of Marine Resources and Pigment in South Africa During the Middle Pleistocene". *Nature* 449:905–8.

Margolis, H. 1987. *Patterns, Thinking, and Cognition.* Chicago: University of Chicago Press.

Margulis, L. 1970. *Origin of Eukaryotic Cells.* New Haven, CT: Yale University Press. Markus, H. R. e S. Kitayama. 1991. "Culture and the Self: Implications for cognition, emotion, and motivation". *Psychological Review* 98:224–53.

Marshall, L. 1999. "Nyae Nyae !Kung Beliefs and Rites". *Peabody Museum Monographs* 8:63–90.

Mascaro, J., ed. 1973. *The Dhammapada.* Harmondswor th, Reino Unido: Penguin.

Maslow, A. H. 1964. *Religions, Values, and Peak-Experiences*. Columbus: Ohio State University Press.

Mathew, S. e R. Boyd. 2011. "Punishmen Sustains Large-Scale Cooperation in Prestate Warfare". *Proceedings of the National Academy of Sciences*, pré-edição, doi: 10.1073/pnas.1105604108.

Maynard Smith, J. e E. Szathmary. 1997. *The Major Transitions in Evolution*. Oxford: Oxford University Press.

Mazzella, R. e A. Feingold. 1994. "The Effects of Physical Attractiveness, Race, Socioeconomic Status, and Gender of Defendants and Victims on Judgments of Mock Jurors: A meta-analysis". *Journal of Applied Social Psychology* 24:1315–44.

McAdams, D. P. 2006. *The Redemptive Self: Stories Americans Live By*. Nova York: Oxford University Press.

McAdams, D. P., M. Albaugh, E. Farber, J. Daniels, R. L. Logan e B. Olson. 2008. "Family Metaphors and Moral Intuitions: How conservatives and liberals narrate their lives". *Journal of Personality and Social Psychology* 95:978–90.

McAdams, D. P. e J. L. Pals. 2006."A New Big Five: Fundamental principles for an integrative science of personality". *American Psychologist* 61:204–17.

McCrae, R. R. 1996. "Social Consequences of Experiential Openness". *Psychological Bulletin* 120:323–37.

McGuire, J., R. Langdon, M. Coltheart e C. Mackenzie. 2009. "A Reanalysis of the Personal/Impersonal Distinction in Moral Psychology Research". *Journal of Experimental Social Psychology* 45:577–80.

McNeill, W. H. 1995. *Keeping Together in Time: Dance and drill in human history*. Cambridge, MA: Harvard University Press.

McWhorter, J. 2005. *Winning the Race: Beyond the crisis in black America*. Nova York: Gotham Books.

Meier, B. P. e M. D. Robinson. 2004. "Why the Sunny Side Is Up: Automatic inferences about stimulus valence based on vertical position". *Psychological Science* 15:243–47.

Meigs, A. 1984. *Food, Sex, and Pollution: A new guinea religion*. New Brunswick, NJ: Rutgers University Press.

Melis, A. P., B. Hare e M. Tomasello. 2006."Chimpanzees Recruit the Best Collaborators". *Science* 311:1297–300.

Mercier, H. e D. Sperber. 2011. "Why Do Humans Reason? Arguments for an Argumentative Theory". *Behavioral and Brain Sciences* 34:57–74.

Merton, R. K. 1968. *Social Theory and Social Structure*. Nova York: Free Press. Mill, J. S. 2003/1859. *On Liberty*. New Haven, CT: Yale University Press.

Miller, D. T. 1999. "The Norm of Self-Interest". *American Psychologist* 54:1053–60. Miller, G. F. 2007. "Sexual Selection for Moral Virtues". *Quarterly Review of Biology* 82:97–125.

Millon, T., E. Simonsen, M. Birket-Smith e R. D. Davis. 1998. *Psychopathy: Antisocial, criminal, and violent behavior*. Nova York: Guilford Press.

Mineka, S. e M. Cook. 1988. "Social Learning and the Acquisition of Snake Fear in Monkeys". Em *Social Learning: Psychological and biological perspectives*, ed. T. R. Zentall e J. B. G. Galef, 51–74. Hillsdale, NJ: Lawrence Erlbaum.

Moll, J., F. Krueger, R. Zahn, M. Pardini, R. de Oliveira-Souza e J. Grafman. 2006. "Human Fronto-Mesolimbic Networks Guide Decisions About Charitable Donation". *Proceedings of the National Academy of Sciences of the United States of America* 103:15623–28.

Montaigne, M. de. 1991/1588. *The Complete Essays*. Trad. de M. A. Screech. Londres: Penguin.

Morhenn, V. B., J. W. Park, E. Piper e P. J. Zak. 2008. "Monetary Sacrifice Among Strangers Is Mediated by Endogenous Oxytocin Release After Physical Contact". *Evolution and Human Behavior* 29:375–83.

Morris, J. P., N. K. Squires, C. S. Taber e M. Lodge. 2003. "Activation of Political Attitudes: A psychophysiological examination of the hot cognition hypothesis". *Political Psychology* 24:727–45.

Motyl, M., J. Hart, T. Pyszczynski, D. Weise, M. Maxfield e A. Siedel. 2011. "Subtle Priming of Shared Human Experiences Eliminates Threat-Induced Negativity Toward Arabs, Immigrants, and Peace-making". *Journal of Experimental Social Psychology* 47:1179–84.

Muir, W. M. 1996. "Group Selection for Adaptation to Multiple-Hen Cages: Selection program and direct responses". *Poultry Science* 75:447–58.

Muller, J. Z. 1997. "What Is Conservative Social and Political Thought?" Em *Conservatism: An anthology of social and political thought from David Hume to the present*, ed. J. Z. Muller, 3–31. Princeton, NJ: Princeton University Press.

Munro, G. D., P. H. Ditto, L. K. Lockhart, A. Fagerlin, M. Gready e E. Peterson. 2002. "Biased Assimilation of Sociopolitical Arguments: Evaluating the 1996 U.S. presidential debate". *Basic and Applied Social Psychology* 24:15–26.

Murray, C. 1997. *What It Means to Be a Libertarian: A personal interpretation*. Nova York: Broadway.

Mussolini, B. 1932. "The Doctrine of Fascism". *Enciclopedia Italiana*, vol. 14. Em *Princeton Readings in Political Thought*, ed. M. Cohen e N. Fermon. Princeton, NJ: Princeton University Press.

Needleman, H. L. 2000. "The Removal of Lead from Gasoline: Historical and personal reflections". *Environmental Research* 84:20–35.

Neisser, U. 1967. *Cognitive Psychology*. Nova York: Appleton-Century-Crofts. Neuberg, S. L., D. T. Kenrick e M. Schaller. 2010. "Evolutionary Social Psychology". Em *Handbook of Social Psychology*, ed. S. T. Fiske, D. T. Gilbert e G. Lindzey, 5ª ed., 2:761–96. Hoboken, NJ: John Wiley and Sons.

Nevin, R. 2000. "How Lead Exposure Relates to Temporal Change in IQ, Violent Crime, and Unwed Pregnancy". *Enviromental Research* 83:1–22.

Newberg, A., E. D'Aquili e V. Rause. 2001. *Why God Won't Go Away: Brain science and the biology of belief*. Nova York: Ballantine.

Nickerson, R. S. 1998. "Confirmation Bias: A ubiquitous phenomenon in many guises". *Review of General Psychology* 2:175–220.

Nisbet, R. A. 1993/1966. *The Sociological Tradition,* 2ª ed. New Brunswick, NJ: Transaction.

Nisbett, R. E., G. T. Fong, D. R. Lehman e P. W. Cheng. 1987. "Teaching Reasoning". *Science* 238:625–31.

Nisbett, R. E., K. Peng, I. Choi e A. Norenzayan. 2001. "Culture and Systems of Though: Holistic versus analytical cognition". *Psychological Review* 108:291–310.

Nocera, J. 2011. "The Last Moderate". *Nova York Times,* 6 de setembro, A27. Norenzayan, A. e A. F. Shariff. 2008. "The Origin and Evolution of Religious Prosociality". *Science* 322:58–62.

Nowak, M. A. e R. Highfield. 2011. *SuperCooperators: Altruism, evolution, and why we need each other to succeed.* Nova York: Free Press.

Nucci, L., E. Turiel e G. Encarnacion-Gawrych. 1983. "Children's Social Interactions and Social Concepts: Analyses of morality and convention in the Virgin Islands". *Journal of Cross-Cultural Psychology* 14:469–87.

Nussbaum, M. C. 2004. *Hiding from Humanity.* Princeton, NJ: Princeton University Press.

Oakeshott, M. 1997/1947. "Rationalism in Politics". Em *Conservatism,* ed. J. Z. Muller, 292–311. Princeton, NJ: Princeton University Press.

Okasha, S. 2006. *Evolution and the Levels of Selection.* Oxford: Oxford University Press.

Olds, J. e P. Milner. 1954. "Positive Reinforcement Produced by Electrical Stimulation of Septal Areas and Other Regions of Rat Brains". *Journal of Comparative and Physiological Psychology* 47:419–27.

Osgood, C. E. 1962. "Studies on the Generality of Affective Meaning Systems". *American Psychologist* 17:10–28.

Ovid. 2004. *Metamorphoses.* Trad. David Raeburn. Londres: Penguin.

Oxley, D. R., K. B. Smith, J. R. Alford, M. V. Hibbing, J. L. Miller, M. Scalora, et al. 2008. "Political Attitudes Vary with Physiological Traits". *Science* 33221:1667–70.

Pahnke, W. N. 1966. "Drugs and Mysticism". *International Journal of Parapsychology* 8:295–313.

Panchanathan, K. e R. Boyd. 2004. "Indirect Reciprocity Can Stabilize Cooperation Without the Second-Order Free Rider Problem". *Nature* 432:499–502.

Pape, R. A. 2005. *Dying to Win: The strategic logic of suicide terrorism.* Nova York: Random House.

Patterson, J. T. 2010. *Freedom Is Not Enough. The Moynihan Report and America's Struggleover Black Family Life — from LBJ to Obama.* Nova York: Basic Books.

Pavlov, I. 1927. *Conditioned Reflexes: An investigation into the physiological activity of the cortex.* Trans. G. Anrep. Nova York: Dover.

Paxton, J. M., L. Ungar e J. Greene. A ser publicado. "Reflection and Reasoning in Moral Judgment". *Cognitive Science.*

Pennebaker, J. 1997. *Opening UP: The Healing Powerof Expressing Emotions.* Rev. ed. Nova York: Guilford.

Pennebaker, J. W., M. E. Francis e R. J. Booth. 2003. *Linguistic Inquiry and Word Count: LIWC2001 manual.* Mahwah, NJ: Lawrence Erlbaum.

Perkins, D. N., M. Farady e B. Bushey. 1991."Everyday Reasoning and the Roots of Intelligence". Em *Informal Reasoning and Education,* ed. J. F. Voss, D. N. Per- kins e J. W. Segal, 83–105. Hillsdale, NJ: Lawrence Erlbaum.

Perugini, M. e L. Leone. 2009. "Implicit Self-Concept and Moral Action". *Journal of Research in Personality* 43:747–54.

Piaget, J. 1932/1965. *The Moral Judgement of the Child.* Trans. M. Gabain. Nova York: Free Press.

Pickrell, J. K., G. Coop, J. Novembre, S. Kudaravalli, J. Z. Li, D. Absher, et al. 2009. "Signals of Recent Positive Selection in a Worldwide Sample of Human Populations". *Genome Research* 19:826–37.

Pildes, R. H. 2011. "Why the Center Does Not Hold: The causes of hyperpolarized democracy in America". *California Law Review* 99:273–334.

Pinker, S. 2002. *The Blank Slate: The modern denial of human nature.* Nova York: Viking.

———. 2011. *The Better Angelsof Our Nature: Why violence has declined.* Nova York: Viking.

Platão. 1997. *Timaeus.* Trad. D. J. Zeyl. Em *Plato: Complete works,* ed. J. M. Cooper. Indianapolis: Hackett.

Pollan, M. 2006. *The Omnivore's Dilemma: A natural history of four meals.* Nova York: Penguin.

Poole, K. T. e H. Rosenthal. 2000. *Congress: A political-economic history of roll call voting.* Nova York: Oxford University Press.

Potts, R. e C. Sloan. 2010. *What Does It Mean to Be Human?* Washington, D.C.: *National Geographic.*

Powell, R. e S. Clarke. A ser publicado. "Religion as an Evolutionary Byproduct: A critique of the standard model". *British Journal for the Philosophy of Science.* Premack, D. e A. J. Premack. 2004. "Moral Belief: Form versus content". Em *Mapping the Mind: Domain specificity in cognition and culture,* ed. L. A. Hirschfeld e S. A. Gelman, 149–68. Cambridge, UK: Cambridge University Press.

Price, G. 1972. "Extensions of Covariance Selection Mathematics". *Annals of Human Genetics* 35:485–90.

Putnam, R. D. 2000. *Bowling Alone: The collapse an revival of american community.* Nova York: Simon and Schuster.

Putnam, R. D. e D. E. Campbell. 2010. *American Grace: How religion divides and unites us.* Nova York: Simon and Schuster.

Referências

Pyszczynski, T. e J. Greenberg. 1987. "Toward an Integration of Cognitive and Motivational Perspectives on Social Inference: A biased hypothesis-testing model". *Advances in E xperimental Social Psychology* 20:297–340.

Rai, T. S. e A. P. Fiske. 2011. "Moral Psychology Is Relationship Regulation: Moral motives for unity, hierarchy, equality, and proportionality". *Psychological Review* 118:57–75.

Ramachandran, V. S. e S. Blakeslee. 1998. *Phantoms in the Brain: Probing the mysteries of the human mind*. Nova York: William Morrow.

Rappaport, R. 1971. "The Sacred in Human Evolution". *Annual Review of Ecology and Systematics* 2:23–44.

Rawls, J. 1971. *A Theory of Justice*. Cambridge, MA: Harvard University Press.

Reyes, J. W. 2007. "Environmental Policy as Social Policy? The Impact of Childhood Lead Exposure on Crime". Artigo N°. 13097, National Bureau of Economic Research, Washington, D.C.

Richards, K. 2010. *Life*. Nova York: Little, Brown.

Richerson, P. J. e R. Boyd. 1998. "The Evolution of Human Ultra-Sociality". Em *Indoctrinability, Ideology, and Warfare: Evolutionary perspectives,* ed. I. Eibl-Eibesfeldt e F. K. Salter, 71–95. Nova York: Berghahn.

———. 2004. "Darwinian Evolutionary Ethics: Between patriotism and sympathy". Em *Evolution and Ethics: Human morality in biological and religious perspective,* ed. P. Clayton e J. Schloss, 50–77. Grand Rapids, MI: Eerdmans.

———. 2005. *Not by Genes Alone: How culture transformed human evolution*. Chicago: University of Chicago Press.

Rieder, J. 1985. *Canarsie: The jews and italians of Brooklyn against liberalism*. Cambridge, MA: Harvard University Press.

Rilling, J. K., D. R. Goldsmith, A. L. Glenn, M. R. Jairam, H. A. Elfenbein, J. E. Dagenais, et al. 2008. "The Neural Correlates of the Affective Response to Unreciprocated Cooperation". *Neuropsychologia* 46:1256–66.

Roes, F. L. e M. Raymond. 2003. "Belief in Moralizing Gods". *Evolution and Human Behavior* 24:126–35.

Rosaldo, M. 1980. *Knowledge and Passion: Ilongot notions of self and social life*. Cambridge, UK: Cambridge University Press.

Rosenberg, N. 1990. "Adam Smith and the Stock of Moral Capital". *History of Polical Economy* 22:1–17.

Rosenzweig, M. R. 1999. "Welfare, Marital Prospects, and Nonmarital Childbearing". *Journal of Political Economy* 107:S3–S32.

Rothman, S., S. R. Lichter e N. Nevitte. 2005. "Politics and Professional Advancement Among College Faculty". *The Forum* (jornal eletrônico), vol. 3, iss. 1, article 2.

Rozin, P. 1976. "The Selection of Food by Rats, Humans, and Other Animals". Em *Advances in the Study of Behavior,* ed. J. Rosenblatt, R. A. Hinde, C. Beer e E. Shaw, 6:21–76. Nova York: Academic Press.

Rozin, P. e A. Fallon. 1987. "A Perspective on Disgust". *Psychological Review* 94:3–41.

Rozin, P., J. Haidt e K. Fincher. 2009. "From Oral to Moral". *Science* 323:1179–80.

Rozin, P., J. Haidt e C. R. McCauley. 2008. "Disgust". Em *Handbook of Emotions,* ed. M. Lewis, J. M. Haviland-Jones e L. F. Barrett, 3ª ed., 757–76. Nova York: Guilford Press.

Rozin, P., L. Lowery, S. Imada e J. Haidt. 1999. "The CAD Triad Hypothesis: A mapping between three moral emotions (contempt, anger, disgust) and three moral codes (community, autonomy, divinity)". *Journal of Personality and Social Psychology* 76:574–86.

Ruffle, B. J. e R. Sosis. 2006. "Cooperation and the In-Group-Out-Group Bias: A field test on Israeli Kibbutz members and city residents". *Journal of Economic Behavior and Organization* 60:147–63.

Russell, B. 2004/1946. *History of Western Philosophy.* Londres: Routledge.

Saltzstein, H. D. e T. Kasachkoff. 2004. "Haidt's Moral Intuitionist Theory". *Review of General Psychology* 8:273–82.

Sanfey, A. G., J. K. Rilling, J. A. Aronson, L. E. Nystrom e J. D. Cohen. 2003. "The Neural Basis of Economic Decision-Making in the Ultimatum Game". *Science* 300:1755–58.

Schaller, M. e J. H. Park. 2011. "The Behavioral Immune System (and Why It Matters)". *Current Directions in Psychological Science* 20:99–103.

Scham, S. 2008. "The World's First Temple". *Archaeology* 61, novembro/dezembro, artigo online.

Scherer, K. R. 1984. "On the Nature and Function of Emotion: A component process approach". Em *Approaches to Emotion,* ed. K. R. Scherer e P. Ekman, 293–317. Hillsdale, NJ: Lawrence Erlbaum.

Schmidt, M. F. H. e J. A. Sommerville. 2011. "Fairness Expectations and Altruistic Sharing in 15-Month-Old Human Infants". *PLoS ONE* 6:e23223.

Schnall, S., J. Haidt, G. L. Clore e A. H. Jordan. 2008. "Disgust as Embodied Moral Judgment". *Personality and Social Psychology* Bulletin 34:1096–109.

Schwitzgebel, E. 2009. "Do Ethicists Steal More Books?" *Philosophical Psychology* 22:711–25.

Schwitzgebel, E. e J. Rust. 2009. "Do Ethicists and Political Philosophers Vote More Often than Other Professors?" *Review of Philosophy and Psychology* 1:189–99.

———. 2011. "The Self-Reported Moral Behavior of Ethics Professors". Manuscrito não publicado, University of California at Riverside.

Schwitzgebel, E., J. Rust, L. T.-L. Huang, A. Moore e J. Coates. 2011. "Ethicists' Courtesy at Philosophy Conferences". Manuscrito não publicado, University of California em Riverside.

Scruton, R. 1982. *Kant.* Oxford: Oxford University Press.

Secher, R. 2003/1986. *A French Genocide: The vendée.* Trad. G. Holoch. South Bend, Em: Notre Dame University Press.

Seeley, T. D. 1997. "Honey Bee Colonies Are Group-Level Adaptive Units". *American Naturalist* 150:S22–S41.

Settle, J. E., C. T. Dawes, N. A. Christakis e J. H. Fowler. 2010. "Friendships Moderate an Association Between a Dopamine Gene Variant and Political Ideology". *Journal of Politics* 72:1189–98.

Shariff, A. F. e A. Norenzayan. 2007. "God Is Watching You: Priming god concepts increases prosocial behavior in an anonymous economic game". *Psychological Science* 18:803–9.

Shaw, V. F. 1996. "The Cognitive Processes in Informal Reasoning". *Thinking and Reasoning* 2:51–80.

Sherif, M., O. J. Harvey, B. J. White, W. Hood e C. Sherif. 1961/1954. *Intergroup Conflict and Cooperation: The robbers cave experiment*. Norman: University of Oklahoma Institute of Group Relations.

Sherman, G. D. e J. Haidt. 2011. "Cuteness and Disgust: The Humanizing and Dehumanizing Effects of Emotion". *Emotion Review* 3:245–51.

Shweder, R. A. 1990a. "Cultural Psychology: What is it?" Em *Cultural Psychology: Essays on comparative human development,* ed. J. W. Stigler, R. A. Shweder, e G. Herdt, 1–43. Nova York: Cambridge University Press.

———. 1990b. "In Defense of Moral Realism: Reply to gabennesch". *Child Development* 61:2060–67.

———. 1991. *Thinking Through Cultures: Expeditions in cultural psychology.* Cambridge, MA: Harvard University Press.

Shweder, R. A. e E. Bourne. 1984. "Does the Concept of the Person Vary Cross-Culturally?" Em *Cultural Theory,* ed. R. Shweder e R. LeVine, 158–99. Cambridge, UK: Cambridge University Press.

Shweder, R. A. e J. Haidt. 1993. "The Future of Moral Psychology: Truth, intuition, and the pluralist way". *Psychological Science* 4:360–65.

Shweder, R. A. e R. A. LeVine, eds. 1984. *Culture Theory: Essays on mind, self, emotion.* Cambridge, UK: Cambridge University Press.

Shweder, R. A., M. Mahapatra e J. Miller. 1987. "Culture and Moral Development". Em *The Emergence of Morality in Young Children,* ed. J. Kagan e S. Lamb, 1–83. Chicago: University of Chicago Press.

Shweder, R. A., N. C. Much, M. Mahapatra e L. Park. 1997. "The 'Big Three' of Morality (Autonomy, Community, and Divinity), and the 'Big Three' Explanations of Suffering". Em *Morality and Health,* ed. A. Brandt e P. Rozin, 119–69. Nova York: Routledge.

Sigall, H. e N. Ostrove. 1975. "Beautiful but Dangerous: Effects of offender attractiveness and nature of the crime on juridic judgment". *Journal of Personality and Social Psychology* 31:410–14.

Singer, P. 1979. *Practical Ethics*. Cambridge, Reino Unido: Cambridge University Press.

Singer, T., B. Seymour, J. P. O'Doherty, K. E. Stephan, R. J. Dolan e C. D. Frith. 2006. "Empathic Neural Responses Are Modulated by the Perceived Fairness of Others". *Nature* 439:466–69.

Sinnott-Armstrong, W., ed. 2008. *Moral Psychology*. 3 vols. Cambridge, MA: MIT Press.

Smith, A. 1976/1759. *The Theory of Moral Sentiments*. Oxford: Oxford University Press.

Smith, C. 2003. *Moral, Believing Animals: Human personhood and culture*. Oxford: Oxford University Press.

Sober, E. e D. S. Wilson. 1998. *Unto Others: The evolution and psychology of unselfish behavior*. Cambridge, MA: Harvard University Press.

Solomon, R. C. 1993. "The Philosophy of Emotions". Em *Handbook of Emotions*, ed.

M. Lewis e J. Haviland, 3–15. Nova York: Guilford Press.

Sosis, R. 2000. "Religion and Intragroup Cooperation: Preliminary results of a comparative analysis of utopian communities". *Cross-Cultural Research* 34:70–87.

Sosis, R. e C. S. Alcorta. 2003. "Signaling, Solidarity, and the Sacred: The evolution of religious behavior". *Evolutionary Anthropology* 12:264–74.

Sosis, R. e E. R. Bressler. 2003. "Cooperation and Commune Longevity: A test of the costly signaling theory of religion". *Cross-Cultural Research: The Journal of Comparative Social Science* 37:211–39.

Sowell, T. 2002. *A Conflict of Visions: The ideological origins of political struggles*. Nova York: Basic Books.

Sperber, D. 2005. "Modularity and Relevance: How can a massively modular mind be flexible and context-sensitive?" Em *The Innate Mind: Structure and Contents*, ed. P. Carruthers, S. Laurence e S. Stich, 53–68. Nova York: Oxford University Press.

Sperber, D. e L. A. Hirschfeld. 2004. "The Cognitive Foundations of Cultural Stability and Diversity". *Trends in Cognitive Sciences* 8:40–46.

Stampf, G. 2008. *Interview with a Cannibal: The secret life of the monster of rotenburg*. Beverly Hills, CA: Phoenix Books.

Stearns, S. C. 2007. "Are We Stalled Part Way Through a Major Evolutionary Transition from Individual to Group?" *Evolution: International journal of organic evolution* 61:2275–80.

Stenner, K. 2005. *The Authoritarian Dynamic*. Nova York: Cambridge University Press.

Stevenson, C. L. 1960. *Ethics and Language*. New Haven: Yale University Press.

Stewart, J. E. 1980. "Defendant's Attractiveness as a Factor in the Outcome of Criminal Trials: An observational study". *Journal of Applied Social Psychology* 10:348–61.

Stolberg, S. G. 2011. "You Want Compromise. Sure You Do". *Nova York Times*, Sun-day Review, August 14.

Sunstein, C. R. 2005. "Moral Heuristics". *Brain and Behavioral Science* 28:531–73.

Taber, C. S. e M. Lodge. 2006. "Motivated Skepticism in the Evaluation of Political Beliefs". *American Journal of Political Science* 50:755–69.

Taleb, N. 2007. *The Black Swan: The impact of the highly improbable*. Nova York: Random House. Publicado no Brasil com o título: *A Lógica do Cisne Negro*.

Tan, J. H. W. e C. Vogel. 2008. "Religion and Trust: An experimental study". *Journal of Economic Psychology* 29:832–48.

Referências

Tattersall, I. 2009. *The Fossil Trail: How We know what we think we know about human evolution*. 2ª ed. Nova York: Oxford University Press.

Tetlock, P. E. 2002. "Social Functionalist Frameworks for Judgment and Choice: Intuitive Politicians, Theologians, and Prosecutors". *Psychological Review* 109:451–57.

Tetlock, P. E., O. V. Kristel, B. Elson, M. Green e J. Lerner. 2000. "The Psychology of the Unthinkable: Taboo trade-offs, forbidden base rates, and heretical counterfactuals". *Journal of Personality and Social Psychology* 78:853–70.

Thomas, K. 1983. *Man and the Natural World*. Nova York: Pantheon.

Thomson, J. A. e C. Aukofer. 2011. *Why We Believe in God(s): A concise guide to the science of faith*. Charlottesville, VA: Pitchstone Publishing.

Thórisdóttir, H., and J. T. Jost. 2011. "Motivated Closed-Mindedness Mediates the Effect of Threat on Political Conservatism". *Political Psychology* 32:785–811.

Thornhill, R., C. L. Fincher e D. Aran. 2009. "Parasites, Democratization, and the Liberalization of Values Across Contemporary Countries". *Biological Reviews of the Cambridge Philosophical Society* 84:113–31.

Tishkoff, S. A., F. A. Reed, A. Ranciaro, et al. 2007. "Convergent Adaptation of Human Lactase Persistence in Africa and Europe". *Nature Genetics* 39:31–40.

Todorov, A., A. N. Mandisodza, A. Goren e C. C. Hall. 2005. "Inferences of Competence from Faces Predict Election Outcomes". *Science* 308:1623–26.

Tomasello, M., M. Carpenter, J. Call, T. Behne e H. Mo l. 2005. "Understanding and Sharing Intentions: The origins of cultural cognition". *Behavioral and Brain Sciences* 28:675–91.

Tomasello, M., A. Melis, C. Tennie, E. Wyman, E. Herrmann e A. Schneider. A ser publicado. "Two Key Steps in the Evolution of Human Cooperation: The mutualism hypothesis". *Current Anthropology*.

Tooby, J. e L. Cosmides. 1992. "The Psychological Foundations of Culture". Em *The Adapted Mind: Evolutionary Psychology and the Generation of Culture,* ed. J. H. Barkow, L. Cosmides e J. Tooby, 19–136. Nova York: Oxford University Press.

———. 2010. "Groups in Mind: The coalitional roots of war and morality". Em *Human Morality and Sociality: Evolutionary and comparative perspectives,* ed. H. Høgh-Olesen. Nova York: Palgrave Macmillan.

Trivers, R. L. 1971. "The Evolution of Reciprocal Altruism". *Quarterly Review of Biology* 46:35–57.

Trut, L. N. 1999. "Early Canid Domestication: The farm fox experiment". *American Scientist* 87:160–69.

Turiel, E. 1983. *The Development of Social Knowledge: Morality and convention*. Cambridge, UK: Cambridge University Press.

Turiel, E., M. Killen e C. C. Helwig. 1987. "Morality: Its structure, function, and vagaries". Em *The Emergence of Morality in Young Children,* ed. J. Kagan e S. Lamb, 155–243. Chicago: University of Chicago Press.

Turkheimer, E. 2000. "Three Laws of Behavior Genetics and What They Mean". *Current Directions in Psychological Science* 9:160–64.

Turner, V. W. 1969. *The Ritual Process: Structure and anti-structure*. Chicago: Aldine. Valdesolo, P., J. Ouyang e D. DeSteno. 2010. "The Rhythm of Joint Action: Synchrony promotes cooperative ability". *Journal of Experimental Social Psychology* 46:693–95.

Van Berkum, J. J. A., B. Holleman, M. Nieuwland, M. Otten e J. Murre. 2009. "Right or Wrong? The Brain's Fast Response to Morally Objectionable Statements". *Psychological Science* 20:1092–99.

Van Vugt, M., D. De Cremer e D. P. Janssen. 2007. "Gender Differences in Cooperation and Competition: The male-warrior hypothesis". *Psychological Science* 18:19–23.

Van Vugt, M., R. Hogan e R. B. Kaiser. 2008. "Leadership, Followership, and Evolution: Some lessons from the past". *American Psychologist* 63:182–96.

Viding, E., R. J. R. Blair, T. E. Moffitt e R. Plomin. 2005. "Evidence for Substantial Genetic Risk for Psychopathy in 7-Year-Olds". *Journal of Child Psychology and Psychiatry* 46:592–97.

Voegeli, W. 2010. *Never Enough: America's Limitless Welfare State*. Nova York: Encounter Books.

Wade, N. 2007. "Is 'Do Unto Others' Written Into Our Genes?" *Nova York Times*. 18 de setembro, p. 1 do Science Times.

———. 2009. *The Faith Instinct: How religion evolved and why it endures*. Nova York: Penguin.

Walster, E., G. W. Walster e E. Bersche d. 1978. *Equity: Theory and research*. Boston: Allyn and Bacon.

Wason, P. C. 1960. "On the Failure to Eliminate Hypotheses in a Conceptual Task".

Quarterly Journal of Experimental Psychology 12:129–40.

———. 1969. "Regression in Reasoning?" *British Journal of Psychology* 60:471–80.

Weedon, M. N., H. Lango, C. M. Lindgren, C. Wallace, D. M. Evans, M. Mangino, et al. 2008. "Genome-Wide Association Analysis Identifies 20 Loci That Influence Adult Height". *Nature Genetics* 40:575–83.

Westen, D. 2007. *The Political Brain: The role of emotion in deciding the fate of the nation*. Nova York: Public Affairs.

Westen, D., P. S. Blagov, K. Harenski, S. Hamann e C. Kilts. 2006. "Neural Bases of Motivated Reasoning: An fMRI study of emotional constraints on partisan political judgment in the 2004 U.S. presidential election", *Journal of Cognitive Neuroscience* 18:1947–58.

Wheatley, T. e J. Haidt. 2005. "Hypnotic Disgust Makes Moral Judgments More Severe". *Psychological Science* 16:780–84.

Wilkinson, G. S. 1984. "Reciprocal Food Sharing in the Vampire Bat". *Nature* 308:181–84.

Wilkinson, R. e K. Pickett. 2009. *The Spirit Level: Why greater equality makes societies stronger*. Nova York: Bloomsbury.

Referências

Williams, B. 1967. "Rationalism". Em *The Encyclopedia of Philosophy*, ed. P. Edwards, 7-8:69-75. Nova York: Macmillan.

Williams, G. C. 1966. *Adaptation and Natural Selection: A critique of some current evolutionary thought*. Princeton, NJ: Princeton University Press.

Williams, G. C. 1988. Resposta aos comentários em "Huxley's Evolution and Ethics in Sociobiological Perspective". *Zygon* 23:437-38.

Williamson, S. H., M. J. Hubisz, A. G. Clark, B. A. Payseur, C. D. Bustamante e R. Nielsen. 2007. "Localizing Recent Adaptive Evolution in the Human Genome". *PLoS Genetics* 3:e90.

Wilson, D. S. 2002. *Darwin's Cathedral: Evolution, religion, and the nature of society*. Chicago: University of Chicago Press.

Wilson, D. S. e E. O. Wilson. 2007. "Rethinking the Theoretical Foundation of Sociobiology". *Quarterly Review of Biology* 82:327-48.

———. 2008. "Evolution 'for the Good of the Group'". *American Scientist* 96:380-89.

Wilson, E. O. 1975. *Sociobiology*. Cambridge, MA: Harvard University Press.

———. 1990. *Success and Dominance in Ecosystems: The case of the social insects*. Oldendorf, Germany: Ecology Institute.

———. 1998. *Consilience: The unity of knowledge*. Nova York: Knopf.

Wilson, E. O. e B. Hölldobler. 2005. "Eusociality: Origin and consequences". *Proceedings of the National Academy of Science of the United States of America* 102:13367-71.

Wilson, T. D. 2002. *Strangers to Ourselves: Discovering the adaptive unconscious*. Cambridge, MA: Belknap Press.

Wilson, T. D. e J. W. Schooler. 1991. "Thinking Too Much: Introspection Can Reduce the Quality of Preferences and Decisions." *Journal of Personality and Social Psychology* 60:181-92.

Wiltermuth, S. e C. Heath. 2008. "Synchrony and Cooperation." *Psychological Science* 20:1-5.

Wobber, V., R. Wrangham e B. Hare. 2010. "Application of the Heterochrony Framework to the Study of Behavior and Cognition." *Communicative and Integrative Biology* 3:337-39.

Wolf, S. 2010. *Meaning in Life and Why It Matters*. Princeton, NJ: Princeton University Press.

Woodberry, R. D. e C. Smith. 1998. *Fundamentalism et al.: Conservative Protestants in America*. Palo Alto, CA: Annual Reviews.

Wrangham, R. W. 2001. "The Evolution of Cooking." Conversa com John Brockman em Edge.org.

Wrangham, R. W. e D. Pilbeam. 200 1. "African Apes as Time Machines." Em *All Apes Great and Small*, ed. B. M. F. Galdikas, N. E. Briggs, L. K. Sheeran, G. L. Shapiro e J. Goodall, 1:5-18. Nova York: Kluwer.

Wright, R. 1994. *The Moral Animal*. Nova York: Pantheon.

———. 2009. *The Evolution of God*. Nova York: Little, Brown.

Wundt, W. 1907/1896. *Outlines of Psychology*. Leipzig: Wilhelm Englemann. Wynne-Edwards, V. C. 1962. *Animal Dispersion in Relation to Social Behaviour*. Edimburgo: Oliver and Boyd.

Yi, X., Y. Liang, E. Huerta-Sanchez, X. Jin, Z. X. P. Cuo, J. E. Pool, et al. 2010. "Sequencing of 50 Human Exomes Reveals Adaptation to High Altitude." *Science* 329:75–78.

Zajonc, R. B. 1968. "Attitudinal Effects of Mere Exposure." *Journal of Personality and Social Psychology* 9:1–27.

———. 1980. "Feeling and Thinking: Preferences Need No Inferences." *American Psychologist* 35:151–75.

Zak, P. J. 2011."The Physiology of Moral Sentiments." *Journal of Economic Behavior and Organization* 77:53–65.

Zaller, J. R. 1992. *The Nature and Origins of Mass Opinion*. Nova York: Cambridge University Press.

Zhong, C. B., V. K. Bohns e F. Gino. 2010. "Good Lamps Are the Best Police: Darkness Increases Dishonesty and Self-Interested Behavior." *Psychological Science* 21:311–14.

Zhong, C. B. e K. Liljenquist. 2006. "Washing Away Your Sins: Threatened Morality and Physical Cleansing." *Science* 313:1451–52.

Zhong, C. B., B. Strejcek e N. Sivanathan. 2010. "A Clean Self Can Render Harsh Moral Judgment." *Journal of Experimental Social Psychology* 46:859–62.

Zimbardo, P. G. 2007. *The Lucifer Effect: Understanding How Good People Turn Evil*. Nova York: Random House.

Índice

Símbolos

11 de Setembro, 266
!Kung, 280–281

A

adaptações características, 300
admiração, 244
Alan Fiske, 108, 153
alicerces
  autoridade/subversão, 152–153
  cuidado/dano, 141–144
  justiça/trapaça, 145–149
  lealdade/traição, 149–151
  liberdade/opressão, 183–189
  pureza/degradação, 156–164
altruísmo, 145
  paroquial, 250, 283
  recíproco, 145, 192
alucinação consensual, 113
alucinógenos, 245–246
ambientalistas, 162
anomia, 287
aprendizado crédulo, 270–271
arquétipos, 110
assassinatos moralistas, 287
autodomesticação, 185, 227
autoestima, 82
autonomia, 108
autoridade, 152
ayahuasca, 245

B

bar mitzvah, 246
bebês, 66–67
Buda, 261

C

capital
  moral, 310, 313
  social, 254, 310
capitalismo, 162, 189
células-tronco, 162
ciberespaço, 113
ciência moral, 123
classe trabalhadora, 101–102, 107
coevolução gene-cultura, 226, 228–229, 276
comportamento, 96–97
  tribal, 149
comunas, 274–275
comunidade
  criação, 264–265
  moral, 161
conexão muscular, 238, 264
consciência
  estado alterado, 237
conservadorismo, 114
  social, 115
  versus contra-Iluminismo, 309
  versus ortodoxia, 309
contradições, 92–93
contra-Iluminismo, 309
cooperação, 193, 215, 254
  sem parentesco, 274–275
corporações, 253–256
cuidado
  conservadores, 144–145
  liberais, 143–144
cultura
  asiáticos orientais, 103
  cumulativa, 224
  ocidental, 102–103
  WEIRD, 241

D

Dan Ariely, 88–89
dança coletiva, 240
David Hume, 121, 309

David Sloan Wilson, 276
democratas, 92–93
deontologia, 69, 290
desafios adaptativos, 133
deuses, 273–274, 275
dever, 89–90
diversidade, 96, 256
divisão do trabalho, 215, 254
domínio moral, 117
dores, 125

E
Edmund Burke, 309
Emile Durkheim, 177, 241–243
emoções, 70, 133
empatia, 108, 123, 253
escolhas de consumo, 96
espaço social, 110
espírito de grupo, 222
ética, 70
    da autonomia, 105, 156
    da divindade, 106, 111, 157, 163
    de comunidade, 106
    normativa, 290
    violações, 107–108
eussocialidade, 217
evolução cultural, 271

F
fascismo, 258–259
fatos sociais, 241, 265
fé, 272
felicidade, 261
feminismo, 115
filósofos estoicos, 261

G
gado
    domesticação, 225–226
guerras culturais, 111
    nos Estados Unidos, 190–191, 266

H
hábitos alimentares, 120
herança evolutiva, 121
hindus, 109–111
hiperpartidarismo, 295
hipóteses
    da colmeia, 239–240

dos instintos tribais, 226

I
ideia configurada inatamente, 110
ideologia, 296
igualdade, 108, 147
    de renda, 176
igualitarismo, 182, 194
Iluminismo, 121
ilusão, 94
Immanuel Kant, 106, 126
inovações
    biológicas, 225
    culturais, 225–226
instinto social, 208
intencionalidade compartilhada, 221, 222, 225, 252
interesse próprio, 91
intolerância à lactose, 225–226
intuições, 55–57, 74, 97, 122
islã, 266, 276

J
Jeremy Bentham, 125, 162
Jerry Muller, 309
John Locke, 283
John Stuart Mill, 102, 106, 126, 156, 177
julgamentos
    interpessoais, 96
    morais, 107
justiça, 78–79, 191
    social, 189, 196

L
Lawrence Kohlberg, 7, 106
liberalismo, 114
libertários, 197
liderança, 255–258
líderes
    figura divina, 259
    transformacionais, 257

M
machos alfa, 184
máfia, 285
maniqueísmo, 331
marcadores simbólicos, 226
maternidade, 140–141
    solo, 115

Referências

matriz, 113
matriz moral, 221, 225
mero efeito de exposição, 59
modelo intuicionista social, 55
modularidade, 135
monismo moral, 120
moralidade, 212
  definição, 288
  evolução, 129
  natureza humana, 121
  soviética, 229
mormonismo, 276
mutações genéticas, 225

N
nacionalismo, 151
narcisismo, 180
natureza humana, 122
negação plausível, 88
neurônios-espelho, 251
Novo Ateísmo, 266

O
Occupy Wall Street, movimento, 147
ocitocina, 250
onívoros, 158
opinião pública, 83, 91
ordem de importância, 152
ordem espontânea, 326
ortodoxia, 309

P
papel de controle, 152
parasitismo social, 178, 194–195, 207, 209, 217
partidarismo, 94
Paul Rozin, 109, 158
pedidos de justificativas, 101–102
pensamento
  confirmatório, 81
  exploratório, 81
percepção visual, 90, 103
persuasão social, 72
Peter Singer, 106
piercings, 226
Platão, 77–79
pluralismo moral, 117
poder, 152
políticos intuitivos, 80–81

prazeres, 125
primazia do afeto, 58
priming afetivo, 60
princípio da utilidade, 125
Projeto Genoma Humano, 231
proporcionalidade, 147
psicologia cultural, 102, 105
psicopatas, 65
punks, 226

Q
QI (quoeficiente de inteligência), 86
questões éticas, 95

R
raciocínio
  cotidiano, 85–87
  estratégico, 55–57, 97–98
  individual, 96
  moral, 79
  motivado, 90, 95, 172
  post hoc, 58, 204
racionalista, 79
ranking de autoridade, 153
raves, 248–250
razão, 78–79
reatância, 186
reciprocidade, 192
rede de proteção social, 195
reencarnação, 110
religião, 225, 265–268, 272
  definição, 265
religiosidade
  astecas, 245
  evolução genética, 276
  práticas pré-históricas, 281–282
  rituais de transição, 246
  santidade, 275
republicanos, 92–93
repulsa, 64–65
  moral, 109
responsabilidade, 80
respostas genéticas, 226
Revolução Francesa, 296
Richard Dawkins, 211, 266
Richard Shweder, 105, 108, 308
rock, 247–248

S

sacralidade, 159
seleção de grupo, 205, 209
seleção multinível, 207
seleção natural
  grupos, 208–211
  individual, 207–209
semelhança, 256
sentimentos, 122
  sociais, 241
seres sobrenaturais, 110
Simon Baron-Cohen, 123
sincronia, 256
sistema de responsabilização, 80
  da ciência, 91
sistema imunológico comportamental, 158
sistematização, 123–124
sociabilidade, 226
socialismo, 114
sociedades
  cooperativas, 159
  éticas, 79
sociocentrismo, 104
suicídio assistido, 162

T

tabu, 102
tarefa da linha emoldurada, 103
tatuagens, 226
Tea Party, movimento, 147, 190–191
Ted Bundy, 66

teonanacatl, 245–246
teorias
  da colmeia, 249–252
  da equidade, 212
  de altruísmo recíproco, 191
  do apego, 142
  do sociômetro, 82–83
terrorismo, 266, 286
teste de associação implícita, 61
topografia da pureza, 111
traços disposicionais, 299
transcendentalistas, 122
tribalismo, 227, 233–234

U

ultrassocialidade, 217
universalismo, 151
utilitarismo, 69, 290

V

valores da família, 168–172
viés de confirmação, 85, 95
virtude, 77–79, 129

W

WEIRD, 102–103
Wilhelm Wundt, 58
William James, 79

CRÉDITOS DAS ILUSTRAÇÕES

Todas as fotografias e figuras não listadas abaixo foram feitas ou criadas por Jonathan Haidt.

141 Mirrorpix.

146 Emily Ekins.

154 (*em cima*) Originalmente exibida em uma propaganda no jornal *The Nation* e teve a utilização autorizada.
(*embaixo*) Foto de Sarah Estes Graham.

223 © Robert Harding Picture Library Ltd/Alamy.

228 Foto cortesia de Lyudmila Trut, utilizada com permissão.

238 St. Martin's Press.

245 Código Magliabechiano, réplica, Adeva, Graz 1970.

278 Folha original de jornal escaneada por Jonathan Haidt.

294 Permissão obtida de Jeff Gates.

340 © Frank Cotham/*The Nova* Yorker Collection/www. cartoonbank.com.